400

VOYAGES

de

RÊVE

400 VOYAGES de RÊVE

NATIONAL GEOGRAPHIC

SOMMAIRE

Page précédente : Le paysage spectaculaire et envoûtant de Monument Valley, sur le territoire du parc tribal des Navajos, en Arizona, a servi de décor à d'innombrables westerns. Ci-contre : Scène pastorale dans la campagne vallonnée du Derbyshire où quelques « habitants » du cru semblent accueillir les visiteurs.

PARTEZ À LA DÉCOUVERTE DU MONDE

Les Américains adorent faire des listes, et en parcourant les 65 pays qu'il m'a été donné de visiter, j'ai régulièrement noté les expériences qui m'avaient paru les plus passionnantes. Regarder dans les fonds émeraude du Saint-Laurent les dauphins qui jouent autour du bateau se frayant un chemin vers l'intérieur de l'Amérique. Traverser les Highlands écossais dans un train cahotant, à travers les marais et les vallées secrètes aux pentes couvertes de bruyères. Contempler bouche bée, depuis le pont du Star Ferry, l'incroyable enchevêtrement urbain du port de Hongkong. Dériver sur les eaux-mortes de Kerala, dans le sud de l'Inde, en admirant sur le vert des rizières les taches éclatantes des saris. Croiser d'île en île sous le soleil éblouissant de la mer Égée, en sentant vibrer la mémoire des temps anciens. Filer en décapotable sur la Highway 1, le long des splendides côtes de la Californie. Voilà quelques-uns de mes plus beaux souvenirs de voyage, certains vieux de plusieurs décennies et pourtant toujours aussi magiques. Et ce ne sont que quelques-uns des 400 itinéraires rassemblés dans cet ouvrage.

Certains voyages peuvent changer une vie. Préparez-vous à découvrir des routes étonnantes, où le point d'arrivée compte bien souvent moins que le voyage proprement dit. Elles révèlent des paysages d'une incroyable diversité, montagnes et collines, mer et rivières, hameaux et métropoles, que l'on traverse à pied, en voiture, en bateau, en train. Le but de ce livre est de vous donner envie de voyager. Et de le faire hors des sentiers battus, en quête d'expériences authentiques, sans crainte de vous perdre. C'est peut-être cela, voyager : attendre la surprise, la trouvaille. Apprécier la singularité et l'unicité de chaque lieu. Les pages qui suivent vous feront parcourir quelques-unes des plus belles routes du monde. Si vous décidez d'entreprendre le voyage, gardez en mémoire que certaines sont comme des espèces menacées : elles sont fragiles. Prenons garde à ne pas détruire ce que nous aimons le plus. Et il y a tant à aimer dans les lieux que nous vous présentons ici. Alors, en route : partez à la découverte du monde.

Keith Bellows, rédacteur en chef de National Geographic

Ci-contre : Deux moines novices dans les ruines du temple khmer d'Angkor Wat, au Cambodge.

SUR L'EAU

Sur l'eau, le voyage prend une tout autre dimension. Les rivières permettent d'atteindre des endroits secrets, inaccessibles par la route. Vus de la mer, les rivages révèlent des beautés qu'on ne devinerait jamais depuis la terre. Naviguer, ce n'est pas seulement aller d'un port à un autre. Les scènes les plus pittoresques, les noms les plus évocateurs ne sont que le début de l'histoire. Le bateau, la présence de l'eau sont en eux-mêmes une expérience intense. Et que dire des paysages ? À Madagascar, une descente en rafting du fleuve Mangoky vous permettra d'observer le fascinant ballet des lémuriens. Glissant silencieusement sur l'Orénoque, votre pirogue pénétrera au cœur de la forêt amazonienne. Dans la mer Égée, vous suivrez les traces des Grecs anciens et des dieux et des monstres qui les terrifiaient. Fendant la banquise, un brise-glace vous emmènera en Laponie. Dans les Everglades, vous pourchasserez les alligators en hydroglisseur, bateau à fond plat propulsé par une énorme hélice. Sur les cinq continents, il y en a pour tous les goûts, de la croisière confortable au périple aventureux.

Des barques traditionnelles sont à l'ancre dans les eaux turquoise de la mer des Andaman, au large des côtes de la Thaïlande. Elles peuvent vous emmener visiter, en une petite semaine, quelques-unes des 3 500 îles de la région.

ÉTATS-UNIS/CANADA

DE SEATTLE À L'ALASKA

Explorez la côte sauvage de l'ouest du continent américain, avec ses fjords, ses glaciers, ses baleines.

Le bateau double des montagnes qui dépassent 4 500 m, dont les sommets enneigés se reflètent dans les eaux calmes d'un fjord. Des cascades dévalent les pentes, des pygargues à tête blanche planent haut dans le ciel. Le bateau part de Seattle, aux États-Unis, ou de Vancouver, au Canada, avant de mettre le cap au nord sur plus de 1 600 km. Il se faufile dans le Passage Intérieur, un réseau de bras de mers entre la Colombie-Britannique, puis le sud de l'Alaska, et les nombreuses îles qui les bordent. Depuis le pont, un paysage spectaculaire défile sous vos yeux. Près de Ketchikan, tout au sud de l'étroite bande de terre par laquelle commence l'Alaska, des nuages s'accrochent à des falaises de plus de 900 m de haut, qui plongent dans les eaux noires des Misty Fjords. De l'autre côté du Passage se trouve la forêt nationale de Tongass, un écosystème unique au monde : une forêt pluviale, formée de conifères et d'arbres à feuilles caduques pluri centenaires qui bénéficient du climat très humide de la région. Plus au nord, vous entrez dans la baie des Glaciers, où pas moins de seize d'entre eux rejoignent la mer. Ils se brisent dans un grondement assourdissant, quand des blocs de glace millénaires, hauts comme des maisons, plongent dans les eaux. Le bateau s'arrête aussi dans de charmantes petites villes côtières, blotties autour de leur port au pied des montagnes. Chacune révèle des influences différentes : celle des indiens Tsimshian, Tlingit et Haida visible à travers les poteaux totems, celle des colons scandinaves dans les bâtiments rouges, oranges et verts, les restes de la ruée vers l'or du Klondike, et même celle des Russes dans les dômes d'une cathédrale orthodoxe.

Quand ? Les bateaux sont moins bondés en mai et en septembre, le début et la fin de la saison touristique. Le temps est souvent très agréable début septembre.

Combien de temps ? Entre 7 et 14 jours. Choisissez votre itinéraire avec soin : les plus longs empruntent le Passage Intérieur, les plus courts n'en suivent qu'une section et restent plus de temps en Alaska.

Préparation Réservez un an à l'avance pour choisir le meilleur voyage. Les petits bateaux, qui emmènent de 50 à 100 passagers, sont préférables pour profiter tranquillement de la nature.

À savoir Prévoyez des vêtements pour affronter le chaud, le froid et l'humidité. Des jumelles sont utiles.

Internet www.travelalaska.com, www.gngl.com, www.Alaska.com, www.smallshipcruises.com

TEMPS FORTS

■ Une ballade dans l'ancienne forêt pluviale des **îles de la Reine-Charlotte** vous permettra peut-être d'apercevoir le très rare **ours kermode** (aussi nommé ours esprit) qui, malgré sa couleur blanche, n'est pas un ours polaire.

■ **Ketchikan** signifie en tlingit « ailes tonnantes de l'aigle » ; on y trouve la plus grande collection de **poteaux totems** du monde.

■ Observez les énormes **grizzlis** qui pêchent à Frederick Sound. Des **aigles**, des **balbuzards**, des **faucons** planent dans les airs, des orques et des **baleines à bosse** s'ébattent dans ces eaux riches en plancton.

■ Faites un tour en **hélicoptère** jusqu'au **glacier de Mendenhall**, près de Junau, capitale de l'État d'Alaska.

■ Traversez la **baie des Glaciers** en Zodiac, pour voir de près les baleines, les phoques, et admirer les glaciers.

■ L'influence russe est sensible à **Sitka**, sur le Pacifique ; dominée par la **cathédrale orthodoxe de l'Archange Saint-Michel**, la ville possède un **cimetière russe**. Ne manquez pas **Totem Square** et les musées **Isabelle-Miller** et **Sheldon-Jackson**.

■ Le **musée de 1898** et le **cimetière de la ruée vers l'or**, à **Skagway**, vous ramènent au temps du Klondike.

Ci-dessus, à gauche : Un vieux bateau à vapeur à l'ancre à Britannia Beach, en Colombie-Britannique. Ci-dessus, à droite : À Gunakadet (Juneau, Alaska), une sculpture indienne en bois. Ci-contre : Des blocs de glace se détachent des glaciers dans une baie d'Alaska.

L'influence française se devine sur la façade du fameux hôtel de Château Frontenac dominant le Saint-Laurent à Québec.

CANADA

LE SAINT-LAURENT

Sur les eaux pures du grand fleuve canadien, ce voyage captivant à travers la Belle Province et ses villes historiques.

Depuis l'arrivée des premiers colons européens en Amérique du Nord, le Saint-Laurent est l'une des grandes routes fluviales du continent. De la ville de Québec à Montréal, cette croisière suit un itinéraire historique dans un paysage naturel majestueux. Le faible tonnage des bateaux leur permet d'approcher les îles Berthier-Sorel où vous verrez peut-être des hérons bleus. Les oies et les canards migrateurs rejoignent le lac Saint-Pierre tout proche. Quel contraste avec Montréal, métropole moderne où vous pourrez « magasiner » et sortir le soir. En poursuivant vers l'ouest, vous pénétrez dans les chenaux et les écluses du canal du Saint-Laurent : ouvert en 1959, il permet aux navires de haute mer d'aller jusqu'aux Grands Lacs américains. Le spectacle du petit bateau dans ces gigantesques écluses est l'un des grands moments du voyage. Avant de débarquer à Kingston, sur le lac Ontario, vous traverserez les Mille Îles, destination de choix des estivants ; des hors-bord foncent entre les îles, les unes transformées en village, les autres à peine assez grandes pour accueillir une seule maison.

Quand ? De mi-mai à mi-octobre. Début octobre pour admirer les fabuleuses couleurs de l'été indien.

Combien de temps ? 7 jours. Il y a des croisières dans les 2 directions entre Kingston et la ville de Québec.

Préparation Les excursions et les différentes activités sont comprises dans le prix de la croisière. Les eaux sont calmes, les visites intéressantes, la vie à bord est plutôt animée et la nourriture, bonne.

À savoir Cette croisière n'est pas trop guindée, et le bateau est plutôt petit. Prévoyez des lunettes de soleil, un chapeau, une veste légère, des chaussures de marche et éventuellement des jumelles.

Internet www.bonjourquebec.com, www.stlawrencecruiselines.com

TEMPS FORTS

■ **Vieux Québec**, le centre historique de la ville, est inscrit au patrimoine mondial de l'Unesco. Cette ville, l'une des plus belles et des plus anciennes d'Amérique du Nord, mérite une journée de visite, au début ou à la fin de votre voyage.

■ **Montréal** est sans doute la ville la plus dynamique du pays ; les rives du fleuve, bordées de bâtiments du XVIIe siècle, contrastent avec les buildings modernes du centre des affaires.

■ Faites un voyage dans le temps en visitant **Morrisburg**, un musée à ciel ouvert qui recrée la vie dans un village canadien des années 1860.

■ Sur les rivages boisés des **Mille Îles** (plus de 1800 îles d'origine glaciaire), ne manquez pas les charmantes maisons de vacances, dont certaines sont centenaires. Le style médiéval des 120 chambres du **château de Boldt**, sur Heart Island, vous étonnera certainement.

CANADA

LA VOIE NAVIGABLE TRENT-SEVERN

Un classique bien connu des amoureux de la nature
pour partir à la découverte de la nature sauvage du Canada.

De Trenton, sur le lac Ontario, jusqu'aux rives intactes de la baie de Georgie, sur le lac Huron, ce réseau de canaux, de lacs et de rivières forme une route fluviale de 386 km, à la navigation aisée. Située au nord de Toronto, la région comprend des villages charmants, des fermes, mais aussi des gorges rocheuses et des lacs forestiers dont les eaux pures ont la couleur sombre du saphir. Le paysage change constamment, tout comme le rythme du voyage. Il est d'abord très lent dans la section la plus orientale, entre Trenton et Frankford (six écluses sur 10 km, pour gravir un dénivelé de 35 m), puis se fait plus rapide quand vous abordez les eaux dégagées des lacs Kawartha. Là, vous pourrez nager, prendre le soleil, et descendre à terre pour cuire le poisson que vous aurez pêché. Ayez l'œil, vous apercevrez peut-être des daims à queue blanche ou des ours noirs en quête de nourriture dans les forêts alentour. Les canaux sont étroits, vous ne risquez pas de croiser de gros bateaux. Canadiens et Américains y viennent souvent avec le leur, mais vous pouvez en louer sur place. Le choix est vaste, du simple canoë au confortable yacht de 15 m offrant tout le confort d'un hôtel.

Quand ? De fin mai à fin octobre. Fin juin, les journées sont longues et ensoleillées et les nuits restent fraîches. Pour profiter des couleurs de l'été indien, partez de fin septembre à mi-octobre, ce qui est aussi la meilleure saison pour la pêche.

Combien de temps ? En naviguant avec un moteur, il faut environ 7 jours, et près du double en pagayant. Il est possible de raccourcir le trajet de 3 jours, en partant de Peterborough pour arriver au lac Simcoe.

Préparation Les bateaux ne sont pas difficiles à manœuvrer et ils ont souvent toutes les commodités souhaitables. Prévoyez un peu d'argent pour le franchissement des écluses.

À savoir Les loueurs de bateaux vous donneront des instructions précises. Prévoyez des vêtements confortables, des chapeaux, des lunettes de soleil, de la crème solaire et une protection anti-moustiques, éventuellement des chaussures de marche pour partir à l'aventure.

Internet www.happydayshouseboats.com, www.pc.gc.ca

TEMPS FORTS

■ Écoutez le cri du **plongeon huard**, une espèce rare de palmidé, alors que les brumes de l'aube s'éclaircissent.

■ Achevée en 1904, la plus grande écluse du monde se trouve à **Peterborough**. L'ensemble de la voie navigable, avec **ses canaux et ses écluses**, représente un travail d'ingénierie exceptionnel.

■ Baladez-vous dans les rues des **charmantes petites villes** qui bordent le canal, comme **Lakefield**.

■ Pour faire du shopping ou aller au restaurant, arrêtez-vous à **Bobcaygeon** et à **Fenelon Falls**.

■ Ferrez une **perche de 5 livres** dans les eaux cristallines d'un des lacs.

Des bateaux franchissent l'une des nombreuses écluses de la voie navigable.

TOP 10 BALADES EN VILLE EN BATEAU

Mêlez-vous à la population locale et découvrez, en ferry, des points de vue exceptionnels dans certaines des plus belles villes du monde.

❶ Les ferries de Vancouver, Canada

Une armada de ferries ultramodernes assurent la liaison entre Vancouver et les îles de la baie, avec, en toile de fond, d'épaisses forêts d'arbres à feuilles caduques et des sommets enneigés. Le service est plus fréquent en été.

Préparation Si vous comptez visiter la côte de la Colombie-Britannique, achetez un SailPass, valable 4 ou 7 jours sur le site de la compagnie. www.bcferries.com /francais

❷ Le ferry de Staten Island, New York, États-Unis

Vous passez à vive allure devant la Statue de la Liberté et Ellis Island tandis que les gratte-ciel de Manhattan projettent leurs ombres sur les flots. Descendez pour partir à la découverte du quartier le moins connu de la ville, ou restez sur le ferry et rentrez à Manhattan. Le voyage est gratuit !

Préparation Il n'est pas nécessaire de réserver. Un ferry part toutes les 30 min du terminal de Whitehall à Manhattan et du terminal St George à Staten Island. Le trajet est gratuit pour les piétons. www.nyc.gov (recherche : ferries)

❸ Le ferry de San Francisco à Sausalito, États-Unis

Pendant ce voyage de 30 min, vous pourrez jouir de vues imprenables sur le Golden Gate, Alcatraz, Angel Island et toute la ville de San Francisco, en Californie. Prenez le ferry un jour de beau temps : la cité est renommée pour ses brumes et ses brouillards !

Préparation Les ferries partent des quais situés à l'arrière du San Francisco Ferry Building, accessible à pied depuis Market Street. Vous pouvez embarquer votre vélo. www.goldengateferry.org

❹ Le ferry d'Algiers, Louisiane, États-Unis

Ce ferry relie gratuitement le vieux quartier d'Algiers au reste de la ville de La Nouvelle-Orléans, à travers le Mississippi.

Préparation Il n'est pas nécessaire de réserver. Le ferry fonctionne 7 jours sur 7 et il y a un départ toutes les 15 min. www.neworleansonline.com (recherche : ferries)

❺ Le Starr Ferry, Hongkong, Chine

Le trajet entre l'île de Hongkong et le quartier de Kowloon, sur le continent, ne dure que 5 min, mais c'est l'occasion d'un magnifique panorama sur la ville, particulièrement saisissant à la tombée du jour.

Préparation Aucune réservation nécessaire. Selon le moment de la journée, il y a un départ environ toutes les 10 min. www.starferry.com.hk

Prenez le Starr Ferry le soir, rien que pour la vue ! Ce court voyage est l'une des meilleures façons de découvrir Hongkong.

❻ Le CityCat de Brisbane, Australie

Les ferries modernes de Brisbane donnent l'impression de ne pas toucher la surface de l'eau ! Faites un tour sur la Brisbane River, dépassez le pont Story et les parcs de la rive sud. Ces bateaux sont très rapides. Pour un voyage plus tranquille qui vous donnera l'occasion de mieux profiter du paysage, préférez un ferry traditionnel.

Préparation Les tickets fonctionnent par zone et vous permettent d'utiliser tous les moyens de transports municipaux.
www.brisbane.qld.gov.au ; www.translink.com.au

❼ Le ferry sur le Bosphore, Istanbul, Turquie

Depuis le pont du bateau, vous découvrirez la silhouette des minarets et l'architecture raffinée de cette ville qui s'étale sur deux continents. Dégustez un thé tout en admirant certains des plus beaux monuments de la cité, des palais ottomans au pont du Bosphore.

Préparation Les mois de juin à août peuvent être très humides, ceux de novembre à janvier, très froids. Les femmes doivent être vêtues correctement.
www.ido.com.tr

❽ Le vaporetto de Venise, Italie

Les gondoles sont sans conteste plus romantiques, mais si vous voulez faire comme les vrais Vénitiens, prenez le vaporetto ! Vous pouvez vous mettre au diapason dès la sortie de l'aéroport d'où l'un de ces bateaux-bus rejoint le centre et la place Saint-Marc en passant par Murano et le Lido, la plage de la ville. D'autres vaporettos suivent des trajets différents. Prenez-en un pour aller jusqu'au Lido ou sur l'une des îles des environs et découvrir une facette moins touristique de Venise.

Préparation Ne voyagez pas sans billet sous peine d'avoir à payer une amende. Si vous n'avez pas pu prendre votre billet avant de monter à bord, vous pouvez en acheter un auprès du conducteur du bateau.
www.actv.it

❾ Le ferry de Naples à Capri, Italie

Nul n'est besoin de vanter les beautés de la baie de Naples ! Rendez-vous en ferry jusqu'à Capri où vous visiterez la fameuse Grotte Bleue dont les profondeurs sont illuminées par les reflets du soleil. Faites en sorte d'être à Capri pour le déjeuner : de nombreux restaurants jouissent d'une vue splendide sur Naples. Profitez-en pour déguster des spaghettis aux fruits de mer et un verre de vin local, élaboré à partir de vignes élevées sur les pentes de l'Etna.

Préparation Les départs ont lieu depuis le port Beverello, à Naples. Le trajet dure environ 1 h 20.
www.cittadicapri.it

❿ Le Mersey Ferry, Liverpool, Angleterre

Il faut environ une heure aux célèbres ferries rouge et noir de Liverpool pour traverser la Mersey. Inaugurée au XIIᵉ siècle, cette liaison est la plus ancienne du genre en Europe. Vous pourrez aussi prendre un autre bateau pour découvrir l'estuaire de la rivière ou suivre une croisière thématique, comme celle consacrée aux Beatles, originaires de Liverpool.

Préparation Les croisières régulières partent toutes les 20 min du terminal des ferries de Seacombe et de Pier Head.
www.merseyferries.co.uk

Les bateaux à aubes étaient autrefois le premier moyen de transport sur le Mississippi et ses affluents.

ÉTATS-UNIS

LE MISSISSIPPI EN BATEAU À AUBES

Revivez une époque disparue et découvrez le Sud profond à l'occasion d'une croisière sur un bateau à aubes.

L'ouragan Katrina qui s'est abattu sur La Nouvelle-Orléans et sa région en septembre 2005 a défiguré toute la zone, mais il n'a pas empêché les bateaux à aubes de continuer à sillonner le cours inférieur du Mississippi. En remontant le fleuve de La Nouvelle-Orléans à Memphis, vous aurez la chance de faire une croisière « historique » sur le plus grand fleuve des États-Unis, à bord d'un bateau appartenant à une époque révolue mais doté de tout le confort moderne. À bord, les cabines sont spacieuses et la nourriture délicieuse. Le temps s'écoule lentement, vous laissant tout loisir de profiter de l'animation musicale. Vous pourrez admirer les demeures et les jardins d'anciennes plantations et visiter celle de Oak Alley, l'une des plus imposantes. Vous ferez aussi escale à Natchez et à Vicksburg, des lieux où les paisibles rues bordées d'arbres et de belles maisons construites au XIXe siècle par les magnats du coton résonnent de l'écho des musiques d'Elvis et des géants du blues, de Muddy Waters à B.B. King.

Quand ? Toute l'année.

Combien de temps ? Comptez 7 jours pour aller de La Nouvelle-Orléans à Memphis, mais il existe des croisières moins longues.

Préparation Réservez longtemps à l'avance. D'autres croisières peuvent vous emmener beaucoup plus loin dans le bassin du Mississippi au nord, jusqu'à Saint Paul (Minnesota) à l'est, jusqu'à Cincinnati et Pittsburgh sur l'Ohio.

À savoir On s'habille décontracté. Laissez un pourboire pour l'équipage à la fin de la croisière.

Internet www.majesticamericaline.com

TEMPS FORTS

■ Essayez d'assister au moins une fois au **lever du soleil** sur le fleuve.

■ Admirez le **mobilier de style victorien** du bateau et profitez des animations musicales en soirée : **ragtime, bluegrass** et autres musiques traditionnelles sont au programme.

■ On accède à **Oak Alley**, l'une des plus belles plantations de Louisiane, par une avenue bordée de chênes centenaires. La demeure fut bâtie dans le style néoclassique dans les années 1830 pour Jacques Telesphore Roman, membre d'une des familles les plus puissantes de l'État.

■ Avant la guerre de Sécession, **Natchez** était la ville des États-Unis où l'on comptait le plus grand nombre de millionnaires. Ils y ont laissé de magnifiques demeures somptueusement meublées.

■ À **Vicksburg**, le **parc militaire** national commémore le siège de la ville de 1863 qui fut l'une des grandes batailles de la guerre de Sécession.

ÉTATS-UNIS

EVERGLADES EN HYDROGLISSEUR

Partez à la rencontre des alligators à bord d'un hydroglisseur : c'est l'un des temps forts de la découverte des Everglades, en Floride.

AMÉRIQUE DU NORD

Les hydroglisseurs, propulsés par une hélice aérienne installée à l'arrière, constituent le meilleur moyen de se déplacer à travers les Everglades, vaste étendue marécageuse de 64 km de large, ponctuée de cyprès chauves et de mangroves, qui s'étend jusqu'au lac Okeechobee sur plus de 160 km. Les aigrettes et les hérons s'envolent à grand bruit à l'approche des bateaux manœuvrés par des guides qui doivent se frayer un chemin à travers les multiples chenaux de ce véritable labyrinthe. Aucune embarcation n'est équipée de moteur hors-bord, dont les hélices ne manqueraient pas de se prendre dans la vase et les roseaux. Vous voilà bientôt au cœur des Everglades, où vous attend l'hôte le plus célèbre des lieux : l'alligator. Ces redoutables prédateurs vous sembleront plus gros et plus effrayants au fur et à mesure que vous vous enfoncerez dans la nature… Si la balade en hydroglisseur a aiguisé votre curiosité, vous pourrez découvrir des coins plus reculés encore en visitant le parc national des Everglades, où ne circulent que des bateaux non motorisés. Vous aurez peut-être la chance d'y apercevoir l'une des rares panthères de Floride ou un lamantin, mammifère à l'apparence pataude qui vit dans les eaux peu profondes et se nourrit de feuilles de mangrove et d'algues.

Quand ? L'hiver (décembre-avril) est une période agréable, mais il peut faire froid. Entre juin et octobre, c'est la saison des pluies, des moustiques et des ouragans.

Combien de temps ? Vous pouvez faire un tour de 20 min, mais prévoyez au moins 2 h (64 km aller-retour) pour avoir un aperçu complet des paysages et de la faune.

Préparation De nombreuses agences proposent cette excursion et il y a plusieurs embarcadères. Certains bateaux prennent un passager ou deux (pour une balade forte en sensations), d'autres embarquent jusqu'à 24 passagers (conseillé pour profiter du paysage). Vous pouvez aussi louer des canoës-kayaks dans le parc national à Flamingo et au centre d'accueil des visiteurs de Gulf Coast.

À savoir Sur la plupart des hydroglisseurs, on vous prêtera un casque pour amortir le bruit du moteur. En été, n'oubliez pas un produit contre les moustiques.

Internet www.cypressairboats.com, www.airboatusa.com, www.everglades.national-park.com

TEMPS FORTS

■ De nombreuses espèces aviaires – **anhingas**, **grues**, **cigognes**, **spatules rosées** – peuplent la région qui compte aussi des **tortues**, des **libellules**, des **ours noirs** de Floride, des **écureuils fauves**, des **visons** des Everglades.

■ Les **aires réservées au kayak** permettent de découvrir des sites parfaits pour observer les oiseaux, comme **Nine Mile Pound** et **Hells Bay**.

■ Ne manquez pas le **musée Ah-Tah-Thi-ki**, dans la réserve indienne de Big Cypress, consacré à l'histoire des Séminoles, tribu originaire de la région.

■ Certaines **zones de camping** ne sont accessibles qu'en bateau ; vous pourrez y savourer une nuit de solitude au cœur de la nature.

Les hautes herbes des marais, ou marisques, s'écartent au passage des bateaux.

CARAÏBES

Une croisière dans les Caraïbes

Un voyage à bord de navires luxueux, prétexte à découvrir des sites paradisiaques et à faire du shopping hors taxe.

Azur, turquoise, saphir… tous les bleus se sont donné rendez-vous dans les Caraïbes (ou Antilles). Saint-Martin, Antigua, Porto Rico et Anguilla sont parmi les plus belles îles de la région, sans parler des innombrables îlots déserts. Réputées pour leurs plages de sable fin, leurs palmiers qui se balancent sous une brise tiède, leurs récifs de corail aux poissons couleur d'arc-en-ciel et leurs petits ports bercés par le rythme des calypsos, les îles des Caraïbes ont un parfum de paradis. La meilleure façon de les explorer est de naviguer sur un bateau de plaisance, et il en existe une grande variété selon votre budget et votre style de vacances. C'est à bord d'un de ces bateaux à voile de haute technologie que vous trouverez le meilleur de la plaisance : l'intimité, le confort, le romantisme. Sur les paquebots, vous serez à l'aise et vous pourrez même prendre des cours de golf entre deux escales, à moins que vous ne préfériez le karaoké. Mais c'est surtout sur le rivage que vous profiterez vraiment de la magie des Caraïbes. À Saint Thomas, vous pourrez faire du shopping hors taxe, dans des maisons en bois bâties au XVIIe siècle. À Saint-Martin, des restaurants gastronomiques vous attendent sur la côte nord de l'île. Amateurs de plages de rêve, de sports nautiques ou de cocktails à base de rhum, tous trouveront leur bonheur dans ces terres qui sont aussi des lieux de culture, héritiers d'une longue histoire coloniale qui a pris le visage du commerce mais aussi de la piraterie.

Quand ? La plupart des croisières ont lieu toute l'année. La haute saison court de décembre à avril. Évitez la saison des cyclones, en septembre.

Combien de temps ? En moyenne 1 semaine, mais si vous souhaitez visiter davantage d'îles, vous pouvez opter pour des croisières plus longues, de 10 ou 14 jours.

Préparation Si vous avez un emploi du temps assez souple, de nombreuses compagnies offrent des rabais importants pour un départ à la dernière minute. C'est en novembre que vous trouverez les tarifs les plus intéressants.

À savoir Vous pouvez vous habiller sport, mais sur certains navires il est recommandé de porter une tenue plus soignée au dîner. Le soleil des tropiques rend indispensables un chapeau, des lunettes de soleil et de la crème solaire.

Internet www.infoantilles.com, www.windstarcruises.com

TEMPS FORTS

■ **Faites de la plongée sans bouteilles** dans les eaux merveilleuses des **barrières de corail** qui entourent Saint Thomas et Saint-Martin. Faciles d'accès, les récifs révèlent un kaléidoscope de formes et de couleurs : poissons-demoiselles jaune et noir, poissons-clowns orange et blanc, anémones de mer d'un rose éclatant, et les branches de corail, écarlates, qui se balancent.

■ **Faites du shopping** dans des petites villes coloniales comme Charlotte Amalie à Saint Thomas, la charmante Cruz Bay à Saint John ; n'oubliez pas d'aller voir les magasins détaxés de Philippsburg à Saint-Martin.

■ **Baladez-vous à l'intérieur des terres**, loin des touristes. Ces îles d'origine volcanique, à la végétation luxuriante, sont sillonnées de sentiers qui offrent des vues fabuleuses sur la mer.

■ Visitez les magnifiques **jardins botaniques** où s'épanouissent des fleurs tropicales dont des colibris sirotent le nectar, tandis que des perroquets multicolores passent d'arbre en arbre.

Ci-dessus, à gauche : L'alamanda rose fleurit en Guadeloupe. Ci-dessus, à droite : Un bateau de croisière approche des côtes de Virgin Gorda. Ci-contre : Sur l'île Saint John, des forêts luxuriantes donnent sur des plages de sable blanc d'où l'on peut nager jusqu'aux récifs de corail.

SUR LA ROUTE   EN TRAIN   À PIED   VOYAGES CULTURELS   AU PARADIS DES GOURMETS   DANS L'ACTION   DANS LES AIRS   SUR LEURS TRACES

Un canot amarré sur les berges de l'île d'Ometepe. À l'arrière-plan se dresse le volcan de Concepción.

LE LAC NICARAGUA

Véritable mer intérieure, le lac Nicaragua est l'une
des plus vastes étendues d'eau douce du monde.

Entouré de volcans et saupoudré d'îlots couleur d'émeraude, le lac Nicaragua est surnommé la « mer douce » *(mar dulce)*. Séparé du Pacifique par une bande de terre de 16 km de large, il est relié à la mer des Caraïbes par la rivière San Juan. Il est si vaste (8 262 km²) que les conquistadors espagnols qui arrivèrent sur ses berges crurent avoir découvert un nouvel océan. Parmi les 350 luxuriantes îles tropicales qui ponctuent ses eaux scintillantes, ne manquez pas Ometepe, la plus grande. Des plages vierges vous y attendent, au pied des deux volcans jumeaux qui se dressent majestueusement vers le ciel. L'archipel de Solentiname mérite aussi une visite, avec ses 36 îlots couverts de manguiers, où quelques rares habitants partagent un espace confiné avec une incroyable faune sauvage : tortues centenaires, boas, mais aussi iguanes se prélassant au soleil, allongés sur une branche. Un silence absolu règne ici, à peine troublé de temps à autre par le chant d'un oiseau. En parcourant les îles, n'oubliez pas de rendre visite aux peintres dont les toiles naïves glorifient les couleurs des paysages tropicaux. Ils seront ravis de vous accueillir et de vous montrer leur travail.

Quand ? Au début de la saison sèche, de décembre à février, le soleil brille mais la végétation est encore resplendissante grâce aux pluies qui viennent de s'arrêter.

Combien de temps ? 2 ou 3 jours suffisent pour voir les principaux sites ; les trajets entre deux îles prennent rarement plus de 2 h.

Préparation Si vous aimez les souvenirs, prévoyez un sac supplémentaire pour rapporter de la petite ville de Masaya un hamac fait main, ou encore des poteries traditionnelles, que vous pouvez acquérir pour presque rien dans les petits villages autour du lac.

À savoir Pour profiter pleinement de l'atmosphère de la région, passez la nuit sur les îles. Il y a des pensions bon marché et des hôtels sur Ometepe, et vous pouvez aussi trouver une chambre à Mancarrón, dans l'archipel de Solentiname.

Internet nicaragua.dmweb.org, www.nica-adventures.com

TEMPS FORTS

■ Escaladez les pentes envahies par la jungle du **Maderas** (1394 m), un des volcans d'Ometepe. Au sommet, vous trouverez un lac d'eau fraîche et une fantastique vue jusqu'au Pacifique.

■ Parcourez en panga (un canoë motorisé) les canaux forestiers de la réserve naturelle de **Los Guatuzos**, sur la péninsule de Solentiname. Cette mangrove abrite 380 espèces d'oiseaux. La nuit, la lumière des projecteurs révèle des centaines de points rouges à la surface de l'eau : ce sont les yeux des caïmans.

■ Le lac Nicaragua, où abondent espadons et tarpons, est réputé pour **la pêche au gros**. Faites-vous accompagner par un guide pour trouver les bons coins.

AMÉRIQUE DU NORD

VENEZUELA

En remontant l'Orénoque

Entre jungle et marais, cette expédition en canoë conduit
dans le vaste delta de ce fleuve équatorial.

Explorez une partie du delta et remontez l'un des affluents du fleuve, au cœur de l'une des plus grandes régions humides du monde. On n'accède qu'en pirogue ou en canot dans ce labyrinthe inextricable de bras et de canaux où vivent une flore et une faune d'une extraordinaire diversité. La jungle devient mangrove, des lagunes et des marais se mêlent, le fleuve et la terre se confondent jusqu'aux eaux libres de l'océan. Ce monde hybride abrite d'innombrables oiseaux : toucans, aras, perroquets, spatules, jabirus. Des familles de singes, capucins ou singes hurleurs, se déplacent gracieusement d'arbre en arbre, tandis qu'au-dessous d'eux des dauphins d'eau douce, mais aussi des piranhas et des anacondas glissent silencieusement sous la surface de l'eau. Vous rencontrerez aussi les Indiens Waraos. Pêcheurs et chasseurs habiles, ils habitent des *palafitos* (maisons de bois sur pilotis). Vous pourrez découvrir leur mode de vie, leur artisanat, et peut-être goûter la spécialité locale : les larves jaunes qui vivent dans le palmier moriche.

Quand? À la saison des pluies, de mai à décembre, il y a de brèves averses chaque après-midi et le niveau des eaux est plus haut. De janvier à fin mars-début avril, le climat est plus sec, et vous aurez plus de chances d'apercevoir les petits mammifères qui vivent à terre : capybaras (les plus gros rongeurs du monde), fourmiliers, renards. Des voyages sont organisés toute l'année.

Combien de temps? Entre 1 et 3 nuits. Tout dépend du temps que vous voulez passer dans la jungle et de la période durant laquelle vous voyagez : les tours sont plus courts pendant la saison sèche.

Préparation Le degré de confort est variable, selon l'agence qui organise le voyage. On peut dormir soit sur un hamac dans un village warao, ou dans la confortable cabine d'un bateau, avec une salle de bains, l'eau courante et l'électricité.

À savoir Les nuits peuvent être fraîches, notamment durant la saison sèche. Il faut également se méfier des moustiques, prévoir des répulsifs et porter des pantalons, des chemises à manches longues et des chaussettes, surtout au crépuscule et à l'aube.

Internet www.levenezuela.com, http://venezuela.atd.free.fr,

AMÉRIQUE
DU SUD

TEMPS FORTS

■ Visitez un **village warao** et goûtez le pain préparé avec l'écorce du palmier moriche, surnommé par les Indiens «l'arbre de vie». Cette écorce sert aussi à bâtir des maisons et à tisser des hamacs.

■ Faites un tour en bateau sur une **lagune** fermée, dont les eaux noircies par les tanins sont fleuries de jacinthes d'eau.

■ Réveillez-vous à l'aube et prêtez l'oreille aux **bruits de la jungle** : les cris du singe hurleur, le bavardage du capucin, et le chœur endiablé des milliers d'oiseaux.

Des tantales d'Amérique perchés dans un arbre au-dessus des marais du delta de l'Orénoque.

AMÉRIQUE DU SUD

CROISIÈRE SUR L'AMAZONE

Naviguez sur le plus grand fleuve du monde, à la rencontre des Indiens, de la faune sauvage et du monde fascinant de la forêt amazonienne.

En glissant sur les eaux boueuses de l'Amazone, on oublie facilement qu'il s'agit du plus grand fleuve du monde. Prenant sa source dans les Andes péruviennes, il parcourt plus de 6 000 km avant de rejoindre l'Atlantique, peu à peu grossi par des affluents boliviens, équatoriens, colombiens et vénézuéliens. Son bassin draine toute la moitié nord du continent. De grands paquebots de luxe remontent son cours, mais vous pouvez aussi choisir un des bateaux traditionnels à deux ponts. C'est une expérience plus relaxante et plus intime, et ces embarcations présentent aussi l'avantage de croiser plus près des rives, ce qui permet d'admirer à loisir la faune et la flore de la forêt amazonienne. Depuis le pont, vous verrez sur la rive des enfants vous faire des signes amicaux, les pêcheurs jetant leur filet, d'autres pagayant à genoux dans leurs pirogues. À mesure que vous vous enfoncez dans la jungle, la canopée commence à faire écran à la lumière. Vous croisez des petits villages indiens. À terre, vous pouvez vous rendre dans la forêt, qui prend par instant une allure étrange et angoissante, d'une beauté surnaturelle. Des nénuphars géants étalent leurs feuilles à la surface des lagunes. Revenu à bord, écoutez les appels des singes et le chant des oiseaux. Vous pouvez pêcher des piranhas, ou encore, au crépuscule, vous habiller chaudement et partir en canot observer les alligators à demi immergés qui attendent leur proie. La nuit tombe, le bateau suit silencieusement le courant. La forêt bruisse. Une lanterne ou un feu éclaire çà et là les eaux noires du fleuve.

Quand? La saison des crues, en avril et en mai, est la meilleure pour observer les oiseaux et les primates. Entre juillet et février, les eaux sont plus basses : certaines zones sont alors d'un accès plus difficile, mais vous aurez plus de chances d'apercevoir des mammifères venus s'abreuver.

Combien de temps? La plupart des circuits durent 8 jours et sont consacrés au cours inférieur du fleuve.

Préparation Prévoyez absolument des anti-moustiques, des pantalons et des chemises en coton à manches longues, et des sacs en plastique transparent pour protéger de l'humidité vos appareils photo et autres équipements électroniques. Voyagez léger, car la plupart des bateaux imposent un poids limité de bagages.

À savoir Si vous aimez photographier les oiseaux, utilisez un flash, car la forêt peut être très obscure.

Internet www.tourisme-bresil.com, www.amazon-dream.com

AMÉRIQUE DU SUD

TEMPS FORTS

■ C'est au petit matin que l'on peut le mieux observer la **vie sauvage** – dauphins d'eau douce, caïmans, alligators, perroquets et perruches se laissent regarder depuis le fleuve, et en allant à terre vous pourrez apercevoir des singes, des iguanes et des papillons.

■ Brisez la monotonie du voyage en faisant quelques **escales à terre**; la plupart des circuits proposent des visites dans des villages indiens et des randonnées en forêt.

■ Il faut absolument faire un **tour en canoë** sur l'un des affluents du fleuve. Sous un tunnel végétal, vous aurez l'occasion d'observer les plantes et de voir des animaux de très près, et pourquoi pas de pêcher.

■ Attrapez, faites cuire et dégustez les **piranhas à ventre rouge**, comme le font les Indiens depuis des siècles.

Ci-dessus, à gauche : Un ara, photographié à Manaus, au Brésil. Ci-dessus, à droite : De larges feuilles de nénuphar sur les eaux de la Yanayacu, un affluent péruvien du Haut-Amazone. Ci-contre : À Quebrada Pichana, au Pérou, sur le cours supérieur de l'Amazone, les Indiens en canoë vendent leurs produits.

PÉROU

LE LAC TITICACA

Ce voyage de trois jours vous entraîne à travers les îles
du plus haut lac navigable du monde.

AMÉRIQUE
DU SUD

Chaque matin, une flottille de petits bateaux de pêche quitte le port de Puno, sur la rive du lac Titicaca. Passé les canaux ouverts entre les roseaux du golfe de Puno, elle s'égaille sur les eaux claires et bleutées du lac navigable le plus haut du monde. Au début de votre voyage, vous croiserez sans doute des *islas flotantes* (« îles flottantes »), sur lesquelles vivent depuis l'époque des Incas les pêcheurs Uros. Ces énormes radeaux sont faits de roseaux, récoltés sur les hauts-fonds du golfe où ils sont si abondants que Puno en est presque coupé des eaux. Les îles sont régulièrement refaites et retournées, ce qui est l'occasion d'ajouter de nouveaux roseaux. Bordé de plaines arides et entouré de sommets dénudés, le lac est une véritable mer intérieure en plein cœur de la chaîne des Andes. Situé à 3 810 m d'altitude, il est rempli d'eaux provenant du ruissellement pluvial et de la fonte des neiges. De loin en loin, sur les îles naturelles, on observe des cultures en terrasses, soigneusement séparées par des murs de pierres sèches et des haies de cactus, ainsi que des villages. Il y a même ici et là des plages de sable, pour ceux qui auraient le courage de se risquer à nager dans ces eaux glaciales.

Quand ? De mai à septembre.

Combien de temps ? Il y a différents types de circuits qui durent de 1 à 4 jours.

Préparation Il faut vous attendre à des températures très contrastées, avec une chaleur écrasante durant la journée et des nuits glaciales, où le thermomètre frôle 0 °C. Prévoyez de la crème solaire haute protection et des vêtements chauds. Une lampe électrique peut aussi être très utile, car toutes les maisons n'ont pas l'électricité, de même qu'elles ont rarement l'eau courante.

À savoir Vous pourrez facilement vous loger à Taquile, où se trouvent deux hôtels, près de 70 maisons offrant des chambres à louer, et une vingtaine de restaurants. Vous pourrez acheter de la nourriture (très simple) et de l'eau en bouteille à Amantani. Sur les îles, si vous dormez chez l'habitant, vos hôtes apprécieront beaucoup les conserves, en cadeau ou à partager avec eux. N'offrez pas de bonbons aux enfants.

Internet www.peru.info, www.abc-latina.com/perou/titicaca.htm

TEMPS FORTS

■ Passez un peu de temps à **Puno**, le port principal de la rive péruvienne du lac. Vous trouverez dans cette petite ville vivante et cosmopolite des marchés aux couleurs éclatantes, et dans la grande rue, des restaurants où l'on sert des plats péruviens, comme le steak d'alpaga, le rôti de cochon d'inde ou, plus simplement, du poisson frais pêché dans le lac.

■ Chacune des îles a ses propres traditions, ce qui se devine dans les costumes **folkloriques** : très colorés, les châles de laine et les fameux bonnets péruviens sont tissés selon des motifs particuliers à chaque île.

■ Passez une nuit sur les îles naturelles de **Taquile** ou **Amantani**, où vous trouverez à vous loger dans des conditions rustiques, chez l'habitant.

Un pêcheur debout dans son totoro traditionnel se fraye un chemin dans les eaux encombrées de roseaux des hauts-fonds du lac Titicaca.

Dominant la ville de Wushan, un pavillon chinois offre une vue splendide sur le Yangzi Jiang, au débouché de la gorge de Wu, la deuxième des fameuses Trois-Gorges.

CHINE

LES TROIS-GORGES — LE YANGZI JIANG

Sur le plus grand fleuve chinois, découvrez le paysage des Trois-Gorges, entre sites historiques et technologie moderne.

Le fleuve Bleu (Yangzi) prend sa source dans le plateau tibétain de Qinghai et se jette dans la mer de Chine au nord de Shanghai, près de 6 380 km plus loin. Même s'il n'est plus la grande artère commerciale qu'il fut dans la Chine ancienne, il continue de voir passer de nombreux navires, en particulier des yachts de tourisme qui s'aventurent sur le cours de certains affluents pour emmener leurs passagers visiter un temple écarté. Sa section la plus connue se trouve à l'entrée des Trois-Gorges. Dans ce paysage spectaculaire de vallées étroites et encaissées, des bateaux de pêche doublent les lentes péniches qui transportent du charbon. Les voiles jaunes des sampans se détachent sur la coque blanche d'imposants navires de croisière flambant neufs. C'est ici qu'a été achevé il y a peu le plus grand barrage du monde, un mur d'acier et de béton haut de 180 m et large de plus de 1 600 m. Cette merveille de technologie a fait monter le niveau des eaux et a amené à déplacer des temples qui auraient été engloutis…

Quand ? La meilleure saison est le début de l'automne. Avec un peu de chance, votre visite aura lieu pendant la fête des moissons et de la lune.

Combien de temps ? Le voyage commence par 1 h en bus, depuis Yichang. prévoyez 3 ou 4 nuits pour gagner Chongqing, mais on peut faire le trajet en 12 h en empruntant l'hydroglisseur qui relie Sandouping à Wanxian, avec des correspondances en bus pour Yichang et Chongqing.

Préparation Économisez jusqu'à 60 % des frais de voyage en achetant votre billet sur les quais de Yichang ou de Chongqing, au lieu de le réserver à l'avance. Et encore plus économique : empruntez les vieux hydroglisseurs de fabrication soviétique avec les voyageurs chinois.

À savoir La nourriture proposée à bord des navires de croisière de luxe est souvent insipide, et celle des hydroglisseurs est franchement immangeable. Prévoyez plutôt un panier repas.

Internet www.partirencroisiere.fr, www.victoriacruises.com, www.orientroyalcruise.com

TEMPS FORTS

■ L'imposant **barrage des Trois-Gorges**, en amont de Yichang, devrait à terme retenir un lac d'une surface de près de 650 km² qui alimentera une centrale électrique d'une puissance équivalente à 15 centrales nucléaires.

■ Dans les Trois-Gorges **(Qutang, Wu et Xiling)**, votre navire circule entre des falaises spectaculaires, qui rétrécissent le cours du fleuve et accroissent la densité du trafic, obligeant les bateaux à zigzaguer.

■ Ne manquez pas le panorama splendide depuis la pagode de **Shibaozhai**, un temple de bois rouge à quelque 280 km de Chongqing.

ASIE

Un sculpteur sur bois maniant son *adze* sur le rivage du lac Wagu, l'une des nombreuses étendues d'eau de la région.

PAPOUASIE-NOUVELLE-GUINÉE

Le fleuve Sepik

Partez à la recherche d'un monde perdu et découvrez les tribus de Papouasie-Nouvelle-Guinée.

Une légère brume matinale flotte sur le fleuve qui serpente nonchalamment à travers la jungle et les prairies. Sa silhouette se dessinant à contre-jour dans le soleil levant, un pêcheur manœuvre sa pirogue sur les eaux boueuses. Des crocodiles se reposent sur la rive. Haut dans le ciel, un aigle huppé plane dans les courants ascendants. Avec près de 1 130 km de long, le Sepik forme un des plus grands systèmes fluviaux du monde, prenant ses sources dans la Cordillère centrale pour ensuite dérouler d'immenses méandres dans les terres basses du nord du pays. C'est aussi l'un des fleuves les mieux préservés de la planète, sans aucun barrage artificiel ni pollution industrielle. À bord d'un petit bateau de croisière ou dans un canoë motorisé, vous passerez d'un village à l'autre, accueillis en musique par les anciens des tribus. Plus de 300 langues différentes sont parlées dans ce territoire à la superficie proche de celle de l'Espagne, qui témoignent d'une incroyable richesse culturelle. L'art est partout, dans les « maisons aux esprits » qui forment le centre spirituel de chaque village, mais aussi sur les visages peints des anciens, les masques de bois sculptés par les artisans, et même les étonnantes scarifications sur le dos des hommes : réalisées au cours des cérémonies qui marquent l'entrée dans la vie adulte, elles imitent les traces d'une morsure de crocodile.

Quand ? Le climat est chaud et humide toute l'année. Évitez la saison des moussons, qui court de décembre à mars.

Combien de temps ? Le trajet standard dure 4 jours et 3 nuits ; on dort à bord.

Préparation Procurez-vous des kinas, la monnaie locale, avant de partir, car les bureaux de change installés dans les aéroports sont parfois à court d'espèces. Si vous pensez acheter des œuvres d'art ou de l'artisanat, prévoyez des petites coupures.

À savoir Ne négociez pas, ce serait considéré comme une offense. N'offrez pas de présents directement aux villageois, mais laissez plutôt des stylos au chef du village, qui saura les répartir.

Internet www.pngtourism.org.pg

TEMPS FORTS

■ Chaque village a ses propres **traditions artisanales**, et les plus belles pièces – masques, lances et colonnes de bois sculpté – sont conservées dans la maison des esprits (haus tambaran). Dans certains villages, on pourra vous demander de l'argent pour y être admis.

■ Faites un détour pour visiter les **lacs de Chambri**, où pendant la saison des pluies des morceaux de berge se détachent et deviennent des îles flottantes. Les artistes et les artisans locaux sont considérés comme les plus habiles du pays.

■ La Papouasie-Nouvelle-Guinée compte 38 espèces différentes **d'oiseaux de paradis** ; vous pourrez en découvrir et écouter quelques-unes dans la forêt dense qui borde le rivage.

LAOS

Le Mékong

Découvrez les rives brumeuses du Mékong
au rythme lent des bateaux laotiens.

ASIE

Prenant sa source dans les montagnes du Tibet, le Mékong traverse sept pays et parcourt plus de 4 000 km avant de se jeter dans la mer, mais c'est sans aucun doute dans le vert sombre des collines laotiennes qu'il est le plus beau. Évitez les puissants moteurs rugissants des navires rapides et optez pour la nonchalance des bateaux en bois colorés. Une fois habitué au ronron du moteur, vous pourrez passer des heures à rêver en regardant défiler les rizières et les collines couvertes de forêts. Vous ferez aussi des rencontres, car l'inconfort des sièges fait naître des sympathies imprévues. Une brève escale dans un petit village vous offrira l'occasion de vous dégourdir les jambes et d'acheter un peu d'eau et de nourriture. Les plus curieux et les plus courageux pourront aussi visiter plusieurs sites remarquables, comme les tombeaux bouddhistes des grottes de Pak-Ou. Sertis dans une falaise couverte de mousse, des centaines de bouddhas contemplent l'horizon, impassibles dans l'obscurité. Le voyage s'achève à Luang Prabang, une ville à l'architecture métissée, entre influences françaises et tradition laotienne, inscrite au patrimoine mondial de l'Unesco.

Quand ? Entre décembre et février, la saison la plus sèche et la plus fraîche.

Combien de temps ? Il existe de nombreuses possibilités, de 2 jours à 1 semaine. Vous pouvez aussi enfiler un gilet de sauvetage et un casque pour un tour de quelques heures à bord d'un bateau rapide.

Préparation Attendez d'être sur place pour payer votre billet, et achetez-le directement sur la jetée pour obtenir le meilleur prix.

À savoir Prévoyez un coussin, car les sièges peuvent être inconfortables. Il y a des toilettes à bord, mais généralement pas de papier hygiénique. Si vous êtes sensible au bruit, des boules Quiès peuvent être utiles pour atténuer le son lancinant du moteur.

Internet www.visit-laos.com, www.transmekong.com

TEMPS FORTS

■ De nombreux enfants vous feront signe depuis les petits **villages de pêcheurs** sur les rives.

■ **Laissez filer le temps** et perdez-vous dans la contemplation des paysages qui défilent lentement.

■ À Luang Prabang, visitez le **musée du Palais royal**, où l'histoire de la monarchie Lao est évoquée dans un bâtiment mêlant le style traditionnel et le style français.

■ À partir de Luang Prabang, faites un tour de tuk-tuk (rickshaw motorisé) jusqu'aux **cascades de Kuang-Si**, à 25 km.

Près de Luang Prabang, des pêcheurs rentrent pour la nuit, alors que le soleil se couche.

INDE

LES EAUX-MORTES DE KERALA

Suivez les pêcheurs de perles dans les eaux stagnantes de Kerala,
un labyrinthe de canaux, d'îles et de lagunes au sud de l'Inde.

Traversant les forêts luxuriantes de la province de Kerala, d'étroits chenaux débouchent sur de vastes lagunes. Le « pays de Dieu », comme on dit ici, s'étend sur près de 900 km, séparé de l'océan et du reste du sous-continent par des bancs de sable. Cette région entre terre et eau a ouvert l'Inde aux marchands, aux missionnaires et aux envahisseurs venus de l'ouest comme de l'est. De modestes villages de pêcheurs de perles et de tisseurs de coco sont installés sur les berges. Sur les jetées, des balles de fibre de coco attendent les simples embarcations qui les emporteront. Dans les canaux filent les « bateaux-serpents », aux faux airs de gondoles, doublant des barges carrées lourdement chargées et les charmants radeaux des pêcheurs de perles avec leurs voiles cousues à la façon d'un patchwork. De petites églises passées à la chaux se dressent sur les nombreuses îles qui ponctuent les eaux-mortes, à l'ombre de grands cocotiers. La plupart des villageois sont chrétiens, on dit même qu'ils seraient les descendants des Indiens convertis par saint Thomas il y a quelque 2 000 ans… Les visiteurs peuvent jouir de cette atmosphère tranquille à bord d'un confortable kettuvalam, les maisons-bateaux traditionnelles dont certaines ont été modernisées et dotées de l'air conditionné. Faites de planches de jacquier réunies par du coco et pouvant atteindre 25 m de long, elles possèdent un élégant mobilier en rotin.

Quand? Départs quotidiens de novembre à février. Évitez la saison des moussons, de mars à octobre.

Combien de temps? Plusieurs options sont proposées : de 6 à 8 h pour aller de Kollam (Quilon) à Alleppey (Allapuzha), 2 à 3 h de plus pour se rendre d'Allepey à Kottayam, et enfin 2 ou 3 jours pour une croisière plus longue en kettuvalam entre Kochi (Cochin) et Kollam, en dormant à bord.

Préparation L'aéroport international le plus proche est Cochin, où l'on trouve aussi quelques-uns des plus beaux hôtels du pays. Les eaux-mortes sont le paradis des moustiques : il est essentiel de prendre un traitement contre le paludisme.

À savoir Si vous aimez le luxe, voyagez sur un kettuvalam moderne. La plupart disposent de salles de bains, de cuisines, de vastes cabines à deux lits, et d'un équipage de trois ou quatre personnes dont un cuisinier.

Internet keralatourism.org, www.vdm.com, www.incredibleindia.org

ASIE

TEMPS FORTS

■ À Cochin, au coucher du soleil, les silhouettes des **filets de pêche chinois** se détachent comme une toile d'araignée sur le ciel de pourpre. Introduits dans la région il a plus de 500 ans, ils sont toujours en usage aujourd'hui.

■ Sirotez avec une paille le lait translucide des jeunes **noix de coco**, après qu'on vous les a ouvertes d'un coup de machette.

■ Une délicieuse **cuisine indienne** est servie à bord des kettuvalams, préparée par votre cuisinier personnel. N'oubliez pas de goûter les gambas locales.

■ Assistez aux courses de **bateau-serpent**, qui ont lieu un peu partout dans la région à toutes les époques de l'année. Elles sont souvent accompagnées de fêtes très colorées, où vous pourrez peut-être admirer des maîtres pagayeurs traditionnels.

Ci-dessus, à gauche : Lors de la fête des éléphants à Ernakulam, des hommes portent de hautes ombrelles, perchés sur des pachydermes ornés de parures dorées. Ci-dessus, à droite : Un danseur arbore un visage d'un orange éclatant en l'honneur de la déesse Theyyam. Ci-contre : Un homme pagaie dans les eaux-mortes de Kerala, non loin d'Ayiramthengu.

Le soleil levant révèle un incroyable spectacle d'ombres et de lumières sur les contreforts de Milford Sound, ajoutant encore à la majesté du paysage.

NOUVELLE-ZÉLANDE

MILFORD SOUND

Découvrez un monde enchanté de montagnes glacées,
de fjords insondables et de vues à couper le souffle.

En naviguant sur les eaux du fjord de Milford Sound (Piopiotahi en mahori), vous serez saisi par l'immensité de la nature, mais aussi par la brutalité des glaciations qui ont sculpté ce paysage et le reste des fjords de Nouvelle-Zélande. Un simple trajet de deux heures vous fera frôler des falaises de 1 200 m de haut. Vous êtes au cœur d'une étrange région, un paysage de bleu et de vert d'où surgissent comme une cathédrale naturelle les sommets enneigés du pic Mitre (1 694 m) et de ses quatre voisins. Sur leurs pentes, à quelques centaines de mètres de la première neige, des pans de forêt tropicale s'accrochent au rocher. Sous la pluie, le paysage est encore plus fascinant : des cascades apparaissent un peu partout, s'ajoutant aux nombreux torrents qui dévalent les pentes. Et ce n'est pas tout : car autour de Milford Sound s'étend le vaste parc national du Fiordland (12 000 km²). Au sud de Milford Sound, vous trouverez l'anse de Doubtful Sound, plus difficile d'accès mais plus vaste et tout aussi impressionnante avec ses trois bras et ses nombreuses cascades. Le paysage y semble plus serein, moins dramatique. C'est pourtant tout près d'ici, dans les eaux limpides des Norwest Lakes, qu'ont été tournées certaines des scènes les plus palpitantes du film *Le Seigneur des anneaux*.

Quand ? Toute l'année, sachant que pendant la saison des pluies (de juin à août) vous verrez moins de touristes et davantage de cascades.

Combien de temps ? Le trajet dure 2 h, mais en comptant le temps pour rejoindre Milford Sound depuis Te Anau, où se trouvent les hôtels les plus proches, il faut prévoir une journée complète.

Préparation Réservez longtemps à l'avance. N'oubliez pas qu'il s'agit de l'un des endroits les plus humides de la terre : des vêtements imperméables et un parapluie s'imposent. Des crèmes ou des sprays répulsifs sont utiles pour éloigner les mouches des sables, dont les piqûres sont douloureuses.

À savoir Pour éviter les foules, prenez le premier bateau de la journée, ou au contraire réservez un canoë pour contempler tranquillement le crépuscule.

Internet www.fiordland.org.nz, www.newzealand.com/travel

TEMPS FORTS

■ Le trajet de **Te Anau** à Milford Sound emprunte une des plus belles **routes de montagne** du monde, en particulier lorsque, au sortir du **tunnel de Homer** le fjord apparaît en contrebas.

■ Des **grands dauphins** jouent autour de votre bateau. Vous pourrez aussi surprendre des **phoques** à Seal Point, et avec un peu de chance, un **gorfou huppé**, une variété de pingouin.

■ Les **Stirling Falls** font 146 m de haut, et après la pluie, ces chutes d'eau deviennent spectaculaires.

■ Offrez-vous un **tour en avion** autour du fjord, ou encore une **croisière nocturne** qui vous permettra d'apprécier la beauté des lieux quand les touristes sont partis.

AUSTRALIE ET OCÉANIE

FINLANDE

Une croisière en brise-glace

Un inoubliable voyage hivernal sur les eaux gelées de la Laponie.

Voici un voyage qui vous mènera au cœur glacé de l'hiver. Le *Sampo* est un ancien brise-glace reconverti en navire de tourisme. Son port d'attache est la petite ville finlandaise de Kemi, située tout au nord du golfe de Bothnie, ce long bras de la Baltique (725 km) qui sépare la Finlande de la Suède. Chaque hiver, cinq mois sur douze, le *Sampo* emmène des visiteurs découvrir les eaux noires et glaciales du golfe, se frayant un chemin dans la banquise et les eaux libres où flottent des blocs de glace. Rien n'arrête ce puissant navire de 75 m de long, qui peut filer à 8 nœuds en brisant une couche de glace de 50 cm d'épaisseur. Mais il faut vous attendre à de sérieux chocs lorsqu'il se heurte à des couches plus épaisses et les brise avant de reprendre sa route. La plupart des croisières ne durent qu'un après-midi et le soleil se couche très tôt, mais c'est suffisant pour découvrir un extraordinaire monde d'eau, de glace et de neige, sans aucun autre navire en vue. Vous pouvez même, si vous en avez le courage, débarquer sur la banquise et vous glisser dans un trou d'eau, protégé du froid par une combinaison de plongée. À moins que vous ne préfériez un tour à motoneige ou une promenade en traîneau tiré par des chiens, pour rendre visite à une communauté same (lapone), les plus anciens habitants de la région.

Quand ? De décembre à avril.

Combien de temps ? Le trajet dure habituellement 4 h, mais il est possible de passer 1 nuit à bord.

Préparation Le navire n'embarque que 150 passagers et les amateurs sont nombreux : veillez à réserver longtemps à l'avance.

À savoir La compagnie Sampo Tours vous fournira tout ce dont vous aurez besoin pour nager dans les eaux glacées, mais il est recommandé d'emporter des vêtements très chauds, sans oublier des gants, car il fait extrêmement froid sur le pont. Pensez également à prendre des lunettes de soleil : les reflets du soleil et la blancheur des glaces sont aveuglants.

Internet www.sampotours.com, www.visitfinland.com

EUROPE

TEMPS FORTS

■ Une **visite du bateau** vous emmènera dans l'impressionnante **salle des machines**, qui abrite l'énorme moteur du bateau (8 800 chevaux), mais aussi dans la salle des commandes, où vous pourrez regarder les officiers à la manœuvre.

■ Décorés de boiseries et de cuivres étincelants, le restaurant Arctique, le bar du Brise-Glace et le salon du Capitaine vous accueilleront quand vous serez fatigué d'arpenter le pont gelé. Vous découvrirez alors la **nourriture same** traditionnelle, notamment la **viande de renne**.

■ Alors que s'achève la brève journée d'hiver et que tombe la nuit, vous pourrez peut-être assister au spectacle coloré d'une **aurore boréale**, qui illuminera le ciel quelques instants.

Des passagers sur le pont avant du *Sampo* regardent la proue du bateau fendre les glaces dans une lumière éblouissante.

ANTARCTIQUE

DESTINATION ANTARCTIQUE

Un voyage inoubliable vers un paradis de pureté,
à travers les derniers espaces vierges de la planète.

Les silhouettes surnaturelles des icebergs se dessinent sur le ciel bleu, pour certains aussi gros que le bateau, parfois surmontés de phoques faisant une halte. Soudain quelqu'un crie : « Une baleine ! » et aussitôt tout le monde est sur le pont pour regarder le cétacé qui souffle, ou sa gigantesque queue battant les flots avant de s'enfoncer sous la surface. À l'approche des côtes, vous voyez pointer derrière les rochers les pics enneigés de l'intérieur des terres ; ici et là, vous apercevez l'éclat bleuté d'un glacier. Ailleurs, ce sont des falaises de glace qui émergent des eaux extraordinaires, d'un bleu luminescent. Des Zodiac vous emmènent sur le rivage, où vous traversez les colonies de manchots, au comique irrésistible. La péninsule Antarctique, ce long éperon rocheux qui sort du continent en direction de l'Amérique du Sud, est la destination de la plupart des croisières dans cette région. Ce sont des voyages onéreux, et les conditions de vie à bord de ces navires à l'épreuve des glaces sont confortables, voire luxueuses, avec des salons panoramiques, des bibliothèques, voire des salles de sport. Mais pour faire vraiment l'expérience de ces latitudes extrêmes, il faut vous rendre sur le pont et affronter le froid cinglant de l'air glacé, les craquements de la glace, entendre les cris des oiseaux et les vents polaires siffler dans les gréements.

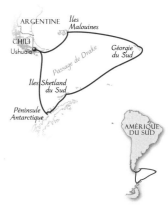

Quand ? La haute saison court de décembre à février, quand grâce à l'été austral la température sur la côte remonte jusqu'entre −5 °C et 5 °C.

Combien de temps ? Les croisières durent de 8 à 29 jours. Les plus longues peuvent passer par la Géorgie du Sud et les Malouines, en faisant un détour pour visiter les colonies de manchots empereurs sur l'île de Snow Hill dans la mer de Weddell.

Préparation La gamme de bateaux s'étend du petit brise-glace pouvant accueillir de 50 à 100 passagers au navire de croisières allant jusqu'à 600 voyageurs, en passant par les croiseurs d'expédition qui en embarquent de 100 à 200. Les petits bateaux vont plus souvent à terre, mais les plus gros sont plus stables dans une mer parfois agitée.

À savoir Quel que soit le navire, emportez des médicaments contre le mal de mer… à tout hasard ! Inutile en revanche de prévoir des manteaux chauds, car la plupart des navires fournissent des vêtements isolants.

Internet www.falklandislands.com, www.gngl.com

TEMPS FORTS

■ Vous pourrez sans doute voir des **baleines à bosse**, des **baleines de Mink** et des orques, ces cousins du dauphin que l'on appelle aussi baleines tueuses.

■ À **Port Lockroy**, sur la péninsule, vit une importante colonie de **manchots papous** ; on en trouve aussi à **Paradise Harbor**, dans un cadre somptueux environné de falaises de glace. À **Half Moon Island**, une île d'origine volcanique, vous verrez des **manchots barbus**.

■ Faites le voyage à la mi-janvier, pour observer les manchots adultes qui s'occupent de leurs **petits encore au nid, ébouriffés et joufflus**. Même s'il est conseillé de ne pas trop s'approcher, la plupart des oiseaux ne semblent pas se formaliser de votre présence : ils se dandinent comme s'ils posaient pour la photo.

■ À bord de la plupart des navires, des **conférenciers** racontent l'histoire des premiers explorateurs ou expliquent la géologie et la faune de l'Antarctique.

Ci-dessus, à gauche : Au large de la péninsule, non loin d'Elephant Island, l'une des îles des Shetland du Sud, des manchots barbus sur un iceberg ; ils doivent leur nom à la bande de plumes noires sous leur bec. Ci-dessus, à droite : Une orque vient respirer à la surface de l'eau. Ci-contre : Un Zodiac se dirige vers les côtes de la péninsule Antarctique.

SUR L'EAU · SUR LA ROUTE · EN TRAIN · À PIED · VOYAGES CULTURELS · AU PARADIS DES GOURMETS · DANS L'ACTION · DANS LES AIRS · SUR LEURS TRACES

À LA DÉCOUVERTE DES FJORDS

Alternant train et bateau, ce voyage d'une journée vous emmène
au cœur des paysages spectaculaires des fjords nordiques.

EUROPE

Les fjords, ces profondes vallées en U creusées dans la roche par le mouvement des glaciers, furent formés il y a trois millions d'années. Le long des côtes occidentales de la Norvège, des centaines de ces vallées marines, souvent étroites et encaissées, s'enfoncent dans l'intérieur des terres. C'est dans le Sognefjord que l'on trouve les paysages les plus remarquables. Le « roi des fjords » est en effet le plus long (204 km) et le plus profond (1 309 m) du pays. Votre petit navire fend ses eaux calmes, dans l'ombre des parois presque verticales, couvertes d'une forêt si sombre qu'elle laisse à peine passer la lumière. Des cascades rebondissent sur les falaises rocheuses. Sur le rivage sont nichés des villages de carte postale, avec leurs maisons de bois rouge et leur petite église blanche. Baignée l'été par la lumière pure du soleil nordique, brillante de pluie l'hiver, la beauté des fjords est une expérience inoubliable. Pour rejoindre la côte, arrêtez-vous à Myrdal sur la ligne de chemin de fer Oslo-Bergen, puis prenez la ligne de Flåm, chef-d'œuvre d'ingénierie qui escalade des falaises abruptes via tout un système de tunnels et de viaducs. Ce trajet d'une heure, l'un des plus beaux qui soient, vous donnera à voir des cascades et des dénivelés vertigineux.

Quand ? Souvent très ensoleillés, les mois d'été, de mai à septembre, constituent la haute saison touristique ; mais les fjords ont une beauté plus sauvage encore pendant les mois sombres de l'hiver.

Combien de temps ? La durée varie en fonction des agences ; comptez 1 à 3 jours si vous voulez visiter Bergen et emprunter la ligne de Flåm.

Préparation Il n'y a qu'une seule classe, aussi bien dans les trains que dans les bateaux. Pensez à vous restaurer dans le petit village de Flåm ; des friandises sont en vente à bord des bateaux.

À savoir L'été norvégien peut être frais, aussi prévoyez une veste chaude afin de pouvoir rester sur le pont pour profiter du paysage. Une paire de jumelles peut être utile, vous apercevrez peut-être des phoques.

Internet www.norvege.no, www.norwaynutshell.com, www.visitnorway.com

TEMPS FORTS

■ Le centre médiéval de **Bergen**, la deuxième ville de Norvège, est remarquablement préservé, en particulier près du port de Bryggen, un site inscrit au patrimoine mondial de l'Unesco.

■ **Naeroyfjord**, le plus étroit de tous, est réputé pour abriter l'un des plus beaux paysages naturels d'Europe. Les eaux bleutées contrastent avec le vert sombre des pins, tandis qu'au loin se dressent les sommets enneigés des montagnes.

■ Si vous avez de la chance, vous apercevrez peut-être des **phoques** allongés sur le rivage.

■ Le petit village de Flåm est un excellent camp de base pour faire du **kayak** : avis aux sportifs !

Près de Flåm, le fjord d'Aurland baigne dans la douce lumière matinale de l'été norvégien.

Des bateaux amarrés sur l'une des 64 îles qui constituent la municipalité de Vaxholm.

SUÈDE

L'ARCHIPEL DE STOCKHOLM

Cette croisière vous permet de découvrir les milliers d'îles
qui entourent la plus belle capitale de Scandinavie.

L'archipel de Stockholm (Skärgåden en suédois) compte 24 000 îles disséminées dans la mer Baltique d'Arholma, au nord, à Landsort, au sud. Une croisière à travers ces voies navigables est l'un des plus beaux voyages à faire en bateau en Europe. C'est aussi un voyage dans le temps qui rappelle l'époque où les hommes prenaient la mer pour six mois tandis que les femmes restaient à terre. Vous pouvez choisir d'effectuer une excursion d'une journée depuis Stockholm ou de naviguer vers le sud, là où les eaux de l'archipel rejoignent celles du large. Vous longerez de longues plages de sable et des zones de forêts tapissées de fleurs sauvages et de champignons ; vous verrez de jolies villas d'été peintes en rouge, comme le veut la tradition. La végétation est plus dense dans la région de l'archipel intérieur, plus protégée. Vous pourrez tenter votre chance et essayer de pêcher un saumon. Vous aurez peut-être la surprise de voir quelques phoques se prélasser sur le rivage. Cette croisière vous permettra aussi d'admirer des maisons cossues, de découvrir des palais et des châteaux chargés d'histoire, et bien sûr, de visiter Stockholm.

Quand ? Les bateaux à vapeur fonctionnent de mai à septembre.

Combien de temps ? De 1 journée à 5 jours.

Préparation Vendu dans les offices de tourisme de Stockholm, le *Båtluffarkortet* est un laissez-passer valable 5 jours qui permet de se déplacer à travers l'archipel. Il n'y a qu'une seule classe. Certains circuits de 1 journée prévoient une escale pour le déjeuner.

À savoir Prévoyez des vêtements imperméables, des produits contre les moustiques et des bouteilles d'eau. Sur les îles de Finnhamn, Grinda, Ränö, Nåttarö et Utö, vous trouverez des installations de camping sommaires. Il n'est pas nécessaire d'avoir un permis pour pêcher depuis le rivage ou d'une petite embarcation. En automne, les journées sont plus longues et plus chaudes dans l'archipel que dans le reste du pays.

Internet www.stockholm.se, ww2.vaxholm.se/turism/eng, www.waxholmsbolaget.com

TEMPS FORTS

■ Embarquez à bord d'un bateau à vapeur comme au XIXe siècle !

■ Baladez-vous à **Vaxholm**, cité du XVIIe siècle et deuxième ville de l'archipel après Stockholm. Vous y découvrirez une citadelle et de belles maisons en bois.

■ Admirez les **belles résidences d'été**, ornées de tourelles et de pignons, qui bordent les îles de l'archipel intérieur près de Stockholm.

■ Après avoir nagé, **reposez-vous** sur l'une des vastes plages de sable de Sandhamn – l'île leur doit d'ailleurs son nom.

EUROPE

LES CANAUX DE SAINT-PÉTERSBOURG

Découvrez au fil de l'eau les fastes de l'ancienne capitale impériale.

EUROPE

Lorsque le bateau débouche dans la Grande Neva depuis le canal de la Moïka, la cité de Pierre le Grand s'offre sous son jour le plus monumental. Les palais et les églises s'alignent le long des voies d'eau marquées à intervalles réguliers par des ponts ornés de lions, de griffons et d'auriges. Sur la gauche apparaît la silhouette du palais d'Hiver, ancienne résidence des tsars. De l'autre côté du fleuve, le bâtiment de l'ancienne bourse du commerce, magnifique construction néoclassique, attire le regard ; sur sa droite, la flèche dorée de la cathédrale saints-Pierre-et-Paul s'élance vers le ciel. Bâtie sur une centaine d'îles et d'îlots, la cité est traversée par un réseau de canaux qui lui a valu d'être baptisée la Venise du Nord. En été, du fait de sa latitude, la ville baigne dans une lumière douce et irréelle : c'est l'époque des fameuses « nuits blanches ». Voulue par Pierre le Grand comme une « fenêtre sur l'Occident », Saint-Pétersbourg fut rebaptisée Leningrad en 1924, après la mort de Lénine, un nom qu'elle a conservé jusqu'en 1991, après la chute de l'URSS. Plus que Moscou, l'ancienne capitale impériale incarne la grandeur et l'esprit de la Russie d'avant la Révolution.

Quand ? Les canaux sont navigables de mai à septembre ; en juin, vous profiterez aussi des « nuits blanches ».

Combien de temps ? La balade ne prend que quelques heures, mais passez au moins 2 jours dans la ville pour visiter l'Ermitage et la forteresse Pierre-et-Paul.

Préparation Faites appel à une agence pour organiser votre voyage en Russie afin d'éviter les tracasseries administratives.

À savoir Évitez de boire l'eau du robinet, vous vous procurerez de l'eau minérale très facilement. L'été, prévoyez un produit anti-moustiques et un masque pour vous protéger de la lumière la nuit car le soleil ne se couche pratiquement pas pendant les « nuits blanches ».

Internet www.russia-travel.com, www.russie.net www.saintpetersbourg.net

TEMPS FORTS

■ Visitez le palais d'Hiver, siège du **musée de l'Ermitage**, l'un des plus beaux musées du monde.

■ Allez voir le **Cavalier de Bronze**, statue de Pierre le Grand qui se dresse à deux pas de la cathédrale Saint-Isaac.

■ Rendez-vous à la **forteresse Pierre-et-Paul** qui abrite une ancienne prison politique, où furent internés Trotski et Dostoïevski. Également située sur le territoire de la place forte, la cathédrale saints-Pierre-et-Paul contient les tombeaux de la plupart des Romanov.

■ Sur l'île Vassilievski, ne manquez pas les **colonnes rostrales**, qui éclairaient autrefois l'entrée du port et sont décorées de figures allégoriques des fleuves russes.

La façade du palais d'Hiver, situé sur les quais de la Neva, prend une teinte dorée dans la lumière du soir.

Le château de Pfalz se dresse sur une île au milieu du fleuve.

ALLEMAGNE

UNE CROISIÈRE SUR LE RHIN

Cette excursion vous entraîne dans des décors de contes de fées : châteaux perchés, forêts denses et petits villages moyenâgeux.

Ce périple de Mayence à Coblence séduit les voyageurs depuis le XIXe siècle. Il faut dire que le Rhin, fleuve romantique par excellence, a toujours inspiré les artistes ; ainsi Richard Wagner, qui a puisé dans les légendes des jeunes naïades et de leurs trésors la matière à composer son célèbre cycle d'opéras *L'Anneau du Nibelung*. Entre Bingen et Coblence, le Rhin parcourt une vallée étroite et encaissée où se dressent un nombre incalculable de châteaux. Tous ces édifices évoquent les princes et les chevaliers qui furent soucieux de protéger leurs territoires et surent s'enrichir en installant des péages sur le fleuve. Les pentes des collines sont ponctuées de jolis petits villages, comme Bacharach, qui doivent leur notoriété au riesling, issu du vignoble local. Ne manquez pas de goûter aux spécialités de la région : gibier, veau, fromages artisanaux, sans oublier le vin !

Quand ? D'avril à octobre.

Combien de temps ? Il faut compter 7 h pour faire le trajet dans un sens mais beaucoup de touristes descendent en cours de route pour faire des visites et n'effectuent qu'une partie du périple.

Préparation Avant d'embarquer à Mayence, achetez un laissez-passer qui vous permettra de monter et de descendre du bateau à votre convenance pendant la journée. Les châteaux ne sont pas tous ouverts au public. Emportez un guide pour connaître l'histoire des lieux et les informations pratiques.

À savoir Prévoyez un coussin car les sièges disposés sur les ponts ne sont pas confortables. En août et en septembre, une fête du Vin se déroule dans presque tous les villages (souvent le samedi) ; la plupart des vins présentés ne sont vendus que dans la région.

Internet www.allemagne-tourisme.com, www.k-d.com

TEMPS FORTS

■ Arrêtez-vous à **Rüdesheim** pour découvrir le château le plus ancien du parcours (IXe siècle) et de nombreuses tavernes.

■ Visitez le **château de Pfalz**, qui se dresse sur une île au milieu du fleuve, non loin de Kaub.

■ Mêlez luxe et histoire en passant une nuit au **château de Schönburg**, dans la ville fortifiée de Oberwesel.

■ Amusez-vous à repérer le **rocher de la Lorelei**, qui surplombe le point le plus étroit du fleuve et d'où, selon la légende, une sirène ensorcelait les marins de ses chansons, provoquant leur perte.

■ Assistez au **Rhin en flammes**, un festival de feux d'artifices qui se déroule en juillet et en août, entre autres à Saint-Goar.

■ Ne manquez pas les **châteaux Katz** (du Chat) et **Maus** (de la Souris), qui se trouvent sur la rive droite face aux ruines du château de Rheinfels.

Top 10 Le long DES CANAUX

Généralement aménagées pour le transport des marchandises, ces voies navigables sont devenues des destinations touristiques.

❶ Le canal de Panamá, Panamá

Prodige technique, ce canal de 80 km qui relie l'Atlantique et le Pacifique est emprunté chaque année par des milliers de bateaux de toutes tailles. Que vous effectuiez un transit partiel ou un transit complet (comptez 1 journée dans ce cas), vous pourrez sans doute naviguer aux côtés d'un énorme cargo et des petits remorqueurs qui le guident à travers les trois écluses à double sens.

Préparation La saison sèche a lieu de novembre à fin avril. www.canalandbaytours.com

❷ Les canaux de l'État de New York, États-Unis

Aménagés au milieu du xixe siècle, ces canaux comprennent 843 km de voies navigables et de chemins de halage entre Albany et Buffalo. Le canal Érié passe par Rochester, où vous pourrez visiter la maison de Susan B. Anthony, célèbre suffragette « made in USA ». Louez un bateau, avec ou sans équipage.

Préparation Les canaux sont navigables de mai au début novembre. www.nyscanals.gov

❸ Le canal de la Baltique, Russie

Au nord-ouest de la Russie, la mer Blanche, prolongement de l'océan Arctique, est reliée à Saint-Pétersbourg, sur la Baltique, par un réseau de 225 km de canaux qui a été construit dans les années 1930 par des prisonniers munis de pelles et de pioches. En route, vous découvrirez des villages traditionnels aux constructions en bois.

Préparation Il s'agit d'un voyage organisé. www.nordictravel.ru

❹ Copenhague, Danemark

Découvrez la capitale du Danemark grâce au réseau de bateaux-bus qui parcourent les nombreux canaux de la ville. Certains permettent d'approcher la statue de la Petite Sirène. Le service est assuré toute l'année ; l'été, les bateaux sont découverts, l'hiver, ils sont couverts d'un toit vitré.

Préparation Achetez un billet qui vous permettra de sillonner les canaux de la ville à votre guise pendant 2 jours. www.canaltours.com/dct/en

❺ Amsterdam, Pays-Bas

Les innombrables canaux qui quadrillent la ville sont bordés d'arbres et de maisons anciennes hautes et étroites. Faites une visite guidée en bateau, dînez sur un bateau de croisière ou, mieux encore, séjournez à bord d'un bateau converti en hôtel. Vous pouvez aussi vous balader à vélo le long des canaux, voire louer un pédalo !

Préparation www.blueboat.nl, www.canal.nl

Pendant la Révolution industrielle, on utilisait des péniches comme celle-ci pour transporter les marchandises sur les canaux. Aujourd'hui, ces bateaux sont parfaits pour explorer les voies navigables à un rythme tranquille.

❻ Le canal de la mer Noire, Roumanie

Achevé en 1984, ce canal de 64 km relie Ruse (Bulgarie), sur le Danube, à Constanta, station balnéaire roumaine de la mer Noire. La voie d'eau traverse le delta du Danube, région à la faune abondante, qui abrite 300 espèces d'oiseaux.

Préparation Cette croisière peut compléter celle sur le Danube. www.romaniatourism.com

❼ Le canal Göta, Suède

Ce canal reliant plusieurs lacs permet de voyager à travers presque toute la Suède, du lac Värnen, près de Gothenberg, à la Baltique. En route, vous passerez 58 écluses : voir l'équipage manœuvrer à cette occasion est toujours impressionnant. Plusieurs types de bateaux empruntent le canal, et vous pouvez opter pour une croisière de quelques heures à… une semaine. Les sportifs n'hésiteront pas à louer un kayak pour faire une petite promenade.

Préparation Faites le voyage en été pour connaître des températures dignes du sud de l'Europe et voir la lumière du jour pendant presque 24 heures d'affilée. www.vastsverige.com (recherche : GÖTA)

❽ Les voies navigables du Brandebourg, Allemagne

Entre Berlin et la Baltique, un réseau de canaux et de lacs permet de découvrir châteaux et villages pittoresques. Dans les endroits les moins profonds, vous verrez des hérons plantés dans l'eau et vous saisirez le reflet irisé des martins-pêcheurs qui traquent leurs proies à la surface des flots. En été, les pêcheurs tentent leur chance sur les berges. Goûtez aux carpes et autres poissons d'eau douce proposés dans les restaurants du coin.

Préparation Dans cette région peu touristique, les habitants parlent rarement une langue étrangère. www.cruisegermany.com/boating-holidays.htm, www.allemagne-tourisme.com

❾ De la Manche à la Méditerranée, France

Les quelque 8 000 km du réseau de canaux français permettent de sillonner le pays pratiquement dans tous les sens, tout en découvrant au passage ses villes et ses villages. Dans le Sud, le canal du Midi traverse une région de vignobles et de charmantes bourgades, généralement facilement accessibles depuis la voie d'eau. Accostez aux abords d'une petite ville, puis allez déguster les spécialités régionales et les vins du coin. Dans la plupart des villes, un marché a lieu au moins une fois par semaine : faites des provisions.

Préparation Les loueurs de péniche vous apprendront à manœuvrer votre bateau avant de vous laisser partir à l'assaut des canaux. www.vacancesfluviales.com, www.rive-de-france.com

❿ Le canal de Shropshire Union, Angleterre

Dans sa portion nord, ce canal des West Midlands serpente à travers un paysage doucement vallonné. Au sud de Nantwich, il suit une ligne presque droite à travers des collines et des vallées encaissées. Tout comme les péniches aux couleurs vives qui le sillonnent, l'ouvrage rappelle l'époque de la révolution industrielle. Aujourd'hui, les bateaux se déplacent très lentement afin que leur sillage n'endommage pas les berges.

Préparation Partez entre mai et octobre pour jouir du meilleur climat. www.waterscape.com

UNE CROISIÈRE SUR LE DANUBE

Ce voyage à travers un fleuve chargé d'histoire permet de découvrir deux des plus belles villes d'Europe : Vienne et Budapest.

De la forêt Noire à la mer Noire, le « beau Danube bleu » sillonne le cœur de l'Europe, traversant zones rurales, petits villages et cités actives, vignobles et collines boisées. Cependant, le grand intérêt de cette croisière consiste à pouvoir faire escale dans les grandes villes situées sur le cours du fleuve et à passer sans transition du bateau aux rues animées ponctuées de boutiques raffinées et de belles constructions. Les croisières les plus courtes vous entraînent à Vienne, grand centre culturel, et à Budapest, la « perle du Danube ». Dans la capitale hongroise, ne manquez pas de vous balader à Váci utca, une artère commerçante piétonnière où s'alignent magasins branchés et édifices du XVIIIᵉ siècle parfaitement conservés. Certaines croisières font également escale dans la capitale de la Slovaquie, Bratislava, et en Autriche à Durnstein, où vous verrez les ruines d'un château du XIIᵉ siècle dans lequel Richard Cœur de Lion fut retenu prisonnier, ainsi qu'à l'abbaye bénédictine de Melk. Rendez-vous enfin à Eztergom pour découvrir la plus grande cathédrale de Hongrie, qui recèle un trésor fabuleux.

Quand ? La plupart des croisières ont lieu entre avril et octobre, mais certaines se déroulent en décembre, pendant les vacances de Noël.

Combien de temps ? Entre 7 et 14 jours aller-retour entre Passau (Allemagne) et Budapest. De nombreux voyagistes proposent de prolonger le périple par quelques jours dans des villes voisines, comme Prague et Munich.

Préparation Emportez des vêtements à superposer et de quoi vous protéger des intempéries, car le temps en Europe centrale est très changeant. N'oubliez pas de vous munir de chaussures confortables pour parcourir à pied les différentes villes.

À savoir N'oubliez pas les pourboires pour l'équipage en établissant votre budget : prévoyez 4-5 euros par jour.

Internet www.croisierenet.com, www.rivernet.org

TEMPS FORTS

■ La gare fluviale de Budapest se trouve à 5 min à pied du célèbre **marché central**, grande halle couverte dont les étals débordent de bons produits. Vous y trouverez aussi un grand choix de souvenirs artisanaux.

■ Pour les amateurs de musique classique, une **soirée à l'Opéra** ou un **concert** à Vienne reste une expérience inoubliable.

■ Les **pâtisseries viennoises** sont délicieuses ! Goûtez à tout prix à la sachertorte, gâteau fourré à l'abricot et recouvert d'un glaçage au chocolat, par exemple chez Demel Konditorei, Kholmarkt 14, une boutique à l'ancienne où l'on trouve aussi d'incroyables sujets en pâte d'amande.

Le soleil se couche sur le Parlement de Budapest. Au loin, on aperçoit l'île Marguerite, qui se trouve au milieu du Danube, entre Pest et Buda.

Les drapeaux flottent sur les quais de Menaggio, joli petit port sur lac de Côme.

ITALIE

La région des Lacs

Paisibles flots bleus, sommets couronnés de neige et belles villas pour ce voyage de charme aux frontières de la Suisse et de l'Italie.

Le lac de Côme, le lac de Lugano et le lac Majeur attirent les touristes depuis le xviie et le xviiie siècle, époque où la région des Lacs est devenue une destination prisée des Européens fortunés. Les rives de ces grands lacs sont ponctuées de petites villes et de villages qui possèdent beaucoup de charme avec leurs maisons coiffées de tuiles en terre cuite. Certains coins, comme Bellagio, sur le lac de Côme, comptent un grand nombre de villas plus belles les unes que les autres, construites au fil des siècles par de riches Italiens ; la tradition remonte à l'époque romaine, lorsque la région commença à devenir un lieu de villégiature estivale. Tout au long de l'année, les bateaux de croisière partagent ces eaux calmes avec les canards et les cygnes. L'animation de Milan semble bien loin dans cette atmosphère sereine : l'air est pur, les flots scintillent, les montagnes marquent l'horizon. De retour sur la terre ferme, lancez-vous dans une promenade à vélo ou une randonnée. Les moins sportifs pourront se contenter d'une balade à travers les rues des différents villages.

Quand ? C'est au printemps et en été que le climat est le meilleur, mais l'automne, souvent clément, est aussi une période de moindre affluence. En hiver, la neige qui recouvre les sommets ajoute un certain charme.

Combien de temps ? Tout est possible. La durée du voyage dépend du lac et de l'itinéraire que vous aurez choisis.

Préparation À Côme et à Bellagio, de nombreuses compagnies de navigation proposent des excursions en ferry ou en hydrofoil sur les lacs. Vous pouvez acheter les billets juste avant le départ des bateaux. Vous n'aurez aucun mal à trouver où vous loger dans la région.

À savoir Si vous allez aussi du côté suisse, n'oubliez pas que la monnaie du pays est le franc suisse ; l'euro y est cependant généralement accepté.

Internet www.enit.it

TEMPS FORTS

■ Visitez les **magnifiques villas entourées de jardins**, anciennes propriétés des ducs de Lombardie. Ne manquez pas la villa Carlotta, à l'extérieur de Tremezzo, où vous découvrirez Cupidon et Psyché, chef-d'œuvre du sculpteur Canova.

■ Traversez le lac Majeur ou le lac de Lugano pour faire une petite excursion en **Suisse**.

■ Baladez-vous dans les étroites ruelles de la vieille ville médiévale de **Côme** et visitez la basilique San Fedele.

■ Parcourez la montagne **à pied** ou **à cheval** en été ; profitez des **stations de ski** en hiver.

TOP 10 CROISIÈRES À VOILES

Passez quelques heures ou deux semaines en haute mer et faites l'expérience grisante de la navigation à voile.

❶ Les grands voiliers de Nouvelle-Écosse et du Labrador, Canada

Du vent fait claquer les voiles des *tall ships* qui croisent le long des côtes canadiennes. Le voyage dure jusqu'à une semaine, et sur certains bateaux vous pouvez jouer les mousses. Le bateau fait escale dans des anses bien protégées où il est possible de faire du kayak, de la randonnée, ou cueillir des baies sauvages.

Préparation De juin à septembre; des croisières de 4 et 7 jours sont proposées. www.canadiansailingexpeditions.com

❷ Les Caraïbes en cap-hornier

Du vent dans vos cheveux, le grand soleil, et sous vos pieds, le teck du pont… Les grands voiliers de la marine marchande ont été reconvertis en navires de croisière, suffisamment vastes pour que les passagers y jouissent d'un certain confort, assez petits pour pouvoir se faufiler dans les baies désertes. Relaxation et sports nautiques à bord, aventure à terre : la plupart des voyagistes proposent des circuits dans la forêt pluviale en 4X4 et d'autres activités.

Préparation De novembre à juin. www.windjammer.com

❸ Le bateau pirate à Grand Cayman, Caraïbes

Cette croisière destinée aux petits comme aux grands se déroule sur une réplique de galion espagnol du xvᵉ siècle, avec canons, escrimeurs, et l'inévitable planche au-dessus des flots, de laquelle on précipitait les prisonniers !

Préparation De novembre à juin. www.jollyrogercayman.com

❹ La Polynésie française en clipper

Croiser dans ces îles paradisiaques, voilà un rêve qui peut se réaliser. Ce voyage au départ de Tahiti dure 7 jours. Le bateau fait escale à Huahine, Bora-Bora, Moorea et dans d'autres îles. Équipé de tout le confort moderne, le navire possède néanmoins le charme des grands voiliers du xixᵉ siècle.

Préparation www.tahiti-tourisme.pf, www.cruisematch.com.au

❺ La mer d'Andaman en jonque, Thaïlande

Les oiseaux rares, les plages romantiques et les fameux pains de sucre calcaire sont quelques-uns des nombreux attraits du parc marin de la mer des Andaman, avec ses 3 500 îles, que vous pouvez découvrir en 6 jours, de Krabi à Phuket. Ce n'est pas une croisière de luxe : il vous faudra partager les douches et les toilettes.

Préparation Les navires croisent dans les deux directions d'octobre à avril. www.discoverythailand.net/krabi_tour/chousing.html

Naviguer à bord d'un voilier est une manière relaxante de découvrir les îles des Caraïbes, la richesse de leur histoire et la beauté de leurs plages cachées.

❻ La baie d'Along, Vietnam

Située au nord du pays, cette baie, dont le nom signifie en vietnamien « la descente du dragon », est parsemée de quelque 3 000 îlots escarpés, étrangement sculptés dans le calcaire. On y croise de petits villages flottants et des plages désertes. Au début du printemps et à la fin de l'été, les eaux sont particulièrement claires et calmes. Choisissez une jonque pour visiter ce site inscrit sur la liste du patrimoine mondial de l'Unesco.

Préparation De novembre à avril. www.vietnamtourism.com

❼ Les Seychelles

Louez un yacht pour explorer les îles vierges des Seychelles, réputées pour leurs eaux claires et leurs récifs de corail. Vous pouvez embaucher un skipper et un équipage, mais les navigateurs expérimentés préféreront sans doute prendre les commandes. Les itinéraires habituels courent sur 7 ou 8 jours, selon les vents.

Préparation Il est possible de louer des bateaux à Victoria, sur l'île Mahé, ou dans la baie Sainte-Anne, sur l'île Praslin. www.indianocean-adventure.com

❽ Le détroit d'Ormuz, Oman

La péninsule de Moussandam, située au nord du sultanat, s'avance dans les eaux du détroit d'Ormuz, qui commande l'entrée du golfe Persique. Les montagnes s'élèvent droit au-dessus de la mer, formant de petites anses qui évoquent les fjords norvégiens et leurs villages inaccessibles par la terre. Une croisière en boutre, navire traditionnel de bois à la forme allongée, vous permettra de nager et de plonger pour explorer les très riches fonds marins de cette côte spectaculaire.

Préparation D'octobre à avril. www.msaoman.com

❾ L'île de Lamu, Kenya

Au large des côtes kenyanes, quelques degrés au sud de l'équateur, l'île tropicale de Lamu fut, comme en témoigne son patrimoine architectural, un port de commerce où se croisaient explorateurs et marchands arabes, africains et européens. Différents voyages en boutre permettent d'explorer l'archipel auquel elle appartient. En 3 heures, vous pouvez vous rendre à l'île de Manda, à moins que vous ne préfériez une croisière au clair de lune en dégustant un homard. Sur certains bateaux, vous pouvez même cuisiner vous-même le poisson que vous avez pêché.

Préparation De décembre à avril. http://archives.arte-tv.com/hebdo/voyage/001012/ftext/index.htm

❿ Les côtes d'Eubée, Grèce

Séparée du continent par un étroit chenal qui ne dépasse parfois pas 40 m, Eubée est la deuxième île grecque en superficie. Sa côte orientale, où de longues plages alternent avec des falaises escarpées, donne sur des montagnes parsemées de villages et de monastères. En cabotant le long des côtes d'Eubée dans un caïque, ces bateaux de bois encore utilisés par les pêcheurs, vous pourrez profiter des anses et des plages les plus secrètes, aborder sur l'île privée de Petali, ou encore explorer l'intérieur de l'île. Faites le voyage avec un groupe de six ou huit amis ; le bateau est conduit par un capitaine et son équipage.

Préparation De mai à octobre ; à la fin de l'été le vent peut être violent. www.la-grece.com

Quelques yachts dans le joli port de plaisance de Baska Voda, non loin de Makarka.

CROATIE

LA CÔTE DALMATE

Ce littoral qui recèle certaines des îles les plus belles de l'Adriatique est l'occasion d'une croisière merveilleuse.

De l'archipel de Zadar, au nord, à Dubrovnik et aux îles Élaphites, au sud, les innombrables îles et îlots qui bordent la côte dalmate possèdent un charme authentique et préservé qui les rend uniques en Europe. La région se caractérise par des montagnes déchiquetées et un littoral découpé parsemé de villages entourés de pinèdes et de plages de galets blancs qui scintillent sous le soleil. Il y aurait plus de 1 000 îles en Croatie ; celles de la côte dalmate sont parfois longues et étroites, ou de forme parfaitement circulaire ; les unes ne sont que des cailloux émergeant d'une mer turquoise, les autres, couvertes d'une abondante végétation, abritent de paisibles stations balnéaires et de jolies marinas. La vision des nombreux voiliers qui sillonnent les eaux et mouillent dans les petits ports de la région ne manquera pas de réveiller le marin qui sommeille en vous. Sur chaque île, vous pourrez continuer à profiter des nombreuses possibilités d'activités nautiques : kayak, planche à voile, plongée… Ne manquez pas de passer un peu de temps à Dubrovnik, l'ancienne Raguse, la « perle de l'Adriatique », et de flâner le long des murailles de la vieille ville, d'où la vue sur la cité et la mer est splendide.

Quand ? De mai à septembre mais oubliez août si vous voulez éviter la foule.

Combien de temps ? Le littoral de la Croatie s'étend sur 2 000 km et offre un grand nombre de centres d'intérêt sur la portion dalmate. Si vous disposez de peu de temps, privilégiez la côte entre Split et Dubrovnik.

Préparation Vous pouvez vous déplacer entre les îles en ferry ou à bord d'un yacht ou d'un voilier, loué avec ou sans équipage. L'archipel des Kornati est idéal pour les marins débutants.

À savoir Plusieurs papiers sont nécessaires pour naviguer sur les eaux croates, et notamment une vignette officielle qui doit être toujours visible.

Internet www.ot-croatie.com, www.jadrolinija.hr

TEMPS FORTS

■ Écoutez la « musique » de l'**orgue maritime de Zadar**, dont les sons résultent du mouvement des flots.

■ Rendez-vous sur l'île de **Brac**, connue pour ses carrières de pierre (le matériau a été utilisé pour la Maison Blanche de Washington) et le cap d'Or, paradis des amateurs de sports nautiques.

■ Sur l'île de **Hvar**, aux collines couvertes de lavande et de pins, ne manquez pas la petite cité de Jelsa, pleine de charme avec ses constructions de style vénitien et ses ruelles où sèchent les filets des pêcheurs.

■ Visitez l'île de **Vis**, connue pour ses paysages magnifiques, ses bons vins et ses sites de plongée, et l'île de **Mijet**, réputée pour ses parcs naturels.

TURQUIE

LA CÔTE TURQUOISE

Loisirs et culture sont au rendez-vous pour ceux qui ont la chance de découvrir le littoral sud-ouest de la Turquie.

Les eaux de la bien nommée côte Turquoise sont bordées de montagnes aux contours déchiquetés, formant une succession de chaînes qui s'enfoncent jusqu'au cœur de l'Asie Mineure. La côte lycienne, péninsule au sud-ouest de la Turquie, est ponctuée de témoignages des civilisations qui se sont succédé ici depuis plus de quatre millénaires, des Hittites aux Grecs, des empires romain, byzantin et ottoman aux chevaliers de l'ordre de Saint-Jean. Construites dans les chantiers de Bodrum ou de Marmaris, les goélettes à deux mâts qui parcourent ces eaux depuis des siècles sont des embarcations de 15 ou 25 m, dont beaucoup ont été transformées en luxueux bateaux de croisière. La plupart longent la côte de Fethiye à Kekova ; elles mouillent dans de petits ports, jettent l'ancre pour la nuit dans des criques isolées ou s'aventurent dans les eaux territoriales grecques jusqu'à la lointaine Kastellorizo, une île aux maisons pastel. À bord, l'équipage s'occupe de tout et se tient prêt à vous servir boissons et repas, voire à disputer une partie de backgammon !

Quand ? De juin à octobre pour le meilleur ensoleillement.

Combien de temps ? 1 semaine aller-retour.

Préparation De nombreux vols charters desservent Dalaman depuis l'Europe. Vous pouvez participer à une croisière « tout compris » organisée par une agence de voyages, ou affréter une goélette (groupe de 10 personnes maximum).

À savoir La plupart des goélettes comptent quatre membres d'équipage (skipper, matelot, ingénieur, cuisinier) et sont équipées de cabines confortables avec salle de bains complète. Il peut être plus facile d'aller en Turquie depuis une des îles grecques voisines (Kos, Rhodes), en prenant un vol charter puis un ferry jusqu'à un port turc (par exemple, Bodrum depuis Kos ou Marmaris depuis Rhodes).

Internet www.lycianlegacy.com, http://medturk.com

TEMPS FORTS

■ Amusez-vous à repérer les **poissons volants** lorsqu'ils bondissent autour des bateaux.

■ La côte lycienne compte un grand nombre de **sites antiques** très bien conservés. Des excursions sont organisées par l'équipage. La visite des ruines de la cité de Xanthus est particulièrement intéressante.

■ Au large de Kekova, découvrez en plongeant avec des palmes et un tuba les **ruines sous-marines d'Appolonia**, ville de l'époque hellénistique enfouie sous les eaux après un tremblement de terre.

■ Savourez les copieux **petits déjeuners** « à la turque » qui sont servis à bord : café, yaourt, miel...

La goélette *(gulet)* est une version moderne des bateaux de marchandises qui sillonnaient autrefois le littoral du sud-ouest de la Turquie.

SAUTS DE PUCE DANS LES CYCLADES

Champs d'oliviers, villages blancs, moulins à vent et églises coiffées de coupoles bleues : voilà quelques-uns des éléments qui font tout le charme des Cyclades.

Les colonnes d'un temple en ruine qui se dressent dans le ciel azur, des maisons immaculées qui scintillent sur les collines, une plage de sable fin léchée par les flots calmes de la mer Égée… Vous êtes bien dans les Cyclades, archipel grec qui s'étire de Ándros, au nord, à Santorín, au sud, et permet à chacun de composer le séjour de ses rêves. Chaque jour, des dizaines de ferries relient les îles entre elles et au continent. À vous de choisir si vous voulez vous installer sur l'une d'elles pour découvrir ses voisines, ou si vous préférez poursuivre le voyage. Chaque île – il y en a plus de 200, mais beaucoup ne sont que des cailloux inhabités – possède une atmosphère différente, et, là encore, vous choisirez votre destination selon vos désirs. Amateurs de vie nocturne, rendez-vous à Mykonos. Curieux d'histoire et d'archéologie, visitez Délos, sa voisine, berceau d'Apollon et de sa sœur jumelle Artémis, selon la mythologie ; vous y verrez de nombreux vestiges, parmi lesquels la terrasse des Lions, allée bordée de statues de lions en marbre, et la maison des Dauphins, qui abrite de somptueuses mosaïques. À Folégandros, plus au sud, vous vous baladerez à travers le labyrinthe de ruelles d'un village perché au sommet d'une falaise dominant la mer. À Santorín (Théra), vous découvrirez un vaste cratère, résultat d'un séisme survenu il y a plus de 6 000 ans, d'où l'on peut admirer l'une des plus belles vues de tout le pays. Magnifiques couchers de soleil garantis !

Quand ? De début juin à la mi-octobre, mais évitez la semaine du 15 août.

Combien de temps ? Entre 2 et 4 h pour aller d'une île à l'autre, selon que vous voyagez à bord d'un hydrofoil, d'un catamaran ou d'un ferry (le plus lent).

Préparation Vous pouvez acheter votre billet jusqu'à une heure avant le départ dans les bureaux de vente des compagnies maritimes que vous trouverez dans tous les ports, mais en saison, mieux vaut prendre les billets le jour précédant le voyage. À l'arrivée des bateaux, des représentants des différentes pensions ou des particuliers viennent proposer des chambres à louer. Faites une réservation préalable si vous souhaitez un hôtel plus luxueux.

À savoir Sur les ferries, on vous proposera toute une gamme de places allant du fauteuil inclinable à la cabine de 1re classe avec couchettes. Emportez vos bouteilles d'eau et de quoi grignoter pour les voyages les plus longs.

Internet www.gnto.gr, www.iles-cyclades.com

TEMPS FORTS

■ Prendre le ferry fait partie des charmes du voyage. Montez à bord des **ferries traditionnels** pour profiter des paysages. Les hydrofoils sont plus rapides mais ne permettent pas de prendre place à l'extérieur.

■ Explorez **Tínos** par les chemins muletiers, avec pour seule compagnie celle des chèvres, des papillons et des lézards. Sur l'île, l'**église de la Panaghia Evangelistria** est un lieu de pèlerinage très fréquenté. Elle abrite une icône de la Vierge qui serait dotée de pouvoirs miraculeux.

■ Nagez, plongez avec un masque et un tuba, lézardez au soleil sur les grandes plages de **Mykonos** (souvent bondées) ou dans les petites criques de **Tínos** et **Folégandros**.

■ Le littoral de **Náxos**, la plus grande des Cyclades, est envahi par les hôtels, les bars, les boutiques pour les touristes. Découvrez l'intérieur de l'île, planté d'**arbres fruitiers** et d'**oliviers**, ponctué de **vieux villages** dominés par le **mont Zas**, point culminant de l'archipel.

■ À **Santorín**, rendez-vous sur les bords du cratère de l'ancien volcan à dos d'âne ou en téléphérique, un moyen de transport plus rapide et plus confortable !

Ci-dessus, à gauche : Les ânes sont toujours utilisés dans ces îles au relief accidenté. Ci-dessus, à droite : Le portique du temple inachevé d'Apollon à Náxos. Ci-contre : Dominant les flots azur de la mer Égée, le clocher d'une des églises du village d'Oia, sur l'île de Santorín, est baigné par la lumière du soleil couchant.

À Assouan, les felouques, gracieuses embarcations qui évoquent des oiseaux glissant au fil du Nil, transportent aussi bien les touristes que la population locale.

ÉGYPTE

LE NIL EN FELOUQUE

Sillonnez le fleuve sacré d'Égypte à bord d'une felouque traditionnelle pour découvrir certains sites antiques du pays.

Entre Assouan et Louqsor, le Nil parcourt 200 km, à travers des paysages où s'alignent des témoignages architecturaux d'un passé glorieux. Cette croisière à bord d'une felouque, petit bateau à voile traditionnel, est la meilleure façon de les découvrir. Porté par les courants de ce fleuve particulièrement impressionnant, descendez le Nil d'Assouan, au sud, jusqu'à Louqsor, grand carrefour touristique du pays. Sur chaque rive, des champs de maïs, de canne à sucre, de luzerne ou de haricots forment une bande de terres cultivées. À Kom-Ombo, vous découvrirez des crocodiles momifiés ; à Edfou, vous visiterez le temple d'Horus, construction de grès blanc incroyablement bien préservée. Entre les excursions, vous pourrez vous détendre à bord, bavarder avec vos compagnons de voyage, aider le cuisinier à préparer les repas ou écouter l'équipage interpréter des chants traditionnels. Le soir venu, vous prendrez place sous un auvent de toile et vous vous régalerez de mets simples et délicieux en écoutant les muezzins appeler à la prière. Vous passerez la nuit à la belle étoile, sur le pont ou sur l'une des îles sablonneuses du fleuve. Si vous souhaitez plus de confort, rien ne vous empêche de faire une croisière traditionnelle à bord d'un palace flottant.

Quand ? De novembre à mars.

Combien de temps ? 5 à 6 jours en fonction du nombre d'étapes.

Préparation Vous pouvez négocier le tarif d'une felouque directement avec un batelier à Assouan, mais il est plus sûr de passer par une agence de voyages fiable. Les « routards » choisiront peut-être de dormir à bord (prévoir un sac de couchage), les autres de passer la nuit dans un petit hôtel ou une pension.

À savoir Emportez avec vous de quoi boire et grignoter. Prévoyez aussi du papier hygiénique, une lampe de poche, des piles. Il n'y a pas de toilettes à bord et vous devrez attendre d'être à terre sur les différents sites, dans les villes et les villages pour y aller.

Internet www.felouque.fr, www.felouque.com

TEMPS FORTS

■ L'île **Éléphantine**, face à Assouan, abrite les ruines de plusieurs temples et un « nilomètre » qui servait à mesurer le niveau des crues du fleuve.

■ **Kom-Ombo** est consacré au dieu crocodile Sobek et au dieu faucon Haroeris, ce qui en fait un temple d'un type assez rare.

■ Le **temple d'Horus**, à Edfou, a été achevé au Ier siècle av. J.-C. par Ptolémée XIII, père de Cléopâtre.

■ Dédié au dieu de la première cataracte du Nil, le **temple de Khnoum**, à Esna, constitue un magnifique exemple d'architecture ptolémaïque du IIe siècle av. J.-C.

MALI

PIROGUES ET PINASSES SUR LE FLEUVE NIGER

Un voyage dans le temps pour découvrir à un rythme tranquille l'une des plus belles voies navigables d'Afrique.

Des pêcheurs lancent leurs filets sur les eaux du fleuve puis les remontent doucement, remplis de perches du Nil. Des martins-pêcheurs multicolores tournoient au-dessus des flots puis plongent brusquement pour attraper la proie qu'ils ont repérée. Dans les villages aux constructions en pisé, les femmes lavent le linge sur les rives du fleuve et les enfants se précipitent à grand bruit pour vous saluer d'un « Ça va, *toubab* ? » (homme blanc). La vie sur les bords du Niger et du Bani, l'un de ses affluents, s'écoule paisiblement, au rythme lent de ces deux cours d'eau tranquilles. Vous pouvez sillonner ces fleuves à bord d'une pinasse, bateau à moteur, ou d'une pirogue, embarcation plus petite manœuvrée par des bateliers qui ne semblent jamais fatigués. Tout paraît se dérouler de la même façon depuis les temps les plus anciens : un berger Fulani se tient solitaire sur le rivage, le bétail est amené à l'eau pour être baigné, la silhouette d'une mosquée en pisé apparaît au loin… Sur le fleuve, siège d'une animation intense, des bateaux pourvus de voiles réalisées dans un patchwork d'étoffes vont et viennent ; certains sont chargés de produits destinés au marché le plus proche, d'autres transportent passagers, bétail et mêmes motos d'une rive à l'autre. Quant aux enfants, ils s'entraînent à naviguer, seuls, dès leur plus jeune âge.

Quand ? De novembre à mars, après la saison des pluies et avant les fortes chaleurs estivales.

Combien de temps ? 3 jours pour aller de Djenné à Mopti en pirogue, 2 jours en pinasse. Il est possible de faire des excursions de 1 journée à partir de Ségou et de Mopti.

Préparation Vous pouvez passer par une agence de voyages ou négocier un bon prix directement avec un batelier.

À savoir L'expérience sera complète si vous emportez du matériel de camping. Votre accompagnateur choisira un endroit où planter les tentes et cuisinera du poisson fraîchement pêché au feu de bois.

Internet www.wadoubatours.com, www.riverside-mali.com, www.hoteldjennedjenno.com

TEMPS FORTS

■ La **Grande Mosquée de Djenné** est la plus vaste construction en pisé au monde. La vieille ville est inscrite au patrimoine mondial de l'Unesco. Un marché animé s'y déroule chaque lundi.

■ La **faune sauvage** est particulièrement abondante. Bécasseaux, pluviers, aigrettes, hérons, ombrettes… les amateurs d'oiseaux s'en donneront à cœur joie. Vous verrez aussi des hippopotames sur les rives du lac Débo.

■ Prenez le temps de découvrir **Mopti, un port animé**. Regardez le soleil se coucher depuis la terrasse du bar Bozo, qui doit son nom à une tribu locale.

Au Mali, sur le fleuve Niger, les passagers et le bétail voyagent sur des pirogues traditionnelles en bois.

LE ZAMBÈZE INFÉRIEUR

Descendez en canoë-kayak l'un des grands fleuves de l'Afrique et découvrez une faune sauvage extraordinaire.

Premier occidental à descendre le Zambèze, David Livingstone ne tarit jamais d'éloges sur la beauté du spectacle qui s'offrit à ses yeux au cours de ce voyage. Les lieux n'ont guère changé depuis le milieu du XIXᵉ siècle. Les explorateurs d'aujourd'hui parcourent le Zambèze inférieur à bord d'un canoë-kayak à deux places, sous le regard des éléphants qui se tiennent sur les rives du fleuve, des hippopotames qui prennent leur bain nonchalamment et des zèbres qui paissent tranquillement. Le fleuve sillonne deux grands parcs nationaux, celui de Mana Pools World Heritage, au sud, et celui du Zambèze inférieur, au nord ; vous êtes sûr de voir de nombreux animaux, parmi lesquels des babouins, des impalas, et si vous avez de la chance, des lions et des léopards. Une telle proximité avec la faune sauvage peut présenter certains dangers, mais les guides expérimentés connaissent les bons gestes : frapper la coque des bateaux avec les rames pour éloigner crocodiles et hippopotames, mener les embarcations dans une eau peu profonde… Du fleuve, vous pourrez admirer les immenses étendues de savane. Et le soir, depuis votre campement installé sur les rives, vous contemplerez le soleil se coucher sur le continent noir : une expérience inoubliable.

Quand ? Si vous aimez observer les oiseaux, privilégiez les mois de décembre à avril. Le climat est plus frais et le temps plus sec de mai à août.

Combien de temps ? La plupart des safaris descendent le fleuve depuis Kariba pendant 3 à 10 jours. Prévoyez de passer quelques jours à Kariba à votre retour.

Préparation Les agences de voyages proposent deux types de prestations : avec l'option « tout confort », la plus chère, vous dormez dans des tentes montées à votre arrivée, avec vrais lits et électricité ; avec l'option « routard », moins onéreuse, vous participez à l'installation du camp et à la préparation des repas.

À savoir Emportez un container étanche pour votre appareil photo et vos objets de valeurs. Ce genre de safari est théoriquement accessible aux personnes qui n'ont jamais fait de canoë-kayak, mais mieux vaut vous en assurer au préalable.

Internet www.chachachasafaris.com, www.riverhorsesafaris.com, www.zambia-safari.com/fra

TEMPS FORTS

■ Observez les **hippopotames**, dont le dos large et luisant sort de l'eau.

■ Faites la **sieste** sous un arbre après le déjeuner et profitez de la fraîcheur de l'ombre.

■ Pêchez des **poissons-tigres** que vous pourrez cuisiner le soir même.

■ Visitez le **parc national du Zambèze inférieur** où vous verrez notamment des lions et des éléphants dans leur habitat naturel.

■ Si vous avez le temps, sillonnez le **lac Kariba en house-boat** : quel luxe après le canoë-kayak !

Ce safari en canoë-kayak sur le Zambèze est tout à la fois l'occasion d'observer et d'être observé !

Les deux rives du Mangoky sont bordées de baobabs géants.

MADAGASCAR

LE FLEUVE MANGOKY

Cette croisière paisible sur le Mangoky vous permettra de découvrir les paysages exceptionnels de l'ouest de l'île.

À Madagascar, on sait prendre le temps de vivre. Vous en ferez l'expérience en descendant le Mangoky à bord d'un canoë gonflable. L'île compte plus de 80 % de faune et de flore endémiques, et une croisière sur le Mangoky, fleuve tranquille et verdoyant qui traverse la partie sud-ouest du pays, vous donnera l'occasion de voir des paysages réellement exceptionnels. À certains endroits, les rives du cours d'eau sont couvertes de baobabs rabougris, dont les branches évoquent les doigts d'une main pointant vers le ciel : vous voilà au cœur de la plus grande forêt de baobabs de la planète. Ailleurs, vous pagayez au cœur d'une véritable forêt tropicale, plus loin, à travers une étendue désertique couverte de broussailles épineuses. Essayez de repérer des lémuriens, ces primates curieux de nature qui vivent dans les sous-bois et se déplacent à toute vitesse de branche en branche. Vous verrez sans doute des lémuriens à queue rayée et des lémuriens rouges, ou, si vous avez beaucoup de chance, des sifakas de Verreau, extrêmement rares, que vous reconnaîtrez à leur tête noir et blanc encadrée de touffes de poils blancs. Des buses, des faucons pèlerins et des hérons nichent sur les rives du fleuve. En fin de journée, votre canot fera escale sur l'une des nombreuses plages de sable qui bordent le Mangoky, où vous passerez la nuit. Au matin, les cris des lémuriens accompagneront votre réveil.

Quand ? Le temps est sec et chaud de mai à octobre, période hivernale dans l'île. Le reste de l'année la chaleur est écrasante.

Combien de temps ? Comptez 1 semaine.

Préparation Les voyages organisés dans la partie sud-ouest de Madagascar prévoient souvent du rafting sur le Mangoky. Vous pouvez également demander à un batelier d'organiser une sortie de plusieurs jours sur le fleuve avec camping la nuit.

À savoir La bilharziose sévit à Madagascar : ne vous baignez pas n'importe où et assurez-vous que l'eau utilisée pour votre toilette n'est pas souillée.

Internet www.madagascar-tourisme.com, www.remoterivers.com, www.madagascar-guide.com

TEMPS FORTS

■ Madagascar est le paradis des amoureux de la nature : vous y verrez des **lémuriens** mais aussi différentes espèces de **gibier d'eau** et d'**orchidées rares**.

■ Passez **une nuit à la belle étoile** sur une plage déserte : vous préparerez votre dîner au feu de bois et aurez tout loisir d'observer les étoiles.

■ Vous aurez peut-être la chance d'apercevoir des **crocodiles**, quoique le braconnage les ait décimés ces dernières années.

■ Allez à la rencontre des **Malgaches**, toujours très polis, amicaux et accueillants.

2 SUR LA ROUTE

L es grandes routes de la planète ont toutes une histoire à raconter. Certaines sont nées naturellement :
cols en haute montagne ou pistes ancestrales, frayées
d'abord par les animaux allant de points d'eau en points d'eau
dans le désert. D'autres ont été voulues par les hommes, conservant au fil des siècles le souvenir de peuples disparus : anciennes
voies commerciales, chaussées glorieuses menant à des palais et
à des temples. Les itinéraires que vous allez découvrir sillonnent
le globe de part en part et diffèrent beaucoup les uns des autres.
Certains sont l'affaire d'un week-end, d'autres sont si longs que
les suivre est en soit une aventure. Il vous suffira d'une journée
pour traverser les Highlands en Écosse, mais quatre semaines ne
seront pas de trop pour parcourir les 2 600 km du Grand Trunk,
entre l'Inde et le Pakistan le degré de difficulté variant lui aussi.
Certaines de ces routes enfin sont légendaires, comme la Route
des corniches, sur la Côte d'Azur, qui a servi de décor à tant de
films, ou la fameuse Route 66, aux États-Unis, où bat le cœur
du rêve américain.

Rendue célèbre en Europe par une chanson des années 1940 reprise par des
groupes des années 1960 (« Get your kicks on Route 66 »), la Route 66 relie
Chicago à Los Angeles. C'est elle qu'empruntent les fermiers en route vers
l'Ouest dans le célèbre roman de John Steinbeck, *Les Raisins de la colère*.

La plage et les maisons en bois à Cap Hatteras, là où les eaux chaudes du Gulf Stream rencontrent les eaux froides du courant du Labrador.

ROUTE 12 ET OUTER BANKS

Un littoral sauvage et une histoire mouvementée, voici ce qui attire les visiteurs dans les Outer Banks de Caroline du Nord.

Cette balade s'inscrit dans un véritable carrefour où se rencontrent l'océan, la terre, la nature et l'activité humaine. Les Outer Banks de Caroline du Nord consistent en une série d'îles qui s'étirent face au littoral, formant un V dont la pointe s'enfonce vers le large. Ces minces langues de terre subissent l'assaut du vent et des vagues depuis des milliers d'années, et pourtant, elles tiennent bon. Bordées de longues plages et de dunes, de terrains boisés ou humides, elles attirent les surfers et les rêveurs. Pêcheurs, plaisanciers, plongeurs viennent y profiter des eaux bleu-vert de l'Atlantique, mais dès qu'un fort coup de vent s'annonce, seuls les bécasseaux demeurent sur les plages. À l'occasion, une tempête fait réapparaître une épave, témoignage de la dangerosité des eaux. Les pêcheurs d'aujourd'hui surveillent les changements de temps et les courants. C'est pourtant dans cette région que débarquèrent les premiers pionniers blancs et que le pirate Barbe-Noire choisit de jeter l'ancre. Phares et villages sont autant de signes de la volonté des hommes de maîtriser cette nature. À Ocracoke, des petits bateaux semblent attendre tranquillement la prochaine marée pour repartir à la pêche à la crevette. Les oies sauvages et les oiseaux de mer passent dans le ciel, comme le fit voilà un siècle le premier avion à moteur lancé par les hommes…

Quand ? De début mars à la mi-octobre. Mai et juin sont les mois les moins pluvieux.

Combien de temps ? Ce parcours de 130 km peut être fait en 3 h, mais consacrez-y 1 journée pour voir le maximum de choses.

Préparation La route débute au nord au niveau du pont de Wright Memorial et s'achève à Ocracoke, par un retour en ferry sur le continent. Pensez à réserver à l'avance vos places sur le bateau. Les possibilités de logement ne manquent pas pour ceux qui veulent rester plus longtemps dans la région.

À savoir Par beau temps, la route est souvent encombrée par des cyclistes et des amateurs de plages ; prévoyez plus de temps pour votre excursion.

Internet www.outerbanks.org

TEMPS FORTS

■ Les frères Wright effectuèrent leur premier vol depuis **la colline de Kill Devil**. Les aviateurs d'aujourd'hui, se lancent dans le vide à bord de planeurs depuis les dunes du parc régional de Jockey's Ridge.

■ Situé sur l'île de Roanoke, au sud des collines de Kill Devil, l'**Aquarium de Caroline du Nord** présente les différents milieux aquatiques de la région, des torrents de montagne aux profondeurs de l'océan.

■ Le **phare de Cap Hatteras** est le plus grand phare de brique des côtes américaines. Grimpez les 268 marches qui mènent au sommet : magnifique panorama garanti !

ÉTATS-UNIS

DE MIAMI À KEY WEST SUR LA HIGHWAY 1

Suivez la Overseas Highway 1, des artères chic de South Beach à Key West la bohème.

C ette route légendaire est placée sous le signe de l'émerveillement. Elle débute à Miami, dans le quartier Art déco branché de South Beach, et se poursuit vers le sud d'île en île, offrant à l'occasion pour seul horizon les flots bleus de la mer des Caraïbes d'un côté et ceux du golfe du Mexique de l'autre… et l'incroyable impression de rouler sur l'eau ! Les keys (de l'espagnol *cayos,* « petites îles ») se succèdent, arborant toujours une abondante végétation de palmiers, de bougainvillées et d'hibiscus. En chemin, vous découvrirez de belles plages de sable et plusieurs parcs régionaux qui s'attachent à préserver l'environnement fragile de ce milieu naturel particulier. Au terme du périple, vous atteindrez Key West, autoproclamée « république de la conque », une ville décontractée où l'on vient s'amuser. Les bâtisses anciennes en bois ont été transformées en *bed & breakfast,* et l'esprit d'Hemingway imprègne toujours les lieux. Voyez, comme le veut la tradition, le soleil se coucher depuis Mallory Square, où avaleurs de sabres et musiciens des rues font montre de leurs talents.

Quand ? Toute l'année –reste qu'il peut y avoir des ouragans entre juillet et octobre.

Combien de temps ? Comptez au moins 4 jours pour voir les sites les plus intéressants qui ponctuent ces 270 km, mais essayez plutôt de rester 1 semaine.

Préparation Réservez longtemps à l'avance pour choisir les meilleurs hôtels et optez pour un hébergement avec parking à Key West.

À savoir Des bornes indiquant les miles sont disposées à intervalles réguliers tout au long de la route : vous savez ainsi toujours où vous vous trouvez et quelle distance vous sépare de Key West.

Internet www.fla-keys.com, www.keywest.com, www.floridastateparks.org

TEMPS FORTS

■ Prenez votre petit déjeuner à la **terrasse d'un café** sur Ocean Drive et observez le spectacle des patineurs et des cyclistes dans le quartier de South Beach, à Miami.

■ Visitez la **villa Vizcaya**, élégante demeure années 1920 entourée de jardins, propriété de James Deering, l'héritier du groupe International Harvester.

■ **Plongez** parmi les récifs de coraux et les épaves à Key West avant de vous régaler de poisson frais dans l'un des nombreux restaurants de la ville.

La Highway 1 relie les keys de Floride, petites îles qui évoquent un chapelet d'émeraudes.

Top 10 Belles lignes de bus

Baladez-vous en bus à travers les grandes villes. Et n'hésitez pas à multiplier les arrêts au gré des choses à voir et… de vos envies !

❶ New York, États-Unis

Montez à Harlem, quartier traditionnellement noir. Le bus prend la direction de Central Park et de la Cinquième Avenue, traverse Broadway et le quartier des théâtres, Greenwich Village et Little Italy, plus au sud. Descendez au terminal de Whitehall et prenez le ferry de Staten Island pour découvrir de splendides points de vue sur la Statue de la Liberté, le pont de Brooklyn et Manhattan.

Préparation Bus M1 de Harlem (West 146th St/Malcolm X Boulevard) jusqu'à South Ferry, dans Lower Manhattan.
mta.info/nyct/bus/schedule/manh/m001cur.pdf

❷ Pékin, Chine

Prenez un bus à air conditionné près du lac de Xi Hai, avec sa pagode et ses pêcheurs, témoignages du Vieux Pékin qui compte aussi la Cité interdite voisine. Le paysage change du tout au tout entre les immeubles modernes du centre et la Grande Muraille à Badaling. Imaginez maintenant cinq chevaux ou dix soldats de front, faisant face aux hordes barbares.

Préparation Bus 919 de Deshegmen (métro Jishuitan) à Badaling. Peu de gens parlent une langue étrangère.
www.kinabaloo.com/badaling_great_wall.html

❸ Moscou, Russie

Le parc de la Victoire, votre point de départ, célèbre la victoire soviétique dans la Seconde Guerre mondiale. Passez sous l'arc de triomphe qui commémore cette fois la victoire de 1812 face à Napoléon. Jetez un œil à l'hôtel Ukraine et à l'Université, deux des sept monumentaux immeubles staliniens. Découvrez les monts des Moineaux et descendez au pont de Pierre, derrière les bulbes multicolores de la cathédrale Basile-le-Bienheureux située sur la place Rouge.

Préparation Trolleybus 7 du métro Park Pobiedy à Kamenny Most.
www.waytorussia.net/Moscow/GettingAround.html

❹ Tallinn, Estonie

Prenez le bus au niveau du centre commercial qui jouxte la porte médiévale. Longez la Baltique, passez devant l'ange de la miséricorde qui semble tendre la main en direction des marins morts en mer. Traversez la place sur laquelle, à la fin des années 1980, des milliers d'Estoniens manifestèrent contre le régime soviétique. Descendez derrière le couvent de Pirita, ravagé par un conflit au XVIᵉ siècle, voisin d'un merveilleux cimetière entouré d'une paisible forêt.

Préparation Bus 34A de Viru keskus à Muuga aedlinn.
www.bussireisid.ee/index.html?MENU=&KEEL=en

La cathédrale Saint-Paul, chef-d'œuvre de Christopher Wren, domine les artères de Ludgate Hill. Cet itinéraire de bus est l'un des « grands classiques » londoniens.

❺ Stockholm, Suède

Découvrez cette belle ville bâtie sur 14 îles à bord d'un bus « écologique ». Traversez le labyrinthe des rues de la vieille ville et admirez la cathédrale et le palais royal. Vous longerez ensuite les quais avant de prendre la direction du nord. Cherchez des yeux la flèche de l'hôtel de ville, lieu de remise des prix Nobel. Descendez à l'hôpital universitaire et flânez à travers le campus.

Préparation Bus 3 de Slussen à Karolinska sjushuset. www.sl.se/ficktid/karta%2Fvinter/vCity%5Fkarta.pdf

❻ Budapest, Hongrie

La distance qui sépare la cathédrale Saint-Étienne et la colline du Château n'est pas grande, mais en traversant le Danube par le pont des Chaînes, vous irez d'une ville, Pest, où se trouve la gigantesque place des Héros, à l'autre, Buda. Descendez au palais Royal, qui abrite plusieurs musées ; visitez l'église Saint-Mathias et admirez la vue depuis le bastion des Pêcheurs.

Préparation Bus 16 de Deák Ferenc tér à Dísz ter à Várhegy. www.bkv.hu

❼ Paris, France

Commencez Porte d'Orléans, là où entrèrent les chars de la 2ᵉ D.B. qui libérèrent la ville en 1944, longez le jardin du Luxembourg, passez par le quartier Latin et traversez la Seine pour dépasser Notre-Dame. Remarquez la tour Saint-Jacques, construction gothique voisine de l'arrêt Hôtel-de-Ville. Poursuivez devant le centre Pompidou et descendez à la gare du Nord.

Préparation Bus 38 de Porte d'Orléans à Gare du Nord. bus38.online.fr/indexeng.html

❽ Rome, Italie

Partez à la découverte de la rive droite du Tibre. Émerveillez-vous devant la fontaine de Trevi, le Capitole, le Forum, le Colisée et le circus Maximus, qui résonne encore des combats des gladiateurs. Descendez à Ostiense pour vous détendre et déguster une glace.

Préparation Bus 175 de Termini à Piazzale dei Partigiani. Pour la rive gauche et le Vatican : bus 40 de Termini à Battistini. www.alfanet.it/welcomeitaly/roma/bus_metro/info.html

❾ Madrid, Espagne

Partez des tours penchées de Puerta de Europa (Porte de l'Europe), traversez la place Colomb et dépassez Cybèle, déesse de la Fertilité, entourée de fontaines. Les galeries d'art et les jardins se succèdent avant que le centre commercial au terminus ne vous ramène à des pensées plus prosaïques.

Préparation Bus 27 de Plaza de Castillo à Glorieta de Emjadores www.ctm-madrid.es

❿ Londres, Angleterre

Attrapez un bus sur Trafalgar Square, où se dresse la colonne Nelson, descendez le Strand et passez devant la cathédrale Saint-Paul. Admirez la colonne la plus haute du monde (plantée là où démarra le Grand Incendie de 1666) et descendez à la Tour de Londres.

Préparation Bus 15 (ligne Heritage) de Trafalgar Square à Tower Hill. www.tfl.gov.uk

LA PROMENADE DES GLACIERS

Remontez le temps jusqu'à l'époque glaciaire en suivant cette route qui traverse des paysages somptueux et conduit jusqu'à l'imposant glacier Columbia.

Reliant le parc national Jasper et le parc national Banff, cette route suit la Ligne continentale, épine dorsale des montagnes Rocheuses, entre l'Alberta et la Colombie-Britannique, et traverse l'un des plus beaux paysages d'Amérique du Nord. Accrochée à la montagne, elle franchit plusieurs cols d'altitude et permet de jouir de points de vue généralement inaccessibles en voiture. Des pics abrupts, couronnés de glace, excédant pour nombre d'entre eux 3 000 m d'altitude, y dominent des lacs cristallins, des prairies parsemées de fleurs sauvages et un paysage de toundra, ponctué de plaques de neige même en plein été. La promenade des Glaciers passe en bordure de l'immense glacier Columbia (78 km²), le plus grand champ de glace d'Amérique du Nord. Trois cours d'eau majeurs du continent (Athabasca, Columbia, Saskatchewan-Nord) prennent leur source dans ce vestige de la dernière époque glaciaire qui alimente huit grands glaciers dont l'Athabasca, le Dome et le Stutfield. Les noms des différents sites – lac Vermillon, glacier de la Patte de corbeau (Crowfoot), mur des Larmes… – vous donnent une idée de ce à quoi vous pouvez vous attendre…

Quand ? La promenade des glaciers est ouverte toute l'année. Attendez-vous à des fermetures partielles et temporaires (3 jours maximum) après de fortes chutes de neige. Le Centre du glacier Columbia (Columbia Icefield Centre), à 105 km de Jasper, fonctionne de mi-avril à mi-octobre.

Combien de temps ? Il faut au moins 5 h pour ce parcours de 230 km, mais essayez de rester 3 jours en faisant étape en chemin dans des lodges ou des campings.

Préparation Réservez votre hébergement plusieurs mois à l'avance, surtout en juillet et en août. En hiver, ayez dans votre véhicule des couvertures, des lampes torches et une pelle. Vous pouvez également faire le circuit en car, par le biais d'un voyage organisé.

À savoir Si vous devez faire la route en une journée, partez le plus tôt possible, car c'est à l'aube et au crépuscule que vous avez les plus grandes chances de voir des animaux. Ne vous éloignez pas seul des chemins balisés : les risques de tomber dans une profonde crevasse sont bien réels. Il est possible de se rendre à bord de véhicules tout-terrain (3 km aller-retour) au centre du glacier Columbia pour l'explorer à pied.

Internet www.icefieldsparkway.ca, www.travelalberta.com, www.columbiaicefield.com

TEMPS FORTS

■ Ce circuit est une occasion exceptionnelle d'observer la **faune des montagnes** dans son environnement naturel. Vous avez une chance d'apercevoir des mouflons, des chèvres des montagnes Rocheuses, des élans, des orignaux, des caribous, des ours.

■ De mi-avril à mi-octobre, les visiteurs peuvent se rendre au cœur du glacier Columbia en 90 min, à bord d'un **véhicule spécial** à 6 roues (Ice Explorer).

■ Au **glacier Stutfield**, le champ de glace tombant d'une falaise constitue un spectacle particulièrement impressionnant.

■ Les montagnes offrent un cadre splendide pour pratiquer le **rafting** en été et le **ski de fond** en hiver.

■ Le **lac Peyto**, niché au cœur d'une ancienne vallée glaciaire, possède des eaux d'un bleu turquoise étonnant.

Ci-dessus, à gauche : Les montagnes du parc national Banff se reflètent dans les eaux du lac Bow. Ci-dessus, à droite : L'élan est au nombre des animaux que vous pourrez observer. Ci-contre : Les montagnes du parc national Jasper servent d'écrin à ces totems indiens provenant de la côte pacifique du Canada.

EN ARIZONA, SUR LA ROUTE 66

Suivez cette route au parfum nostalgique et vivez votre *road movie*.

Reliant Chicago à Los Angeles, la Route 66 a été pendant une grande partie du xxᵉ siècle la première voie bitumée pour ceux qui voulaient traverser le pays d'est en ouest. Elle a gagné ses lettres de noblesse grâce notamment à Bob Dylan, qui lui a consacré une chanson. Pendant la Grande Dépression des années 1930, c'est par la Route 66 que les fermiers à la recherche d'un emploi migrèrent vers la Californie. Dans les années 1950 et 1960, c'est aussi cette artère qu'empruntèrent les nouvelles générations de touristes à la recherche de distractions. Aujourd'hui, en Arizona, la Route 66 d'origine dégage un parfum de nostalgie qui séduit les amoureux d'une époque révolue. À Hollbrook, Flagstaff et Williams, motels et *diners*, grands classiques de la Route 66, bordent toujours la rue principale (Main Street). Après Williams, la route marque un virage pour quitter la I-40 et mène jusqu'à des bourgs minuscules, comme Peach Springs et Hackberry, situés le long d'anciennes voies ferrées. Plus haut, dans les montagnes Noires, arrêtez-vous à Oatman, ancienne ville de chercheurs d'or et dernière étape des pionniers avant la traversée du désert de Californie.

Quand ? La Route 66 est praticable toute l'année, mais c'est à la fin du printemps et au début de l'automne que les températures sont les meilleures et les sites ouverts, les plus nombreux.

Combien de temps ? En Arizona, la Route 66 couvre 590 km, entre Hollbrook et Oatman. Comptez de 3 à 5 jours, en prenant votre temps.

Préparation Certaines portions de la route traversant des régions désertiques, pensez à emporter des cartes routières détaillées, des réserves d'eau, de la crème solaire, des lunettes de soleil et un chapeau. Il n'est pas toujours facile de trouver de l'essence : des détours sont parfois à prévoir.

À savoir L'ancienne Route 66 (Old Route 66) ne figure pas sur les cartes routières ; rendez-vous sur www.historic66.com/arizona pour connaître son tracé. Dans l'est de l'Arizona, empruntez la I-40 et vous pourrez vous arrêter à Hollbrook, Flagstaff et Williams pour voir certains vestiges de la vieille route.

Internet www.azrt66.com, www.historic66.com/arizona

TEMPS FORTS

■ Dans les environs de Peach Springs, explorez **Grand Canyon Caverns**. Ces grottes sont l'une des attractions les plus anciennes et les plus populaires de la Route 66.

■ Ce périple n'est pas placé sous le signe de la culture « classique ». Jouez le jeu et assistez à Oatman aux **combats au pistolet** dans la tradition du Far West. Ne manquez pas de vous arrêter dans les boutiques des artisans du coin.

■ Depuis la Route 66, vous pouvez aussi partir à la découverte du sud du **Grand Canyon**, au nord de Williams, ou de l'incroyable **Havasu Canyon**, au nord de Peach Springs.

Passez la nuit dans un tipi au Wingman Motel d'Hollbrook. Ces tentes en dur sont l'un des plus beaux vestiges architecturaux de la Route 66.

La route suit les pentes rocheuses des montagnes Santa Lucia qui tombent à pic dans les eaux bleues du Pacifique.

ÉTATS-UNIS

La Highway 1 par Big Sur

Suivez cette route sinueuse, accrochée au flanc de la côte ouest américaine, pour découvrir des vues époustouflantes sur le Pacifque.

Une route résume l'esprit de la Californie : c'est la Highway 1 qui passe par Big Sur, une région baptisée par les premiers colonisateurs espagnols « le grand pays du Sud » (*país grande del sur*). Le parcours débute au niveau du château Hearst, au nord de San Simeon, et suit les montagnes côtières en direction du nord, en passant par la petite colonie d'artistes de Carmel, pour s'achever à Monterey. Du « Cannery Row » des années 1930 décrit par John Steinbeck au « rêve californien » des années 1960 et jusqu'à aujourd'hui, les images véhiculées par cette voie qui serpente au-dessus des falaises de Big Sur n'ont cessé d'inspirer les aventuriers en tout genre. Partez à leur suite pour découvrir de grands espaces protégés où abondent immenses séquoias et torrents rafraîchissants. Vous trouverez en chemin de nombreux endroits où vous arrêter pour profiter de points de vue magnifiques sur le littoral. Les lieux sont fréquentés par des pélicans bruns et autres volatiles marins, et vous assisterez peut-être à la migration des baleines grises. Vous verrez toute l'année des éléphants de mer à Piedras Blancas, juste au nord de San Simeon, et, l'hiver, des papillons monarques venus du Canada, à Pacific Grove, près de Monterey.

Quand ? Le printemps, l'été et l'automne sont les meilleures saisons. Juin, juillet et août sont les mois les plus fréquentés. Il y a des risques de brouillard le matin en été.

Combien de temps ? Une journée pour parcourir les quelque 150 km de cette route.

Préparation Les possibilités d'hébergement sont nombreuses et variées : la quiétude de la forêt ou la vue sur l'océan. Les stations-service sont rares : faites le plein à Morro Bay, au sud de San Simeon.

À savoir Étroite et sinueuse, la route offre de meilleurs points de vue et est plus sûre si vous la prenez en direction du nord, avec les montagnes sur votre droite. Les forts courants et la température de l'eau rendent la baignade dangereuse.

Internet www.bigsurcalifornia.org, www.carmelcalifornia.org

TEMPS FORTS

■ Pique-niquez à Ragged Point, à 24 km au nord de San Simeon. **Le panorama** depuis ce site surplombant l'océan est considéré comme l'une des vues côtières les plus époustouflantes d'Amérique.

■ Partez en randonnée dans le **Julia Pfeiffer** Burns State Park, à 60 km au sud de Carmel. Un sentier conduit à une crique où une cascade de 24 m tombe dans la mer. Vous pouvez aussi suivre des sentiers plus longs à travers les montagnes des environs.

■ Promenez-vous sur la plage de **Carmel** et amusez-vous à reconnaître – discrètement – les vedettes, en entrant dans les galeries d'art ou en prenant un verre au Hog's Breath Inn, propriété de Clint Eastwood.

Une petite ferme près de Puerto Harberton, en Terre de Feu, dominée par la silhouette découpée des montagnes.

CHILI/ARGENTINE

LA ROUTE PANAMÉRICAINE

Cette route qui s'étire de l'Alaska à la Terre de Feu a été créée pour relier les différents pays d'Amérique.

La Panaméricaine consiste en un réseau de routes qui relie quinze pays d'Amérique du Nord et du Sud. Vous pouvez la parcourir sur toute sa longueur ou n'en suivre que certaines portions, par exemple celle qui traverse, tout au sud, la Terre de Feu. À cheval sur le Chili et l'Argentine, cette région constitue la dernière frontière de l'Amérique du Sud. De la ville chilienne de Puenta Espora, au nord de l'île, à Ushuaia, au sud, vous traversez des paysages désolés qui ne manqueront pas de produire sur vous de fortes impressions. Aux prairies du Nord, balayées par les vents et peuplées de rares moutons, succèdent la toundra, les glaciers et les sommets couronnés de neige du Sud. Dernier arrêt de la Panaméricaine, Ushuaia est aussi la porte d'accès à l'Antarctique, qui se trouve à 1 200 km plus au sud.

Quand ? Les mois d'été (décembre-février) offrent le meilleur climat. En Terre de Feu, les hivers sont très rigoureux et les routes peuvent être dangereuses.

Combien de temps ? Il faut 1 journée pour aller en bus ou en voiture de Punta Espora à Ushuaia.

Préparation Si vous louez une voiture, assurez-vous que l'agence vous a fourni les papiers nécessaires pour franchir la frontière entre le Chili et l'Argentine. Emportez une crème solaire très protectrice.

À savoir Vous aurez peut-être la chance de voir les brumes matinales sur les eaux du littoral ; vous comprendrez alors pourquoi les premiers explorateurs baptisèrent l'endroit « Terre de feu ».

Internet www.partir.com/Chili, http://latitudessud.cl, www.enjoy-patagonia.org

TEMPS FORTS

■ Les amateurs s'en donneront à cœur joie en pêchant des **truites brunes géantes** autour de Rio Grande, au milieu de l'île.

■ Ancienne colonie pénitentiaire, **Ushuaia**, la ville la plus méridionale du monde, compte de nombreuses constructions en zinc de couleur vive. Vous pourrez la visiter à bord d'un autobus vert à deux étages.

■ Le **Train de la fin du monde** (*Tren del Fin del Mundo*) dessert, depuis Ushuaia, le parc national de la Terre de Feu.

■ Vous pouvez prendre un repas ou passer une nuit à l'Estancia Harberton, une **ferme d'élevage de moutons** construite en 1886, qui domine Puerto Harberton.

■ En été, rendez-vous en bateau de l'Estancia Harberton à l'**île Martillo**, dans le canal de Beagle, domaine des manchots de Magellan, mais aussi des pétrels, des cormorans, des albatros à sourcils noirs et des brassemers des Malouines.

BOLIVIE/CHILI

À TRAVERS LES ANDES, DE LA BOLIVIE AU CHILI

Les conducteurs intrépides qui se lancent sur la route la plus haute du monde seront récompensés par des paysages extraordinaires et des sensations fortes.

AMÉRIQUE DU SUD

Il fait un froid glacial, les routes sont cabossées et le confort est loin d'être au rendez-vous… Ce circuit accompagné à travers les Andes constitue pourtant une expérience magique. Après avoir quitté Uyuni, triste bourgade bolivienne balayée par les vents, vous traverserez sous le ciel pur de l'Altiplano andin d'immenses salants (*salares* en espagnol), qui sont en fait les lits de lacs asséchés. Ces vastes zones, parsemées d'îles couvertes de cactus et de monticules de sel, sont les plus élevées et les plus grandes du genre à la surface du globe. Le voyage se poursuit à travers des paysages merveilleux de sable cuivré et des déserts ponctués de formations rocheuses aux formes étonnantes, avec, en toile de fond, des sommets couverts de neige. À la laguna Colorada, des flamants roses semblent se fondre dans les flots rougeoyants. Plus loin, vous traverserez les Andes pour pénétrer en territoire chilien : la petite cité de San Pedro de Atacama, construite en pisé, vous attend dans un paysage désertique ponctué de volcans et de piscines thermales naturelles.

Quand ? Tout au long de l'année, des 4X4 partent quotidiennement de Uyuni. La période la plus froide se situe de juin à septembre, mais c'est aussi à cette époque que le ciel est le plus dégagé.

Combien de temps ? Les routes, quand elles existent, sont en mauvais état, et il faut compter 4 jours et 3 nuits (Salar de Uyuni, laguna Colorada, laguna Verde) pour parcourir les quelque 274 km du circuit.

Préparation Réservez votre place dans un 4X4 auprès de Tonito Tours. La nuit, les températures peuvent descendre jusqu'à -25 °C : prévoyez des vêtements et un sac de couchage en conséquence.

À savoir Il est impossible de faire passer des matières organiques (bois et cuir compris) au Chili : les douaniers sont très stricts !

Internet www.partir.com/Bolivie, www.alaya-bolivia.com/4x4_expedition.htm

TEMPS FORTS

■ Pendant la saison humide, les salants se couvrent d'une mince couche d'eau sur laquelle **le ciel se reflète parfaitement**.

■ À la **laguna Colorada**, lorsque la température chute au coucher du soleil et que le vent glacial se met à souffler, le lac prend une teinte rouge profond qui contraste avec les dépôts blancs du sel à la surface de l'eau.

■ Dans le **désert Salvador Dalí**, entre la laguna Colorada et la laguna Verde, les dunes de sable, les affleurements rocheux et les ombres donnent au paysage des allures de tableau surréaliste en trois dimensions.

■ Après avoir passé la nuit à subir les assauts du froid, réchauffez-vous aux **sources chaudes de Challviri**.

Bordé de cactus, le salar de Uyuni, le plus grand salant de Bolivie, possède une surface d'une blancheur immaculée.

Cet effrayant visage en bois sculpté figure parmi les pièces exposées au Musée national de Nara.

JAPON

LA ROUTE TAKENOUCHI

La route la plus ancienne du Japon relie Osaka la moderne à Nara, l'une des anciennes capitales, en traversant de superbes paysages.

D'une certaine façon, la route Takenouchi embrasse toute l'histoire du Japon. Des immeubles modernes y côtoient maisons traditionnelles et jardins centenaires ; des écolières apprêtées, armées de leur téléphone portable, y croisent des vieilles dames voûtées d'avoir passé leur vie à repiquer du riz… La route débute aux environs d'Osaka, la deuxième ville du pays, et aboutit à Nara, capitale fondée par Jinmu Teno, premier empereur du Japon selon la légende. C'est le prince Taishi qui, au VIᵉ siècle, pendant l'époque d'Asuka, fit construire cette artère qui fut aussi la voie par laquelle cheminèrent les influences venues de Corée et de Chine comme le bouddhisme, les nouilles Ramen ou encore les baguettes. Au cours de ce circuit, vous verrez de nombreuses constructions en bois, temples et petites maisons, et pourrez monter au sommet du mont Nijo, où repose Otsu-no-Miko, prince et poète, victime d'intrigues de palais et contraint au suicide en 686.

Quand ? Le printemps et l'automne sont les meilleures saisons. Il est possible de faire le voyage toute l'année, mais l'hiver est glacial et l'été, humide. La plupart des sites sont ouverts le week-end et fermés en semaine : vérifiez avant de vous déplacer.

Combien de temps ? La route compte 53 km et vous pourrez voir une grande partie des sites dans la journée.

Préparation Essayez de trouver une excursion organisée et/ou un guide parlant une langue étrangère.

À savoir Tâchez de venir le 23 avril, à l'occasion de la fête du Dakenobori, et joignez-vous aux marcheurs qui gravissent le mont Nijo.

Internet www.tourism.city.osaka.jp, www.pref.nara.jp

TEMPS FORTS

■ Dans la banlieue de Nara, visitez le musée Kehayaza consacré au **sumo**, lutte japonaise traditionnelle. Vous y découvrirez un dohyô grandeur nature (espace réservé à la lutte) et différents objets. Un tournoi de sumo se déroule chaque année à Osaka, en mars.

■ Admirez les **fleurs** qui, au **printemps**, couvrent les pentes des montagnes bordant la route.

■ Rendez-vous au **mont Nijo**, lieu sacré censé être l'une des portes du paradis. Admirez le coucher de soleil : c'est, paraît-il, l'un des plus beaux qu'il soit donné de voir au Japon.

■ Inscrite au patrimoine mondial de l'Unesco, **Nara** possède sept temples bouddhistes, parmi lesquels le **Todai-ji**; considéré comme la plus haute construction en bois du monde, il abrite une statue de Bouddha mesurant 15 m de haut.

ASIE

INDE

De Dehli à Agra

Le clou de ce voyage dans l'Inde profonde est la visite du Tadj Mahall, merveille du monde érigée à la mémoire d'un amour défunt.

Un feu d'artifice de sensations et le contraste brutal de la pauvreté et la beauté, voilà ce qui vous attend sur cette route qui part de Delhi, ville à l'entêtante odeur d'épices et au vacarme incessant, pour filer dans la campagne avec ses huttes de boue séchée, ses bœufs, ses rizières. Très vite, vous voilà au cœur d'une vie rurale traditionnelle. Les couleurs éclatent : femmes à la lessive, hommes assis sur le bas-côté, un bol fumant à la main. Vous passez devant des boutiques à moitié écroulées mais toujours en activité. Puis apparaît un temple aux statues amoureusement ornées de guirlandes de fleurs. Vaches, bœufs et buffles d'eau ne sont jamais loin, se tenant parfois en plein milieu de la chaussée sans s'inquiéter des voitures. Sur les routes, on rencontre toute sorte de moyens de locomotion : chameaux, tracteurs, vieux vélos, véhicules rafistolés et camions ployant sous des charges énormes. Il leur arrive parfois de se renverser, laissant le conducteur au milieu du chemin, abasourdi. Cette route passe aussi devant les joyaux de l'Inde, du Fort Rouge, près de Delhi, à la ville déserte de Fatehpur Sikri et au fabuleux Tadj Mahall, ce monument à l'amour qui témoigne de l'immense talent des artisans du passé. Visitez-le à l'aube, pour voir le marbre changer de couleur dans le jour naissant.

Quand ? De septembre à mars, pour éviter la chaleur de l'été et les pluies de mousson (juillet-août).

Combien de temps ? Il suffit de 4 h pour parcourir ces 200 km, mais pour en profiter pleinement, consacrez-y 2 jours.

Préparation Réservez une excursion auprès d'une agence, ou faites le voyage dans une de ces magnifiques Ambassador blanches avec chauffeur. Mais il est déconseillé de conduire en Inde, car le trafic est dense et les routes sont mauvaises. Le vendredi, le Tadj Mahall n'est accessible qu'aux hindous.

À savoir Habillez-vous convenablement. Pour les femmes, shorts, jupes courtes et épaules nues sont déconseillés. Certains sites pourraient vous être refusés ; on vous donnera éventuellement un voile pour vous couvrir. Ne buvez que de l'eau minérale en bouteille et évitez la nourriture proposée dans la rue.

Internet www.delhitourism.nic.in, http://french.incredibleindia.org

TEMPS FORTS

■ Le **Mémorial de Gandhi**, à Delhi, est un endroit tranquille et émouvant dédié à la mémoire du guide spirituel et père de la nation indienne.

■ La **Porte de l'Inde**, à Delhi, fut érigée en l'honneur des soldats indiens tués en combattant au côté des Alliés au cours de la Première Guerre mondiale. C'est devenu le symbole de la ville et de l'indépendance.

■ La ville fortifiée de **Fatehpur Sikri**, en ruine, comprend des palais et des résidences en grès rouge, mais aussi des témoignages d'architecture islamique.

■ Les anciens empereurs moghols bâtirent le **complexe fortifié d'Agra** et l'embellirent de marbre, de pierres précieuses et de jardins paysagers.

À Delhi, la lumière du soleil levant baigne de rose la tombe de l'empereur moghol Humayun, qui vécut au XVIe siècle.

La route du Grand Trunk

De la frontière nord-ouest du Pakistan à la métropole indienne de Calcutta,
cet itinéraire inoubliable relie les hauts lieux de l'art islamique et de la religion hindoue.

Construite par décret impérial au XVe siècle, la « Grand Trunk Road » part de la frontière nord-ouest du Pakistan, traverse la frontière indienne et suit le Gange jusqu'à Calcutta, sur le golfe du Bengale. L'écrivain britannique Rudyard Kipling l'appelait « le grand fleuve de la vie », et cette appellation lui va toujours aussi bien. L'artère est associée à quelques-uns des noms les plus évocateurs de l'histoire du sous-continent : au Pakistan, c'est d'abord Peshawar, porte de l'Afghanistan via la passe de Khyber, mais aussi Lahore, qui fut un centre artistique et religieux réputé. En Inde, Amritsar vit se dérouler le massacre des nationalistes par les troupes britanniques en 1919 ; Delhi fut la capitale de l'Empire moghol mais aussi celle des Britanniques en Inde. Un peu plus loin, vous découvrirez Bénarès, l'un des lieux saints de l'hindouisme, et enfin Calcutta, l'une des plus grandes et des plus étonnantes cités qui soient. Sur la route, vous croiserez une quantité étonnante de véhicules et de gens : des chars à bœufs, des pèlerins nu-pieds, des éléphants, des bus multicolores, des camions Ashok conduits par des chauffeurs coiffés de turban, des limousines éblouissantes de blancheur et les Toyota climatisées des personnalités officielles. On ne sait comment les vaches sacrées, les chèvres, la volaille et les piétons réussissent à échapper aux voitures qui déboîtent brusquement pour éviter un nid-de-poule. À la poussière se mêlent des fumées de diesel. On a parfois l'impression que le continent tout entier s'est mis en route.

Quand ? De novembre à janvier, quand la température est supportable le jour et suffisamment fraîche pour dormir la nuit.

Combien de temps ? La route fait près de 2 600 km. 4 jours entre Peshawar et Lahore, 2 semaines entre Lahore et Delhi, et encore deux semaines au moins entre Delhi et Calcutta.

Préparation La meilleure façon de voyager est de louer une voiture avec chauffeur, de préférence climatisée et à quatre roues motrices. Des agences proposent aussi des voyages organisés sur la partie la plus touristique du trajet, entre Delhi et Bénarès.

À savoir La poussière étant omniprésente, munissez-vous d'un masque ou d'une écharpe assez fine pour pouvoir respirer à travers.

Internet www.tourism.gov.pk, http://french.incredibleindia.org

TEMPS FORTS

■ On trouve de tout dans les bazars de **Peshawar** : or, argent, bijoux, céramique, tissus… sans parler des armes, très répandues dans cette région frontalière. Testez vos talents de négociateur dans le bazar historique de Qissa Khawani.

■ L'empereur moghol Aurangzeb fit édifier la **grande mosquée de Badshahi**, à Lahore, en 1673. Ce superbe exemple d'architecture moghole peut accueillir jusqu'à 55 000 fidèles.

■ À **Amritsar**, ne manquez pas le resplendissant Temple d'or (Hamimandir Sahib), qui s'élève au bord d'un lac. C'est le lieu le plus sacré de la religion sikhe ; les pèlerins y viennent nombreux, en particulier lors du grand festival de Vaisakhi, le 13 ou le 14 avril.

■ Le rôle historique et religieux de **Bénarès** (Varanasi) remonte au VIe siècle av. J.-C. Cette ville sainte de l'hindouisme accueille chaque année des millions de pèlerins qui viennent se purifier dans le G ange. Elle est aussi sacrée pour les bouddhistes.

Ci-dessus, à gauche : Le jaune canari des taxis et des rickshaws ajoute une note à l'arc-en-ciel des rues indiennes. Ci-dessus, à droite : Des tissus richement brodés sur un marché de la frontière pakistanaise. Ci-contre : À Bénarès, les pèlerins venus de tout le pays se baignent dans le Gange pour se purifier, offrant un spectacle haut en couleur.

Sous un ciel d'azur, les maisons de Casares sont d'un blanc presque aveuglant.

ESPAGNE

Villages blancs d'Andalousie

Parcourez les collines andalouses et découvrez une histoire qui court des grottes préhistoriques aux vestiges de l'Espagne maure.

On dit qu'il y a en Andalousie une lumière spéciale, et ce n'est nulle part plus vrai que dans les *pueblos blancos* (villages blancs), perchés au sommet rocheux des collines ou nichés au creux des vallées. Certains, comme par exemple Grazalema, furent bâtis par des paysans berbères, au temps où l'Andalousie était arabe. Ils furent conçus comme des forteresses, destinés à résister aux prétentions des chrétiens sur le sud de l'Espagne. L'art et l'architecture locaux restent profondément marqués par les influences maures. Chaque village, même le plus petit, a son histoire. Olvera, par exemple, se trouvait sur la ligne de front entre le royaume arabe de Grenade et les territoires chrétiens du Nord et de l'Ouest. Benaoján est plus ancien : on y a retrouvé d'importants vestiges préhistoriques. Arcos de la Frontera, avec ses étroites venelles, ses recoins et ses arches, constitue un magnifique exemple d'architecture arabe. Ce voyage vous mènera de village en village, d'Antequera jusqu'à Jerez de la Frontera, à l'ouest. D'une merveille à l'autre, vous suivrez des routes de montagne, le long de vallées encaissées et de gorges où grondent des torrents. Au-dessus des sapins et des sommets planent des aigles ; dans les prés paissent les taureaux destinés à la corrida.

Quand ? De mars à juin et de septembre à novembre. Évitez la chaleur écrasante de l'été andalou.

Combien de temps ? Il faut prévoir 2 jours pour parcourir ces 370 km de routes sinueuses ; vous pouvez facilement y ajouter 1 journée ou 2 pour voyager tranquillement.

Préparation À la fin de l'automne, prévoyez des vêtements chauds car les nuits sont fraîches, même si le soleil reste chaud pendant la journée. Emportez aussi de l'eau et de la crème solaire.

À savoir La sieste étant encore largement pratiquée dans les petits villages, ne vous attendez pas à beaucoup d'animation entre 14 h et 17 h. Dans les villes, l'office de tourisme vous indiquera les fêtes locales ; l'expérience peut être inoubliable, ou tourner au cauchemar si vous êtes coincé derrière une procession…

Internet www.spain.info, www.andalucia.org

TEMPS FORTS

■ Les grottes et les dolmens des environs d'**Antequera** offrent un témoignage sur la vie des anciens Ibères.

■ La réserve naturelle d'**El Peñon de Zaframagón**, près d'Olvera, abrite de nombreux vautours fauves.

■ Des gorges spectaculaires mènent à **Ronda**, capitale de la tauromachie.

■ À **Cueva de la Pileta**, près de Benaoján, ne manquez pas les remarquables fresques des grottes préhistoriques.

■ **Arcos de la Frontera** est perché au sommet d'une falaise calcaire. La vue sur la vallée de la Guadalete est splendide.

AUSTRALIE

Les Montagnes bleues

Loin de Sydney, découvrez les panoramas spectaculaires, les plantes rares et la faune exotique de ces pics embrumés.

Inscrit sur la liste du patrimoine mondial de l'Unesco, le parc national des Blue Mountains est une réserve naturelle exceptionnelle : sculptées dans les plateaux par des cascades et des torrents impétueux, falaises et gorges vertigineuses contrastent avec le bleu profond qui a donné son nom au parc. La brume bleue vient des innombrables eucalyptus qui saturent l'air de fines gouttes d'huile bleutée. La meilleure façon de se rendre dans le parc consiste à prendre une route historique, la Bell's Line of Road, qui part de Richmond, au nord-ouest de Sydney, pour se faufiler entre les collines et les vergers jusqu'au cœur des montagnes. À mesure qu'elle s'élève en direction du mont Tomah, l'humidité s'intensifie et le vent se met à souffler. Le climat plus frais, le sol riche et les pluies fréquentes font de ces pentes un véritable jardin botanique à ciel ouvert. La route suit ensuite une crête étroite surplombant la vallée de la Grose, jusqu'à ce qu'elle atteigne son point culminant, le mont Victoria (1 064 m). Au-delà se trouvent les belvédères de Blackheath et de Katoomba, ce dernier au sommet d'une falaise sur la vallée de la Jamison. La route redescend ensuite par Glenbrooke, dans un paysage moins escarpé qui offre la possibilité de nager dans un trou d'eau, d'admirer l'art aborigène dans la grotte de Red Hands, ou tout simplement de se promener dans les collines.

Quand ? En été, les montagnes offrent une échappatoire bienvenue hors de la fournaise de Sydney. En hiver, il y fait plus frais, mais les touristes sont moins nombreux.

Combien de temps ? La route fait un peu moins de 100 km en partant de Richmond ; comptez 1 jour.

Préparation Rendez-vous au parc très tôt, pour voir le soleil se lever et pour éviter la foule. Prenez de l'eau, car celle des montagnes n'est pas potable, même bouillie. Vous pouvez camper près de Glenbrook.

À savoir Les amateurs de flore sauvage préféreront le mois de septembre, début du printemps austral ; les lys sauvages, ou waratahs, sont alors en fleur. En novembre, Blackheath organise un Festival du rhododendron. Si vous allez vous promener à pied, ne vous laissez piéger par la fermeture du parc.

Internet www.bluemountainswonderland.com, www.guide-australie.com, www.visitnsw.com.au

TEMPS FORTS

■ Vous pouvez faire de belles promenades dans la **cathédrale de fougères**, à l'embranchement en direction du mont Wilson, entre Richmond et le mont Victoria.

■ À Blackheath, partez à la découverte de la vallée de la Grose ; ne manquez pas la **cascade de Govetts Leap**.

■ À **Katoomba**, vous jouirez d'une vue magnifique sur Echo Point et les Three Sisters, des pitons rocheux qui sont l'une des curiosités du parc. Vous pouvez descendre dans la vallée de la Jamison, à pied ou en train.

■ En dessous de **Katoomba**, admirez les trois étages de cascades de Wentworth Falls.

Une légende aborigène raconte que les Three Sisters sont trois sœurs transformées en rochers pour être tombées amoureuses de trois frères issus d'une tribu ennemie.

La Route de la côte ouest

Loin des grandes agglomérations, la côte occidentale de l'île du Sud offre aux amoureux de la nature des paysages vierges et de nombreuses balades.

À l'est s'élèvent les sommets nuageux des Alpes du Sud. De la petite anse de Karamea à la baie de Jackson, la route suit l'étroite bande de terre entre la mer de Tasman et les montagnes. 30 000 personnes vivent là, à l'écart du reste de l'île. Cet isolement est la meilleure protection qui soit pour la forêt pluvieuse tempérée, un écosystème intact de résineux géants, de palmiers et de fougères qui recouvre l'essentiel de la plaine côtière et des montagnes. Dès le début de la route, des panoramas exceptionnels s'offrent à vous, avec des paysages alpins traversés de torrents et de cascades. Vous pouvez vous arrêter ici ou là pour faire une balade dans les bois de hêtres, plonger dans une source thermale, pagayer sur un lac entouré d'arbres, ou pourquoi pas vous mettre en quête de gemmes et de paillettes d'or. Le dernier tiers de la route est appelé le pays des glaciers. Les glaciers Fox et François-Joseph, descendus des montagnes voisines, viennent ici se perdre dans la mer. Un peu plus loin, passé le col de Haast, le paysage change brusquement, ouvrant sur une vallée boisée peuplée de perroquets, de kiwis et d'arapongas, une variété de perruche néo-zélandaise parfois surnommée oiseau-cloche. La route mène ensuite à la baie de Jackson, où elle s'arrête. Si vous aimez l'action, la côte ouest est le paradis des aventuriers d'aujourd'hui. Si vous préférez la tranquillité, asseyez-vous simplement et contemplez les vagues qui se brisent sur les rochers.

Quand ? La haute saison se situe entre octobre et la fin avril, c'est-à-dire du printemps à l'automne, puisque nous sommes dans l'hémisphère Sud. Dans la région de la côte, c'est aussi la saison la plus humide. L'hiver a ses atouts : paysages enneigés et ciel au beau fixe.

Combien de temps ? Les nombreux virages obligent à rouler lentement et la route fait plus de 600 km. Comptez facilement 3 jours si vous conduisez. Si vous voyagez en bus, vous aurez besoin d'une journée supplémentaire.

Préparation Il s'agit de l'une des destinations préférées des touristes néo-zélandais et étrangers : réservez votre hébergement bien à l'avance.

À savoir Depuis quelques années, la côte ouest attire des artistes et des artisans qui exposent leur travail dans des galeries installées soit le long de la route, soit sur des chemins de traverse : suivez les panneaux indicateurs !

Internet www.newzealand.com , www.west-coast.co.nz, www.nzsouth.co.nz

TEMPS FORTS

■ À Cape Foulwind, près de Westport, observez la colonie de **phoques à fourrure**.

■ Faites un tour en hélicoptère dans les montagnes, puis redescendez en **rafting** l'une des rivières qui mènent à la côte.

■ Venez goûter la tranquillité des petits villages de pêcheurs de la **baie de Jackson**, perdus au bout du monde.

■ Profitez des nombreuses occasions de pratiquer des **sports d'aventure**, du kayak au surf en passant par le VTT, la spéléologie et l'escalade.

■ Découvrez les **tunnels de glace** du glacier François-Joseph et contemplez le mont Cook et le mont Tasman qui se reflètent dans les eaux du lac Matheson.

Ci-dessus, à gauche : Des panneaux indiquent la présence de kiwis, ces oiseaux incapables de voler qui sont devenus le symbole du pays. Ci-dessus, à droite : Une grotte de glace dans le glacier Fox. Ci-contre : De la baie de Jackson, on peut contempler le mont Aspiring et les sommets enneigés des Alpes du Sud.

Le bois étant rare, on utilisait jadis du gazon pour recouvrir les toits, comme dans ces fermes anciennes installées au musée Skagafjördur de Glaumbær, dans le nord de l'île.

ISLANDE

L'Islande par la Ring Road

Découvrez la lumière du nord et le feu des volcans, en faisant le tour de l'île aux geysers brûlants et aux cascades glacées.

Glaciers, chutes d'eau, geysers et volcans continuent à creuser et à sculpter un paysage qui évoque les anciennes sagas de l'Islande viking. Surnommée Ring Road parce qu'elle fait le tour de l'île, la route 1 part de Reykjavík et serpente entre les collines qui dominent l'Atlantique. Cap au nord, vous vous engagez dans des virages en tête d'épingle surmontant des fjords glacés où s'ébattent les dauphins. Champs de lave pétrifiée, toundra, cratères volcaniques forment un paysage lunaire. Prenez les chemins de traverse pour découvrir d'autres merveilles : bassins fumants, chaudrons couverts de soufre, aux couleurs bleu et jaune, vallées fleuries, sternes arctiques et macareux perchés sur les falaises côtières… et partout des torrents et des cascades, dont la plus importante d'Europe, la Gullfoss (« Chutes d'Or »), où la Hvíta (« rivière Blanche »), née des eaux d'un glacier grossies du ruissellement des pluies, se jette dans une gorge d'une hauteur de 35 m. Ailleurs, des brebis paissent un gazon où s'élèvent des fermes aux toits rouges, sur fond de montagnes enneigées. Vous pouvez aussi retrouver l'histoire du pays, dans les villages qui recréent la vie au temps des Vikings ou à d'autres époques. À Eiríksstadir, dans l'est de l'île, ne manquez pas la maison d'Erik le Rouge, célèbre explorateur et héros d'une des grandes sagas islandaises.

Quand ? De mai à septembre. En hiver, les jours sont très courts, mais vous aurez la possibilité de contempler une aurore boréale dans le ciel nocturne.

Combien de temps ? Il faut 1 semaine pour profiter de tout ce que peut offrir cette route de 1450 km.

Préparation La météo islandaise est imprévisible, il faut prévoir des vêtements de pluie même en été.

À savoir La route 1 est la seule grande route du pays qui ait un revêtement correct. Dans l'est, certaines sections sont encore simplement empierrées, et par temps de pluie la conduite peut devenir difficile. Si vous lisez l'anglais, consultez l'état des routes sur le site www.vegagerdin.is/english.

Internet www.visiticeland.com, www.tourist.reykjavik.is

TEMPS FORTS

■ Prenez le temps de visiter **Reykjavík** et découvrez la vie nocturne de la capitale islandaise, l'une des plus animées d'Europe.

■ Ne manquez pas le spectaculaire **paysage glaciaire** autour de Jökulsárlón, vers le sud : c'est là que le plus grand glacier d'Europe, le Vatnajökull, se disloque dans l'océan.

■ Rendez-vous au **lac Mývatn**, dans le nord : c'est le paradis des ornithologues ; on y croise la plus importante population de canards en Europe.

■ Faites un tour en mer pour **observer les baleines**, en partant de villages de pêcheurs comme Húsavík.

ÉCOSSE

À TRAVERS LES HIGHLANDS

Une ballade romantique dans les montagnes écossaises,
entre forêts brumeuses et lacs couleur émeraude.

Des escarpements rocheux s'élèvent à l'horizon. Les brebis paissent sous le ciel changeant qui fait du paysage écossais un tableau vivant, animé par les silhouettes de châteaux en ruine. Cette route traverse la partie la plus sauvage et la plus belle des îles Britanniques, où bat encore le cœur de la mémoire écossaise. Non loin d'Inverness se dresse Cawdor Castle, un château érigé au XIVe siècle où le Macbeth de Shakespeare assassine le roi Duncan. À quelques kilomètres, les troupes jacobites du légendaire Bonnie Prince Charlie, héros malheureux de l'indépendance écossaise, furent défaites sur le champ de bataille de Culloden. De là, la route file au sud en suivant Glen Mor (également appelé The Great Glen), une fissure d'une centaine de kilomètres de long creusée par les glaciers au cours de la dernière glaciation. Un passage par le Loch Lochy et le Loch Ness vous amènera à croiser, non pas le monstre, mais les innombrables babioles qui font vivre le tourisme local. À Fort William, vous pouvez faire un détour pour gravir les 1 344 m du Ben Nevis, le point culminant du Royaume-Uni, et continuer en direction des sommets des Five Sisters. Vous êtes alors dans l'une des meilleures régions de chasse écossaises. Passez enfin le pont qui mène à l'île de Skye : la plus grande des Hébrides possède des paysages à couper le souffle.

Quand ? D'avril à septembre.

Combien de temps ? Il faut au moins 1 journée pour faire ce trajet de 280 km.

Préparation L'ouest de l'Écosse est connu pour son humidité et des vêtements de pluie s'imposent. En été, de petits moustiques très agressifs infestent la région, prévoyez un produit répulsif.

À savoir Si vous faites le voyage en été, vous croiserez peut-être les Highlands Gatherings, qui réunissent plusieurs milliers de personnes pour des danses traditionnelles et des épreuves de lancer de troncs d'arbres au son des cornemuses. Le Glenurquhart Highland Gathering and Games se tient le dernier samedi d'août sur les berges du Loch Ness.

Internet www.visitscotland.com, www.ecosse.fr

TEMPS FORTS

■ Ne manquez pas **Culloden**, où se déroula, en 1746, la dernière bataille survenue sur le territoire britannique. Des stèles et des tombes ponctuent ce paysage émouvant, et une exposition vous permettra de comprendre l'aventure jacobite.

■ Montez au sommet du **Ben Nevis** pour jouir de la vue sur les roches déchiquetées de la côte ouest. La route touristique qui part du Glen Nevis prend 6 heures aller-retour.

■ Prenez le temps de découvrir l'**île de Skye**, qui mérite une visite avec ses sommets escarpés, ses villages de pêcheurs et ses loutres de mer.

■ Si vous avez des ancêtres écossais, une visite au **kiltmaker** s'impose, afin de vous faire tailler un kilt dans le tartan de votre clan.

Des nuages pénètrent dans une vallée de bruyères, avec en arrière-plan les sommets bleutés du Ben Nevis et des monts Mamore.

Une petite route serpente dans les vertes collines du Connemara jusqu'à une ferme isolée.

IRLANDE

LA ROUTE DU CONNEMARA

Battue par les flots de l'Atlantique, la péninsule du Connemara offre des paysages sauvages : landes et montagnes, falaises, plages.

Pointe avancée des côtes irlandaises, la péninsule du Connemara est un concentré de la nature du pays. Les marécages alternent avec fameux *loughs* (lacs) poissonneux, des torrents descendent les collines, les landes succèdent aux forêts. Et il y a bien sûr le splendide paysage des côtes, avec les falaises et les plages de sable. Cet itinéraire forme une boucle dont le point de départ et d'arrivée est la petite ville de Clifden, un port réputé pour ses pubs et ses restaurants, où se tient en septembre un festival artistique. De là, la route monte au sommet des falaises, vers l'ouest. Dans l'océan immense, vous apercevrez les côtes des îles d'Inishturk et de Turbot. Des marsouins s'amusent dans les vagues. Le paysage est ponctué de fermes isolées, parmi lesquelles Kingstown Farm, où l'on élève les fameux chevaux du Connemara. À l'horizon se dressent les sommets des Twelve Bens. Savourez ce trajet d'une demi-journée à peine, en vous arrêtant pour faire quelques pas dans les chemins de traverse.

Quand ? Toute l'année, mais surtout du printemps à l'automne. La plupart des sites touristiques irlandais ferment tôt, et certains sont fermés en hiver ; vérifiez avant de partir.

Combien de temps ? Ce trajet de 11 km peut être parcouru en moins de 1 h, mais il mérite amplement qu'on y consacre 1 demi-journée. Prenez le temps de savourer la beauté du paysage et de vous dégourdir les jambes.

Préparation Il y a de nombreuses agences de location de voitures, mais vous pouvez réserver à l'avance pour éviter les mauvaises surprises et bénéficier de tarifs plus avantageux.

À savoir Séjourner dans un *bed & breakfast* est une excellente façon de faire plus ample connaissance avec les Irlandais… et, avec un peu, de chance de goûter un *soda bread* fait maison !

Internet www.irelandwest.ie, www.ouestirlande.com, www.discoverireland.com/fr

TEMPS FORTS

■ Vous aurez sans doute l'occasion de voir des **phoques gris** dans l'océan et des **chevaux sauvages du Connemara** dans la lande.

■ Faisant face à la mer, le **château de Clifden** est une bâtisse du XIXᵉ siècle, aujourd'hui en ruine, qui fut érigée par le fondateur de la ville, John d'Arcy.

■ Clifden est un bon endroit pour écouter de la **musique traditionnelle** et faire des rencontres, notamment pendant la foire aux chevaux (Pony Show) au mois d'août et le festival des Arts en septembre.

■ C'est dans le marais de **Derrygilmagh**, non loin de Clifden, qu'Alcan et Brown s'écrasèrent en 1919, après avoir réussi le tout premier vol transatlantique.

■ Au sud de Clifden, une **stèle** marque le site d'une station installée en 1907 par le **pionnier de la radio** Guglielmo Marconi italo-irlandais. C'est de là qu'émettait le tout premier service commercial radiophonique entre l'Ancien et le Nouveau Monde.

EUROPE

ALLEMAGNE

La Route romantique de Bavière

Voyagez au cœur de la culture et du folklore en suivant une route bordée de châteaux haut perchés et de magnifiques églises.

D es lacs, des châteaux moyenâgeux, des palais de contes de fées, des églises coiffées de bulbes, le tout dans un paysage de montagnes couvertes d'épaisses forêts : vous êtes bien dans le Sud profond de l'Allemagne. La Route romantique, qui se déroule en longeant les rives du Main et les vignobles de Franconie, passe par plusieurs cités historiques des Alpes bavaroises. Elle vous permet de découvrir une région très attachée à ses traditions et à ses fêtes, qui sont autant d'occasions pour ses habitants de revêtir leurs costumes folkloriques, de jouer de la musique et, bien sûr, de boire de la bière. Le circuit regorge de trésors architecturaux, à commencer par Würzburg, au nord, une ville connue pour ses églises romanes et ses édifices baroques et rococo, puis Augsbourg, fief des Fugger, famille de banquiers qui introduisit la Renaissance en Allemagne. En poursuivant vers le sud, vous trouverez Friedberg et Landsberg, qui s'inscrivent dans un paysage de douces collines. La cité médiévale de Füssen constitue le clou du périple. Dans ses environs, plus de 60 palais et châteaux méritent une visite, parmi lesquels Neuschwanstein, bâti au XIXe siècle sur les ordres de Louis II de Bavière.

Quand ? Toute l'année. Au printemps et en été, les prairies et les vergers sont en fleurs ; à l'automne, ils se parent de somptueuses couleurs, tandis qu'en hiver la neige leur donne une dimension magique.

Combien de temps ? Prévoyez 1 semaine pour effectuer tranquillement ce circuit de 340 km.

Préparation La voiture ne constitue pas la seule option. D'avril à octobre, la compagnie Eurolines offre un service de cars qui permet aux voyageurs de monter et descendre à leur convenance sur le parcours, et l'Association touristique de la Route romantique propose un circuit à vélo qui évite les collines les plus ardues et les grands axes.

À savoir Nombreux logements à tous les prix. Les offices de tourisme sur place pourront vous aider.

Internet www.romanticroad.de, www.bavaria.bayern.by, www.la-baviere.com

TEMPS FORTS

■ Décorée de superbes fresques de Tiepolo, la **résidence des princes-évêques de Würzburg** compte parmi les plus belles constructions du XVIIIe siècle en Europe.

■ Faites un crochet par Munich au moment de la **fête de la Bière** (Oktoberfest), manifestation qui se tient pendant les seize jours précédant le premier dimanche d'octobre. Au programme : défilés, musique, spécialités gastronomiques bavaroises.

■ Comme il le confia au compositeur Richard Wagner, Louis II s'attacha à recréer à **Neuschwanstein** un édifice «conforme au style authentique des vieux châteaux des chevaliers allemands». Mais le roi n'omit pas d'y inclure des éléments de confort moderne tels que des toilettes et le chauffage central.

Le château de Neuschwanstein, achevé dans les années 1880, aurait inspiré Walt Disney pour la demeure de sa Belle-au-bois-dormant.

La cité de Monaco vue depuis la Moyenne Corniche.

FRANCE

Les corniches de la Côte d'Azur

Trois routes résument tout l'esprit de la Côte d'Azur : glamour et paysages à couper le souffle sont au rendez-vous.

Même si vous n'y êtes jamais allé, vous avez déjà vu dans de nombreux films ou des tableaux les collines couvertes de lavande, les villages perchés et les points de vue sur la Méditerranée. Trois corniches vous permettent de découvrir ces paysages renommés : la Grande Corniche, la plus haute, aménagée sous le règne de Napoléon, la Moyenne Corniche et la Corniche inférieure, proche du littoral. Pour profiter de ce que les trois routes ont de mieux à offrir, suivez tout d'abord la Moyenne Corniche, à l'est de Nice, qui marque un virage au niveau de Monaco et passe sous le château de Roquebrune, avant de rejoindre la Corniche inférieure à Roquebrune-Cap-Martin. Pour rentrer, prenez la Grande Corniche, particulièrement impressionnante sur les 18 km qui séparent La Turbie et Nice, ou empruntez la Corniche inférieure, plus longue, afin de vous arrêter à Monaco et à Beaulieu-sur-Mer.

Quand ? Toute l'année, mais c'est en avril-mai que les corniches sont le plus jolies et le moins fréquentées.

Combien de temps ? Chaque corniche s'étend sur environ 30 km. Comptez 2 h pour la Moyenne Corniche et 1 h pour la Grande. Prévoyez une journée en vous arrêtant pour le déjeuner.

Préparation Il existe des services de bus sur les trois corniches, mais mieux vaut disposer de votre véhicule ou en louer un à Nice ou à Menton, ce qui vous permettra d'effectuer la balade à votre rythme.

À savoir La Corniche inférieure, entre Roquebrune-Cap-Martin et Menton, est assez monotone. N'hésitez pas à rejoindre la Grande Corniche environ 1,6 km à l'est de Roquebrune-Cap-Martin.

Internet www.cote.azur.fr, www.provenceweb.fr, www.provence.guideweb.com

TEMPS FORTS

■ Situé au nord-est de Nice, le **village médiéval d'Eze** (accessible en bus) est bâti sur un promontoire rocheux qui surplombe la Méditerranée. Ses ruelles tortueuses abritent restaurants, cafés, galeries d'art et antiquaires.

■ Ne manquez pas le **Trophée des Alpes** (35 m), grand socle de pierre qui se trouve sur la Grande Corniche, près de La Turbie. Érigé en 6 av. J.-C., il servit de piédestal à une statue de l'empereur Auguste, disparue depuis longtemps.

■ Depuis le **rocher escarpé** qui surplombe Monaco, vous jouirez d'une vue sans égale sur le petit État et sur son port, où mouillent yachts et autres luxueux bateaux.

■ Baladez-vous à pied sur le sentier côtier qui borde le **Cap-Martin** et profitez du spectacle de la mer, des rochers, des pins.

EUROPE

PORTUGAL

DE PORTO À LISBONNE

À l'écart des circuits les plus fréquentés, découvrez l'architecture médiévale portugaise dans un des plus beaux paysages d'Europe.

C'est l'une des capitales européennes les plus agréables et les plus intéressantes que rejoint cette route qui commence à Porto, quelques centaines de kilomètres plus au nord. Elle suit la côte atlantique à travers une région encore préservée, l'une des dernières en Europe. Marais salants, forêts de pins, plaines côtières et collines boisées alternent avec des vallées viticoles. Dès que vous sortez de l'autoroute, vous vous retrouvez dans un magnifique paysage de plages, de lagunes et de falaises. Laissant derrière vous l'estuaire du Douro, vous traversez d'abord Vila Nova de Gaia, capitale du vin de porto. Des vignobles en terrasses donnent aux collines l'allure d'un tableau. La région abrite aussi quelques-uns des chefs-d'œuvre de l'architecture portugaise : des églises, des couvents, les bâtiments historiques de l'université de Coimbra, dans l'ancienne capitale du pays, mais aussi les châteaux médiévaux perchés au-dessus des villages et de petites villes comme Leiria. Figueira da Foz est une charmante station balnéaire, où vous pourrez déguster de délicieuses sardines fraîches. Plus au sud s'étalent les vignobles et les champs de blé de la plaine du Tage. L'œil est sollicité de toutes parts : ici, des chevaux pur-sang, là des taureaux de combat, puis des marchés aux fleurs aux couleurs éclatantes. Ne manquez pas, tout au long de la route, les artisans qui fabriquent encore la poterie et la vannerie traditionnelles, perpétuant un mode de vie appelé à disparaître.

Quand ? Toute l'année.

Combien de temps ? Il suffit d'une demi-journée pour parcourir les 320 km du trajet, mais si vous voulez découvrir les villes et profiter du paysage, comptez au moins 3 jours.

Préparation Pensez à prendre des produits anti-moustiques l'été et des vêtements de pluie l'hiver.

À savoir Pour un hébergement de caractère, essayez les *pousadas*, hôtels installés dans des châteaux ou d'anciennes demeures, bâtiments souvent classés.

Internet www.visitportugal.com, www.pousadas.pt

TEMPS FORTS

■ Promenez-vous dans les rues du **Porto médiéval**, la ville qui a donné son nom au fameux vin mais aussi au pays. Ce site magnifiquement préservé est inscrit sur la liste du patrimoine mondial de l'Unesco.

■ Essayez de visiter la ville universitaire de **Coimbra** pendant l'année scolaire. Les étudiants portent encore la traditionnelle toge noire.

■ Faites étape dans la charmante ville balnéaire d'**Aveiro**, avec ses canaux, ses bateaux de pêche et ses maisons passées à la chaux.

■ À **Lisbonne**, découvrez les ruelles du quartier de l'Alfama, flânez à Belém et écoutez du fado.

C'est Gustave Eiffel qui dessina le pont de Maria Pia, en 1877, pour relier les deux rives du Douro, à Porto. Le pont moderne franchit le fleuve à quelques encablures.

ITALIE

LES DOLOMITES

Suivez cette route spectaculaire qui offre de majestueux paysages de montagne et de curieuses formations rocheuses.

Les eaux des lacs d'un vert profond reflètent les formes de pitons vertigineux. Les vaches paissent dans les pâturages alpins, qui se transforment au printemps en un merveilleux tapis fleuri. Les rhododendrons, les edelweiss et les forêts de pins agrémentent la grande route des Dolomites, qui relie Bolzano à la station de ski la plus réputée du pays, Cortina d'Ampezzo. Ce massif spectaculaire doit son relief étonnant au calcaire dolomitique. Des millénaires d'érosion ont donné à la pierre des formes stupéfiantes : crêtes déchiquetées, aiguilles, gorges, dont la couleur passe, du gris bleu à l'aube, à un superbe rose orangé dans le soleil couchant. La route que vous suivez (SS241 et SS248) fut commencée en 1891, et il fallut près de quatorze ans pour qu'elle atteigne Cortina. Les ingénieurs ont réalisé de véritables prouesses, traversant des vallées, reliant des villages isolés, passant des lacs et des montagnes abruptes. En prenant la direction du sud, depuis la cité médiévale de Bolzano, vous pénétrez dans une profonde gorge, avant de remonter la charmante vallée de Fassa pour atteindre le col de Pordoi (2 239 m), point culminant du trajet. De là, la route se dirige vers le nord-est pour rejoindre Cortina au terme d'une impressionnante série de virages en épingle à cheveux. La station est nichée dans une vallée d'altitude ; elle a accueilli les jeux Olympiques d'hiver en 1956, et la jet-set en a fait l'une de ses étapes préférées. Pour le retour, vous êtes libre de faire quelques détours en passant par Canazei pour aller à Ortisei, ou encore par le col de Sella.

Quand ? De fin mai à mi-octobre. La plupart des cols sont fermés en hiver. En juillet et août, il y a beaucoup de monde, mais le temps est parfait. Les fleurs sauvages du printemps et les couleurs des feuilles d'automne ont elles aussi leur charme.

Combien de temps ? Ce trajet d'une centaine de kilomètres (plus le retour) se fait en 1 petite journée, mais vous pouvez aussi prendre votre temps et y consacrer 2 ou 3 jours.

Préparation De Vérone, vous êtes à Bolzano en 2 h. Vous pouvez aussi partir de l'aéroport de Venise-Trévise ou de celui de Milan et louer une voiture. Cette partie de l'Italie est facilement accessible depuis l'Autriche. Vous pouvez dormir à Canazei, à Arabba ou à Cortina.

À savoir Les routes des Dolomites requièrent une concentration de tous les instants. La vitesse est officiellement limitée à 90 km/h, mais les innombrables virages vous obligent à rouler plus lentement.

Internet www.dolomiti.org, www.enit.it

EUROPE

TEMPS FORTS

■ Prenez le **téléphérique** de Bolzano, qui vous amène à un belvédère d'où vous pouvez contempler le Renòn, une région de collines boisées parsemées de petits villages.

■ Arrêtez-vous au **col de Sella** pour admirer le plus haut sommet des Dolomites, la Marmolada (3 344 m).

■ Testez votre résistance au vertige en prenant le téléphérique de **Malga Ciapela**, qui monte à 3 246 m, à quelques dizaines de mètres du sommet de la Marmolada.

■ Mêlez-vous aux stars et à la jet-set à **Cortina d'Ampezzo**, l'une des stations les plus chic des Alpes.

■ Faites connaissance avec la star préhistorique **Ötzi l'homme des glaces**, dont les restes momifiés sont conservés au Musée archéologique de Bolzano. Son corps fut découvert en 1991 dans un glacier autrichien tout proche, où il reposait depuis 5 000 ans.

Ci-dessus, à gauche : Spécialités culinaires dans un magasin à Cortina. Ci-dessus, à droite : Des sommets déchiquetés se dressent derrière une église en ruine, à Cortina. Ci-contre : Le paysage et l'architecture des environs de Castelrotto sont indéniablement alpins. Derrière le clocher de l'église, des nuages s'accrochent aux sommets des Dolomites.

Le fort de Nakhti se dresse au cœur d'une oasis, au pied des contreforts rocheux du djebel Akhdar.

SULTANAT D'OMAN

LA ROUTE DES FORTERESSES

Une expédition en 4X4 vous emmène dans le désert découvrir les forteresses et les villages traditionnels en brique séchée.

Le sultanat d'Oman recèle près d'un millier de châteaux, de tours de guet et de forteresses de pierre et de boue séchée, témoignage de son importance stratégique à l'embouchure du golfe Persique. Cet itinéraire part de la capitale, Mascate. La route suit d'abord la direction du sud-ouest. Les forts se mêlent au paysage, accrochés aux flancs escarpés des collines ou cachés à leur pied, au milieu des villages de boue séchée, des plantations de palmiers-dattiers. La plupart d'entre eux furent érigés par la dynastie des Yariba, qui expulsa les Portugais en 1650, et par leurs successeurs les Al Bou Saïd. Premier arrêt, l'ancienne capitale de Nizwâ, célèbre par sa forteresse du XVIIᵉ siècle flanquée d'une énorme tour circulaire. Non loin de là, vous découvrirez les palais-forteresses de Bahlah et de Jabrin. Quittez la route pour vous enfoncer dans les montagnes et redescendre dans la plaine de Batinah sur un chemin de terre sinueux. Visitez encore les places-fortes de Hazm et d'Ar Rustaq, avant de rejoindre la route, qui en suivant la côte vous permet d'admirer d'autres types de fortifications. Vous pouvez consacrer une dernière visite à l'oasis de Nakhl, au pied du djebel Akhdar, avant de rentrer à Mascate.

Quand ? De novembre à mars, même s'il fait froid dans les montagnes. Mais il vaut mieux éviter l'été.

Combien de temps ? Au moins 4 jours pour 750 km : 2 nuits à Nizwâ, votre camp de base pour vous rendre à Bahlah et Jabrin, et une autre à As Suwayq, parfait pour faire étape avant la visite de Nakhl.

Préparation Il vous faudra un 4X4 pour emprunter les chemins de terre qui mènent aux forteresses.

À savoir Les panneaux routiers sont en anglais. Vous pouvez avoir une amende si votre véhicule est trop sale. Il y a peu de stations-service, et elles sont distantes les unes des autres : faites le plein quand vous en avez l'occasion, emportez de l'eau et de quoi vous débrouiller si votre voiture tombe en panne.

Internet www.omantourism.gov.om, www.mark-oman.com, www.omantourisme.com

TEMPS FORTS

■ Sur la route de Nizwâ, arrêtez-vous pour déjeuner à **Sayq**, afin de profiter du superbe panorama sur les montagnes.

■ Marchandez de la poterie et de l'argenterie dans le souk de **Nizwâ**, avant de contempler la ville depuis la tour du château.

■ De Nizwâ, faites un petit détour pour vous rendre au **Wadi Ghul**, le « Grand Canyon » du sultanat, dominé par les 3 000 m du djebel Shams.

■ Suivez sur 11 km les murailles de **Bahlah**, récemment restaurées et inscrites sur la liste du patrimoine mondial de l'Unesco.

■ Pique-niquez à l'ombre des palmiers-dattiers, à côté des **sources thermales** de l'oasis de **Nakhl**. Les enfants jouent pendant que les femmes font la lessive dans les bassins d'eau chaude.

■ Suivez en 4X4 le **lit asséché d'une rivière**.

■ Après dîner, détendez-vous dans les odeurs d'**encens** en fumant une pipe à eau.

AFRIQUE

Du Caire au Cap

Faites un voyage de rêve à travers les déserts et les savanes
du continent noir, du nord au sud et d'une culture à l'autre.

Les taxis se traînent dans les rues du Caire, dans une cacophonie de klaxons. Aux terrasses des cafés, des hommes partagent un narguilé, vêtus de la longue robe traditionnelle (*galabieh*). Après avoir exploré le delta du Nil, prenez l'avion jusqu'à Nairobi, au Kenya, afin d'éviter les routes dangereuses du Soudan et de l'Éthiopie. En Tanzanie, la route traverse d'immenses parcs nationaux. Une brise tiède souffle. Les animaux attendent leur tour au point d'eau, sur la rivière à côté de laquelle est installé votre camp. Jusque tard le soir, vous entendez barrir les éléphants qui cherchent des graines d'acacia. Sur le lac Malawi, dans la vallée du Rift, des aigles pêcheurs guettent leur proie. Le soir tombe vite. Le lac reflète les teintes roses du crépuscule, un chœur d'oiseaux se fait entendre, avant le nocturne entêtant des insectes. Un nuage humide signale les chutes Victoria (ou du Zambèze), qu'on appelle ici *Mosi-at-tunya* (« la fumée qui tonne »). Les buissons et les arbres épars de la savane cèdent peu à peu la place à un désert de dunes : vous atteignez la Namibie. Un oryx se laisse apercevoir, à la recherche d'un endroit où boire. L'herbe revient, l'Afrique du Sud vous accueille, la route s'approche de la côte, près de laquelle jouent les dauphins et les baleines. La majestueuse montagne de la Table, à l'horizon, vous indique que vous êtes arrivé au Cap.

Quand ? D'octobre à avril.

Combien de temps ? Plus de 8 800 km au total, dont près de 5 700 par la route entre Nairobi et Le Cap : comptez facilement 6 semaines, afin de bien profiter du voyage.

Préparation Il est recommandé de bien planifier ce voyage et de réserver à l'avance les hôtels et certaines activités (visites de parcs). Vérifiez si vos visas sont en règle, pensez au traitement contre le paludisme et à la vaccination obligatoire contre la fièvre jaune.

À savoir Des vols quotidiens relient Le Caire à Nairobi. De là, vous continuez par la route. Avril est le meilleur mois pour aller survoler les chutes Victoria.

Internet www.afrik.com, www.southafrica.net, www.safari-afrique.com

TEMPS FORTS

■ Observez les animaux tout à votre aise en campant dans le **parc national du Tarangire** en Tanzanie, notamment les troupeaux d'éléphants, dont certains dépassent 200 têtes.

■ Pagayez sur les eaux du **lac Malawi** dans le parc national du même nom, inscrit au patrimoine mondial de l'humanité de l'Unesco.

■ Offrez-vous le vertigineux survol des **chutes Victoria**.

■ Parcourez sur un mokoro (canoë) les lagunes du **delta de l'Okavango**, une exceptionnelle réserve de vie sauvage.

■ Observez les animaux qui se pressent jusque tard dans la nuit au trou d'eau de **Namutoni** à **Etosha Pan**, en **Namibie**.

La silhouette majestueuse de la montagne de la Table, au pied de laquelle est nichée la ville du Cap, est l'extraordinaire spectacle qui marque la fin de votre périple.

LA TRAVERSÉE DU SAHARA

Suivez la piste des caravanes, à la rencontre de civilisations anciennes et des paysages sublimes du désert.

L'agitation des villes marocaines contraste avec la sérénité silencieuse du désert. Sur la route, vous vous arrêtez dans de petites villes aux ruelles encaissées où les appels du muezzin couvrent les voix des commerçants du souk. La foule se disperse dans la chaleur de midi. Les cafés se remplissent, une entêtante odeur d'épices flotte dans l'air… Vous êtes parti de Ceuta, une petite enclave espagnole sur le territoire marocain, à une vingtaine de kilomètres du détroit de Gibraltar. La nature est encore méditerranéenne. Puis, au centre du pays, les contreforts de l'Atlas grandissent à l'horizon et Marrakech apparaît. Ses bâtiments ocre évoquent déjà l'Afrique subsaharienne. Dans l'Atlas, casbahs et forteresses berbères se fondent dans le paysage. Passé les montagnes, vous redescendez vers le désert du Sahara occidental. Un ciel immense domine ce territoire de discorde politique, où vous devrez demander votre route pour certaines zones tribales ou vous garantir des tempêtes de sable. Quand vous vous rapprochez de la côte, le désert se fait plage et semble se dissoudre dans la mer. Vous arrivez en Mauritanie : dans les radios des cafés, les chaabis marocains sont remplacés par le son du tidinit (luth), et dans les rues, les costumes sont de plus en plus colorés. Une ou deux étapes encore, et vous êtes arrivé au terme de votre voyage : Nouakchott, capitale de la Mauritanie.

Quand ? De septembre à mars. Au Maroc, ce sont les mois les plus frais. En Mauritanie en revanche, la température moyenne est à peu près constante tout au long de l'année.

Combien de temps ? Au moins 4 semaines (3 000 km sur des routes parfois difficiles).

Préparation Vérifiez que vous êtes en règle avec les visas. Prenez des renseignements précis avant de traverser le Sahara occidental et au cours du voyage, afin d'éviter les zones délicates. Suivez les conseils des habitants de la région et conduisez prudemment.

À savoir Emportez un répulsif contre la mouche tsé-tsé. Si vous voyagez en bus, rappelez-vous que les horaires sont parfois très souples et que les bus attendent généralement d'être pleins pour partir.

Internet www.tourisme-marocain.com/onmt_fr, www.deserts.fr

TEMPS FORTS

■ La **vieille ville de Fès** (Fes el-Bali), au Maroc, est un labyrinthe d'allées et de marchés couverts ; essayez de repérer le souk des marchands de henné.

■ Les routes à lacets du Haut-Atlas, dans le sud du Maroc, mènent aux **gorges de la Todra**, les plus hautes du pays, et à **la vallée de la Dadès**, la « vallée aux mille casbahs ».

■ La casbah du village fortifié d'**Aït Benhaddou** s'élève dans le paysage désertique du sud du Maroc. Ne manquez pas la mosquée Hassan II.

■ En Mauritanie, un détour vous permettra de visiter **Chinguetti**, carrefour caravanier et septième ville sainte de l'islam.

Un sommet enneigé émerge derrière les flancs arides des montagnes du Haut-Atlas marocain, près d'Aït Benhaddou.

Sur les flancs des montagnes s'étalent des parterres d'aloès à fleurs écarlates, une espèce qui croît naturellement dans la région du Cap.

AFRIQUE DU SUD

La Route des jardins

Cette route qui longe les plages et les falaises abruptes de la côte traverse des forêts séculaires et des montagnes pittoresques.

Pour les colons hollandais partis du Cap, cette bande de terre au sol fertile, jouissant d'un agréable climat méditerranéen, évoquait le jardin d'Éden. Le nom est resté et la région est aujourd'hui l'une des destinations préférées des Sud-Africains. La Route des jardins part de la baie de Mossel pour rejoindre la ville de Storms River. Elle longe de petites anses bien cachées et des plages sans fin, reliées à un monde sauvage d'étangs, de lagunes et de marais. À l'intérieur des terres, elle traverse de vastes forêts et des réserves naturelles dominées par les montagnes d'Outeniqua et de Tsitsikamma. La charmante petite ville de George peut constituer un excellent camp de base. Au-delà commencent les étendues vierges du parc national de Wilderness. Les eaux du fleuve se mêlent à celles de la mer dans une lagune. C'est là que commence la forêt de Knysna, la plus grande forêt primitive du pays. Des essences rares, comme le virgilier à bois jaune, le saule blanc ou le châtaignier du Cap, mais aussi des fougères et des fleurs sauvages. Faites un détour pour visiter le parc national de Tsitsikamma, pour admirer le canyon creusé par la Storms dans les falaises de la côte : c'est un final exceptionnel pour un voyage qui l'est tout autant.

Quand ? De novembre à février, pendant l'été austral. Évitez décembre, car c'est le moment où les Sud-Africains prennent leurs congés annuels.

Combien de temps ? Il suffit de 1 journée pour parcourir ces 370 km, mais la plupart des gens s'arrêtent 1 jour ou 2 sur la côte.

Préparation Réservez votre hôtel bien à l'avance. Pour certains sentiers, le nombre de promeneurs est limité ; là encore, il vaut mieux réserver tôt.

À savoir Ne manquez pas la spécialité du cru, le *snoek*, une variété de maquereau. Il est plein d'arêtes, mais sa saveur est délicieuse, surtout lorsqu'on l'a fait griller sur un *braai* (barbecue).

Internet www.gardenroute.co.za, www.afriquedusud.com

TEMPS FORTS

■ Faites une ballade à pied dans le **parc national de Wilderness** pour profiter de la tranquillité et de la richesse de la faune sauvage du lieu.

■ Observez les **baleines et les dauphins**, visibles en plusieurs points de la côte.

■ Visitez le **parc national de Tsitsikamma**, qui abrite la plus grande réserve marine d'Afrique. Vous pourrez aussi vous y promener à travers une forêt magnifique où vivent de nombreuses espèces d'oiseaux.

■ Profitez des nombreuses possibilités de faire de la **randonnée** et de pratiquer tous les **sports d'aventure**, notamment marins.

EN TRAIN

Luxueux ou spartiates, reposants ou périlleux, les voyages en train ont un charme indéniable. Montez à bord, le rêve commence : star d'un film hollywoodien, vous traversez des paysages époustouflants… Certaines lignes – l'Orient Express pour Venise ou le Transsibérien qui relie Moscou à Pékin – jouissent d'une réputation mondiale. À chaque continent son aventure ferroviaire : safaris en train en Afrique du Sud, chemin de fer suédois pour découvrir la faune arctique à la lueur du soleil de minuit. Des périples qui sont une véritable machine à remonter le temps jusqu'à la ruée vers l'or dans les Rocheuses méridionales ou le fameux pont de la rivière Kwai, témoignage de la Seconde Guerre mondiale. D'autres trajets, enfin, sont bien de notre temps, comme ceux qu'effectuent à grande vitesse les trains du Japon, ou le Qingzang qui relie la Chine au Tibet.

Le Jacobite, un superbe train à vapeur, parcourt l'ouest des Highlands, en Écosse, en sillonnant un paysage où la lande succède aux vallons et aux célèbres lochs.

LE PETIT TRAIN TOURISTIQUE DE LA CUMBRES & TOLTEC

Goûtez aux parfums de l'Ouest américain grâce à ce voyage en train à vapeur au cœur d'un paysage montagneux spectaculaire.

Toltec Gorge, 183 m de profondeur. Un sifflement strident retentit. La locomotive du train touristique de la Cumbres & Toltec avance entre les parois rocheuses, sur une voie étroite. Crachotant de la vapeur, elle tire des wagons bringuebalants puis expulse bruyamment une fumée noire. Pour franchir le défilé, la locomotive emprunte un immense pont à tréteaux. Elle traverse des prairies aux herbes jaunies, puis pénètre dans une vallée où miroitent les eaux d'une rivière. Debout sur la plateforme arrière, remontez le temps : épopée magnifique des filons d'or, des héros légendaires et des bandits de grands chemins. Dans les années 1880, la compagnie Denver & Rio Grande Western Railroad construisit cette ligne (la plus longue et la plus haute voie étroite du pays) afin d'assurer le transport de l'or dans les Rocheuses depuis les villes minières des San Juan Mountains jusqu'à Alamosa (Colorado). Aujourd'hui, le train effectue un parcours de 103 km sur un tronçon de la voie historique, à travers les Conejos Mountains, entre Chama (Nouveau-Mexique) et Antonito (Colorado). Au sommet des Cumbres (3 050 m), sur les murailles rocheuses vertigineuses de Windy Point et Toltec Gorge et les ponts de Lobato et Cascade, votre cœur bat la chamade. Vous poursuivez votre route, la même qu'emprunta en son temps un shérif lancé aux trousses de terribles hors-la-loi.

AMÉRIQUE DU NORD

Quand ? De mai à la mi-octobre, 7 jours sur 7.

Combien de temps ? Le train roule lentement. Comptez une journée complète pour le trajet Chama-Antonito et le retour à votre véhicule en car.

Préparation Peu de logements à Chama et Antonito. Hôtels et campings à Alamosa. Train accessible aux personnes handicapées. Étape à Osier (Colorado) pour le déjeuner (compris dans le tarif).

À savoir Un ou deux wagons à ciel ouvert : terriblement bruyant, jets de vapeur et d'escarbilles garantis, mais la vue est un régal. Prévoyez chapeau et lunettes de soleil.

Internet www.cumbrestoltec.com

TEMPS FORTS

■ Les bâtiments et équipements de la Cumbres & Toltec datent du début du XXe siècle. Les vrais amateurs de chemin de fer visitent **Chama Yard** et sa collection de matériel ancien pour voies étroites.

■ Sur le versant des Cumbres, l'une des pentes les plus raides du pays, admirez la **vue sur Chama**, 610 m en contrebas. Puis se succèdent Tanglefoot Curve (un virage en épingle à cheveux), la zone désertique de Los Pinos et le précipice de **Toltec Gorge**.

■ À **Cascade**, le plus haut **pont à tréteaux** de la ligne s'étire à 30 m de hauteur. Impression incroyable d'avoir quitté le sol... De chaque côté du train, le vide.

■ À l'est dOsier, ne ratez pas le **monument** érigé en mémoire du président **Garfield**, qui fut assassiné.

■ Le train descend vers Antonito. La voie étroite (90 cm) négocie des **virages serrés** à Big Horn, Whiplash et Lava Tank.

Ci-dessus, à gauche : Ravitaillement en eau pour le moteur à vapeur. Ci-dessus, à droite : Du bétail traverse nonchalamment les voies. Ci-contre : À la fin d'une journée d'automne, le petit train touristique de la Cumbres & Toltec aborde le Cumbres Pass.

LES PARCS DE L'OUEST AMÉRICAIN

Un train luxueux vous emmène à la découverte des plus célèbres parcs nationaux de l'ouest des États-Unis.

Le train GrandLuxe ressemble à un ruban brillant blanc, bleu roi et or, de quelque 400 mètres de long. Il est surnommé «l'Orient Express américain», et c'est bien naturel, car ses voitures, des wagons Pullman réaménagés, rappellent inévitablement le goût de l'apparat des années 1940. À bord, passez la journée sous le dôme de verre translucide qui offre une vue panoramique à 360 °C… Ou lovez-vous dans l'un des fauteuils ultra-confortables du wagon-salon et sirotez un cocktail en écoutant le pianiste jouer du Gershwin… Les menus varient chaque jour et proposent les spécialités gastronomiques des régions traversées. En parcourant les parcs nationaux de six États, savourez l'extrême raffinement du service et admirez la diversité des paysages naturels de l'Ouest américain : le parc national Grand Teton, Snake River et le parc national de Yellowstone dans le Wyoming ; le lac asséché, le désert et les montagnes de l'Utah et du Nevada ; le parc national du Grand Canyon en Arizona. Loisirs, culture et un zeste d'histoire à Salt Lake City (Utah), à Las Vegas (Nevada), à Sedona (le pays Hopi, Arizona), à Santa Fe et, enfin, à Albuquerque (Nouveau-Mexique), terminus du train.

Quand ? Au printemps et en été. Les dates varient chaque année, consultez le site Internet.

Combien de temps ? Planifiez 9 jours, dont 1 à 2 nuits en hôtel de luxe (autres nuits à bord).

Préparation GrandLuxe organise la visite des parcs. Réservez par téléphone ou sur Internet. En calculant votre budget, pensez aux pourboires (15 $ par jour en moyenne).

À savoir Il n'est pas nécessaire de prévoir des tenues habillées, en revanche, chaussures de marche indispensables pour randonner dans les parcs.

Internet www.americanorientexpress.com

TEMPS FORTS

■ À bord, vous êtes chouchouté par le **personnel en uniforme**. Des **guides** vous accompagnent et un **pianiste** assure l'ambiance musicale du wagon-salon.

■ Geysers, sources chaudes, bisons, pygargues à tête blanche, ours et wapitis à **Yellowstone**. Le relief a été sculpté par les sources thermales et l'activité volcanique.

■ À South Rim, une vue absolument vertigineuse sur le **Grand Canyon**.

■ À Jerome (Arizona), un ancien village minier, s'est établie une **communauté d'artistes**.

Le parc national de Yellowstone est renommé pour ses étonnantes piscines naturelles et sources volcaniques, extraordinairement colorées.

El Chepe longe la Barranca del Cobre près de Divisadero.

MEXIQUE

El Chepe

Ce trajet vous fait traverser la Barranca del Cobre, au cœur des montagnes de la sierra Madre.

Des eaux éblouissantes du golfe de Californie, dans l'océan Pacifique, aux sommets majestueux de la sierra Madre, la ligne Chihuahua al Pacífico (surnommée El Chepe) traverse un paysage de falaises rouge cuivre. Il fallut près d'un siècle pour achever la construction de ses 39 ponts vertigineux et de ses 88 tunnels. Le chemin de fer devait amener les mineurs au cœur de la sierra Madre. Il est aujourd'hui la principale attraction de la région, traversant les espaces encore vierges de l'impressionnante Barranca del Cobre, le « canyon du cuivre ». Quatre fois plus vaste que le Grand Canyon des États-Unis, ce paysage de western fait se succéder ravins, gorges arides et chutes d'eau, que les larges baies vitrées d'El Chepe permettent d'admirer à loisir. C'est dans cette région que vivent les Tarahumaras, la deuxième communauté indienne du Mexique, menant encore une vie traditionnelle dans leurs jolis villages éparpillés sur les flancs des montagnes. Lorsque le train s'arrête, vous pouvez voir les enfants jouer le long de la voie. Des femmes tissent, d'autres vendent des objets en bois sculpté, des poupées, des paniers en paille. À Chihuahua, prenez le temps de visiter la cathédrale baroque de Saint-François d'Assise, sur la Plaza de la Constitución.

Quand ? El Chepe fonctionne toute l'année. Le paysage change totalement pendant la saison sèche (de mars à juillet) : les flancs verdoyants des montagnes virent au rouge cuivre.

Combien de temps ? Il faut 16 h pour parcourir les 920 km du trajet.

Préparation Le train touristique (Primera Express) quitte Los Mochis à 6 h du matin pour atteindre Chihuahua à 22 h. Deux fois moins cher, le Clase Económica part et arrive 1 h plus tard. Vous pouvez aussi faire le trajet dans l'autre sens : les horaires sont les mêmes.

À savoir Il est possible de partir d'El Fuerte, plutôt que de Los Mochis : de cette façon, vous pouvez visiter la ville, et vous ne manquerez pas la partie la plus spectaculaire du trajet, entre Temoris et Bahuichivo. Pensez à vous asseoir du côté sud pour profiter des vues les plus belles.

Internet www.chepe.com.mx

TEMPS FORTS

■ Dans le centre historique d'**El Fuerte**, les rues pavées sont bordées de charmants hôtels de style colonial. Les chercheurs d'or et d'argent des collines alentour venaient en ville pour vendre le produit de leur labeur.

■ Ne manquez pas le panorama sur le canyon entre **El Fuerte** et **Creel**, quand une série de virages en épingle à cheveux amène le train à plus de 2 000 m d'altitude.

■ À **Chihuahua**, visitez le musée national de la Révolution dans l'ancienne maison du chef révolutionnaire **Pancho Villa**. On y voit notamment, criblée de balles, la Dodge dans laquelle il fut assassiné en 1923.

ÉQUATEUR

LE CHIVA EXPRESS

Cette ligne historique offre une vue fantastique
sur les Andes et les plaines de la côte.

Depuis les inondations d'El Niño dans les années 1980, le tortillard branlant qui reliait Quito à Guayaquil a été remplacé par le Chiva Express. Ce train à la décoration haute en couleur est en fait un bus, spécialement adapté pour rouler sur des rails. Assis sur le toit dans l'air vif, bien sanglé dans une ceinture de sécurité et cramponné aux barrières métalliques, vous traversez le pays de part en part, des Andes aux plaines tropicales de la région côtière. Le voyage commence au pied du volcan Chimborazo, à Riobamba, petite ville active aux rues pavées, avec des témoignages d'architecture coloniale ; un marché animé s'y déroule le samedi. De là, le Chiva Express prend la direction du sud, le long d'une ligne construite il y a une centaine d'années et qui traverse plusieurs zones climatiques. L'air froid des Andes cède vite la place à l'atmosphère humide et étrangement calme de la forêt pluvieuse, dont les nuages sont bientôt remplacés par la chaleur tropicale de la jungle côtière – cependant que vous ôtez vos vêtements au fur et à mesure du trajet. Le paysage est tout aussi varié, les sommets enneigés et lointains des volcans disparaissant derrière des collines arrondies et les champs de lupins violets, qui laissent place, peu avant d'atteindre Guayaquil, à la luxuriante végétation tropicale de la côte, avec ses palmiers et ses bananeraies.

Quand ? En toute saison : le climat équatorien varie très peu au cours de l'année.

Combien de temps ? Comptez environ 8 h pour couvrir les 257 km qui séparent Riobamba de Guayaquil.

Préparation Prenez garde aux horaires qui changent constamment. Les sièges ne sont pas numérotés : il est préférable d'arriver en avance pour être sûr d'avoir une place.

À savoir Prévoyez plusieurs couches de vêtements, afin de gérer au mieux les changements de climat. Des vêtements de pluie et un coussin pour adoucir la dureté des sièges peuvent être utiles.

Internet www.e-equateur.com, www.chivaexpress.com

TEMPS FORTS

■ Au **Nez du Diable** (*La Nariz del Diablo*), une imposante montagne de granite, le train escalade une falaise presque verticale en une série de virages à vous faire dresser les cheveux sur la tête.

■ Laissez-vous tenter par le **canelazo**, la boisson locale : c'est une sorte de grog légèrement alcoolisé, préparé à partir de mandarine, de cannelle, de sucre et d'alcool de grain.

■ Le Chiva Express, avec sa décoration exubérante, est en lui-même l'une des principales attractions de ce trajet, surtout si vous trouvez une **place sur le toit**.

Le Chiva Express, une unique voiture aux couleurs éclatantes, est en fait un bus sur rail qui traverse les spectaculaires paysages andins.

Un berger conduit son troupeau de lamas à travers l'Altiplano, non loin du lac Titicaca.

PÉROU

L'ANDEAN EXPLORER

Traversez les Andes jusqu'au Titicaca, le plus haut lac navigable de la planète.

À Cuzco, ancienne capitale des Incas, l'Andean Explorer entame sa paisible ascension le long de la rivière Hutanay. Il suit ses méandres, au cœur d'une végétation luxuriante. Le paysage défile : plantations d'eucalyptus ; gorges profondes ; villages aux maisons coiffées de briques et aux églises coloniales. Au loin se dessinent les reliefs andins. Par la fenêtre du train, vous voyez un garçonnet diriger un troupeau d'énormes bœufs ; une femme conduit un alpaga paré d'ornements colorés ; des fermiers sont courbés dans les champs de maïs. Au bout de 250 km, les pâturages cèdent la place à l'Altiplano – royaume de la vigogne et de l'alpaga –, un haut plateau désertique immense cerné par les sommets andins enneigés. Ce voyage est l'occasion de découvrir les communautés rurales des Andes péruviennes. Jour de marché à Juliaca : vite, les commerçants retirent leurs étals qui encombrent la voie, pour les réinstaller aussitôt le train passé ! Les enfants crient en courant derrière l'Andean Explorer, qu'ils tentent – sans succès – de rattraper. À votre arrivée à Puno, les eaux azur du Titicaca, le lac navigable le plus haut du monde, vous accueillent.

Quand ? Toute l'année. Les cieux sont plus clairs et les trains plus ponctuels à la saison sèche, de la fin mai au mois de septembre.

Combien de temps ? Comptez en moyenne 10 h pour le trajet de 282 km.

Préparation Deux trains, deux classes : Backpacker (seconde classe) et Andean Explorer (première classe). Arrivez tôt pour le Backpacker, il est impossible de réserver à l'avance. Un repas est servi à bord de l'Andean Explorer, équipé d'un wagon-bar à ciel ouvert.

À savoir Prenez des médicaments contre le mal de l'altitude, surtout à La Raya Pass. Vous pourrez également avoir du mal à respirer. Passez-vous de dessert pour augmenter vos chances d'avoir une place dans le wagon-salon, toujours très fréquenté.

Internet www.perurail.com

TEMPS FORTS

■ À 4 321 m d'altitude, la gare de La **Raya Pass** est le point le plus élevé du voyage. Le train s'arrête 20 min : sortez prendre l'air et savourez l'incroyable silence qui plane aux alentours. Des artisans viennent vous montrer leurs créations : pulls et châles en laine d'alpaga.

■ À Raqchi, ne ratez pas les vestiges du **temple de Viracocha**, dieu-créateur, que vous apercevrez à gauche du train. Il s'agit du plus grand complexe jamais édifié par les Incas.

■ À 11 h, le **pisco sour** – cocktail national – est servi à bord.

Top 10 Trains à vapeur

Rien de tel qu'un train à vapeur pour parcourir quelques-uns des reliefs les plus accidentés du monde.

❶ Austin & Texas Central Railroad, États-Unis

Deux trains des années 1920 entièrement rénovés desservent cette ligne qui traverse le Texas. Le River City Flyer part d'Austin, suit le cours du Colorado, sillonne les champs de coton et les Blackland Prairies jusqu'à Litting, puis retourne à Austin. Le Hill Country Flyer effectue un aller-retour de Cedar Park à Bertram et Burnet : ranchs et collines défilent à la fenêtre.

Préparation Toute l'année. Réservation conseillée.
www.austinsteamtrain.org

❷ Le train touristique du mont Rainier, États-Unis

Un aller-retour sur le versant méridional du mont Rainier (4 392 m), ses terres agricoles et ses forêts. Le train franchit une succession de ponts jusqu'au lac Mineral. 15 minutes d'arrêt, puis c'est le retour. En chemin, le bruit de la locomotive à vapeur de manque pas de réveiller le cerf élaphe, les ours et les aigles.

Préparation Deux ou trois départs par jour depuis Elbe, au sud-est de Tacoma. Il n'est pas nécessaire de réserver.
www.mrsr.com

❸ La ligne du Central, Pérou

Ce tronçon qui relie Lima à La Oroya, dans les Andes, emprunte la voie ferrée la plus abrupte du monde pour atteindre une altitude de 4 783 m en 145 km. Le train bringuebale au bord de précipices, progresse sur des ponts vertigineux, disparaît dans des tunnels et gagne de la hauteur à mesure de son avancée sur ce terrain accidenté. Le Ferrocarril Centro Andino (FCCA) exploite sur cette ligne un train à vapeur pendant la saison touristique.

Préparation FCCA organise des excursions en train à vapeur certains week-ends, en haute saison. Réservez auprès d'une agence sérieuse.
www.festtravel.co.uk

❹ Le Puffing Billy, Australie

Circuit de 48 km sur une voie étroite entre Belgrave (nord de Melbourne) et les contreforts méridionaux du Dandenong. L'air résonne du chant des oiseaux et embaume l'eucalyptus. Le train grimpe jusqu'à Menzies Creek, Emerald, Lakeside, Cocktatoo et la jolie ville de Gembrook. Il s'arrête un moment, avant de repartir pour Belgrave.

Préparation Tous les jours sauf le 25 décembre.
www.puffingbilly.com.au

Sur son trajet à travers les Highlands, en Écosse, le Jacobite crache une épaisse fumée. En chemin, il franchit le viaduc Glenfinnan, bien connu des fans des films de Harry Potter.

❺ Le chemin de fer des Nilgiri, Inde

Ce chemin de fer figure désormais sur la liste du patrimoine mondial de l'Unesco. La voie grimpe sur 45 km et relie Mettuppalaiyam à Ootacamund (Udhagamandalam), à 2 268 m d'altitude. La pente devient si raide sur un certain tronçon que le train est tracté par un système à crémaillère.

Préparation Le trajet dure 5 h. Il peut faire très chaud. Un seul départ par jour, dans chaque sens. http://whc.unesco.org/fr/list/944

❻ Le Train des enfants, Budapest, Hongrie

Cette voie ferrée fut assemblée à l'ère soviétique afin d'assurer la formation des futurs cheminots… âgés de 10 à 14 ans. De nos jours, ce sont encore les enfants qui assurent le fonctionnement du train (mais c'est un adulte qui conduit). Le week-end, ils utilisent le moteur à vapeur. La ligne relie les sites touristiques de la ville et traverse la forêt, refuge du cerf et du sanglier.

Préparation Toute l'année, de 9 h à 17 h en hiver, de 9 h à 19 h en été. www.gyermekvasut.com

❼ Le Harzer Schmalspurbahnen, Allemagne

Cette voie métrique relie Wernigerode à Nordhausen. Sur l'un des tronçons roule un train à vapeur, au départ de Drei Annen Hohne. La locomotive gravit la pente jusqu'au sommet du Brocken, à 1 142 m d'altitude, en traversant le relief tourmenté et boisé du parc national de la Harz. Les trains fonctionnent toute l'année, même en hiver.

Préparation Un train relie Wernigerode à la gare du Brocken, avec correspondances pour le réseau national. Réservation recommandée en été. www.nationalpark-harz.de, www.hsb-wr.de

❽ Le Jacobite, Écosse

Le train tient son nom de la rébellion des Jacobites en 1745 et des prétentions au trône d'Écosse de Bonnie Prince Charlie. Au départ de Fort William, il traverse Great Glen, contourne Loch Eil et emprunte le viaduc Glenfinnan, célèbre pour son impressionnant virage. En amorçant sa descente vers Mallaig, sur la côte occidentale, le train ménage une vue spectaculaire sur les Hébrides.

Préparation Réservation indispensable en été. www.westcoastrailway.co.uk

❾ Le train de Ffestiniog, Pays de Galles

Autrefois dédié au transport de l'ardoise extraite des montagnes Moelwyn jusqu'au port de Porthmadog, le Ffestiniog et son moteur d'origine sont toujours en état de marche. Depuis Porthmadog, le train monte vers Blaenau Ffestiniog (213 m). Ne ratez pas la visite des anciennes mines, à des centaines de mètres sous terre.

Préparation www.ffestiniograilway.co.uk

❿ Le train à vapeur victorien de l'île de Man, Grande-Bretagne

Cette voie étroite (90 cm) parcourt l'île de Man depuis Douglas, la capitale, à Port Erin. Le relief est accidenté, mais offre de superbes vues panoramiques. Les locomotives (toutes sauf une) et les wagons datent de la fin du XIXe siècle.

Préparation De Pâques à la fin du mois d'octobre. www.visitisleofman.com, www.iomguide.com

LE SHINKANSEN

Reliez l'ancienne à l'actuelle capitale du Japon, en montant à bord
d'un train futuriste, pionner du transport à grande vitesse.

Depuis 1964, les principales villes du Japon sont reliées par une ligne à très grande vitesse : celle du Shinkansen Super Express. En un peu plus de 2 heures, des trains au design futuriste avalent les 515 km qui séparent Kyoto, l'ancienne capitale et foyer spirituel du Japon, et Tokyo, la Edo des Shoguns. La voie est baptisée « ligne Tokaido », en souvenir de la route historique qui reliait les deux cités à la période féodale. Les trains s'y propulsent à une vitesse de 274 km/h. Quittez les temples zen, les sanctuaires shinto et les banlieues modernes de Kyoto. Le train longe le lac Biwa et s'avance au cœur des terres marécageuses de la plaine de Nobi. Au-delà de Nagoya s'étendent d'immenses terres culti-vées et le parc national Fuji-Hakone-Izu, dominé par la silhouette altière du mont Fuji (3 776 m) couronné de neige. Passé Yokohama, le Shinkansen pénètre dans les banlieues tokyoïtes, puis s'arrête à la gare Shinagawa. Et si le train enregistre ne serait-ce qu'une minute de retard, le conducteur présente ses excuses aux voyageurs. Par ailleurs, en plus de 40 ans de fonctionnement, le Shinkansen a transporté 4,2 milliards de voyageurs sans aucun accident.

Quand ? Mars et avril, lorsque les cerisiers sont en fleurs et qu'il ne fait pas encore trop chaud.
Le Shinkansen roule tous les jours, toute l'année.

Combien de temps ? Le train Nozomi relie Kyoto à Tokyo en 2 h 15, le Hikari en 2 h 45.

Préparation Trois trains sont en service sur la ligne Tokaido : le Nozomi ne s'arrête que dans les principales gares (le Japan Rail Pass n'est pas valable sur cette ligne) ; le Hikari compte quelques arrêts de plus ; le Kodama dessert toutes les gares. Il y a le choix entre deux classes de confort à bord.

À savoir Des panneaux d'information en anglais indiquent la direction du Shinkansen.

Internet www.japanrail.com, www.tourisme-japon.fr

TEMPS FORTS

■ Au crépuscule, admirez le ciel qui se reflète dans les eaux du **Biwa**, le plus grand lac du Japon, au nord-est de Kyoto.

■ De la fenêtre du train, on aperçoit les fleurs blanches et roses, si délicates, des **sakuras** (cerisiers ornementaux du Japon).

■ Montagnes, sources chaudes, reliefs volcaniques et lacs de cratères dans le **parc national Fuji-Hakona-Izu**.

Le Nozomi est le plus rapide des trains mis en service sur la voie express Shinkansen qui relie Kyoto à Tokyo.

Un paysan récolte le riz. La riziculture intensive occupe environ les trois quarts des terres agricoles.

VIETNAM

Le train de la Réunification

Cette ligne traverse le pays dans toute sa longueur,
entre cultures anciennes et vie moderne.

On décrit parfois le Vietnam comme deux paniers de riz suspendus aux deux bouts d'une longue tige, une image qui évoque bien cet État tout en longueur. Les deux paniers, Hanoi et Hô Chi Minh-Ville, sont situés aux deux extrémités du pays et s'opposent sur bien des points. Hanoi est une ville pleine de charme et un peu assoupie, alors que Hô Chi Minh est animée et fière de l'être. Elles sont reliées par une ligne de plus de 1 700 km, le train de la Réunification. Une odyssée d'une semaine vous fera traverser le pays sur presque toute sa longueur : à vous les paysages tropicaux luxuriants, les rizières iridescentes, les buffles d'eau, les cités impériales en ruine, sans oublier le sable blond des plages de la mer de Chine. Si vous vous lassez du paysage, la vie dans le train est un monde à elle seule, et les Vietnamiens sont très liants. Le rythme régulier des rails est ponctué d'arrêts occasionnels dans des gares très vivantes, où les vendeurs ambulants vous tendront par la fenêtre de succulents fruits tropicaux, des boissons et des friandises. Vous pouvez faire un arrêt à mi-chemin dans l'ancienne cité impériale de Huê pour vous reposer, visiter le musée de la Culture cham et goûter les délicieuses spécialités locales.

Quand ? Préférez la saison la moins humide, entre octobre et décembre. Il y a plusieurs trains par jour.

Combien de temps ? Il faut environ 30 h pour parcourir l'intégralité du trajet, mais il est recommandé de faire un arrêt à Huê et Da Nang. Puis de vous rendre à My Son et Hoi An. Il faut prévoir 1 semaine complète entre Hanoi et Hô Chi Minh-Ville. Distance totale : 1722 km.

Préparation Si vous fractionnez votre voyage, il vous faut plusieurs billets séparés. Il est plus facile et plus rapide de les acheter sur le site Internet www.vietnamtourism.com (section francophone). Mais si vous avez du temps et de la patience, vous pourrez vous les procurer à moitié prix à la gare de départ.

À savoir Dépensez un peu plus pour réserver des couchettes « molles », afin de dormir dans de bonnes conditions. Les voitures-lits sont climatisées. Arrangez-vous pour prendre les trains SE1 ou SE3. Le SE5 passe à côté des plus beaux sites pendant la nuit, et il arrive à Huê à 3 h du matin.

Internet www.vietnamtourism.com

TEMPS FORTS

■ Sur la rivière des parfums, visitez la Cité interdite de Huê, un site inscrit sur la liste du patrimoine mondial de l'Unesco. Vous pouvez aussi visiter les **tombes impériales**, à proximité.

■ Depuis Da Nang, rendez-vous à **My Son** pour visiter les ruines de la civilisation cham (XIVe siècle), cachées au cœur de la jungle.

■ Près de Na Dang, visitez les **montagnes de Marbre** et leurs grottes. On peut admirer depuis le train le splendide paysage de la côte.

■ Découvrez l'histoire séculaire de la ville de **Hoi An,** près de Na Dang. Cet important port du XVe siècle est parfaitement préservé.

CHINE/TIBET

LA LIGNE DE QINGZANG

Voyagez sur le toit du monde, sur la ligne
la plus récente et la plus haute jamais construite.

Ouverte en juillet 2006 avec trois ans d'avance, la ligne de Qingzang relie sur une distance de 1 143 km la province du Qinghai, à l'ouest de la Chine, et le Tibet. Cet itinéraire remarquable traverse les montagnes de Kunlun, dont les profondes gorges et les terres gelées, longtemps considérées comme infranchissables, furent un incroyable défi pour les ingénieurs. Le train a été spécialement conçu pour voyager à haute altitude, avec des masques à oxygène et des vitres teintées pour protéger les passagers des ultraviolets. Partant de l'avant-poste chinois de Golmud, le train escalade les contreforts escarpés de l'Himalaya, longeant des glaciers étincelants avant de traverser un haut plateau de permafrost stérile et nu, à plus de 4 500 m d'altitude. À l'intérieur du train, la voiture-restaurant d'un blanc immaculé a des allures de navette spatiale, et dans chaque cabine un affichage à cristaux liquides indique la température extérieure et l'altitude. La plupart des passagers ont recours à l'oxygène afin d'atténuer les effets du mal des montagnes. Le train ne croise plus que quelques yacks et cervidés quand il franchit les 5 072 m du col de Tanggulla. Le ciel prend alors la couleur bleu sombre des hautes altitudes. Il redescend ensuite vers le gracieux pont suspendu de Liuwa, dont les trois arches précèdent la nouvelle gare de Lhassa, avec ses sept voies. Une ligne de bus permet de rejoindre le centre de la capitale tibétaine, à 30 km de là.

Quand ? Le train roule toute l'année, mais l'hiver est vraiment glacial. Pendant l'été, l'intégralité du trajet peut se faire de jour. Vérifiez les horaires de départ à Golmud.

Combien de temps ? En partant de Pékin, le voyage à Lhassa prend 2 jours. Un premier train vous amène jusqu'à Golmud ; la ligne de Qingzang rejoint ensuite Lhassa en 11 h.

Préparation Prenez le train T27, qui part de la gare de Pékin Ouest. Du fait de l'altitude très élevée, les personnes souffrant de troubles cardiaques ou d'une tension artérielle trop élevée ne sont pas autorisées à emprunter la ligne de Qingzang ; tous les passagers doivent remplir une fiche de renseignements médicaux pour confirmer qu'ils sont aptes à voyager. Il y a deux classes : couchettes molles et couchettes dures. Il faut payer un supplément pour avoir un siège dans le sens de la marche.

À savoir Assurez-vous d'avoir un siège près de la fenêtre, car on ne voit pas grand-chose depuis ceux du côté couloir. Comme en avion, prenez garde aux effets de l'alcool, qui sont renforcés par l'altitude.

Internet www.chinatibettrain.com

TEMPS FORTS

■ Juste après Golmud, lors de la première montée, laissez-vous saisir par le spectacle des **glaciers**, dont la blancheur étincelante contraste avec le gris-brun des moraines.

■ Sur le plateau, vous pouvez voir un système de **tubes d'aération** et des **écrans** destinés à protéger le permafrost des rayons du soleil, pour éviter qu'en se réchauffant il ne déforme la ligne de chemin de fer.

■ Les **locomotives diesel de haute altitude** ont été fabriquées aux États-Unis, et c'est au Canada qu'ont été conçues les voitures pressurisées, dont chaque siège est doté d'un masque à oxygène.

■ En contemplant ces terres vastes et gelées, vous ne pourrez vous empêcher de penser au **défi technologique** qu'a représenté la construction de la ligne, qui compte 283 viaducs dont le plus long mesure 11 km.

■ En arrivant à Lhassa, ne manquez pas le **palais du Potala** du dalaï-lama, sur les hauteurs de la ville, ni le **temple de Johkang** (VIIᵉ siècle), monuments historiques exceptionnels dans un Tibet en pleine modernisation.

Ci-dessus : Le train de Qingzang file dans les hauts plateaux tibétains presque déserts. Ci-contre : Un moine à la fenêtre du monastère bouddhique de Drepung, près de Lhassa. Ce fut le plus grand et le plus puissant monastère du pays, et il attire encore des visiteurs et des pèlerins des quatre coins du monde.

Tiré par sa petite locomotive, le train dessine une série de larges courbes pour escalader les collines de Darjeeling.

INDE

LE PETIT TRAIN DE DARJEELING

Un voyage original, des rizières du nord du Bengale aux jardins à thé des contreforts de l'Himalaya.

Les lignes de chemin de fer indiennes sont surtout empruntées par des convois de fret et des rapides qui filent entre deux villes. Bien loin de cette modernité, le Petit Train de Darjeeling circule sur une voie très étroite, d'un écartement de 70 cm seulement. Il zigzague des rizières du Bihar jusqu'aux hautes terres humides où l'on cultive le thé. Achevée en 1881, cette ligne fut conçue par Franklin Prestage, un agent de l'East Bengal State Railway. Véritable pièce de musée, sa charmante locomotive s'extirpe laborieusement des terres basses de Shiliguri pour monter doucement dans les collines, laissant aux passagers tout loisir de contempler le paysage bengali. En prenant sont temps – il ne lui faut pas moins de 8 heures pour parcourir les 82 km de la ligne –, le train se hisse jusqu'à la gare de Ghoom avant de redescendre quelques kilomètres pour atteindre Darjeeling, à un peu plus de 2 000 m d'altitude. On ne peut qu'admirer la détermination des ingénieurs et des ouvriers qui ont fait passer la ligne dans ces collines couvertes d'une jungle inextricable. Au fil du voyage, le paysage change, les rizières cèdent la place à des pentes couvertes de brume. Dans les plantations de thé des collines de Bhutia et Lencha, les femmes et les enfants vêtus de couleurs vives et portant les bijoux d'argent traditionnels vous saluent. À Darjeeling, les nuages s'écartent et au loin apparaissent les sommets de l'Himalaya.

Quand? De novembre à février.

Combien de temps? Comptez au minimum 2 jours, avec une nuit à Darjeeling; il faut 8 h de voyage dans chaque sens.

Préparation Le train part un jour sur deux. Les horaires varient, et il est indispensable de réserver à l'avance. À la gare de New Jalpaiguri (départ), vous avez des correspondances pour Calcutta et Delhi.

À savoir Prévoyez de l'eau minérale ou des boissons fraîches ainsi qu'un panier pique-nique préparé à l'hôtel, car le train ne comporte pas de voiture-restaurant. Un pull et des vêtements de pluie peuvent être utiles, car le temps est souvent frais et humide à Darjeeling.

Internet www.thailandbytrain.com, www.seat61.com

TEMPS FORTS

■ Si vous demandez un **panier-repas** à l'hôtel, essayez la formule végétarienne (dal aux épices, pommes de terre et autres légumes au curry, avec une généreuse portion de riz).

■ À Darjeeling vit une importante **communauté tibétaine**, partie en exil après l'occupation chinoise; repérez les villageois en costume tibétain, les moines en robe safran ou brune.

■ Le **plus impressionnant panorama** de Darjeeling est la vue du pic de Kanchenjunga, au nord, qui semble incroyablement proche alors qu'il se trouve en réalité à 150 km de distance.

ASIE

SINGAPOUR/MALAISIE/THAÏLANDE

L'EASTERN & ORIENTAL EXPRESS

Le seul train direct entre Bangkok et Singapour
est un véritable palais oriental.

L'Eastern & Oriental Express est une expérience inoubliable de luxe et de modernité. Inaugurée en 1993, cette ligne est la première et jusqu'ici la seule à relier Singapour et Bangkok, un voyage de plus de 2 000 km. La décoration intérieure évoque le confort d'une époque où l'on avait davantage de loisirs : il y a plusieurs restaurants à bord, un piano-bar, une petite bibliothèque, et, si vous le souhaitez, le thé de l'après-midi peut vous être servi dans votre cabine. Des fenêtres panoramiques permettent d'admirer le paysage. Les cabines sont décorées de motifs orientaux, les murs recouverts de marqueteries, le bar et les restaurants resplendissent de laques chinoises ou thaïes et de miroirs gravés. Le train quitte la très ordonnée Singapour pour rejoindre les jungles malaises. Il s'enfonce dans la forêt équatoriale, qui s'écarte parfois pour laisser place à des palmeraies. Le voyage comprend une excursion dans la ville historique de George Town, dans le Pinang, avec un déjeuner à l'hôtel E & O, ainsi qu'un tour de bateau sur la fameuse rivière Kwai, en Thaïlande. Les paysages charmants de la campagne thaïlandaise, avec ses rizières et ses buffles d'eau, précèdent l'arrivée à Bangkok.

Quand ? Le train ne fait qu'une vingtaine de voyages par an, avec des départs plus nombreux en février, mars, septembre et décembre.

Combien de temps ? Trois jours et deux nuits, avec un départ de Singapour le mercredi ou de Bangkok le dimanche. On peut aussi le prendre à des arrêts intermédiaires et il est possible d'allonger le trajet.

Préparation Il est fortement recommandé de réserver longtemps à l'avance. Une fois à bord, tout est pris en charge. Une remise de 25 % est parfois proposée sur les départs entre octobre et décembre, et durant l'été vous pouvez bénéficier de nuits d'hôtel gratuites à Singapour ou à Bangkok.

À savoir Pendant la journée, vous pouvez vous habiller sport, mais une tenue correcte est exigée lors du dîner.

Internet www.orient-express.com

TEMPS FORTS

■ Un cocktail à la main, dans la **partie découverte de la voiture de queue**, regardez disparaître les rails avalés par la jungle.

■ **Dînez** en profitant du coucher de soleil à travers les fenêtres panoramiques de la voiture restaurant.

■ Visitez les **temples bouddhistes** richement décorés et l'**architecture coloniale** de l'élégante George Town, la capitale du Pinang.

Le monde défile devant la fenêtre de la très élégante voiture-restaurant de l'Eastern & Oriental.

INDE

LE PALAIS ROULANT

Découvrez le monde luxueux des anciens maharajas
en voyageant à leur manière.

Au nord de l'Inde, dans le Rajasthan, vivaient jadis les plus riches et les plus extravagants maharajas (princes royaux), dans de somptueux havelis (palais). Leurs résidences, leurs temples, leurs forts perchés sur les collines forment un patrimoine architectural extraordinaire, qui attire des visiteurs venus du monde entier. Les maharajas ont perdu leur pouvoir avec l'indépendance de l'Inde en 1947, mais leurs palais et leurs voitures de chemin de fer richement décorés ont été soigneusement préservés. Récemment restauré, le Palais roulant *(Palace on Wheels)* vous offre l'opportunité de retrouver l'atmosphère d'une ère révolue, avec ses serviteurs en turban et tunique de soie proposant le thé dans des salons somptueusement décorés de boiseries et de tapisseries. Le train part de New Delhi et passe à Jaipur, la ville rose aux maisons pastel dominée par les forts perchés sur les hauteurs. La ligne traverse ensuite Jaisalmer, à l'ombre de son imposant château jaune sable, s'arrête une journée à Jodhpur, puis à la réserve de tigres de Ranthambhor et à l'ancien fort de Chittaurgarh. À Udaipur, l'arrivée du train est saluée par des danseurs, des musiciens, et même des éléphants joliment parés, avant un tour en ville et un déjeuner dans les splendides palais du raja. Avant de revenir à New Delhi, vous passez encore par Agra. Il est très confortable de voyager dans un tel luxe, mais cela n'occulte pas pour autant l'expérience essentielle de tout voyage en Inde : les rues débordantes de monde, encombrées de rickshaws, de vaches sacrées, de chameaux, et, où que vous soyez, l'entêtant parfum des épices.

Quand ? De septembre à avril.

Combien de temps ? Le voyage dure 7 jours (de mercredi à mardi).

Préparation Il existe 3 classes : lits simples, lits doubles, couchettes. Toutes ont l'air conditionné et des toilettes particulières. Il faut réserver au moins 8 ou 10 mois à l'avance.

À savoir Vous devrez prévoir des vêtements légers et des produits contre les moustiques, et boire de l'eau minérale en bouteille. Il faut s'habiller décemment, notamment les femmes : évitez les shorts, les jupes courtes, les épaules nues. Vous pouvez facilement et à moindre frais suivre le même itinéraire en prenant des trains normaux, mais le confort à bord de la plupart des trains indiens est assez rudimentaire.

Internet www.palaceonwheels.com

TEMPS FORTS

■ Plongez-vous dans l'**ambiance survoltée de la gare principale de New Delhi,** avant de commencer votre voyage.

■ Goûtez les **délicieux currys** proposés par les luxueux restaurants du train, avant de vous retirer dans votre cabine, où votre propre khidmatgar (valet de chambre) veillera à ce que tous vos désirs soient exaucés.

■ Pour rejoindre le fort Ambre à Jaipur, faites le trajet à **dos d'éléphant**.

■ Dégustez un **thé anglais traditionnel** avec des sandwiches au concombre, dans le Lake Palace Hotel d'Udaipur, et imaginez que vous êtes l'hôte d'un maharaja...

■ **Observez les oiseaux** à Bharatpur, entre Udaipur et Agra.

■ Passez un après-midi inoubliable dans l'enceinte du **Tadj Mahall**, déclaration d'amour bâtie à Agra par l'empereur Chah Djahan en mémoire de son épouse.

Ci-dessus : Le palais de Jagmandir était une résidence royale de loisirs, bâtie sur une île du lac Pichola (Udaipur).
Ci-contre : Le palais des Vents (Hawa Majal) de Jaipur est une construction en grès érigée en 1799. Les femmes de la Cour s'asseyaient derrière les fenêtres à treillage pour se rafraîchir et regarder les processions.

LA TRANZALPINE

La ligne la plus spectaculaire de Nouvelle-Zélande escalade les Alpes du Sud pour relier les côtes méridionale et septentrionale.

La TranzAlpine part du port de Christchurch, une ville tranquille bordée par l'océan Pacifique à l'est, les volcans au sud et la rivière Waimakariri au nord, pour rejoindre Greymouth sur la côte occidentale de l'île. Traversant le pays de part en part, le train comprend une voiture découverte où l'on peut prendre l'air, jouir du paysage et profiter des explications des guides. Après les vertes plaines de Canterbury, avec leurs fermes bien tenues et les moutons qui paissent dans les prés, le train franchit grâce à une série de viaducs les gorges de la Waimakariri, et d'un seul coup le paysage devient sauvage. L'ascension vers les pics enneigés des Alpes du Sud passe par de nombreux tunnels, et, au terme d'un trajet sinueux, le train atteint le col Arthur, qui sépare Canterbury et Westland. Le vent souffle souvent très fort quand le train amorce sa descente et s'engage dans le tunnel d'Otira pour déboucher dans une région étonnamment calme, de lacs silencieux et de forêts de hêtres. Via les derniers contreforts montagneux, il arrive enfin dans le petit port endormi de Greymouth. D'une côte à l'autre, en passant par les campagnes et la haute montagne, la ligne traverse une étonnante variété de paysages.

Quand? L'été austral (décembre-février) est la meilleure saison. Un départ quotidien de Christchurch à 8h15.

Combien de temps? Le trajet dure 4h30. Prévoyez la journée, en prenant un déjeuner rapide à Greymouth avant de rentrer. Vous pouvez aussi fractionner le voyage en descendant au Lake Brunner Lodge; il faut pour cela demander un arrêt spécial à Jackson.

Préparation Des forfaits à la semaine vous permettent de voyager dans l'île du Sud, ou dans les deux îles, pour un prix intéressant; ils peuvent comprendre la traversée entre les îles. Des friandises et des boissons sont en vente dans le train.

À savoir Les kéas ont la mauvaise habitude de voler les souvenirs et les friandises; si vous voyagez dans la voiture découverte, pensez-y.

Internet www.touristplacesinindia.com/luxury-trains

TEMPS FORTS

■ Les **gorges vertigineuses de la Waimakariri**, qu'empruntaient jadis les chercheurs d'or et de jade, sont aujourd'hui le paradis des pêcheurs et des kayakistes. Il ne faut pas moins de quinze tunnels et quatre viaducs pour les franchir.

■ Le col **Arthur** (920 m) est souvent enneigé, même lorsqu'il fait bon sur la côte. Mais le climat rigoureux ne décourage pas les kéas, espèce locale de perroquet.

■ Le col Arthur est un bon camp de base pour la **randonnée** : les paysages alentour sont splendides, avec des gorges vertigineuses et d'impressionnantes chutes d'eau.

La TranzAlpine traverse la Bealey dans le parc national du col Arthur, au pied des Alpes du Sud.

L'Indian Pacific traverse l'Outback australien, non loin de Broken Hill.

AUSTRALIE

L'Indian Pacific

En route pour les mines d'or et les terres sans arbres.

D'une côte à l'autre, faites l'expérience de la solitude extrême et du ciel sans nuage de l'Outback australien. Il a fallu attendre 1970 pour pouvoir réaliser d'une seule traite ce trajet spectaculaire de 4 350 km, qui couvre trois fuseaux horaires et parcourt quelques-uns des territoires les plus étranges et les plus désertiques de la planète. Le train quitte Perth au crépuscule et met le cap sur les régions de Coolgardie et Kalgoorlie, où flotte encore un parfum de ruée vers l'or. Il s'enfonce ensuite vers des étendues sauvages et désertiques, la plaine de Nullarbor, où les rails filent à perte de vue. Sans un seul arbre, cette région, qui fut surnommée « le désespoir des chiens », est absolument plate et si déserte que la ligne ne fait pas un seul virage en 467 km : un record mondial. Le train s'arrête dans la ville de Cook, dont on dit qu'elle compte officiellement deux habitants, et les voyageurs peuvent en profiter pour fouler cette terre aride. La civilisation réapparaît un peu plus loin, quand les rails longent le golfe de Spencer et passent par Port Pirie et Adelaïde avant de s'engager dans une région plus montagneuse, en direction de Broken Hill. Après la traversée de la Darling, le paysage reverdit. Le train amorce alors de longs virages dans les forêts d'eucalyptus des Blue Mountains, avant de redescendre vers Sydney, métropole à l'atmosphère cosmopolite.

Quand ? Le train circule deux fois par semaine toute l'année, entre Perth et Sydney, dans les deux sens.

Combien de temps ? Il faut 69 h et 3 nuits de voyage pour parcourir les 4 350 km de la ligne.

Préparation Réservez à l'avance. Le Gold Kangaroo Service comprend des cabines-couchettes simples ou doubles avec douche et toilettes, et les repas sont inclus. Moins onéreux, le Red Kangaroo Service comprend des cabines doubles ou des sièges-couchettes, avec toilettes et douches communes ; les repas ne sont pas compris. Les groupes de six à dix personnes peuvent réserver l'une des luxueuses voitures privées.

À savoir En supplément, il est possible de faire transporter sa voiture dans le wagon de queue.

Internet www.railaustralia.com.au, www.gsr.com.au

TEMPS FORTS

■ Relaxez-vous à **Perth**, élégante cité au climat méditerranéen avec de beaux jardins et des plages superbes.

■ Dans l'Outback, regardez sauter les **kangourous** des deux côtés de la voie, et si vous avez de la chance vous apercevrez peut-être un superbe aigle australien.

■ Visitez l'une des **villes fantômes** de la **ruée vers l'or** dans les régions de Kalgoorlie et de Coolgardie.

■ Dégourdissez-vous les jambes à **Cook**, un poste presque désert au cœur de la plaine de Nullarbor.

RUSSIE/MONGOLIE/CHINE

LE TRANSSIBÉRIEN

Ce train légendaire traverse la Sibérie et le nord
de la Mongolie pour rejoindre la capitale chinoise.

L e soleil tape dur sur la plaine mongole. Filant dans l'immense steppe herbeuse, vous
apercevez des yourtes arrondies, d'un beige sombre : c'est là que vivent les nomades.
À côté paissent quelques chameaux. Hier, vous étiez dans les charmantes collines
sibériennes, aux villages épars ; demain, vous traverserez les montagnes boisées qui mènent
à la Grande Muraille de Chine. Tel est le parcours du Transsibérien, cette légendaire ligne
qui relie en une semaine Moscou à Pékin : l'arrière-pays russe, l'Oural, la Sibérie, les steppes
sauvages de Mongolie, le désert de Gobi, sur les traces de Gengis Khan et de la Horde d'Or.
Achevée en 1956, c'est la plus récente et la plus impressionnante des lignes transsibériennes,
un réseau qui couvre pas moins de huit fuseaux horaires. Les quatre premiers jours sont
consacrés à la traversée des vastes espaces vides de Sibérie, en découvrant au passage les eaux
cristallines du lac Baïkal. Dans les forêts de bouleaux pointe parfois le bulbe d'une église
orthodoxe. Le cinquième jour, vous vous réveillerez dans un environnement complète-
ment différent : les plaines arides et poussiéreuses de la Mongolie, où vous apercevrez peut-
être des chameaux, des chevaux sauvages, des aigles. Pendant la nuit, le train atteint la frontière chinoise, où il s'arrête quelques heures pour changer l'écartement des roues. Le dernier
jour enfin, un dernier trajet le long de la Grande Muraille vous emmènera jusqu'à Pékin.

Quand ? Partez fin septembre pour profiter des couleurs de l'automne, de la tiédeur des jours
et de la fraîcheur des nuits, ou alors en hiver, si vous voulez voir le paysage sous la neige.

Combien de temps ? De Moscou à Pékin, sans arrêt, le voyage dure 6 jours. Mais il est possible
de le fractionner afin de faire quelques visites.

Préparation Essayez de voyager avec des amis ou en famille, car les cabines sont prévues pour deux
à quatre personnes. Il faut une réservation en bonne et due forme pour chacune des sections du voyage.

À savoir L'heure officielle à bord est celle de Moscou. Mais comme le train traverse huit fuseaux
horaires, le décalage s'accroît progressivement entre l'heure officielle, qui sert à repérer les arrêts,
et l'heure locale. En hiver, il peut faire si froid à l'extérieur que pour passer d'une voiture à l'autre
votre main risque de rester collée au métal gelé !

Internet www.transib.net

TEMPS FORTS

■ Prenez le temps d'explorer
Moscou et **Pékin**, deux villes
d'histoire et de culture. Vous
pouvez notamment visiter le cœur
spirituel de ces deux capitales :
la place Rouge à Moscou, la place
Tian'anmen à Pékin.

■ Trouvez une fenêtre pour ne pas
manquer le merveilleux spectacle
du **lac Baïkal**, le plus grand réservoir
d'eau douce au monde.

■ Goûtez la **cuisine** des trois pays.
En Mongolie, les cuisiniers russes
cèdent la place à leurs collègues
mongols, qui laissent ensuite officier
les chefs cantonais et pékinois.

Ci-dessus : Sur la rive orientale du lac Baïkal, les chevaux du peuple bouriate filent sur le sol gelé.
Ci-contre : Les éleveurs de rennes nomades ont vécu dans les steppes du nord de la Mongolie pendant des centaines
d'années, mais leur mode de vie traditionnel est aujourd'hui menacé.

Creusés par les glaciers il y a des milliers d'années, les fjords norvégiens sont renommés pour leur beauté et leur sérénité.

NORVÈGE

La ligne de Bergen

Reliant les deux plus grandes villes du pays, elle traverse
un impressionnant paysage de glaciers, de montagnes et de fjords.

Si vous avez l'occasion d'aller d'Oslo à Bergen en train, préparez-vous à un voyage peu ordinaire. Escaladant les montagnes, accrochée au flanc des falaises ou s'enfonçant dans des tunnels, la ligne offre des panoramas à couper le souffle : pics enneigés, chutes d'eau bouillonnantes, glaciers étincelants, fjords paisibles. Le train circule toute l'année, n'empruntant pas moins de 300 ponts et 182 tunnels. En venant d'Oslo, c'est à partir de Gol que commence l'ascension. À l'ouest de la ville, le train passe à Ustaoset, une station de ski réputée dominée par la chaîne montagneuse de Hallingskarvet. Finse (1 219 m) constitue le point culminant du trajet ; le train s'engage ensuite dans un tunnel destiné à le protéger des vents et de la neige qui rendraient la circulation très difficile en hiver. Vient enfin la descente vers les fjords de l'Ouest et Bergen. À l'instar de la capitale, cette ville possède des musées de grand intérêt et son port mérite le cochet. Vous pouvez vous arrêter en cours de route pour faire du ski en hiver, de la randonnée en été, ou un tour en bateau dans les fjords. Depuis Myrdal, il est aussi possible d'effectuer un détour sur la petite ligne de Flåm, qui descend à travers les montagnes et via de nombreux tunnels jusqu'à la ville du même nom.

Quand ? Malgré les chutes de neige et le blizzard hivernal, la ligne fonctionne toute l'année. Il y a cependant plus de départs quotidiens en été.

Combien de temps ? Il faut de 6 à 7 h pour parcourir les 499 km de la ligne, sans compter les arrêts. Le détour pour Flåm représente 38 km aller-retour.

Préparation Plus de 700 chalets de bois rouge sont à louer à Ustaoset, et la plupart offrent une vue magnifique sur les montagnes.

À savoir Même l'été, prévoyez des vêtements chauds car le temps est très changeant.

Internet www.visitnorway.com, www.nsb.no/home

TEMPS FORTS

■ À Oslo, visitez le **musée des bateaux vikings** et le **musée du Kon-Tiki**, où est exposé le radeau original de Thor Heyerdahl.

■ En hiver, faites du **ski** ou du **snowboard** à Geilo ou à Voss.

■ Prenez la **ligne de Flåm**, dont l'écartement est l'un des plus étroits du monde et qui offre des points de vue spectaculaires sur les **chutes de Kjosfossen**.

■ À **Bergen**, ne manquez pas le **marché aux poissons** sur le port. Depuis le **funiculaire** du mont Fløyen, la vue sur la ville est superbe.

SUÈDE

L'Inlandsbanan

Partez du centre du pays et mettez le cap
au nord vers le soleil de minuit.

L'Inlandsbanan traverse l'une des dernières grandes étendues sauvages d'Europe. Parti de Mora, au centre de la Suède, le train roule tranquillement (50 km/h) à travers un paysage de forêts, de petites fermes, de lacs, de rivières, de montagnes et de hauts plateaux. Situé dans la région des Lacs, Österund, sur le lac de Storsjön, est le cinquième port du pays. C'est entre cette gare et celle d'Arvidsjaur que la faune sauvage se laisse le mieux observer. Vous verrez peut-être des élans, des chevreuils, des aigles royaux, et avec un peu de chance, un lynx ou un ours brun. À mesure qu'on approche de la Laponie, le paysage change et la forêt s'éclaircit. Vous franchirez le cercle polaire peu après Arvidsjaur : le train s'arrête pour une brève cérémonie, et des certificats sont offerts aux voyageurs. Vous voilà bientôt à Jokkmokk, où les Sames font paître leurs troupeaux de rennes depuis des siècles. En plein été, le soleil ne se couche jamais. Plus au nord, le train pénètre dans la partie de la Laponie inscrite sur la liste du patrimoine mondial de l'Unesco ; les Sames vivent parmi ces montagnes, ces rivières pures, ces lacs et ces marais depuis la dernière glaciation. Le voyage s'achève dans la ville minière de Gällivare, où en été le soleil de minuit offre des vues splendides aux amateurs.

Quand ? En été. Il y a un train quotidien dans chaque sens.

Combien de temps ? Il faut 2 jours pour aller de Mora à Gälliver, sans compter les escales. Vous pouvez aussi réserver un voyage organisé de 6 ou 8 jours, au départ de Stockholm.

Préparation Vous pouvez acheter des billets pour les différentes sections du trajet, mais il existe aussi des forfaits valables 14 jours qui vous donnent la possibilité de circuler autant que vous le souhaitez. En plein été, il est préférable de réserver, mais ce n'est pas indispensable. Les boissons fraîches ne sont proposées à la vente que dans les gares, mais on peut les précommander à bord.

À savoir En été, il faut absolument vous munir d'une protection anti-moustiques.

Internet www.visitsweden.com

TEMPS FORTS

■ À Arjeplog, visitez le **musée de l'Argent**, qui abrite une importante collection de bijoux sames. Vous pouvez y aller depuis Arvidsjaur ou Slagnäs.

■ Prenez le **train à vapeur** qui relie Arvidsjaur à Slagnäs les vendredis et les samedis, en juillet et la première semaine d'août.

■ À Jokkmokk, visitez le **musée Ajtte**, consacré à la vie et aux traditions des chasseurs sames.

■ À **Gällivare**, en été, un bus vous emmène au sommet du mont Dundret pour contempler le soleil de minuit ; la vue exceptionnelle couvre 10 % du territoire suédois.

À Mora, la maison Zorn a été édifiée par le peintre suédois Anders Zorn dans le style traditionnel de la région.

Top 10 Lignes de Tramway

Qu'on les nomme trolleys, trams ou tramways, ils vous permettent de parcourir une ville comme si vous y viviez.

❶ Le 501 Queen Streetcar, Toronto, Canada

La ligne 501 est l'une des plus longues de toute l'Amérique du Nord. Ses voitures articulées rouge et blanc partent de Lakeshore Boulevard, traversent le centre toujours très animé, et vous amènent sur les plages.

Préparation À Toronto, les tramways sont plus lents que le métro et ils passent moins souvent le week-end. La nuit, la ligne 501 change de numéro et devient la 301. www.toronto.ca

❷ Le George Benson Waterfront Streetcar, Seattle, États-Unis

Le Waterfront Streetcar part de Broad Street et suit la rive de la baie d'Elliott, en direction de l'International District. Les voitures sont des pièces de collection, importées de Melbourne, en Australie ; l'intérieur est élégamment décoré de bois précieux, acajou de Tasmanie et frêne blanc.

Préparation Vous pouvez acheter les tickets auprès du conducteur. transit.metrokc.gov

❸ Le St. Charles Streetcar Tour, La Nouvelle-Orléans, États-Unis

Le St. Charles Streetcar Tour fonctionne à nouveau, après les ravages de l'ouragan Katrina. C'est un des musts de la ville ; il passe par le Central Business District, le Garden District, le quartier d'Uptown et le fameux French Quarter.

Préparation Un aller simple prend environ 45 minutes. Achetez un forfait pour 1 ou 3 jours afin d'éviter de devoir reprendre un ticket à chaque fois que vous l'empruntez. www.norta.com

❹ La ligne F, San Francisco, États-Unis

Cette ligne historique va de Castro au Fisherman's Wharf, en passant par le centre. Les voitures viennent des quatre coins du monde, avec par exemple des trams milanais. Certaines sont très anciennes.

Préparation Vous pouvez réserver vos tickets sur le site Internet de la municipalité ; pour les amateurs, il est possible d'acheter des tickets de collection, à tirage limité. www.sfmta.com, www.streetcar.org

❺ Les tramways de Hongkong, Chine

Les tramways de Hongkong font partie des légendes de la ville. Ce sont les seuls tramways à impériale de la planète. Le trajet le plus long prend 1 h 20 et relie Shau Kei Wan à Kennedy Town, avec un changement au Western Market.

Préparation Les arrêts sont nombreux. Les lignes 28 et 128 ont des galeries découvertes qui permettent de mieux voir la ville. www.td.gov.hk, www.hktramways.com

Frôlant les piétons, un tramway ancien descend l'une des étroites rues pavées du centre historique de Lisbonne.

❻ Le tram 96, Melbourne, Australie

Le réseau de tramways de Melbourne mêle voitures anciennes et matériel moderne. Reliant le centre de la ville aux banlieues résidentielles, les trams circulent sur les grands axes. La ligne 96 dessert les trois quartiers les plus animés de la cité : les rues bohèmes de Fitzroy, le quartier des affaires, et enfin la plage de St. Kilda – autant d'occasions de profiter de l'*Australian way of life* et de découvrir les restaurants, les boutiques et les boîtes de nuit fréquentés par les Melbourniens.

Préparation Achetez vos tickets (Metcard) à l'avance, car les distributeurs automatiques installés à bord n'acceptent que les pièces. Le trajet entre Fitzroy et St. Kilda dure une demi-heure. www.metlinkmelbourne.com.au

❼ La ligne 2, Budapest, Hongrie

Les trams font encore partie de la vie quotidienne dans la capitale hongroise, qui compte plus de 150 km de lignes. À Pest, la ligne 2 suit le Danube et permet d'admirer de près le Parlement, ainsi que le château de Buda sur l'autre rive. Prenez un siège côté Danube pour profiter des plus belles vues.

Préparation Prenez garde à ne pas monter dans le 2A, qui interrompt son trajet au pont Petofi. Achetez vos tickets à l'avance et n'oubliez pas de les composter à bord du tram. www.bkv.hu, www.budapestinfo.hu

❽ Le tram 68, Berlin, Allemagne

Les tramways ont cessé de circuler à Berlin-Ouest dans les années 1960, et, aujourd'hui encore, certaines lignes ne fonctionnent que dans la partie est de la ville. Avec ses 30 lignes de tramway, Berlin compte pourtant l'un des réseaux les plus vastes et les plus anciens au monde. Le *Straßenbahn* 68 part de S-Köpenick pour rejoindre le pittoresque village de Alt-Schömckwitz, dans les environs de la ville ; c'est une bonne façon de découvrir la capitale. La nuit les tramways sont assez nombreux et peuvent être un bon moyen de regagner votre hôtel.

Préparation La WelcomeCard offre des réductions sur les transports en commun et les musées. www.bvg.de, www.berlin-tourist-information.de

❾ La ligne 2, Amsterdam, Pays-Bas

Le tramway est, avec le vélo, la meilleure façon de se déplacer dans le centre. 16 lignes sillonnent la cité. La ligne 2 dessert la plupart des sites touristiques de la ville : le Palais royal, De Nieuwe Kerk (la nouvelle église), le Béguinage, le marché aux fleurs, le Rijksmuseum, le musée Van Gogh et le Vondelpark.

Préparation 5 lignes partent de Centraal Station, aussi n'hésitez pas à demander des renseignements aux Néerlandais, qui sont très aimables. www.gvb.nl

❿ Le tram 28, Lisbonne, Portugal

La ligne 28 traverse la ville d'est en ouest, escaladant les rues pavées étroites et escarpées qui mènent au Bairro Alto, à Baixa et à l'Alfama. Ce petit tram au charme ancien sillonne les venelles, longeant marchés, restaurants et églises, et il lui arrive d'être pris dans les embouteillages. Vous pouvez descendre dans le quartier de Graça et prendre le bus 37 qui vous déposera au château de São Jorge, d'où vous aurez une vue imprenable sur la ville.

Préparation Comptez environ 40 min pour un trajet complet. www.carris.pt

LA LIGNE INVERNESS-KYLE OF LOCHALSH

La ligne la plus spectaculaire des îles Britanniques relie les côtes est et ouest de l'Écosse.

De la capitale des Highlands écossais à Kyle of Lochalsh, le train traverse des landes et des vallées hantées (les fameux glens), s'enfonçant entre les collines couvertes de bruyère où les clans des Highlands ont jadis bâti leurs châteaux. Après avoir quitté Inverness, vous traversez la Ness avant de longer l'estuaire de la Beauly. À l'extrémité ouest de l'estuaire, la ligne oblique vers le nord et parcourt les landes de la plaine d'Easter Ross. Après la ville de Dingwall, le train repart vers l'ouest. Le paysage est de plus en plus impressionnant, dominé par les hauteurs du Cnoc nah Iohlaire (351 m) ou du Sgurr a'Mhuilinn. Passé les méandres de la Drumalbain, vous entrez dans le Glen Carron et dans la très ancienne et très épaisse forêt d'Aschnashellach, où vous aurez peut-être la chance d'apercevoir des daims. De là, le train rejoint les eaux du Lochcarron et du Loch Kishorn et les côtes déchiquetées de l'Atlantique. Le village de Plockton, avec son port de plaisance niché dans une baie bien abritée et parsemée d'îlots rocheux, semble sorti d'une carte postale. La dernière section de la ligne, entre Duirinish, la baie d'Erbusaig et Kyle of Lochalsh, est peut-être la plus jolie encore, avec les petites îles de Raasay, Scalpay, Longay et Pabbay qui se dessinent à l'horizon.

Quand? Toute l'année, mais plutôt de juin à septembre. Juillet et août sont les mois les plus fréquentés.

Combien de temps? 4 h.

Préparation En haute saison, il y a 3 trains par jour. La ligne continue jusqu'à Thurso et Wick. À Inverness, vous avez des correspondances pour Édimbourg, Perth, Glasgow et Aberdeen. À Kyle of Lochalsh, vous pouvez prendre un bus pour Skye (en passant par le pont) et des ferries pour les autres îles.

À savoir Les paysages hivernaux peuvent être spectaculaires, mais le nord de l'Écosse n'offre guère que 6 h d'ensoleillement journalier en hiver et le temps est souvent froid et humide.

Internet www.visitscotland.com/fr

TEMPS FORTS

■ Découvrez **Inverness**, la ville la plus récente d'Écosse. Un château s'élevait ici depuis le XIIᵉ siècle, mais ce n'est qu'aux XVIIIᵉ et XIXᵉ siècles qu'ont été édifiées les premières maisons, et le statut de ville n'a été obtenu qu'en 2001.

■ Observez les phoques et les dauphins dans **l'estuaire de la Beauly**, qui abrite de nombreux spécimens de ces deux espèces.

■ Regardez les **tours de pierre** de Red Castle sur la rive nord de l'estuaire; un peu plus au nord, le château de Kilcoy appartient depuis des siècles au clan Mackenzie; après la traversée de la Beauly, jetez un coup d'œil au prieuré, vieux de huit siècles.

Reconnaissables entre tous, les bovins Highlands, que l'on trouve à travers tout l'ouest de l'Écosse, sont l'une des races les plus anciennes du pays.

L'Orient-Express traverse aussi des paysages alpestres.

GRANDE-BRETAGNE/FRANCE/SUISSE/AUTRICHE/ITALIE

L'Orient-Express

Le Venise-Simplon-Orient-Express est peut-être le train
le plus luxueux et le plus célèbre au monde.

Avec ses cabines élégantes, sa nourriture exquise et son service de grande classe, l'Orient-Express évoque irrésistiblement le tourisme d'élite de l'époque victorienne. Si vous partez de Londres, vous empruntez d'abord des voitures Pullman magnifiquement restaurées. Vous déjeunez lors de la traversée du Kent, « le jardin de l'Angleterre », avant de franchir le tunnel sous la Manche. Des wagons-lits bleu et blanc des années 1920 magnifiquement restaurés vous attendent alors. Le dîner est servi avant d'arriver à Paris. Le train traverse la France durant la nuit, et le lendemain matin, vous ouvrez les yeux au milieu des montagnes et des lacs. Vous prenez votre petit déjeuner devant le spectacle magnifique des Alpes autrichiennes, où le vert tendre des prés contraste avec la dureté des pics rocheux. À Innsbruck, le train oblique vers le sud et s'engage dans la montée du col de Brenner (1 219 m). Le thé est servi dans la descente vers les Dolomites qui vous entraîne à Vérone. À votre arrivée à Venise au crépuscule, il ne vous reste plus qu'à sortir de la gare de Santa Lucia pour découvrir le Grand Canal.

Quand ? Les trains circulent de mars à novembre. Ils partent de Londres les jeudis et dimanches, de Venise les mercredis et samedis.

Combien de temps ? 2 jours et 1 nuit.

Préparation Il est vivement recommandé d'être vêtu avec soin : une tenue sport est tolérée pendant la journée, mais l'habit s'impose pour le dîner. Notez cependant que les bagages en cabine sont limités à 2 petites valises par personne. Les autres bagages sont transportés dans une voiture spéciale.

À savoir La restauration du train a été réalisée dans un esprit de scrupuleuse fidélité à l'Orient-Express d'origine ; vous trouverez donc dans votre cabine un lavabo mais pas de douche. Les sièges sont transformés en couchettes pendant le dîner. Le train est entièrement non-fumeurs.

Internet www.orient-express.com

TEMPS FORTS

■ Le **dîner** en habit et robe de soirée est en soi un spectacle. À défaut de nœud papillon, la cravate noire est de rigueur.

■ Les environs du **col d'Arlberg** et de la **vallée de l'Inn**, avant Innsbruck, sont magnifiques.

■ Le **col de Brenner** est la seule traversée des Alpes par chemin de fer qui n'emprunte pas de tunnel.

■ Évoquant parfois les murs et les tours de châteaux en ruine, les rochers déchiquetés des **Dolomites** forment un contraste frappant avec les Alpes. Leurs couleurs changent selon les heures, virant du jaune au gris en passant par le rose et des nuances terre de Sienne.

SUISSE

LE GLACIER-EXPRESS

Traversez les plus hauts cols des Alpes, tout en observant confortablement les glaciers et les villages d'une des plus belles régions du monde.

Surnommé « le rapide le plus lent du monde », le Glacier-Express tient une moyenne de 35 km/h, juste assez pour vous laisser contempler les paysages extraordinaires et variés des Alpes suisses – pics couverts de neige, sombres forêts, rivières bouillonnantes, prés et villages aux maisons en bois –, non loin des frontières italienne et française. Laissant derrière lui l'élégante station de Saint-Moritz, le train commence à gravir les glaciers et les vallées aux pentes couvertes de mélèzes. D'adorables petits villages s'accrochent au flanc des montagnes. De temps à autre, la traversée d'un tunnel vous plonge brutalement dans l'obscurité. Au sortir de l'un de ces tunnels, près de Fusilier, le train passe sur un long viaduc au-dessus des gorges de Landwasser et vous avez soudain l'impression inoubliable de flotter dans les airs. Après la ville médiévale de Chur, la ligne s'engage dans l'ascension du col de l'Oberalp (2 033 m), le plus haut des Alpes suisses. Au sortir d'un virage, la descente commence jusqu'à Andermatt. Les rails longent ensuite la vallée du Rhône et passent à côté du glacier d'Aletsch avant de rejoindre Brig. Le train amorce alors une nouvelle ascension, doublant à Visp le vignoble le plus haut d'Europe. Le soir tombe, et vous voyez se dessiner à l'horizon la silhouette pyramidale caractéristique du Cervin (4 478 m), au-dessus de Zermatt.

Quand ? Le ski l'hiver, la randonnée l'été sont deux occasions de prendre ce train : du vert intense au blanc étincelant, les paysages sont beaux toute l'année.

Combien de temps ? Le trajet complet dure 7 h 30. Les stations de Zermatt et de Saint-Moritz méritent chacune 1 journée de visite.

Préparation Il est indispensable de réserver, ce qui est possible dans n'importe quelle gare suisse ou directement au départ du Glacier-Express. En haute saison, il faut vous y prendre longtemps à l'avance ; pensez aussi à réserver une place dans la voiture-restaurant.

À savoir La différence entre première et seconde classe n'est pas très sensible ; le vrai luxe consiste à prendre place dans les voitures panoramiques, dont les toits vitrés offrent des vues imprenables.

Internet www.glacierexpress.ch, http://sbb.ch/fr

TEMPS FORTS

■ Le paysage est beau d'un bout à l'autre du voyage, mais le **col de l'Oberalp**, la traversée des **gorges du Rhin** (surnommées « le Grand Canyon suisse ») et le **glacier d'Aletsch** méritent une mention spéciale.

■ Découvrez **Chur**, avec ses vieilles maisons, ses cours tranquilles et ses ruelles pavées. La ville est dominée par une imposante cathédrale du XIIe siècle.

■ Entre Chur et Andermatt, le village de Disantis abrite une ravissante **abbaye du VIIIe siècle**.

■ Essayez la **voiture-restaurant**, avec sa décoration d'origine – boiseries, cuivres, et même des verres à vin spécialement conçus pour les empêcher de déborder dans les montées et les descentes.

■ À Brig, on peut voir les toits à bulbe du **château de Stockalper** depuis chaque coin de rue. Ce palais d'allure italienne fut bâti par un riche marchand du XVIIe siècle.

■ En arrivant à Zermatt, ne manquez pas l'apparition à l'horizon de l'impressionnante silhouette du **mont Cervin**.

Ci-dessus, à gauche : Au printemps, les champs sont remplies de fleurs sauvages. Ci-dessus, à droite : Quel que soit la saison, les trains gravissent l'étroite voie ferrée des environs de Zermatt. Ci-contre : Été comme hiver, la haute silhouette du Cervin domine toute la région de Zermatt.

LE CHEMIN DE FER DE LA JUNGFRAU

Au sortir d'un tunnel, au terme d'un voyage
tout en contrastes, découvrez un monde immaculé.

EUROPE

Culminant à plus de 3 600 m, les arêtes nettes et la masse imposante des sommets de l'Eiger, du Mönch et de la Jungfrau dominent l'Oberland (« haut pays ») bernois, au centre de la Suisse. Dans ce cadre impressionnant, le chemin de fer de la Jungfrau (Jungfraubahnen) débute à Kleine Scheidegg, au pied de la face nord de l'Eiger, une falaise quasi verticale de 1 800 m. S'engageant sur les pentes nues qui montent jusqu'à la gare d'Eigergletscher (le glacier de l'Eiger), où vous pouvez visiter un élevage de huskies, le train s'enfonce ensuite dans le tunnel de l'Eiger et continue son ascension au cœur même de la montagne, sur 10 km. Il s'arrête quelques minutes aux gares d'Eigerwand (la face nord) et d'Eismeer (la mer de glace), où de vastes fenêtres panoramiques offrent des vues spectaculaires, avant de continuer jusqu'au plateau de la Jungfrau (3 260 m), juste sous le sommet. En sortant de la gare, vous vous retrouvez au cœur d'un paysage de contes de fées, d'un blanc immaculé. Vous êtes au point de départ du glacier d'Aletsch, le plus long des Alpes. Par temps clair, vous pouvez apercevoir les Vosges et la Forêt-Noire.

Quand ? Les trains circulent toute l'année, mais en hiver des vents violents accompagnés de neige peuvent souffler au sommet. Consultez la météo et faites le voyage par beau temps.

Combien de temps ? Il faut environ 1 h pour atteindre la Jungfrau.

Préparation On arrive à la gare de Kleine Scheidegg depuis Wengen ou Grindelwald.

À savoir Le voyage est très onéreux, mais vous pouvez bénéficier de tarifs réduits en dehors des heures de pointe. Très tôt le matin, la réduction est très avantageuse.

Internet www.jungfraubahn.ch

TEMPS FORTS

■ Depuis la gare d'Eigerwand, vous pouvez admirer la face nord de l'Eiger, mais aussi la **vallée de Grindelwald** jusqu'à Interlaken. À Eismeer, vous êtes dans un étonnant paysage de roc et de glace.

■ Au terminus de la Jungfrau, visitez le **palais de Glace**, une série de grottes creusées dans le glacier, avec de surprenantes sculptures de glace. Ne manquez pas non plus l'exposition sur la recherche alpine.

■ En été (juin-septembre), sur le glacier, il est possible de faire du snowboard, du ski, ou d'effectuer une **randonnée sur un traîneau** tiré par des chiens.

L'Eiger, dont on voit ici la face nord dans l'ombre, la Jungfrau et le Mönch dominent l'Oberland bernois dans les Alpes.

La ville de Konya est dominée par les tuiles turquoise du mausolée de Mevlana Rumi.

TURQUIE

LE TAURUS EXPRESS

Partie d'Istanbul, cette ligne traverse les paysages sauvages
de la chaîne du Taurus avant de longer la Méditerranée orientale.

Jadis, le *Toros Ekspresi* reliait Istanbul à Damas (Syrie) et Bagdad (Iraq). De nos jours, il s'arrête dans la ville turque de Gaziantep, d'où on peut prendre une correspondance pour Alep, en Syrie. Le train démarre à Istanbul, longe la mer de Marmara jusqu'au port d'Izmit, avant de prendre la direction du sud et de se hisser jusqu'au plateau anatolien. En arrivant sur Afyon, il ne faut pas manquer la forteresse en ruine au sommet d'un piton rocheux. À Konya, vous pourrez admirer les tuiles turquoise qui coiffent le mausolée de Mevlana Rumi, entouré de minarets. Puis commence l'ascension des monts Taurus : une voie unique traverse des gorges vertigineuses sur des viaducs offrant un panorama splendide sur les montagnes et les vallées alentour. La ligne grimpe jusqu'à 1 467 m d'altitude avant de redescendre vers Adana, suivant les orangeraies de la plaine côtière ; elle remonte ensuite jusqu'au plateau désertique où se trouve la ville de Gaziantep.

Quand ? Le Taurus Express fait 3 voyages par semaine dans chaque direction, toute l'année. Si vous ne craignez pas le froid et aimez les paysages enneigés, partez en hiver ; l'été, en revanche, peut être très chaud et humide.

Combien de temps ? Il faut 27 h pour parcourir les 1140 km qui séparent Istanbul de Gaziantep.

Préparation Quel que soit le tarif, il est indispensable de réserver. Si vous souhaitez effectuer le voyage en plusieurs temps, vous devrez prendre des billets séparés. Une fois par semaine, une voiture-couchettes supplémentaire va jusqu'à Alep, en Syrie, avec des correspondances pour Damas.

À savoir Amenez vos vivres, car il n'y a pas de wagon-restaurant. Durant le ramadan, les restaurants des villes peuvent être fermés de l'aube au crépuscule, et il est difficile de se procurer de l'alcool.

Internet www.tcdd.gov.tr

TEMPS FORTS

■ La **gare de Haydar Pacha**, à Istanbul, fut offerte par le kayser Guillaume II en 1898.

■ Le paysage change constamment, des vastes espaces ouverts du **plateau anatolien** aux sommets escarpés des **monts Taurus** et à la luxuriante **plaine d'Adana**, sur la Méditerranée.

■ Afyon est dominée par la **forteresse noire de l'Opium**, ainsi nommée parce que l'on y faisait pousser du pavot dans la région. La ville est réputée pour ses **pâtisseries** souvent accompagnées de crème épaisse appelée « kaymak ».

■ À Konya, vous pouvez visiter le mausolée du poète soufi **Mevlana Rumi**, fondateur de la secte des **derviches tourneurs**. Ses membres vivaient dans un monastère aujourd'hui transformé en musée.

■ Gaziantep est bâtie autour d'une **citadelle**, bâtie il y a neuf siècles.

AFRIQUE DU SUD

Un safari ferroviaire

Profitez de paysages exceptionnels et guettez
les grands mammifères africains dans ce train de luxe à l'ancienne.

Si vous aimez les animaux sauvages et que vous êtes amateur de trains de luxe, alors ne manquez pas ce safari ferroviaire qui traverse les magnifiques paysages situés entre Durban et Pretoria. Les voitures rénovées aux élégantes boiseries sont en elles-mêmes une attraction, et pendant la dernière partie du voyage, elles sont tractées par une locomotive à vapeur. Ce périple est aussi une chance unique de faire un safari à l'ancienne, avec la possibilité d'observer les « *big five* » – lions, léopards, éléphants, rhinocéros noirs et buffles. Quittez Durban de bon matin et traversez les collines luxuriantes du KwaZulu-Natal, avec ses villages traditionnels de huttes rondes, pour atteindre les plaines du Swaziland. La voiture panoramique, au toit ouvrant, offre une vue exceptionnelle. Tôt le lendemain, vous ferez votre première excursion, dans la réserve privée de Mkhaya. Être debout avant l'aube et explorer le parc en Land-Rover vous donneront de bonnes chances de voir les animaux avant qu'ils ne vous repèrent. Quelques heures plus tard, et un peu plus au nord, une seconde excursion dans le célèbre parc national Kruger précède un repas traditionnel dans un *boma*, enceinte entourée de torches pour écarter les bêtes sauvages. Le matin suivant, pendant le petit déjeuner, le train entame l'ascension des contreforts basaltiques du Drakensberg, avant de vous déposer à Pretoria dans l'après-midi.

Quand ? Il n'y a qu'un seul départ par semaine, de janvier à avril et en octobre-novembre. La saison sèche, en hiver, est une bonne période pour observer la faune sauvage, car l'herbe est courte, il y a peu de feuilles dans les arbres et les animaux sont plus nombreux autour des points d'eau.

Combien de temps ? 3 jours et 2 nuits.

Préparation Il est possible d'entreprendre le voyage dans l'autre sens, de Pretoria à Durban, avec un itinéraire légèrement différent. Les excursions se font alors dans les réserves de Mkhaya et de Hluhluwe. Équipez-vous correctement : vêtements beiges, bruns ou verts suivant la saison, avec un pull pour vous réchauffer le matin.

À savoir Sur les trains de la compagnie Rovos Rail, les boissons et la nourriture sont servies à volonté.

Internet www.rovos.com

TEMPS FORTS

■ La **réserve privée de Mkhaya** est un refuge pour les espèces en danger. Le réseau de pistes, de bonne qualité, est l'un des meilleurs endroits du pays pour observer les rhinocéros noirs.

■ Avec leurs boiseries et leur décoration fin XIXᵉ siècle, les **cabines** sont très luxueuses.

■ Le **parc national Kruger**, dont la superficie équivaut à celle de l'Israël, abrite, outre les « *big five* », de nombreuses espèces d'animaux.

■ L'ascension du **Drakenberg**, de Watermont Onder à Belfast (1961 m), offre des vues imprenables.

Ci-dessus, à gauche : Le soleil illumine les pentes escarpées du Drakensberg. Ci-dessus, à droite : Les réserves du Swaziland sont l'un des meilleurs endroits pour voir le rhinocéros noir, une espèce menacée. Ci-contre : Dans le parc national Kruger, le nombre d'éléphants est en constante augmentation depuis ces dernières années.

À PIED

Les voyages à pied procurent le plus simple et le plus pur des plaisirs. La liberté qu'offre la marche est infinie : sans contrainte de billets ou d'emploi du temps, vos seules limites – hormis celles que vous avez choisi de vous fixer – sont géographiques. Vous n'aurez qu'à vous laisser porter par vos pas pour effectuer tous les trajets de ce chapitre, qu'il s'agisse de partager la vie des artistes et des écrivains de Greenwich Village, à New York ou de flâner dans le Grand Bazar d'Istanbul et passer maître dans l'art du marchandage. À l'autre bout du spectre, il y a ces randonnées au cœur d'une nature souvent rude, qui demandent des jours, parfois des semaines. Au Pérou par exemple, le chemin de l'Inca grimpe au-delà des nuages pour rejoindre la Cité perdue. Entre ces deux extrêmes se trouve un monde d'itinéraires enchanteurs, de la Grande Muraille de Chine au John Muir Trail, en Californie. Partout, et même dans les endroits les plus fréquentés du globe, se cachent des merveilles qui ne se découvrent qu'à pied, tels les kilomètres de galeries des catacombes de Rome. Marcher vous rapproche de la nature… Et de la nature humaine. C'est une forme de voyage qui respecte la planète et comble à la fois le corps, l'esprit et l'âme.

Depuis le col Mackinnon, un randonneur observe la mer de nuages envahir la vallée Clinton. Le Milford Track relie en 53 km le lac Te Anau à Milford Sound, dans la région des fjords de l'île du Sud (Nouvelle-Zélande).

Garez votre vélo et chinez parmi le bric-à-brac et les livres des échoppes du Village.

ÉTATS-UNIS

GREENWICH VILLAGE

Les ruelles sinueuses et bordées d'arbres de cet ancien village ont toujours attiré les artistes, les écrivains et les « branchés ».

Contrastant avec les buildings et le plan en damier de Manhattan, Greenwich Village fut longtemps un havre de paix pour les artistes et les écrivains, ainsi que pour la communauté gay. Le quartier est moins bohème aujourd'hui mais a conservé son charme, et vous y découvrirez une kyrielle d'édifices anciens et de cours cachées. Partez de Washington Square. Au nord s'alignent des hôtels particuliers à l'architecture néo-classique où résidèrent Henry James, Edith Wharton, John Dos Passos et le peintre Edward Hopper. Ils font face, de l'autre côté de Washington Square, à l'arc de triomphe depuis lequel, en 1916, un groupe d'artistes emmenés par Marcel Duchamp proclama «l'État de Nouvelle Bohème». À quelques pas de là, au nord-ouest, se niche Patchin Place, petite rue où vécut le dramaturge Eugene O'Neill. Carrefour aux sept rues, Sheridan Square constitue le cœur du Village. De là, partez chiner, assister à une représentation dans un théâtre d'Off-Broadway ou acheter des produits italiens sur Bedford Street, puis faites une pause chez Chumley's, un ancien bar clandestin.

Quand ? Toute l'année, mais les étés peuvent être très chauds. Préférez les journées d'automne.

Combien de temps ? 1 h ou 1 journée, selon le temps passé dans les cafés ou sur les sites.

Préparation Le plus pratique est d'emprunter les bus n° 1, 2 ou 3 sur la Cinquième Avenue, ou de descendre à la station de métro West 4th Street/Washington Square (lignes A, B, C, D, E ou F).

À savoir À Washington Square Park, installez-vous sur un banc et profitez du spectacle des passants et des performances des artistes de rue. Le Village est réputé pour ses clubs de jazz, notamment le Blue Note, le 55 Bar, le Smalls ou le Garage.

Internet www.nycvisit.com, www.nyc-architecture.com

TEMPS FORTS

■ Écrivains et artistes occupent les écuries et les remises à calèches réhabilitées de **MacDougal Alley**, une paisible ruelle aux pavés arrondis proche de Washington Square. La sculptrice Gertrude Vanderbilt Whitney y inaugura le premier musée Whitney, derrière son atelier.

■ Magnifique édifice gothique victorien, la **Jefferson Market Courthouse** est désormais l'une des annexes de la Bibliothèque publique de New York. Faites une halte dans son jardin méticuleusement entretenu.

■ Jack Kerouac, Allen Ginsberg et leurs camarades de la Beat Generation se retrouvaient au **Figaro Café**, 184 Bleecker Street.

■ **La maison la plus étroite de New York** – à peine 3 m de large – se situe au 75 1/2 Bedford Street. Construite en 1873, elle fut habitée par les acteurs John Barrymore et Cary Grant.

■ Le romancier Theodore Dreiser commença à écrire *Une tragédie américaine* dans l'une des demeures italiennes du milieu du XIXe siècle de **St. Luke's Place**.

AMÉRIQUE DU NORD

ÉTATS-UNIS

Le col McGonagall et le McKinley Bar Trail

Dans le parc national Denali, en Alaska, traversez avec précaution un cours d'eau étonnamment large et découvrez les beautés de la taïga.

AMÉRIQUE DU NORD

Passé une forêt où cohabitent épicéas et saules — typiques de la taïga —, un défi singulier se présente car il faut maintenant franchir la McKinley River : 1,6 km de large… et pas de pont à l'horizon. Il y a deux choses à faire. La première : du bruit, pour que déguerpissent les grizzlis qui pêchent et flânent aux alentours. La seconde : vous munir d'un morceau de bois en guise de canne afin de ne pas tomber dans l'eau glacée tandis que vous sauterez de rocher en rocher. Le parc national Denali rayonne autour du mont McKinley, le plus haut sommet d'Amérique du Nord, appelé également Denali, — « le Grand » en dialecte athabascan. Les alpinistes partent à l'assaut du relief de 6 194 m d'altitude ; les randonneurs, eux, empruntent le McKinley Bar Trail, un sentier qui débute au Wonder Lake, au cœur du parc, et conduit jusqu'au col McGonagall. Après avoir passé une multitude de cours d'eau, traversé des forêts et campé à la nuit tombée, vous parviendrez enfin au col, où vous resterez la journée. Ainsi, vous aurez savouré la splendeur d'un lever et d'un coucher de soleil — symphonie éclatante de rose et d'orange — au pied du « Grand ».

Quand ? De juin au début du mois de septembre.

Combien de temps ? Comptez 5 ou 6 jours pour parcourir l'intégralité du sentier (61 km), 2 jours supplémentaires pour visiter le parc à partir du campement de Wonder Lake.

Préparation Entraînez-vous à franchir des cours d'eau avec un sac à dos rempli. Procurez-vous autorisations et récipients sécurisés (que les ours ne peuvent pas ouvrir…) auprès du Visitor Center du parc national Denali.

À savoir Prévoyez une moustiquaire. Attachez des clochettes à votre sac ou à vos chaussures pour que les grizzlis fuient à votre approche.

Internet www.washington.org, www.thedistrict.com, www.nps.gov/nama

TEMPS FORTS

■ Visitez le parc en **autocar** pour une vue d'ensemble de la végétation, des herbes de la **taïga** aux chaos rocheux de la **toundra**.

■ Régalez-vous du spectacle que réserve la **faune** : grizzlis, mouflons de Dall, loups gris, élans, renards polaires, caribous, perdrix des neiges… Sans oublier la kyrielle d'oiseaux d'eau qui fréquentent la McKinley River et le Wonder Lake, notamment les canards garrots et les plongeons huards.

■ Dans les chenils du parc, regardez les **chiens de traîneau** à l'entraînement : ils tirent des véhicules tout-terrain, pour être en forme l'hiver venu.

La McKinley River serpente à travers la taïga dominée par les reliefs enneigés du McKinley, le plus haut sommet d'Amérique du Nord.

TOP 10 LONGUES RANDONNÉES

Enfilez vos chaussures de marche, sortez vos cartes et suivez ces sentiers de grande randonnée qui sillonnent des paysages d'une beauté à couper le souffle.

❶ Wind River Mountains, États-Unis

Au sud-est de Dubois (Wyoming), les reliefs culminent à 4 000 m. Des tribus d'Amérindiens chassaient ici, en témoignent les peintures rupestres visibles depuis les sentiers. Fin septembre, des élans se défient sous les saules et les versants s'embrasent du rouge et de l'orangé des peupliers. Plus de 250 km de sentiers aménagés.

Préparation Les forêts nationales de Shoshone et Bridger-Teton couvrent une grande partie du massif. Aucune autorisation n'est nécessaire, une simple inscription suffit. Préférez la période de juin à septembre.
www.wind-river.org

❷ Le Milford Track, Nouvelle-Zélande

C'est, aux dires des spécialistes, le meilleur raid du monde. Il faut 4 jours pour parcourir le sentier de bout en bout, de Glade Wharf, sur la rive nord du lac Te Anau, à Sandfly Point, près de Milford Sound, sur la côte occidentale de l'île du Sud. Après avoir sillonné les forêts de hêtres de la vallée Clinton, grimpez jusqu'au col Mackinnon et ses pelouses alpines puis redescendez à travers les forêts de la vallée Arthur, domaine des fougères, mousses et lichens.

Préparation Réservation obligatoire (40 places par jour seulement). Hébergement dans des relais gérés par le département de la Conservation.
www.milfordtrack.net, www.doc.govt.nz

❸ Le trek de Concordia, Pakistan

À la frontière sino-pakistanaise, Concordia est un site coupé du monde moderne où se rejoignent les immenses glaciers descendus du K2, de Broak Peak et du Gasherbrum. En fondant, ils forment les affluents de l'Indus. Le trek, d'Askole au camp de base du K2, dure 14 jours. À la fin du voyage, vous aurez mérité un bain dans les sources chaudes des gorges de la Braldu, près d'Askole.

Préparation Il est préférable de faire ce trek en groupe.
www.concordiaexpeditions.com, www.atalante.fr/fiche?18116

❹ La traversée du Pinde, Grèce

Les montagnes du Pinde s'étirent sur 290 km du golfe de Corinthe à la frontière albanaise. Elles culminent à plus de 2 000 m et l'air y est toujours frais même au soleil. Au printemps, les fleurs sauvages, sur les versants, sont parmi les plus belles et les plus rares d'Europe.

Préparation Préférez la période de mai à octobre.
www.info-grece.com, www.sherpa-walking-holidays.co.uk

L'amphithéâtre Karakoram, le paysage le plus spectaculaire du trek de Concordia, au nord du Pakistan. Cette région est la plus glacée de la planète (hors cercles polaires).

❺ La Haute Route, Corse, France

Ce sentier ardu de 200 km, le fameux GR20, suit l'épine dorsale qui traverse l'île de Conca, au sud-est, à Calenzana, au nord-ouest. La randonnée conduit à travers la haute montagne et ses pinèdes, des paysages ponctués de torrents et de piscines naturelles. Des champs de neige peuvent persister au début de l'été.

Préparation Préférez la période de juin à septembre.
www.le-gr20.com/fr/

❻ La Haute Route, France/Suisse

La Haute Route de Chamonix à Zermatt (Suisse) est un raid difficile de deux semaines à travers les plus hauts sommets d'Europe, du mont Blanc au Cervin. La voie est peu fréquentée et met en valeur une flore alpine remarquable. Les bouquetins, les chamois et les marmottes au cri strident, comptent parmi les représentants de la faune.

Préparation Partez de préférence entre fin juin et début septembre.
www.altituderando.com/Chamonix-Zermatt-la-Haute-Route

❼ La Haute Route des Pyrénées, France/Andorre/Espagne

Pour les puristes, la Haute Route des Pyrénées débute sur les rives de la Méditerranée pour s'achever 44 jours plus tard au bord de l'océan Atlantique. Toutefois, la majorité des randonneurs privilégie l'itinéraire de 24 jours entre Lescun (France) et El Serrat (Andorre). La Haute Route franchit quelques-uns des sommets pyrénéens dépassant les 3 000 m d'altitude.

Préparation La meilleure période est de fin juin à septembre.
www.pyrenees-pireneus.com/HRP.htm

❽ La Southern Upland Way, Écosse

Le plus long sentier de randonnée d'Écosse s'étire d'ouest en est sur 340 km, du vieux village de pêcheurs de Portpatrick aux falaises de Cockburnspath qui plongent dans la mer du Nord. L'itinéraire est varié, déclinant brusquement à travers des forêts de sapins puis franchissant de hauts plateaux marécageux.

Préparation La meilleure saison court de fin mai à fin septembre.
www.southernuplandway.com

❾ La Pennine Way, Angleterre/Écosse

La chaîne des Pennines, une ligne de hautes collines, forme la colonne vertébrale de l'Angleterre. La Pennine Way est un long sentier de randonnée (402 km) qui suit cette épine dorsale de Edale (Derbyshire) à Kirk Yetholm (Écosse), au nord.

Préparation Randonnée la plus difficile d'Angleterre. Elle s'effectue traditionnellement en plusieurs étapes plutôt que dans son intégralité.
www.visitengland.fr, www.thepennineway.co.uk

❿ Le South West Coastal Path, Angleterre

Le plus long sentier national de randonnée de Grande-Bretagne s'étire sur 1 014 km depuis Minehead (Somerset), à l'ouest du détroit de Bristol, jusqu'à l'est de Poole Harbour (Dorset), en passant par le nord du Devon et la Cornouailles. Les traces historiques abondent, des dinosaures de la Côte Jurassique (Dorset) aux mines d'étain de Cornouailles.

Préparation Randonnée de huit semaines environ. Elle peut aisément être fractionnée en un week-end ou en une ou deux semaines.
www.swcp.org.uk, www.southwestcoastpath.com

LE JOHN MUIR TRAIL

Majestueuse et authentique, la sierra Nevada californienne
sert d'écrin à ce classique de la longue randonnée qui culmine au mont Whitney.

Au XIXe siècle, John Muir fut l'un des pionniers du mouvement environnemental. Il a donné son nom à ce sentier, l'un des tronçons du gigantesque Pacific Crest Trail reliant le Canada au Mexique en 4 265 km. En Californie, le John Muir Trail traverse la sierra Nevada et ses somptueux paysages : lacs glaciaires aux eaux limpides, prairies couvertes d'un épais tapis de fleurs, cols et canyons vertigineux. Le sentier de 340 km débute dans la Yosemite Valley et sillonne trois parcs nationaux – Yosemite, Kings Canyon et Sequoia. Depuis Happy Isles, grimpez régulièrement pendant 14,5 km ; à partir de là, vous aurez la sensation extraordinaire de marcher sur le toit du monde, en ne descendant pratiquement jamais en dessous de 2 500 m d'altitude. Les cols de Donohue, Muir, Mather, Pinchot, Glen et Forester se situent à plus de 3 350 m, offrant un panorama exceptionnel sur les cimes de la sierra. Soudain, un aigle royal surgit, tandis que des marmottes courent s'abriter derrière les rochers. Pénétrez au plus profond des forêts, où le sous-bois frémit du battement des ailes du tétras sombre. Enfin, vous atteignez le point culminant du sentier, le mont Whitney, le plus haut sommet des États-Unis (hors Alaska) à 4 418 m d'altitude. Il est possible de passer la nuit dans un refuge ; il fait très froid et le vent souffle violemment, mais le spectacle que réserve la voûte céleste étoilée est unique au monde.

Quand ? De juillet à septembre. Le sentier est enneigé le reste de l'année.

Combien de temps ? 3 semaines pour parcourir le sentier dans son intégralité, mais la randonnée peut être écourtée.

Préparation Autorisations (*wilderness permits*) pour camper le long du sentier et pour pénétrer dans la zone du mont Whitney. L'itinéraire est coupé du monde, prévoyez suffisamment de vivres (pas de ravitaillement possible sur la moitié sud du trajet).

À savoir Démarrez doucement pour vous habituer à l'altitude. Des campings sont aménagés à intervalles réguliers. Protégez vos vivres des assauts des ours bruns, ils sont fréquents et réclament toute votre vigilance ! Certains campings proposent de stocker vos provisions dans un emplacement sécurisé.

Internet www.pcta.org, yosemite.org, www.fs.fed.us

TEMPS FORTS

■ Les pêcheurs à la truite apprécient les eaux cristallines de la rivière Lyell qui coule au fond du **Lyell Canyon**.

■ Il n'y a peut-être pas 1000 îles dans le **lac de Thousand Island**, mais camper sur ses rives, au pied du Banner Peak et du mont Ritter, reste une expérience inoubliable.

■ Les « piliers » symétriques du **Devil's Postpile**, disséminés sur plus de 300 hectares, sont d'immenses colonnes de basalte formées il y a des milliers d'années lorsque la lave s'est refroidie.

■ À mi-chemin, un ferry conduit à **Vermilion Valley Resort**, de l'autre côté du lac Edison. Faites-y une halte avant d'affronter la seconde partie de la randonnée, plus difficile.

■ Un paysage lunaire annonce le **col de Forester**, le plus élevé du sentier à 4 023 m d'altitude. Le panorama sur les sommets environnants est époustouflant.

■ Le monolithe de granite du **Half Dome de Yosemite**, à l'écart du sentier, vaut le (petit) détour. L'ascension est exténuante, mais à 1 444 m au-dessus de la vallée, la vue sur le parc est imprenable.

Ci-dessus, à gauche : Au début de l'été, les fleurs sauvages abondent. Ci-dessus, à droite : Les versants boisés, les lacs paisibles du Lyell Canyon offrent un cadre idéal à une halte méritée. Ci -contre : Des randonneurs longent les lacs Rae, aux eaux miroitantes. Ils sont situés en altitude, dans le parc national de Kings Canyon, vers la fin du sentier.

La plage de Hanakapi'ai se niche dans un écrin de verdure, son sable blanc léché par les vagues du Pacifique.

HAWAII/ÉTATS-UNIS

LE KALALAU TRAIL

Cette randonnée d'un niveau relevé sur la troisième plus grande île d'Hawaii apporte son lot de précipices vertigineux et de sentiers accidentés. Elle s'achève par une nuit sur la plage, à la belle étoile.

Préparez-vous à une véritable séance de montagnes russes le long des falaises et à travers la forêt équatoriale de Kauai, «l'île-jardin» d'Hawaii. La randonnée ne compte que 18 km, mais elle ne franchit pas moins de cinq vallées encaissées – succession de hauts et de bas, à l'image de votre condition physique et morale! Persévérez: le panorama sur l'océan Pacifique et les rouleaux qui s'écrasent au pied des falaises, projetant d'immenses colonnes d'embruns, est étourdissant. À l'intérieur des terres, des chutes d'eau (et des chèvres sauvages!) dévalent les versants boisés. Le sentier, le seul du parc de Na Pali Coast, compte trois tronçons. Le premier, de Ke'e Beach à Hanakapi'ai Beach, est le plus facile. Le suivant, qui mène à Hanakoa Valley, débute par un dénivelé de 244 m pour sortir de Hanakapi'ai Valley. Puis à la difficulté s'ajoute le vertige lorsqu'il s'agit de progresser, en soulevant des nuages de poussière rouge, sur des passages étroits surplombant des à-pics démesurés. Kalalau Beach et sa cascade dégringolant une muraille de plus de 900 m sont la plus belle des récompenses. Plantez votre tente sur la plage et endormez-vous, bercé par le bruit des vagues.

Quand? Toute l'année, mais en hiver (octobre à mai) le temps est plus incertain et les plages sont envahies par l'océan.

Combien de temps? Il faut compter au moins 2 jours – un pour aller jusqu'à Kalalau Beach, l'autre pour en revenir.

Préparation Une autorisation est nécessaire pour aller au-delà de Hanakapi'ai, même si vous n'envisagez pas de pousser jusqu'à Kalalau pour y camper. En revanche, si vous campez, vous devrez demander une autorisation. Leur nombre est strictement limité, réservez suffisamment à l'avance (www.hawaii.gov/dlnr/dsp).

À savoir Les plages sont merveilleuses et la mer est tentante, mais informez-vous avant de vous baigner. Les courants sont dangereux et les noyades, fréquentes.

Internet www.nps.gov/dena, www.reservedenali.com, www.kalalautrail.com

TEMPS FORTS

■ Dans les vallées de **Hanakapi'ai** et **Hanakoa**, de petits chemins mènent à des **chutes d'eau**. C'est un bonheur de prendre une douche sous ces cascades, mais méfiez-vous des chutes de pierres.

■ Dans la **vallée de Hanakoa**, les terrasses que les Hawaiiens – qui ont quitté la région depuis longtemps – avaient aménagées ne sont plus cultivées, pourtant du **café** y pousse encore.

■ **Goyaves, jamelons** et **mangues** poussent sur les terrasses de la vallée de Kalalau. En saison, cueillez-les et régalez-vous tandis que vous grimpez pour atteindre 2 superbes **piscines naturelles** (baignade recommandée!).

AMÉRIQUE DU NORD

ARGENTINE

LE MASSIF DU FITZ ROY

Un trek grandiose au cœur des sommets de la Patagonie argentine,
avec ses glaciers, ses lacs miroitants et ses forêts profondes.

AMÉRIQUE
DU SUD

Le parc national des Glaciers de Patagonie (5 957 km²) est le domaine des pics andins, des forêts de lengas (hêtres blancs), des torrents et des glaciers de Hielo Sur, troisième calotte glaciaire de la planète derrière l'Antarctique et le Groenland. Le raid s'effectue au nord du parc, dominé par le massif du Fitz Roy et les hautes silhouettes du mont Fitz Roy et du Cerro Torre. Vous traversez de fougueux torrents glacés, franchissez des vallées, contournez des lacs avant de parcourir la forêt de lengas sous les cris stridents des perroquets et des pics de Patagonie. Le puma veille, mais vous serez chanceux si vous parvenez à le voir. La randonnée commence au village d'El Chaltén à un rythme tranquille en direction du nord-ouest et de la lagune Capri, avant une rude ascension jusqu'à l'immense lagune turquoise de Los Tres qui offre les premières perspectives sur le massif du Fitz Roy couronné de nuages ou balayé par les vents. En redescendant vers la lagune Capri, obliquez vers le sud : la lagune Torre dévoile une rive criblée d'icebergs poussés par le vent. Point d'orgue de cette expédition, avant le retour à El Chaltén, la randonnée du glacier Torre. La glace, d'un blanc aveuglant, s'étire jusqu'à rencontrer le ciel, là où la ligne d'horizon s'incurve et donne l'impression incroyable de se trouver sur le rebord du monde.

Quand ? De novembre à fin février (l'été dans l'hémisphère Sud).

Combien de temps ? 3 nuits et 4 jours. Campez deux nuits à la lagune Capri et une au pied du Cerro Torre.

Préparation Ne faites pas le trajet seul. Des tour-opérateurs proposent des treks dans le Fitz Roy, avec arrivée par avion à El Calafate, puis voyage en bus jusqu'à Chaltén.

À savoir Soyez bien équipés. Les nuits sont très froides et le vent peut souffler jusqu'à 160 km/h. Multipliez les couches de vêtements.

Internet www.lapatagonie.com, www.altituderando.com

TEMPS FORTS

■ Se lever tôt à la lagune Capri et voir le soleil levant farder le **mont Fitz Roy** de rouge et d'orange. Ou attendre le crépuscule, quand les nuages couronnent le sommet d'un foisonnement de couleurs.

■ Savourez, depuis la lagune, la vue sur le **Cerro Torre**, une colossale aiguille granitique de 3 127 m d'altitude, un véritable défi pour les alpinistes.

■ Ne ratez pas le **glacier Perito Moreno**. Suivez le caillebotis qui serpente entre les aiguilles glacées aux reflets mauve et bleu électrique, et regardez les morceaux de glace s'écrouler dans le lac Argentino.

La cime enneigée du mont Fitz Roy se reflète dans les eaux du lac. Le relief de 3 375 m d'altitude tient son nom du capitaine du navire de Charles Darwin, le *HMS Beagle*.

PÉROU

LE CHEMIN DE L'INCA

Ce périple le long d'une ancienne voie inca conduit au-delà des nuages à un royaume féerique où, au flanc des montagnes, s'accrochent les vestiges d'une fabuleuse civilisation.

À près de 2 500 m d'altitude, l'air devient rare, et à mesure que le sentier pavé s'élève, chaque pas essouffle un peu plus. Heureusement, la récompense est immédiate et incomparable. Des nuages flottent à côté, au-dessus et au-dessous de vous. Vous êtes cernés par les multiples témoignages d'une civilisation disparue, des ruines incas grandioses suspendues aux versants des montagnes, telles des sculptures colossales. Le chemin de l'Inca n'est qu'une infime partie du gigantesque réseau (22 531 km de voies) qui quadrillait la montagne, la forêt équatoriale et les déserts de l'Empire inca, un territoire s'étirant de l'Équateur, au nord, à l'Argentine et au Chili, au sud. Le trajet débute à Chillca (vallée de Urubamba). Passé les ruines et les terrasses du village inca de Llaqtapata, s'annonce une ascension inexorable jusqu'au point culminant de Warmiwañusca (le col de la Femme Morte), à 4 200 m d'altitude, atteint généralement au troisième jour de marche. Le col est souvent nimbé de brouillard, mais par temps clair, profitez de la vue sur les ravins plongeants et les pics andins couronnés de neige. Dans cette cité fantasmagorique, l'esprit des Incas est palpable, particulièrement lorsque l'on pénètre dans la Cité perdue du Machu Picchu par l'Intipunku (Porte du Soleil) – de préférence à l'aube, lorsque les premiers rayons du soleil dardent de part et d'autre des sommets environnants.

AMÉRIQUE DU SUD

Quand ? Toute l'année. Le temps est plus sec de mai à octobre.

Combien de temps ? 45 km. Le chemin de l'Inca dans sa version « classique » demande 5 jours, aller-retour jusqu'à Cuzco inclus.

Préparation Le nombre de randonneurs est strictement limité, réservez suffisamment à l'avance, surtout à la pleine saison (juin-août). Vous devez faire partie d'un groupe, avec guides et porteurs.

À savoir Passez 2 ou 3 jours à Cuzco avant de commencer la randonnée. Ce temps est nécessaire pour s'habituer à l'altitude.

Internet www.peru.info, www.perutravelguide.info, www.andeantravelweb.com

TEMPS FORTS

■ Le paysage évolue constamment, de la **vallée de Urubamba** plantée de cactus aux immenses steppes des **hauts plateaux andins** et à la **forêt de nuages** où poussent 3 espèces de fougères et plus de 250 espèces d'orchidées.

■ Sur le site de **Huinay Huayna** (Wiñay Wayna), atteint au quatrième jour de marche, on entend constamment le fracas des chutes d'eau. Terrasses en amphithéâtre, bains cérémoniels et temples jumeaux de l'Arc-en-ciel et de la Cascade.

■ **Huayna Picchu**, l'escarpement rocheux qui surplombe, au nord, le Machu Picchu, offre la vue la plus époustouflante sur la Cité perdue. L'ascension en vaut vraiment la peine.

■ Majestueux, des **condors des Andes** traversent le ciel. Si vous êtes chanceux, vous pourrez apercevoir le très rare ours à lunettes, une espèce en voie de disparition.

Ci-dessus : La population andine aime les couleurs vives, que l'on retrouve sur ces récipients vendus à Aguas Calientes (gare ferroviaire pour le Machu Picchu) ou sur les parures des lamas. Ci-contre : Des nuages nimbent le Huayna Picchu. En contrebas s'étirent les ruines du Machu Picchu, la Cité perdue que l'archéologue Hiram Bingham découvrit en 1911.

LE TORRES DEL PAINE

Les glaciers patagoniens s'avancent à l'intérieur des terres, et les sommets enneigés flirtent avec le ciel : une randonnée incomparable aux confins méridionaux du Chili.

Le condor, l'aigle et l'urubu sont les hôtes privilégiés du parc national Torres del Paine, au Chili, un monde où la démesure est de mise et dans lequel la montagne et les glaciers règnent en maîtres. Le parc tient son nom de ses trois « tours bleues » – paine signifie « bleu » en tehuelche, le dialecte local –, vertigineuses aiguilles granitiques qui percent le ciel de Patagonie. On les atteint au premier soir de cette randonnée dont le trajet dessine un W. En partant de l'est du parc, on gravit une vallée alpine boisée de hêtres où s'accumulent des débris morainiques. Les mains s'agrippent à la roche, car l'équilibre est précaire et le vent souffle en rafales… Soudain les voilà, surplombant les glaciers de plus de 100 m. Traversée de vallées et panoramas splendides sur la montagne vous attendent dans les prochains jours. Une fois la vallée verdoyante del Francés franchie, plus à l'ouest, se dévoilent les silhouettes déchiquetées des Cuernos (« cornes ») del Paine, aux noms évocateurs : Hoja (« lame »), Espada (« épée »), Catedral (« cathédrale ») et Aleta de Tiburón (« nageoire de requin »). À l'aube, ces sommets s'habillent de reflets cramoisis et s'accompagnent d'une ombre violette. Au lac Gris, encore plus à l'ouest, le glacier Gris, de 61 km de long, issu de la calotte glaciaire patagonienne, essaime dans l'eau des icebergs veinés de bleu. Pour une expérience extrême, traversez la lagune en kayak, grimpez une paroi de glace, parcourez les tourbières à cheval ou, plus simplement, savourez la vue depuis un belvédère.

AMÉRIQUE DU SUD

Quand ? Le temps est réputé incertain, généralement plus clair de novembre à février.

Combien de temps ? 100 km environ. La randonnée dure 4 jours, à raison de 6 à 8 heures de marche par jour.

Préparation Rejoignez Torres del Paine par avion (Santiago-Punta Arenas) puis par la route. Vêtements imperméables (plusieurs épaisseurs) indispensables : les températures peuvent chuter jusqu'à 0 °C en été et les vents de près de 100 km/h sont fréquents.

À savoir Le sentier balisé a été prolongé de façon à relier les deux extrémités du W. Débutez alors le circuit dans le sens contraire des aiguilles d'une montre afin d'éviter le vent de face.

Internet www.torresdelpaine.com, www.welcomepatagonia.com

TEMPS FORTS

■ Le premier regard sur la toute brillante **calotte glaciaire de Patagonie**, par le hublot du vol Santiago-Punta Arenas, est mémorable.

■ La cime noircie des **« Cornes »** contraste avec leur base de granite clair ceinte de neige blanche. Ces sommets, qui se reflètent dans les eaux turquoise du lac Nordenskjöld, sont les plus impressionnants du parc.

■ Au lac Gris, un guide peut vous proposer un **pisco sour**, boisson locale vigoureuse à base d'eau-de-vie chilienne, jus de citron vert, sucre et glace. Les glaçons sont directement prélevés sur les icebergs !

■ Sur la langue de l'immense **glacier Gris** (6,4 km de large, 61 m de haut), on croit entendre le tonnerre lorsque des morceaux de glace s'écroulent dans le lac.

Ci-dessus, à gauche : cette cabane en tôle ondulée est un refuge pour les randonneurs. Ci-dessus, à droite : Des guanacos, parents des lamas, recherchés pour leur fourrure, broutent paisiblement. Ci-contre : le soleil levant compose une symphonie de roses et violets au-dessus des Cuernos del Paine qui se reflètent dans les eaux du lac.

JAPON

À L'ASSAUT DU MONT FUJI

Accueillir l'aurore dans toute sa splendeur depuis le plus célèbre sommet du Japon, le cône volcanique parfait du Fuji-Yama.

ASIE

Le mont sacré du Fuji-Yama – 3 776 m d'altitude –, couronné de neige, est un volcan endormi. Sa silhouette fut immortalisée par les estampes d'Hokusai *(Trente-six vues du mont Fuji)*. Le point de départ le plus prisé se situe à mi-chemin, à la cinquième station de Kawaguchiko. Les touristes et les pèlerins se rassemblent ici et tissent des liens d'amitié tout en se préparant à la randonnée nocturne qui les mènera, à l'aube, au sommet. Les premiers kilomètres sont abrupts et les muscles des mollets rapidement mis à mal. Un paysage lunaire, monde de rocaille et de broussailles, succède à la forêt Aokigahara (« mer d'arbres »). En levant la tête, on se perd dans un ciel d'une exceptionnelle clarté, poudré par la Voie lactée. Les températures chutent rapidement, les refuges se multiplient. On peut y dérouler son futon, se réchauffer au coin de l'âtre, se restaurer et se désaltérer. En haut, des groupes de randonneurs, serrés les uns contre les autres pour se réchauffer, regardent la voûte céleste s'éclaircir peu à peu. Des nuages se forment, en contrebas, dissimulant les collines lointaines. Soudain, un microscopique point de soleil apparaît à l'horizon. Un moment, le temps semble suspendu, puis laisse place à une explosion de lumière qui nimbe l'agglomération tokyoïte de sa lueur matinale.

Quand ? Juillet et août, quand le sommet n'est pas enneigé. En août toutefois, évitez le festival d'Obon en hommage aux défunts, qui draine un nombre de pèlerins très important.

Combien de temps ? L'ascension dure de 6 à 7 heures. La descente peut prendre jusqu'à 4 heures.

Préparation Bus depuis la gare de Shinjuku (centre de Tokyo) jusqu'à la cinquième station de Kawaguchiko. Soyez-y vers 21 h. Portez des vêtements chauds et imperméables, il fait froid en altitude et il y pleut fréquemment. Prenez des gants : vous devrez à certains moments vous agripper à la roche.

À savoir Au sommet, boissons et nourriture coûtent très cher, apportez vos provisions. Le mal des hauteurs peut se faire sentir dès 2 500 m, marchez tranquillement et buvez beaucoup d'eau.

Internet www.tourisme-japon.fr

TEMPS FORTS

■ Depuis la cime, regardez les **processions de pèlerins, avec leurs torches,** telle une colonne de fourmis embrasée.

■ Restez **après le lever du soleil.** Promenez-vous autour du cratère et postez-vous sur le point officiel le plus élevé du Fuji-Yama, à la station météorologique.

■ Envoyez une carte à vos amis depuis le **bureau de poste du Fuji-Yama,** le plus haut du Japon, ou achetez un certificat prouvant que vous avez bien réalisé l'ascension.

■ Explorez la paisible **région des Cinq Lacs,** au pied de la montagne. Le panorama sur le Fuji-Yama se reflétant dans les eaux des lacs est légendaire.

Une image classique du Japon : cerisiers en fleur et panorama sur le mont Fuji depuis le lac Kawaguchi, l'un des Cinq Lacs qui entourent le relief.

Le soleil couchant adoucit les teintes de la Grande Muraille alors que le ciel se nuance de rose et de pourpre.

CHINE

LA GRANDE MURAILLE DE CHINE

De colline en colline, la Grande Muraille traverse le nord
de la Chine. Attention, le terrain est parfois très accidenté.

É rigée voilà plus de 2 000 ans afin de protéger le pays des envahisseurs venus du Nord, la Grande Muraille est la colonne vertébrale – gigantesque – du pays. Sur des kilomètres, elle s'étire, usée, ravagée par le temps. Le tronçon Jinshanling-Simatai, au nordest de Pékin – rien ou presque n'a changé ici depuis la période Ming, au XVIᵉ siècle – sert de décor à un raid fabuleux dans un paysage boisé. À l'est de Simatai, la muraille fut construite deux siècles plus tôt, comme en témoigne son piteux état; elle déroule des crêtes abruptes et des vallées encaissées. Ce tronçon est un vrai défi, même pour les randonneurs émérites, mais à la douzième tour de guet, il est possible de prendre un chemin adjacent. L'escalier dit de l'Échelle Céleste, qui grimpe presque à la verticale, conduit à la quinzième tour, le Pavillon des Fées, aux sculptures remarquables. Par une paroi à pic, le Pont du Ciel, on accède au Pavillon de la Vue du Pékin, point culminant du parcours. Au-delà, le passage est si étroit que l'accès est interdit; mais après une telle expérience, il est l'heure de redescendre sur Terre.

Quand? Printemps et automne. En hiver, la randonnée est dangereuse en raison de la neige et du gel.

Combien de temps? Tronçon Jinshanling-Simatai : 11,3 km, 3 h; tronçon est de Simatai : 5 km, 2 à 3 h. Comptez 2 h par la route de Pékin à Jinshanling.

Préparation Le sol étant très instable à certains endroits, partez avec un guide ou une personne qui a déjà effectué la randonnée. Prenez de l'écran total, une bouteille d'eau, un pique-nique, un peu d'argent.

À savoir Sur la Muraille, marchandez systématiquement. À Simatai, attendez-vous à payer un second droit d'accès ainsi qu'une petite somme pour traverser le pont suspendu au-dessus du réservoir.

Internet www.gwoc.info/index_fr.php, www.chine-informations.com

TEMPS FORTS

■ D'anciennes **tours de guet**, où stationnaient autrefois des troupes et d'où l'on envoyait des signaux, constituent aujourd'hui de parfaits **points de vue** sur les vallées et les reliefs montagneux environnants. Pique-niquez à l'intérieur, et, telle une sentinelle, gardez un œil, au nord, sur la Mongolie.

■ À **Jinshanling**, la Muraille s'élève en suivant une crête abrupte. Elle est alors visible sur des kilomètres. Un tronçon de près de 3 km a été restauré et est éclairé la nuit par des lumières colorées.

■ La récompense après l'ascension du **Tian Qiao** (Échelle Céleste) : une vue étourdissante sur Pékin et le réservoir de Miyun.

■ Goûtez au luxe et à une autre facette de la Grande Muraille, entre passé et futur : réservez une chambre au **Commune by the Great Wall Kempinski Hotel** de Badaling. Un peu cher, mais l'intérêt architectural de l'établissement n'est pas négligeable et la vue sur la Grande Muraille est superbe.

MALAISIE

La piste des « chasseurs de têtes »

La piste, qui traverse une forêt tropicale luxuriante, est aujourd'hui paisible : nulle trace de ces guerriers qui, autrefois, mettaient à sac les villages de la vallée voisine.

Dans le parc national de Gunung Mulu, au Sarawak, l'un des deux États de Malaisie de l'île de Bornéo, s'étirent trois chaînes montagneuses. Ces reliefs appartiennent à un exceptionnel paysage minéral : des pitons rocheux jaillis de la forêt tropicale s'élèvent jusqu'au ciel ; le sol, véritable nid-d'abeilles, est percé de grottes. La plus grande caverne du monde est ici, qui pourrait abriter 47 avions de ligne ! Parcourez les sentiers de grottes en cascades, jusqu'aux pitons calcaires du massif de Gunung Api. La piste des « chasseurs de têtes » était autrefois empruntée par les guerriers de la tribu Kayan, établie au bord de la rivière Baram. Après avoir remonté la Melinau — affluent de la Baram — jusqu'aux gorges, ils tiraient leurs canoës sur la terre ferme pour atteindre la rivière Terikan. De là, ils descendaient la vallée du Limbang et attaquaient la population, conservant la tête de leurs victimes en guise de trophées. La piste suit cet itinéraire. Rejoignez en bateau, par la Melinau, la base de Kuala Berar, puis marchez jusqu'à une clairière baptisée Camp 5, à proximité des parois de 610 m de haut des gorges de la Melinau. Traversant la forêt sur la Terikan, vous parvenez à Kuala Terikan. Là, un bateau vous emmène passer la nuit dans une cabane traditionnelle de la tribu Iban (apparentée aux Kayan). Vous pouvez poursuivre jusqu'à la ville de Limbang via Nanga Medamit.

Quand ? Toute l'année.

Combien de temps ? Il y a 11 km du Camp 5 à Kuala Terikan. Comptez 3 jours si vous poussez jusqu'à Limbang, 5 avec la randonnée du Gunung Api et des grottes.

Préparation Prévoyez vivres, ustensiles de cuisine et suffisamment d'eau si vous passez la nuit dans un campement, en forêt. De bonnes chaussures de marche sont indispensables, ainsi qu'un sac de couchage (ou une couverture) car les nuits sont froides. Ayez des vêtements imperméables : il fait chaud, mais très humide. Les sentiers sont balisés.

À savoir Si vous en avez l'occasion, faites un repas iban. Viande, poisson, légumes et riz sont cuits dans des tiges de bambous, ce qui leur donne un parfum unique. Ils sont assaisonnés avec du safran, du gingembre et du galanga (qui ressemble au gingembre mais dont la saveur rappelle plutôt les agrumes).

Internet www.mulupark.com

ASIE

TEMPS FORTS

■ Expérience inoubliable, une nuit dans une **cabane traditionnelle** — une *rumah panjai* en dialecte iban. Tous les habitants vivent dans ces maisons juchées sur pilotis. Une partie est ouverte à tous, l'autre est réservée à la vie de famille.

■ Le parc national de Gunung Mulu abrite 15 variétés de forêts tropicales. La **biodiversité** y est étonnante, incluant 170 espèces d'**orchidées**, 110 espèces de **palmiers** et 10 espèces de sarracénies, des **plantes carnivores**.

■ L'**avifaune** du parc comprend des calaos à casque rouge, des cigognes de Storm et deux espèces de faisans exotiques : le faisan de Bulwer et le faisan de Vieillot (les mâles de cette dernière espèce arborent un plumage chatoyant bleu, jaune et rouge).

■ Au coucher du soleil, **trois millions de chauve-souris** s'échappent de la grotte du Cerf, dans un flot sans fin. Elles partent pour la nuit, à la recherche d'insectes.

Ci-dessus, à gauche : Musique et danse interprétées par des hommes de la tribu Iban vêtus de leurs costumes traditionnels. Ci-dessus, à droite : Les pitons calcaires du Gunung Api jaillissent de la canopée. Ci-contre : Sur la piste des « chasseurs de têtes », des randonneurs progressent dans l'eau trouble d'une rivière.

LES VILLAGES DE CHIANG MAI

Un trek dans les collines verdoyantes du nord de la Thaïlande.
Découvrez l'hospitalité des habitants des villages traditionnels.

ASIE

Hors d'haleine, vous atteignez le point culminant d'un sentier escarpé serpentant à travers la jungle, mais les endomorphines font leur travail, et vous êtes euphorique… et même particulièrement ravi lorsque, quelques instants plus tard, vous apercevez des rizières aménagées en terrasses et des arbres ployant sous le poids des mangues. Bienvenue au village de la tribu Lahu. Des habitants vous apportent du thé et de quoi souper. Vous vous couchez tôt. Voici la Thaïlande du Nord, non loin de la frontière birmane. Pour rejoindre les villages, les itinéraires sont nombreux. Généralement, les randonneurs progressent vers l'ouest de Chiang Dao à Pai et Mae Hong Son (en profitant de temps à autre des moyens de transport disponibles). Ils passent par les villages de différentes tribus. Ici la tribu Akha et ses jeunes filles souriantes arborant de très hautes coiffures. Asseyez-vous en tailleur dans une hutte chancelante au toit de chaume et sirotez le thé amer que l'on vous sert dans une tasse en bambou. Il est déjà l'heure de partir, mais vous n'allez pas loin. En descendant le sentier bordé de bananiers, vous parvenez au refuge où vous passez la nuit. Vous êtes cette fois l'hôte de la tribu Lisu, qui vous régale de boissons fraîches et de danses. Le lendemain matin, tout recommence – d'autres tribus, d'autres costumes colorés, d'autres modes de vie, mais toujours ces chutes d'eau, ces rivières aux eaux couleur caramel et ces vertes collines.

Quand? Après la saison des pluies (octobre-février). La période de mars à mai est chaude et sèche.

Combien de temps? Les raids durent de 2 à 3 jours. Des itinéraires plus longs ou des randonnées d'une seule journée sont réalisables.

Préparation Ne voyagez pas seul. Faites appel aux voyagistes locaux et à leurs guides. Ils fournissent l'équipement nécessaire, les vivres et les boissons.

À savoir Les itinéraires sont variés, le relief rythmé et certaines portions ardues. Ayez de bonnes chaussures de marche.

Internet www.tourismethaifr.com, www.thailande-guide.com, www.chiangmai-chiangrai.com

TEMPS FORTS

■ Dans les tribus, prenez le temps de discuter avec **les anciens**. Votre guide sera ravi de traduire. Ces personnes âgées apprécieront de prendre le thé et de parler avec vous de leur vie et de la vôtre.

■ La population est réputée pour son sens de l'**hospitalité**. Derrière les sourires se cache une vie souvent difficile. Nombreux sont ceux qui ont fui les persécutions en Birmanie.

■ Faites attention aux serpents, et particulièrement au **cobra royal** qui vit dans ces collines. Il est beau à voir… de loin!

■ Certains treks incluent une **promenade à dos d'éléphant** et des parcours de rafting ou de VTT.

Deux petites filles Lisu de Chiang Dao vêtues de leurs costumes traditionnels extraordinairement colorés.

Des porteurs, chaussés de simples tongs, transporteront vos bagages, entassés en piles démesurées.

NÉPAL

LE TREK DE L'ANNAPURNA

Une randonnée à travers l'Himalaya, au Népal, dans l'écrin sublime des sommets vertigineux du massif de l'Annapurna.

Les drapeaux de prières claquent aux murs de pierres sacrées. Des pics enneigés dominent les vertes rizières et les massifs de rhododendrons qui, au printemps, composent une éclatante symphonie de rose. Aux premiers jours de ce tour de l'Annapurna, paysages variés et villages moyenâgeux — bois et foin sont empilés sur les toits — sont au rendez-vous. Depuis la luxuriante vallée de la Marsyangdi, traversez les gorges de Manangbhot par des ponts suspendus pour rejoindre des forêts d'épicéas et de genévriers. L'ascension de Manang jusqu'au col du Thorong La (5 425 m) passe par de hauts pâturages où broutent les yaks. Une fois le col atteint, le regard embrasse l'Annapurna et ses pics secondaires — neuf d'entre eux dépassent les 7 000 m d'altitude. En redescendant vers l'ouest par Kali Gandaki, vous apercevrez peut-être une caravane, avec ses mules chargées de sel et d'orge. Peu à peu, on retrouve les forêts de pins, les rizières étagées, les orangeraies et les poinsettias. Reprenez des forces dans les sources chaudes de Tatopani et rejoignez le grand bazar de Birethanti.

Quand? Il y a deux saisons pour le trek : avril-mai et octobre-novembre. Les rhododendrons fleurissent au printemps, mais le temps est plus clair à l'automne et les panoramas sont alors exceptionnels.

Combien de temps? Les 240 km sont réalisables en 19-21 jours. Il faut 24 jours en tout, voyage compris.

Préparation De Katmandou, rejoignez Besisahar, point de départ du trek, par la route. Votre organisateur aura les autorisations nécessaires. Campez ou dormez dans une *bhatti*, maison traditionnelle.

À savoir Pour passer le col du Thorong La, il faut grimper 914 m et en redescendre 1524 en une seule journée. Partez bien avant l'aube pour éviter les vents forts.

Internet www.zonehimalaya.net, www.welcomenepal.com

TEMPS FORTS

■ Passez une journée au village de **Manang** pour vous habituer à l'altitude. Visitez le monastère de **Braga**, à proximité, ou le minuscule ermitage qui surplombe le village.

■ Après Thorong La, **Muktinath** est un important lieu de pèlerinage, site sacré pour les bouddhistes et les hindous. Dans la peupleraie, une flamme générée par un gaz naturel brûle au-dessus d'une source bouillonnante.

■ **Kali Gandaki Canyon**, la gorge la plus profonde du monde, sépare les sommets vertigineux du Dhaulagiri et de l'Annapurna.

■ À la fin du trek, le panorama sur l'Annapurna et le Machhapuchhare (reconnaissable à sa cime évoquant une queue de poisson) depuis Poon Hill, au-dessus du village de **Ghorepani**, est extraordinaire, surtout à l'aube et au crépuscule.

■ **Katmandou** et son dédale de ruelles, de sanctuaires anciens et de marchés bondés. Ne ratez pas le temple bouddhique de **Swayambunath** et le sanctuaire hindou de **Pashupatinath**.

TOP 10 VOYAGES SOUS TERRE

Plongez dans les entrailles de la Terre et découvrez un monde souterrain fascinant façonné par la nature... et par l'homme.

❶ La ville souterraine, Montréal, Canada

120 points d'accès rejoignent le plus grand réseau piétonnier souterrain du monde. Chaque jour, près de 500 000 personnes parcourent ses 32 km de galeries qui desservent centres commerciaux, hôtels, banques, bureaux, musées et universités, sans oublier les stations de métro, de bus, une gare et une patinoire.

Préparation N'oubliez pas votre carte de crédit... ville.montreal.qc.ca

❷ Parc national de Mammoth Cave, Kentucky, États-Unis

Des noms évocateurs – « la Grande Avenue », « le Niagara de Glace » – augurent du spectacle offert par le plus long réseau de cavernes du monde qui s'est constitué voilà 10 millions d'années, soit 9,5 millions d'années avant l'apparition d'*Homo sapiens*.

Préparation À 50 km de Bowling Green (Kentucky). Bien desservi. www.nps.gov/maca

❸ Parc des grottes d'Aktun Chen, Yucatán, Mexique

Flânez le long de rivières souterraines (les *cenotes*) et admirez, à travers l'eau cristalline, le tréfonds – d'un blanc éclatant – des puits naturels. Ce monde surnaturel est criblé de formations minérales spectaculaires : stalactites, stalagmites, fossiles. Sans oublier les roussettes. Ici, sous la forêt équatoriale, tout est paisible. À faire à pied ou en plongée.

Préparation Réservation de visites guidées ou location de voiture à Cancún. N'oubliez pas l'insecticide. www.aktunchen.com

❹ Les tunnels de Cu Chi, Vietnam

Le « village souterrain », avec cuisine, dortoir, pièce à vivre et hôpital, se dévoile au débouché de galeries étroites et suffocantes. Pendant la guerre du Vietnam (1954-1975), des milliers de Viêt-congs ont vécu dans ce réseau de 200 km. Bombardé à maintes reprises, le « village » n'a jamais capitulé.

Préparation Excursion à réserver en agence à Hô Chi Minh-Ville. www.sinhcafevn.com

❺ Hannan's North Mine, Kalgoorlie, Australie

Un ascenseur grillagé conduit, 30 m sous terre, à des galeries creusées pendant la ruée vers l'or, au XIXe siècle. Vous trouverez peut-être une pépite : Kalgoorlie génère encore dix pour cent de la production mondiale d'or.

Préparation www.mininghall.com

Il y a près de 540 km de galeries répertoriées à Mammoth Cave (Kentucky). Certains sites méritent d'être vus avec un bon éclairage, lors d'une visite organisée.

❻ La mine de sel de Wieliczka, Cracovie, Pologne

Au Moyen Âge, le sel était aussi précieux que le pétrole de nos jours. Neuf siècles d'exploitation ont créé des kilomètres de galeries et des grottes gigantesques, à 134 m de profondeur. Chaque année, plus d'un million de touristes visitent ce site, univers envoûtant de lacs, de chapelles et de statues sculptées dans le sel, qui abrite aussi le plus grand musée du monde consacré à la mine, un sanatorium (asthme et allergies) et des salles de concert à l'acoustique incomparable.

Préparation Train depuis la gare centrale de Cracovie (10 km). 400 marches puis 1,6 km à pied. Un ascenseur (payant) à disposition. Visites guidées pour les personnes handicapées. www.kopalnia.pl/home

❼ L'abri antiatomique de Berlin, Allemagne

Quelques minutes sont nécessaires pour s'acclimater à l'obscurité de ce bunker aménagé en 1971, en pleine Guerre froide. Le silence qui y règne met mal à l'aise. Les lits superposés, prévus pour 3 562 personnes, s'alignent. L'abri était censé être opérationnel 14 jours. Ce délai passé, les rescapés n'auraient plus qu'à en sortir et errer dans Berlin dévasté. Une expérience qui donne la chair de poule.

Préparation Visite organisée par le musée de l'Histoire de Berlin, Kurfürstendamm 207-8, Métro Kurfürstendamm. www.story-of-berlin.de

❽ Les Égouts de Paris

Chaque jour, 1,2 million m^3 d'eaux usées se déversent dans ce réseau de 2 092 km de long. Des galeries ont été aménagées à proximité du pont de l'Alma. On peut y voir toutes sortes d'engins, dont un qui pousse les détritus, et découvrir l'histoire des techniques d'assainissement. L'odeur n'est pas trop incommodante.

Préparation Visite guidée gratuite. Point d'accès entre le quai d'Orsay et la Seine. Métro Alma-Marceau. www.paris.fr (recherche : egouts)

❾ Les Catacombes, Rome, Italie

Parcourez les galeries, les salles et les chapelles de cette nécropole souterraine, témoignage des premiers temps de la chrétienté, lorsque la Ville Éternelle n'était pas un lieu sûr pour les croyants qui se rassemblaient ici, à la lueur des lampes à huile. Des milliers de prières ornent les murs, inscrites par tous, papes ou plombiers.

Préparation Bus 218 depuis la place de la Porte San Giovanni jusqu'aux Fosses Ardéatines. www.catacombe.roma.it

❿ La Grande Pyramide, Gizeh, Égypte

Une descente de plus de 100 m dans une galerie de 1 m de large, au cœur de la seule merveille du monde antique qui soit parvenue jusqu'à nous. Le sanctuaire abrite un sarcophage en granit extrait à Assouan, distant de plus de 1 000 km. La Grande Pyramide est vieille de quelque 5 000 ans et occupe une surface de 50 kilomètres carrés. Elle n'a toujours pas révélé tous ses secrets concernant son origine, sa construction, sa raison d'être…

Préparation Location de voiture et visites guidées à réserver auprès d'une agence du Caire (19 km). Bus climatisés (355/357) du Caire (musée Égyptien) à Gizeh. www.www.grandepyramide.com, www.egypt.travel

Un jeune moine devant des drapeaux de prières plantés le long de la route.

BHOUTAN

LE TREK DE RIGSUM GOMPA

Une randonnée dans une « vallée perdue » du Bhoutan, un itinéraire enchanteur dans un pays où le passé se conjugue au présent.

L'est du Bhoutan est le domaine de versants abrupts, de gorges encaissées où s'engouffrent des rivières et de villages nichés à l'ombre des roches sacrées. Labourer la terre, tisser, tourner le bois : les mille et une tâches de la journée sont effectuées selon les principes du maître Rinpoché, qui enseigna le bouddhisme dans la région au VIIIe siècle. Au nord de Trashigang, la « vallée perdue » de Trashiyangtse marque le point de départ du circuit. De rizières en forêts, suivez le lit de la Womanang et franchissez les collines pour atteindre Rigsum Gompa, le temple des Trois Dieux. Traversez la réserve animalière de Bumbeling, et poursuivez jusqu'à la rivière Kolong Chu en direction du monastère de Chorten Kora. La forêt abrite des ours, mais vous rencontrerez plus vraisemblablement des vaches, ou bien de jeunes moines en route pour un puja (rituel bouddhiste). Rien ne trouble la sérénité du lieu, hormis le fracas d'une cascade ou le bruissement des bambous.

Quand ? À l'automne (mi-octobre) pour avoir beau temps, au début du printemps pour les fleurs.

Combien de temps ? Le trek dure 3 jours (45 km) ; la progression est lente car le terrain est montagneux. Il faut 4 jours pour rejoindre la capitale, Thimphou, en voiture.

Préparation Pensez aux jumelles. Si vous prenez des photos, emportez deux fois plus de pellicules ou de cartes mémoire que vous en aviez l'intention. Vous devrez peut-être modifier votre itinéraire.

À savoir Quiconque un tant soit peu en forme peut effectuer ce trek. Toutefois, il faut monter jusqu'à 2 500 m d'altitude : partez tranquillement pour vous acclimater à l'altitude et buvez beaucoup. En entrant dans un temple, ôtez vos chaussures et laissez à votre guide le temps de faire ses prières.

Internet designindia.com/dotbhutan, www.maisondeshimalayas.org/himalayas/bhoutan.html

TEMPS FORTS

■ Le premier coup d'œil sur la vallée perdue de **Trashiyangtse**, avec ses rizières en terrasses et sa *dzong* (forteresse) perchée sur une colline, est inoubliable.

■ La **population** contribue pour beaucoup à la réussite de ce trek : ici un vieil homme égrène ses billes de prières, là un instituteur vous invite dans son école... Ils accepteront volontiers de poser pour une photo.

■ Le campement près de la rivière, la première nuit : un **lieu sacré** dont un lama enthousiaste vous racontera l'histoire à votre lever.

■ À Rigsum Gompa, voir **le soleil se lever** sur les montagnes et les vallées environnantes. Pendant ce temps, les moines préparent des bols d'eau fraîche dans un temple dédié à la compassion, à la force et au savoir.

■ Venue du Tibet, la trop rare **grue à cou noir** hiverne sur les bancs de sable de la réserve de Bumbeling.

ASIE

NÉPAL

LE CAMP DE BASE DE L'EVEREST

Gravir le plus haut sommet du monde n'est pas à votre portée ?
Ce trek vous donne l'impression d'être déjà là-haut.

ASIE

Villages sherpa, monastères, rivières et reliefs rythmés au programme de ce trek en terrain accidenté qui remonte la vallée du Khumbu jusqu'au pied de l'Everest et son camp de base permanent, sous la cascade de glace du Khumbu. Le nom sherpa de cette région est Solu Khumbu. Son point d'accès est Namche Bazar, gros marché et ancien comptoir où les marchands tibétains échangeaient du sel contre des vêtements ou d'autres biens en provenance de Katmandou. Aujourd'hui on y vend le matériel nécessaire aux treks. Peu après Namche, l'Everest se profile derrière le pic secondaire de Nuptse. La lente ascension se poursuit. Il faut parfois traverser des rivières et des massifs de rhododendrons, sans perdre de vue l'objectif : le Kala Pattar, un pic de 5 486 m qui offre le plus beau panorama sur l'Everest – bien plus que depuis le camp de base. L'air devient rare, la respiration difficile. Le dernier tronçon, jusqu'au sommet via la moraine (terrain rocailleux), réclame un ultime effort. La plus haute montagne du monde se dresse devant vous. Votre regard va de la cascade de glace du Khumbu à la vallée du Cwm Ouest. Le col sud déroule la longue crête qui rejoint le faîte de l'Everest – but ultime de nombreux alpinistes et Sherpas.

Quand ? D'octobre à mai, mais décembre et janvier sont très froids. Le temps est généralement clair de la mi-octobre à la fin novembre. Nombreux trekkeurs en octobre.

Combien de temps ? 30 km aller, de Namche Bazar au Kala Pattar. Comptez environ 8 jours, temps d'adaptation à l'altitude, pauses et détours compris.

Préparation Prenez un sac de couchage de très bonne qualité. Les journées sont chaudes mais les nuits très froides. Écran total et baume pour les lèvres de rigueur : à cette altitude, les UV sont féroces.

À savoir Nombreuses occasions de se restaurer en chemin, depuis les *dahl bhat* népalais (lentilles et riz) aux pizzas. Grand choix de refuges, mais n'hésitez pas à camper.

Internet www.welcomenepal.com, www.tin-tin-trekking.com/Everest-Gokyo-fr.htm

TEMPS FORTS

■ **Khumjung**, premier village au nord de Namche. Dans le monastère, un soi-disant **crâne de yéti**.

■ À l'entrée de **Thyangboche**, un imposant monastère. Assistez aux prières et méditations (deux fois par jour).

■ De Thyangboche, la vue sur le **Ama Dablam** est spectaculaire. Les Sherpas appellent cette montagne superbe «le collier de Chomolungma» (nom tibétain de l'Everest).

■ Au-dessus de Dingboche, **vue magnifique** sur les perles de la chaîne de l'Himalaya : l'Ama Dablam, le Makalu, le Lhotse et l'Everest.

Des yaks portent des provisions, à destination ou en provenance du camp de base. Au fond, le Kala Pattar, point d'arrivée du trek, émerge des versants du Pumori.

LA VALLÉE DE LA HUNZA

Cette randonnée des prairies de l'Ultar qui surplombent Karimabad, dans la vallée de la Hunza, au nord du Pakistan, offre un panorama spectaculaire sur les cimes du Karakorum.

Les habitants de Karimabad, au cœur de la vallée de la Hunza, vous confient que vous êtes ici au Shangri-La légendaire. Vous aurez du mal à les contredire. Au-dessus de votre tête, les murailles rocailleuses de l'un des plus grands massifs montagneux du monde, le Karakorum, qui s'étire à l'ouest de l'Himalaya, s'élèvent jusqu'à frôler le ciel. Tout autour, des champs plantés d'abricotiers, d'amandiers et de cerisiers bordent des terrasses irriguées grâce à un système de canaux taillés à même le roc, au mépris des lois de l'équilibre. À vos pieds, au fond de la vallée, la Hunza a creusé son lit. Cette randonnée ardue part du village via une gorge étroite, traverse des glaciers et des chutes d'eau quand, tout à coup, une prairie fleurie striée de ruisseaux et piquée de bouquets d'arbres se déploie sous vos yeux. Vous êtes aux estives de la Hunza. Encore une heure de marche. Un groupe de huttes se profile : c'est là que les bergers logent pendant l'été. Reprenez votre respiration (vous êtes à 3 000 m d'altitude) et savourez la beauté de cette région qu'Alexandre le Grand traversa avec son armée. Le soleil joue de ses reflets sur le mica qui couvre le glacier de l'Ultar. Au nord se dresse l'Ultar Sar (7 388 m), qui n'a été gravi que deux fois. Il est flanqué du Bubulimating, un sommet si raide que la neige ne peut s'y accrocher. Enfin, on aperçoit le toit du massif, le Rakaposhi. Lorsqu'il est enneigé, son nom, qui signifie « muraille flamboyante », prend tout son sens.

ASIE

Quand ? De juin à septembre. Au printemps, les vergers sont en fleurs.

Combien de temps ? Une journée. Il existe d'autres itinéraires plus longs : par exemple, le circuit Biafo-Hispar, 12 jours, conduit à travers les glaciers jusqu'au lac de Neige et Askole.

Préparation Départ à destination de Karimabad depuis le bazar de Jamat Khana à Gilgit, capitale régionale du nord du Pakistan. Les horaires sont… imprévisibles : la route est souvent barrée par des glissements de terrain.

À savoir Prenez un guide. Ce trek peut se faire seul, mais le temps change inopinément et les sentiers sont souvent masqués par des amas de neige ou des chutes de pierre.

Internet www.tourism.gov.pk, blankonthemap.free.fr

TEMPS FORTS

■ Le **fort de Baltit**, de style tibétain, abondamment ouvragé, sur le chemin qui mène aux prairies de l'Ultar. Certaines parties de l'édifice, bâti pour une princesse tibétaine qui fut épouse d'un chef local, sont vieilles de sept siècles.

■ Le **fort d'Altit**, plus à l'est. Une trappe conduit au donjon dans lequel un chef local tua ses frères pour s'emparer du pouvoir.

■ À la fin de l'été et à l'automne, chaque centimètre carré de terrain plat est couvert d'**abricots** mis à sécher au soleil. Ici, on en cultive plus de 20 variétés, et la soupe à l'abricot (*bateringe daudo*) est une spécialité locale.

■ Le **peuple Hunzakut**, très accueillant, est réputé pour sa longévité. Beaucoup sont des musulmans ismaéliens, disciples de l'Aga Khan. Les ismaéliennes portent une toque, mais n'ont pas à couvrir leur visage. Elles réalisent de somptueuses broderies.

■ Toutes les **maisons hunzakut** sont bâties sur le même plan : deux ou trois niveaux, orientées vers l'ouest, pas de fenêtres, une simple lucarne dans le toit. Les familles logent en bas en hiver, en haut pendant l'été.

Ci-dessus, à gauche : Des femmes hunzakut font sécher les abricots qui font la réputation de la vallée. Ci-dessus, à droite : Le fort d'Altit, surplombant la vallée de la Hunza à 300 m de haut. Ci-contre : Le fond de la vallée de la Hunza, verdoyant et fertile, est enserré par les versants gris et inhospitaliers du Karakorum.

LE LAC D'ISSYK-KOUL

Un lac bleu ourlé de sommets enneigés et de vues imprenables sur la steppe pour cette randonnée transfrontalière en Asie centrale.

L a chaîne du Tian Shan – «monts du Paradis» en chinois – domine l'est de la petite République du Kirghizistan, en Asie centrale. Elle abrite le lac aérien d'Issyk-Koul, aux eaux bleues cernées de sommets déchiquetés et enneigés. Plusieurs circuits partent des rives du lac, traversant des prairies et des massifs de genévriers jusqu'au cœur de vallées montagneuses verdoyantes que sillonnent des nomades kirghiz et leurs troupeaux de moutons et de chèvres. Depuis Karakol, partez vers le sud en direction du canyon de calcaire rouge de la vallée de Jeti-Oguz jusqu'au lac Ala Kol, célèbre pour ses eaux virant en un clin d'œil du vert au bleu en passant par le violet. Poursuivez le long de la vallée de Altyn-Arashan. Un magnifique sentier conduit, vers le nord, de Balbay, aux confins orientaux du lac, à la république voisine du Kazakhstan. L'ascension jusqu'au col de Sari-Boulak (3 275 m), dans le massif du Kungey Alatau, est âpre. Faites une pause et savourez la vue : au nord, Issyk-Koul, au sud, la steppe kazakhe. Les trois lacs de Kolsai, superbes, vous attirent un peu plus à l'intérieur des terres kazakhes. Descendez vers Saty et prenez la route pour Almaty, la plus grande ville du Kazakhstan.

Quand ? Juillet-septembre pour les randonnées en hautes altitudes. Fin mai-juin si vous restez sous les 3 000 m.

Combien de temps ? 64 km de Balbay à Saty. Comptez 4 à 5 jours.

Préparation Le marché du trekking n'est pas encore très développé au Kirghizistan et les équipements sont sommaires. Voyagez en groupe, de préférence avec un guide local, ou réservez un guide particulier à votre arrivée. Visas obligatoires pour le Kirghizistan et le Kazakhstan.

À savoir Peu de campements dans les montagnes, prévoyez beaucoup de nourriture et d'eau. Laissez-vous tenter par un verre de kumuz (lait de jument fermenté) que vous offriront les gens du pays.

Internet www.kirghizie.fr, www.geoex.com, kirghizistan.free.fr

ASIE

TEMPS FORTS

■ Se baigner dans les eaux chaudes aux vertus thérapeutiques, riches en **sels minéraux**, du lac d'**Issyk-Koul** et dans la vallée d'**Altyn-Arashan**.

■ Parmi les représentants de la **faune**, l'ours brun, le loup, le lynx, le pika et même le léopard des neiges.

■ Les eaux de l'Issyk-Koul sont bleues, mais celle des **lacs de Kolsai** sont vertes. Au cœur de prairies alpines et de forêts, au pied massif du Kungey Alatau, elles sont réputées pour la pêche à la truite.

■ Passez une nuit dans un campement de **yourtes**, blotti sous un **tapis traditionnel kirghiz** très coloré.

Son activité thermale conserve suffisamment de chaleur aux eaux du lac d'Issyk-Koul pour y nager. Au loin, les cimes enneigées de la chaîne du Tian Shan.

Des eucalyptus soulignent le large méandre que dessine ici le lit de la Murray.

AUSTRALIE

Le sentier de la Murray

Une randonnée au cœur de la vallée de la Murray
pour apprécier les richesses de la région d'Australie-Méridionale.

La Murray est le plus long fleuve d'Australie – avec la Darling, il draine toute la zone dite « ceinture mouton-blé ». Une route touristique le suit depuis sa source dans les Snowy Mountains (Nouvelle-Galles du Sud) jusqu'à son embouchure en Australie-Méridionale, égrenant des sites superbes au rythme de traversées en bateau et de randonnées dans le bush. Le chemin qui part de Murray Bridge (Australie-Méridionale) est formidable. En remontant vers le nord, parcourez le quartier historique, sur le front de mer, puis obliquez en direction des gorges de Rocky Gully. L'ascension des contreforts de la chaîne du mont Lofty est tranquille. Du mont Beevor, la vue est fantastique : au nord, les vignobles de la Barossa Valley ; à l'est, le cours de la Murray ; au sud, où s'étend le lac Alexandrine, un lagon proche de l'embouchure de la rivière. Allez à Tungkillo ou poursuivez sur 26 km jusqu'à Springton, porte d'accès de la région des vignobles.

Quand ? De mars à novembre. Le reste de l'année, le temps est sec et les sentiers sont fermés pour éviter les incendies dans le bush.

Combien de temps ? Comptez 3 jours pour parcourir les 80 km jusqu'à Tungkillo. Un jour supplémentaire si vous allez à Springton, soit 100 km au total.

Préparation Des chaussures de marche sont nécessaires, certains tronçons du parcours étant très abrupts. Emportez des plats tout faits – les réchauds sont interdits – et beaucoup d'eau. Vous ne pouvez pas camper sur le sentier, prévoyez votre logement.

À savoir Pour les achats de dernière minute, boutique du zoo de Monarto, peu après Rocky Gully.

Internet www.australia.com, www.australie.com.au, www.lavenderfederationtrail.org.au

TEMPS FORTS

■ Si les eaux sont basses, repérez les **épaves de bateaux à aubes**, notamment aux premiers kilomètres du sentier, dans la réserve de Sturt (Murray Bridge).

■ La **réserve de Rocky Gully**, au nord de Murray Bridge, est une zone marécageuse appréciée des ornithologues. Les Aborigènes appellent ce site Moop-poltha-wong (« le paradis des oiseaux »).

■ Dans le *mallee* (massifs d'eucalyptus), sur les contreforts du mont Lofty, vous risquez d'apercevoir des **kangourous gris** et des **goannas** (de gros varans). Avec un peu de chance, vous croiserez aussi des **échidnés** et des **opossums pygmées**.

■ À Springton, ne ratez pas la maison de son premier habitant, Friedrich Herbig, un immigré allemand qui s'installa dans les années 1850 dans le **tronc évidé** d'un **gommier rouge**, encore visible dans la rue principale.

AUSTRALIE ET OCÉANIE

La très vive couleur des lacs d'Émeraude contraste violemment avec le gris du paysage volcanique environnant.

NOUVELLE-ZÉLANDE

LE TONGARIRO CROSSING

Les cimes fumantes de fabuleux volcans et les lacs miroitants constituent le point d'orgue de ce trek sur l'île du Nord.

Au cœur de l'île du Nord, en Nouvelle-Zélande, le parc national du Tongariro abrite trois volcans en activité : Ngauruhoe, Ruapehu et Tongariro. Le parc doit son existence à Te Heuheu, chef maori de la tribu Ngati Tuwharetoa. En 1887, il offrit ses terres au gouvernement néo-zélandais afin de les soustraire à l'appétit des fermiers et des bûcherons. C'est un paradis pour les randonneurs. Depuis la Mangatepopo Valley, la piste sillonne la terre volcanique au rythme de boucles resserrées jusqu'au rebord de South Crater. Au sud se dresse la silhouette massive du Ngauruhoe, crachant vapeurs et fumées à intervalles réguliers. Traversez la surface plane de South Crater et progressez le long d'une crête abrupte jusqu'à Red Crater. Là, un courant d'air chaud rappelle que vous vous trouvez sur un volcan très actif… Mais le panorama sur la vallée d'Oturere, le Rangipo Desert, les montagnes des Kaimanawa et les lacs d'Émeraude font oublier l'âpreté de l'ascension. Devant vous, les eaux azur du lac Bleu fument dans la fraîcheur de l'air montagneux. La descente jusqu'au parking de Ketetahi est longue, mais des sources chaudes, des fleurs sauvages à foison et une vue magnifique sur le lac Taupo, au nord, égayent le trajet.

Quand ? De mi-novembre à mars. En hiver, il faut maîtriser quelques notions de base d'alpinisme.

Combien de temps ? 18 km de la Mangatepopo Valley au parking de Ketetahi : 9 heures de marche.

Préparation Prenez vos quartiers au village du parc national, à proximité de la base du Ruapehu, à l'intersection des autoroutes SH4 et SH47. Toutes les informations sont disponibles auprès du siège du parc, sur les versants du Ruapehu.

À savoir Le temps change rapidement dans ces régions montagneuses. Vêtements imperméables et pulls chauds sont indispensables. Au départ et à l'arrivée, des moyens de transport sont mis à disposition par les auberges, les hôtels et les campements qui entourent le parc.

Internet www.tongarirocrossing.org.nz, www.wildernesspass.com

TEMPS FORTS

■ Au sud, on ne perd jamais de vue le cône escarpé du **Ngauruhoe**. C'est la Montagne du Destin de la série de films *Le Seigneur des Anneaux* de Peter Jackson.

■ Par temps clair, depuis le sommet du **Tongariro**, on aperçoit le **Taranaki**, volcan en activité situé à 120 km à l'ouest.

■ Une odeur de soufre se dégage des fumées et des vapeurs du **Red Crater**.

■ Vous apercevrez peut-être l'un des rares **miros à poitrine blanche** de l'**île du Nord**.

AUSTRALIE ET OCÉANIE

ITALIE

MARCHE EN OMBRIE

L'esprit de saint François d'Assise plane sur cette région qui offre d'innombrables randonnées à travers une campagne délicieuse.

Si Toscane et Ombrie sont deux sœurs jumelles, l'Ombrie, plus enclavée, demeure toutefois méconnue des touristes et des marcheurs. Les deux régions partagent les superbes paysages naturels d'Italie – collines piquées de cyprès, villages étrusques et médiévaux perchés –, mais l'Ombrie est beaucoup plus sauvage. Ici, les reliefs sont escarpés, les coteaux abrupts, les chemins accidentés et cailouteux : idéal pour la randonnée. Pour découvrir cette région authentique et préservée, partez d'Assise. La ville natale de saint François s'étire au sommet d'une colline, ses clochers blancs dressés vers le ciel azur. Choisissez parmi les nombreux itinéraires possibles. L'un, vers l'est, va jusqu'au sommet embrumé du mont Subasio (1 289 m), qui ne demande qu'à être gravi et offre un panorama à 360° sur des kilomètres. Le haut de ses versants abrite des chats sauvages, des autours et des buses. Un autre part vers les vallons verdoyants du Sud, où s'épanouissent oliviers et chênes verts. Au nord, suivez le cours de la rivière Chiascio, jalonné de fleurs sauvages délicates et de champs inondés de soleil. Des chemins pierreux s'égaillent dans toutes les directions : ne programmez rien, jouissez simplement du plaisir de baguenauder là où le vent vous mène…

Quand ? De mars à août. Les levers et les couchers de soleil sont sublimes au printemps et au début de l'été.

Combien de temps ? Au moins 1 semaine. Itinéraires innombrables et de longueurs variées.

Préparation Réservez un hôtel à Assise, votre point de chute, ou allez de ville en ville - Spello, Spolète, Montefalco, Todi et Orvieto. Des voyagistes proposent des circuits organisés avec logement inclus.

À savoir Évitez de louer une voiture. La célèbre conduite italienne se marie dangereusement aux virages serrés des routes de l'Ombrie…

Internet www.ombrie.be

EUROPE

TEMPS FORTS

■ Après une longue journée de marche, régalez-vous de **jambon de sanglier**, nourrissant et délicieux. Si votre budget le permet, osez la **truffe blanche**, le champignon le plus cher et le plus savoureux du monde…

■ Si vous êtes chanceux, vous verrez un **loup** ou un **sanglier**. Soyez aux aguets.

■ **La nuit**, contemplez le ciel d'Ombrie, incroyablement pur. Sur des kilomètres, aucune lumière urbaine ne le gâte.

■ À Assise, ne ratez pas l'immense **basilique Saint-François** et le **temple antique** dédié à la déesse Minerve.

L'excursion mène à des villages perchés au-dessus des versants aménagés en terrasses où poussent vignes, oliviers et arbres fruitiers.

TOP 10 PONTS

Postes d'observation, traits d'union entre deux lieux, points de repère... ces ponts, anciens ou modernes, magnifient le paysage environnant.

❶ Le pont de Brooklyn, New York, États-Unis

En franchissant ce symbole de l'Amérique émergente du XIXᵉ siècle, on sent battre le cœur de cette ville incroyable. Le pont enjambe l'East River et relie Brooklyn à Manhattan. Inauguré en 1883, il était alors le plus grand pont suspendu du monde.

Préparation Point d'accès à proximité du City Hall à Manhattan ou de la Cour Fédérale à Brooklyn.
www.nyc.gov

❷ Le pont de la Mujer, Buenos Aires, Argentine

Les rues du quartier de Puerto Madero, à Buenos Aires, portent le nom de femmes : c'est leur seul point commun avec ce spectaculaire « pont de la Femme », bâti en 2001 au-dessus d'un quai désaffecté. L'architecte, l'Espagnol Santiago Calatrava, s'est inspiré de la silhouette d'un couple dansant un tango.

Préparation Métro *(subte)* ligne A jusqu'à la place de Mai ou ligne B jusqu'à LN Alem.
www.galinsky.com, www.vivreenargentine.com

❸ Le pont de Q'eswachaka, rivière Apurimac, Pérou

Les aventuriers qui osent franchir ce pont de roseau surplombant une rivière bouillonnante sont récompensés par une vue étourdissante sur les gorges et approchent au plus près une culture en voie d'extinction.

Préparation Voyage organisé recommandé.
www.peru.info, www.dosmanosperu.com

❹ Le pont Dagu, Tianjin, Chine

Dans la troisième ville de Chine, depuis les voies piétonnes sinueuses du pont Dagu, jouissez d'un panorama unique, alliance composite du passé et du présent. Cette structure élégante, étudiée pour résister aux inondations et aux séismes, symbolise le Soleil, la Lune et les étoiles qui accompagnent le dragon dansant de la rivière Hai.

Préparation Visa obligatoire. À 121 km de Pékin. Bien desservi.
www.otchine.com

❺ Le Phra Phutthos, Kompong Kdei, Cambodge

Ce pont exotique enfoui sous la jungle fut la structure la plus imposante du réseau de voies créé par les dieux-rois khmers, fondateurs du temple d'Angkor. Prouesse architecturale avec ses 85 m de longueur et ses 21 arches. Quatre serpents de pierre en gardent l'accès.

Préparation Visa obligatoire. À l'écart des itinéraires touristiques, au kilomètre 69 de la route qui mène de Siem Reap (près d'Angkor) à Phimai. Louez une voiture, mais soyez prudent car la route est mauvaise.
http://lao.bunlong.free.fr

Le pont du port de Sydney est l'un des symboles de l'Australie. Ses allées piétonnes offrent des vues inouïes sur le port, la ville et ses environs.

❻ Le pont du port de Sydney, Australie

La silhouette spectaculaire de la structure répond aux coques concentriques du toit de l'Opéra, composant ainsi le paysage le plus célèbre du pays. Mis en service en 1932, le « cintre » est toujours le plus haut pont en arc en acier du monde. Il culmine à 134 m au-dessus de l'eau.

Préparation Au poste d'observation du pilier sud-est, une exposition retrace l'histoire du pont. Accès par Cumberland Street, à proximité de l'hôtel Shangri-La. BridgeClimb organise des visites guidées ébouriffantes jusqu'au sommet du pont.
www.bridgeclimb.com

❼ Le pont Charles, Prague, République tchèque

On accède par d'imposants porches gothiques à ce pont médiéval orné de statues baroques. Selon la légende, du jaune d'œuf fut ajouté au mortier pour le rendre plus solide. Effleurez la plaque brillante, hommage au martyr Jean Népomucène, en faisant le vœu de revenir. Le pont relie la Vieille Ville au quartier de Mala Strana et offre des vues splendides sur la ville dominée par le château de Prague.

Préparation Métro : Staromestska (ligne A). Pour éviter la foule, allez-y tôt... ou tard.
www.pis.cz/fr

❽ Le Ponte Vecchio, Florence, Italie

L'énergie que dégagea en son temps le mouvement de la Renaissance est toujours palpable. Construit en 1345, le « Vieux Pont » enjambe l'Arno. Célébré par les arts et l'opéra, il est connu pour ses échoppes, ses amoureux et son or — les bijoutiers y font commerce depuis le XVIᵉ siècle. Le « Corridoio Vasariano », couloir secret bâti par Giorgio Vasari en 1565, surplombe l'une des rangées de boutiques et relie la galerie des Offices au palais Pitti.

Préparation Réservez aux Offices la visite du couloir de Vasariano. Comptez 3 heures pour une visite guidée.
http://enit-france.com

❾ Le pont suspendu de Clifton, Bristol, Angleterre

Alliance réussie d'élégance, de praticité et de robustesse, ce pont est un classique du genre. Conçu au début du XIXᵉ siècle par le brillant ingénieur Isambard Kingdom Brunel, il enjambe les gorges boisées de l'Avon. Destiné à l'origine aux calèches et aux piétons, il accueille aujourd'hui plus de 12 000 véhicules par jour. Un must pour les nostalgiques de l'ère victorienne.

Préparation Visites guidées en groupes, sur réservation.
www.clifton-suspension-bridge.org.uk

❿ Le pont de corde de Carrick-a-Rede, Irlande du Nord

Respirez les embruns de l'Atlantique dans cette région authentique, célèbre pour la richesse de sa flore et de son avifaune. Ce pont de corde bringuebalant relie au continent les îlots où se pratique la pêche. Sa traversée, à 24 m au-dessus des rochers, garantit les poussées d'adrénaline. Trouillards s'abstenir !

Préparation Ouvert tous les jours, quand le temps le permet, de mars à fin octobre. Visites guidées possibles. Pas plus de 8 personnes en même temps sur le pont.
www.discoverireland.com/fr

LA KUNGSLEDEN

La « Piste royale » est un sentier balisé de 440 km sur le toit
du monde, dans la région sauvage et isolée de la Laponie suédoise.

Au départ de la station d'Abisko, dans le parc national du même nom, aux confins septentrionaux de la Suède, la « Piste royale » traverse quatre parcs nationaux et une réserve naturelle, au cœur de la Laponie suédoise, le dernier désert d'Europe occidentale. La région se situe à 160 km du cercle polaire. Elle est le domaine de la forêt, de versants couverts de bouleaux, territoire jalonné de tourbières, de ravins, de glaciers et de torrents tumultueux qui déferlent dans des lacs aux eaux cristallines. La piste offre de nombreux postes d'observation, souvent vertigineux. Suivez le cours de la rivière Abisko, le long du canyon qu'elle a creusé sur 20 m de profondeur. N'hésitez pas à boire cette eau d'une pureté inégalée. Observez la flore, si délicate – orchidée, saxifrage pourpre, silène acaule… De solides ponts suspendus franchissent des rapides, et les écosystèmes se succèdent sans relâche. Au-delà du refuge d'Abiskojaure, traversez la limite de boisement et pénétrez dans le véritable désert arctique. Seuls signes de vie : les troupeaux de rennes conduits par des Sami, indigènes du nord de la Scandinavie dont le mode de vie reste immuable depuis 10 000 ans. Passez le col de Tjäktja et admirez la vallée luxuriante de Tjäktjavagge, improbable artère verdoyante au cœur de ces terres arides.

Quand ? De juin à la mi-septembre.

Combien de temps ? 1 mois environ pour les 440 km, ou 1 semaine pour le tronçon nord (80 km) entre Abisko Mountain Station et Kebnekaise Mountain Station.

Préparation Stockholm-Kiruna par avion, puis autocar ou train jusqu'à Abisko Tourist Station. Les refuges sont distants d'une journée de marche. On peut s'y laver (saunas) et faire la cuisine. Restaurants et boutiques dans les structures les plus importantes. Camping autorisé.

À savoir Circuit possible dans les deux sens, mais le sens nord-sud (soleil de face) est plus agréable. Insecticide indispensable au début de l'été.

Préparation www.sweden.se, www.la-rando.com/topos/topo_kungsleden.php

TEMPS FORTS

■ Contemplez le soleil de minuit, de la fin mai à la mi-juillet, depuis le **mont Nuolja**, à l'ouest d'Abisko, au début de la piste. Un télésiège vous emmène au sommet.

■ En juin, aux environs d'**Alesjaure**, les Sami marquent leurs jeunes rennes avec des motifs qu'ils tracent sur leurs oreilles à l'aide d'un couteau.

■ **Tjäktjavagge** est la plus belle vallée de Laponie. Sur 48 km, elle est parée d'extraordinaires coloris verts ou ambrés, selon la saison.

Çà et là, des bosquets de saxifrages pourpres colorent les paysages arctiques.

La moisson est terminée, et les hautes meules se dressent, maintenues par des bâtons. Le foin nourrit le bétail pendant l'hiver, long et rigoureux.

ROUMANIE

Les Carpates

Glaciers, grottes, gorges, forêts, richesse de la faune et de la flore ont fait la gloire des Carpates. Sans oublier, bien entendu, Dracula.

Les premiers rayons du soleil jouent avec la brume qui s'accroche aux versants. Ils confèrent aux feuillages un reflet mordoré tandis que les sapins déclinent la gamme du bleu au vert. Que distingue-t-on en bordure de la crête ? Une silhouette très nette se voile soudain de brouillards matinaux… Un château ? Un affleurement rocheux ? Bienvenue dans les Carpates, arc montagneux qui déroule 1 000 km en Transylvanie, au cœur de la Roumanie, et offre à cette nation un paysage à la hauteur de ce passé légendaire dont elle ne parvient pas à se défaire. Vous êtes sur les terres de Dracula, personnage historique, anti-héros littéraire, seigneur des morts-vivants. Les monts Apuseni — qui abritent ours, loups, chamois, chats sauvages et rapaces — sont désormais un parc national strié de sentiers balisés. Au sud de Cluj, dirigez-vous vers les vertigineuses gorges de Turda percées de grottes — abris des premiers hommes — et ouvragées de piliers et d'arcades naturelles. Quelque 1 000 espèces de plantes, des papillons et des oiseaux profitent ici d'un microclimat. D'autres chemins conduisent, à travers les forêts, à des plateaux taillés dans le calcaire jurassique et bordés de rivières souterraines ou à ciel ouvert, jusqu'à de superbes grottes et des glaciers fossiles : là, le soleil s'infiltre et dessine des arcs-en-ciel sur la vapeur d'eau.

Quand ? Mai à octobre. Selon les experts, les vampires sortent après la saison touristique, la veille de la Saint-Georges (22 avril), pour Halloween et la veille de la Saint-André (29 novembre).

Combien de temps ? Un chemin se parcourt en 1 journée. Comptez 1 semaine pour tous les arpenter.

Préparation Autocars au départ de Cluj vers Turda et les autres villages, points d'accès aux sentiers. Campez ou dormez dans les refuges qui jalonnent les monts Apuseni. Tous ne proposent pas de restauration. Certains tour-opérateurs organisent des randonnées avec guides (groupe ou individuel).

À savoir La région de Cluj est le berceau de la culture magyare (de langue hongroise) ; les habitants vendent des produits artisanaux, notamment des broderies aux couleurs vives.

Internet www.czech.cz/fr, www.turism.ro, http://romania.ibelgique.com

TEMPS FORTS

■ Le **plateau de Padis**, spectaculaire formation karstique (calcaire) au nord-ouest de Sighisoara. Dans ses entrailles, la grotte de Glace de Scarisoara, le plus grand **glacier fossile** d'Europe.

■ Sur le plateau, la grotte de l'Ours (1,5 km de long) et le réseau de rivières souterraines des citadelles du Ponor.

■ Visitez **Sighisoara**, cité médiévale merveilleusement conservée où naquit **Vlad Tepes** (Vlad l'Empaleur) – également connu sous le nom de Dracula. Souverain cruel, il fut respecté par ses contemporains pour avoir chassé les Turcs de Roumanie.

EUROPE

À Swaledale, la lande domine la prairie qui tapisse le fond de la vallée striée de murs de pierres sèches.

ANGLETERRE

D'UNE CÔTE À L'AUTRE SUR LES TRACES D'ALFRED WAINWRIGHT

Le célèbre marcheur Alfred Wainwright a conçu ce sentier qui traverse les magnifiques paysages de la campagne anglaise.

Depuis la ville de St. Bees, juchée sur les falaises rouges de la côte nord-ouest de l'Angleterre, ce sentier franchit les paysages magnifiques de trois parcs nationaux – Lake District, Yorkshire Dales et North York Moors – pour atteindre la Robin Hood's Bay (baie de Robin des Bois), sur la côte nord-est. Il porte le nom d'Alfred Wainwright, le célèbre marcheur qui l'a conçu. C'est dans la région des Lacs que se dresse le point culminant de la randonnée : Kidsty Pike (803 m), dans le massif de High Street que les soldats romains longèrent pour rejoindre, au nord, un avant-poste du mur d'Hadrien. La descente est raide, mais les eaux tranquilles du lac Haweswater vous attirent irrésistiblement. Plus loin se dessinent les Yorkshire Dales à la végétation luxuriante et le joli vallon de Swaledale, strié de murs de pierres sèches et peuplé de moutons bruns aux cornes recourbées. Le plateau tapissé de bruyères de la région des North York Moors annonce la Robin Hood's Bay (aucun rapport avec le mythique hors-la-loi) et sa succession de falaises et de plages qui ourlent la mer du Nord.

Quand ? Toute l'année. Préférez le printemps et l'été, les journées sont plus longues.

Combien de temps ? 300 km, 14 jours en général.

Préparation En été, réservez suffisamment à l'avance. Sac à dos de rigueur : le sentier est jalonné de campings et refuges.

À savoir Le chemin est balisé, mais certains tronçons sont isolés. Le climat peut être rude car il change rapidement sur la lande et les collines. Prévoyez des vêtements chauds et imperméables.

Internet www.coast2coast.co.uk, www.visitengland.fr

TEMPS FORTS

■ **Ennerdale**, le lac le plus à l'ouest du parc national de Lake District, est très isolé, car l'accès en voiture y est interdit. Même à la pleine saison, c'est un lieu très tranquille.

■ Non loin des rives du **Haweswater**, un poste d'observation des oiseaux. Vous verrez peut-être les seuls aigles royaux d'Angleterre, qui viennent nicher ici. Admirez le paysage accidenté des monts de la région des Lacs que vous venez de franchir.

■ Suivez les rives herbeuses jusqu'à l'**abbaye de Shap**, 6 km à l'est de Haweswater. Comme les moines du XIIe siècle, savourez la solitude du lieu.

■ Les **mines de plomb désaffectées** de Swinner Hill (Gunnerside) et Hard Level (Yorkshire Dales) témoignent du passé industriel de la région.

IRLANDE

La péninsule de Dingle

Marchez le long des falaises et des plages, découvrez des vestiges celtes et traversez les pittoresques villages du sud-ouest de l'Irlande.

Un chemin court autour de la péninsule la plus à l'ouest de l'Irlande, domaine des falaises abruptes et des reliefs escarpés, vastes étendues de terres agricoles piquées de villages et bordées de plages où s'écrasent avec fracas les vagues de l'Atlantique. La marche débute à Tralee et fait le tour de la péninsule dans le sens des aiguilles d'une montre, en suivant les *boreens* – petites routes de campagne. De Tralee, passez par Blennerville puis gravissez les versants des Slieve Mish : les vues sur la baie sont magnifiques. Passé le col de la Corrin Mountain, pénétrez dans une zone de forêts et de basses collines avant d'atteindre la côte méridionale, à l'est d'Anascaul. Parcourez les longues plages de sable à l'ouest de Dingle, puis contournez la pointe ouest de la péninsule et gravissez le mont Eagle. Les îles Blasket, désolées, apparaissent au loin. À flanc de coteau, on distingue les innombrables silhouettes décrépites des clochains – huttes de pierre en forme de ruche. La traversée du mont Brandon (953 m) est le point culminant du trajet et offre un panorama inouï sur la côte nord et la baie Brandon. Ce tronçon réclame un temps clément car les falaises et autres à-pics sont traîtres. La fin de la randonnée est plus facile, mais toujours spectaculaire : sur 11 km, de Fermoyle à Castlegregory, suivez les plus longues plages d'Irlande, avant de revenir à Tralee.

Quand ? De mai à septembre.

Combien de temps ? 180 km. Comptez de 8 à 10 jours pour 8 parcours de 17 à 30 km chacun, soit de 6 à 9 heures de marche.

Préparation Le temps est humide et venteux quelle que soit la saison. Bonnes chaussures de marche, vêtements chauds et veste imperméable sont de rigueur.

À savoir Villages et petites villes distants de quelques heures de marche. Nombreuses possibilités de logement, mais réservez bien à l'avance.

Internet www.dingleway.net, www.irishways.com, www.discoverireland.com/fr

TEMPS FORTS

■ Les **vestiges antiques** : menhirs, pierres portant des inscriptions en ogham (alphabet primitif gaélique), et les huttes en forme de ruche bâties par des ermites chrétiens.

■ Les ruines du **Minard Castle** (XVe siècle), silhouette insolite sur une plage déserte à proximité d'Anascaul.

■ En été, baignez-vous à **Ventry Harbour**, à l'ouest de Dingle.

■ L'**Oratoire de St. Gallarus**, non loin de Ballydavid, est l'un des plus anciens sites chrétiens d'Irlande.

■ Après une longue journée de marche, savourez une pinte de Guinness et assistez à un *caleigh* – soirée de musiques et de danses.

Au début du Moyen Âge, les ermites celtes priaient et méditaient dans ces clochains, huttes de pierres sèches dont la forme évoque une ruche.

Top 10 Marchés aux puces

Baladez-vous en ville, l'œil et les oreilles aux aguets. Goûtez à l'enivrant parfum de la rue.

❶ Hell's Kitchen, New York, États-Unis

Le quartier ouest de Manhattan abrita autrefois les immigrants irlandais les plus pauvres. Il attire désormais, tous les week-ends, une foule à laquelle se mêlent créateurs, artistes, « people » et acteurs. Antiquités, objets de collection, souvenirs et bric-à-brac : tout s'y vend. Après vos emplettes, testez un restaurant ethnique des environs.

Préparation Une navette (1 $) relie Hell's Kitchen sur la 39ᵉ Rue et Antiques Garage/West 25th Street Market. www.hellskitchenfleamarket.com

❷ La plaza Dorrego, Buenos Aires, Argentine

Le dimanche, les promeneurs convergent vers la Plazza Dorrego où se tient la Feria de San Pedro Telmo, rassemblement de brocanteurs. Joueurs et danseurs de tango, artistes itinérants et marionnettistes investissent les ruelles pavées. Installez-vous à une terrasse de café, goûtez la nourriture locale et le spectacle.

Préparation Le dimanche, de 9 ou 10 heures le matin jusqu'en début de soirée. Visites guidées gratuites par l'organisation bénévole des Cicerones. www.cicerones.org.ar, www.vivreenargentine.com

❸ Le marché nocturne de Temple Street, Hongkong, Chine

Plongez dans le Hongkong nocturne en flânant sur Temple Street, à Kowloon. Des centaines d'échoppes vendent de tout et des petits riens : artisanat, vêtements d'occasion, montres, ustensiles électriques. Des arômes appétissants s'échappent des étals des marchands ambulants et des restaurants des alentours.

Préparation Le marché est ouvert de 4 h de l'après-midi à 23 h. www.discoverhongkong.com

❹ Marché nocturne de Patpong, Bangkok, Thaïlande

Ce quartier piéton envahi de bars, de théâtres érotiques et de salons de massage se métamorphose, au coucher du soleil, en un marché surpeuplé. Beaucoup de contrefaçons : Gucci, Levi's, Nike, Rolex…

Préparation Train jusqu'à Sala Daeng. Gare aux pickpockets. www.bangkoktourist.com

❺ Chandni Chowk, Delhi, Inde

Le plus important marché de gros d'Asie foisonne. L'air est âcre. On compte autant d'éléphants que de scooters. Frayez-vous un chemin, respirez les épices, choisissez un sari, dénichez un bibelot et laissez-vous porter par la foule.

Préparation Prévoyez une bouteille d'eau minérale et de la monnaie. www.chandnichowk.com

Immortalisé en 1999 par le film *Coup de foudre à Notting Hill,* ce quartier de l'ouest de Londres est très en vogue. La foule se presse sur Portobello Road tous les samedis pour faire des affaires chez les antiquaires.

❻ Le Grand Bazar d'Istanbul, Turquie

Accédez par la superbe porte Nuruosmaniye («lumière des Ottomans») à ce dédale de mosquées, de banques, de cafés-restaurants et de plus de 4 000 échoppes. Le plus grand marché couvert de Turquie propose des marchandises traditionnelles — tapis, bijoux, émaux et poteries, métaux précieux et objets façonnés dans des matériaux rares comme l'albâtre et l'écume de mer (minéral blanc opaque). N'hésitez pas à marchander !

Préparation Tramway Zeytinburnu-Kabats-Besiktas à destination de Carsikapi. Fermé le dimanche. Surveillez votre portefeuille. www.mygrandbazaar.net, www.istanbulguide.net

❼ Le marché des antiquités des Navigli, Milan, Italie

Niché au cœur du réseau de canaux aménagé pour acheminer les pierres destinées à la construction de la cathédrale, le quartier des Navigli, autrefois déshérité, est aujourd'hui très en vogue et réputé pour sa vie nocturne. Flânez le long des canaux de cafés en galeries d'art en passant par les petites boutiques d'artisanat retranchées derrière d'épaisses portes de bois. Dans une arrière-cour, un artiste en pleine création. Le dernier dimanche du mois, la foule se presse autour des 400 échoppes qui proposent antiquités, objets de collection, bric-à-brac… Magasins, bars, restaurants et certaines galeries restent ouverts ce jour-là.

Préparation Entre les canaux de Naviglio Grande et Naviglio Pavese. Métro Porta Genova. Tram 3 vers Corso di Porta Ticinese. Marché le dernier dimanche du mois, sauf en juillet. www.navigliogrande.mi.it

❽ Dappermarkt, Amsterdam, Pays-Bas

Quittez les sentiers battus et découvrez le marché des Amstellodamois, au cœur d'un quartier cosmopolite. Vêtements, nourriture et produits exotiques à profusion et à des prix intéressants. Tous les jours, plus de 250 étals sont installés puis démontés.

Préparation Eerste van Swindenstraat : tramway 9 et 14. www.dappermarkt.nl

❾ Les Puces de Saint-Ouen, Paris

C'est l'un des plus grands marchés aux puces d'Europe. Les antiquités les plus chères, les bijoux et les produits haut de gamme sont exposés à l'intérieur. Dehors, baguenaudez des heures à la recherche de fripes, de jouets d'occasion, de vieux appareils électriques, disques vinyl ou cartes postales kitsch. Vous en rêvez, les Puces le vendent… quelque part !

Préparation Métro Porte de Clignancourt. Surveillez votre portefeuille. Ne vous éternisez pas après la tombée de la nuit. www.parispuces.com

❿ Portobello Road, Londres, Angleterre

Le samedi, la foule afflue sur le plus long marché à ciel ouvert du monde (2,4 km). Joyeux mélange d'antiquités, fripes, bric-à-brac, artisanat et accessoires new age. Une kyrielle de cafés, bars, salles de jeu, galeries et vendeurs ambulants ajoute à l'atmosphère cosmopolite ambiante, très vivante. Le Festival de Notting Hill, plus grande manifestation d'Europe de ce genre, explosion de couleurs, de musiques et de danses, se déroule en août.

Préparation Métro : Ladbroke Grove (pour les antiquités) ou Notting Hill Gate (pour le reste). www.portobelloroad.co.uk

La flèche rouge de l'église de ce village tyrolien contraste avec le vert émeraude de la campagne environnante.

AUTRICHE

LE TYROL

Déchaussez les skis, direction le Tyrol. Du printemps à l'automne, marchez au cœur des paysages alpins, véritables cartes postales.

L e Tyrol autrichien est réputé pour ses stations de ski, mais cette merveilleuse région des Alpes est également le royaume de la randonnée. Les sentiers sont courts : planifiez des marches d'une journée à partir de votre point de chute, qui pourrait être la vieille ville de Kufstein, dans la basse vallée de l'Inn. Grimpez au sommet du massif de l'Empereur (2 300 m) puis redescendez par les pâturages et les forêts en admirant la vue sur le Naunspitze et le Pyramidenspitze, cimes du chaînon du Zahmer Kaiser, et poursuivez jusqu'au lac Walchsee et sa réserve naturelle. D'autres circuits conduisent au Kitzbüheler Horn (sud-est de Kufstein) et au joli village de Söll, station de ski réputée.

Quand ? Du printemps à l'automne. Les fleurs abondent au printemps et au début de l'été ; beaucoup de monde en juillet et août. À l'automne, la nature compose une symphonie de jaune, or et bruns.

Combien de temps ? Randonnées d'une journée.

Préparation Échauffez-vous avant le départ, certaines marches sont physiques. Ayez sur vous une veste imperméable, de la crème solaire, une bouteille d'eau (ou une Thermos de thé, selon le temps) et des chaussures de marche qui protègent les chevilles.

À savoir Informez-vous des conditions climatiques, le temps change rapidement. Les Autrichiens de moins de 50 ans parlent généralement l'anglais.

Internet www.voyages.tirol.at

TEMPS FORTS

■ Une autre randonnée exaltante dans le **massif de l'Empereur** conduit de Scheffau à St. Johann. Vues spectaculaires sur le Kitzbüheler Horn et le Hohe Salve, au sud.

■ La télécabine de **Brixen** à **Söll**, qui survole le **Hohe Salve**. Passez la nuit à Söll et rentrez à pied à Kufstein par la vallée, véritable décor de carte postale.

■ La **vallée du Tannheimer**, point de départ de nombreuses randonnées dans une zone méconnue de l'Ouest : deux lacs, cinq villages préservés... Goûtez aux plats régionaux dans un *gasthof*.

■ Passez la frontière du **Tyrol du Sud**, territoire autonome d'Italie, pour d'autres itinéraires enchanteurs. Ne ratez pas le château Tirolo, bâti au Moyen Âge, véritable emblème de la région.

EUROPE

FRANCE/SUISSE/ITALIE

LE TOUR DU MONT-BLANC

Ce circuit autour du massif du Mont-Blanc traverse trois pays, six cols et de vastes pâturages foisonnants de fleurs sauvages.

L e tour du Mont-Blanc, dans les Alpes, est un classique de la randonnée. L'itinéraire relie les sept vallées qui entourent le massif où se dresse le point culminant de l'Europe occidentale, le mont Blanc (4 808 m d'altitude). On franchit les frontières de la France, de la Suisse et de l'Italie, trois pays pour autant de langues, de cultures, d'architectures… et à chaque fois une vue imprenable sur le mont Blanc. Point de départ, Chamonix (France). Dans le sens des aiguilles d'une montre, pénétrez en Suisse par le col de la Balme et rejoignez le village de Champex, au bord d'un lac. Le Grand Col Ferret (2 580 m, point culminant du trajet) débouche sur la superbe vallée d'Aoste (Italie). Retour en France par le col de Seigne. Empruntés autrefois par les caravanes, les chemins sont bons ; la randonnée n'est donc pas difficile, vous parcourez des forêts de conifères et des prairies alpines piquées d'azalées roses, de géraniums aux fleurs violettes et de gentianes d'un bleu profond. De vertigineuses aiguilles minérales, des glaciers aux crevasses bleu turquoise et les plus hauts sommets des Alpes occidentales vous entourent. Seuls les cloches qui tintent au cou des vaches, le fracas d'une cascade ou le sifflement d'une marmotte viennent troubler la quiétude du lieu.

Quand ? De la fin juin jusqu'au mois de septembre.

Combien de temps ? 160 km environ. Comptez 10 ou 11 jours, à raison de 5 à 8 heures de marche par jour. Passez la nuit dans des refuges, dans les hôtels des vallées, ou campez.

Préparation Équipement de base, boussole comprise. Le circuit dans le sens contraire des aiguilles d'une montre évite la foule (surtout en août).

À savoir En dormant au refuge Élisabeth, ou en passant par le val Veni (Italie), on écourte le long tronçon Courmayeur (Italie)/Les Chapieux (France) de 30 km environ et évite le passage d'un col.

Internet www.circuitsderando.com, www.ohm-chamonix.com

TEMPS FORTS

■ Montez à la **fenêtre d'Arpette**, entre Trient et Champex, pour accéder au glacier de Trient.

■ **Gravir le mont Blanc** n'est pas très difficile, mais on peut vite ressentir le mal des hauteurs. Prenez un guide à Chamonix ou à Courmayeur (Italie).

■ À Chamonix, prenez le **téléphérique** de l'Aiguille du Midi. Vue imprenable sur les glaciers et sur le Cervin.

■ Le train à crémaillère qui relie Chamonix à Montenvers domine la **mer de Glace**, le plus grand glacier d'Europe.

À partir de 2 000 m d'altitude, vous verrez peut-être un bouquetin des Alpes bondir sur les versants des reliefs.

ITALIE

LES CINQUE TERRE

Arpentez le chemin Bleu qui relie les cinq villages des Cinque Terre, pierres précieuses d'un collier qui ourle la mer Ligurienne, d'un bleu azur.

Le Sentiero Azzurro («chemin Bleu») souligne le littoral des légendaires Cinque Terre : cinq villages – Riomaggiore, Manarola, Corniglia, Vernazza et Monterosso al Mare – perchés entre deux promontoires rocheux de la côte ligurienne, au nord-ouest de l'Italie. Ces communautés traditionnelles de pêcheurs marient le pittoresque à l'élégance. Le tableau est ravissant avec ses maisons pastel blotties les unes contre les autres sur des falaises abruptes au pied desquelles s'écrasent les vagues. La mer apparaît au détour des ruelles tortueuses (les *carugi*) ; du linge sèche sous la caresse de la brise ; des bateaux en bois vernis occupent étonnamment les places de parkings réservées aux autos... Des champs d'oliviers et de citronniers, des massifs de châtaigniers remplissent l'espace entre les villages. Des terrasses plantées de vigne surplombent l'ensemble. Chaque village a son caractère. Partez du plus joli d'entre eux, Riomaggiore, au sud-est, et suivez la Via dell'Amore (le «Chemin des Amoureux») jusqu'à Manarola, le village le plus ancien. Le chemin, très facile et follement romantique, fut creusé au flanc de la falaise dans les années 1920. Le dernier tronçon s'achève par une montée de 368 marches pour atteindre Corniglia, plus à l'intérieur des terres et certainement le plus rural des cinq villages. La pente est forte de Corniglia à Vernazza, paisible village de pêcheurs. Poursuivez jusqu'à Monterosso al Mare, très prisé des touristes.

EUROPE

Quand ? De mars à mai.

Combien de temps ? 11 km environ. Comptez 1 journée pour visiter tous les villages.

Préparation Bouteille d'eau et crème solaire indispensables. La montée (raide) entre Corniglia et Vernazza peut prendre jusqu'à 2 heures.

À savoir Les habitants font la sieste et les boutiques ferment entre 13 et 16 h : profitez de ce créneau pour marcher. Si la randonnée est trop longue, ou si le temps vous manque, utilisez le train qui relie les villages.

Internet www.cinqueterre.it, www.cinqueterre.fr

TEMPS FORTS

■ La **tour de guet Belforte** à **Vernazza**, sur un promontoire surplombant la mer Ligurienne, tient son nom (*belforte* signifie «grand cri») des cris que poussaient les guetteurs. Grimpez là-haut et profitez de la vue sur le port et le littoral.

■ Chaque village possède une **chapelle** consacrée à la Vierge Marie, en surplomb au milieu des champs d'oliviers et de citronniers. Tous les ans se déroulent des fêtes votives, avec leur lot de processions et de feux d'artifices.

■ Spécialité locale : les **anchois**. La région produit deux **vins** : un blanc sec (Cinque Terre) et un vin à dessert (Sciacchetrà). La Ligurie est le berceau du **pesto**. Le climat se prête idéalement à la culture du basilic auquel on ajoute parmesan, ail, pignons et huile d'olive.

■ Si le *Sentiero Azzurro* a aiguisé votre appétit, tentez l'**Alta Via** (la «Haute Route»), 40 km de Portovenere à Levanto.

Ci-dessus, à gauche : Régalez-vous de produits locaux, ici en devanture des échoppes de Riomaggiore. Ci-dessus, à droite : Des coquelicots le long du chemin, près de Vernazza. Ci-contre : Les vignes masquent en partie le village de Manarola, aux maisons colorées serrées les unes contre les autres sur le haut promontoire qui surplombe la mer Ligurienne.

Des arbres sont parvenus à s'enraciner dans les parois des gorges au fond desquelles on se sent minuscule.

CRÈTE

LES GORGES DE SAMARIA

Une immense entaille au cœur des montagnes de l'ouest de la Crète. L'air y est parfumé et les cours d'eau, cristallins.

Les gorges de Samaria, parmi les plus profondes et les plus longues d'Europe, s'étendent du haut plateau d'Omalos, dans les Levka Ori (« montagnes blanches ») de l'ouest de la Crète, jusqu'à la côte méridionale de l'île. À Xiloskalo – du nom de l'escalier sommaire fabriqué par la population locale et qui permet de descendre dans les gorges –, la faille s'ouvre brusquement. Le chemin, vertigineux, enregistre un dénivelé de 1 000 m à travers les massifs de pins et de cyprès. Juste avant d'atteindre le fond des gorges, admirez la petite église Agios Nikolas. Le terrain s'aplanit, mais le décor est toujours spectaculaire et les herbes aromatiques embaument l'air. Après le village abandonné de Samaria, le défilé se réduit. Tout au bout, son étroitesse est telle que l'endroit est surnommé « les Portes d'Acier ». Le dernier tronçon, qui mène au littoral, est plus facile, mais la fatigue se fait sentir et le soleil tape. Repos bien mérité dans le joli village d'Agia Roumeli.

Quand ? Les gorges sont ouvertes de début mai à fin octobre. Elles ferment s'il pleut. Mai est idéal – pas trop chaud, moins de monde, des fleurs sauvages en abondance.

Combien de temps ? 20 km du village d'Omalos jusqu'au littoral. Comptez de 5 à 7 heures, pauses et déjeuner compris.

Préparation Passez la nuit à Omalos. Démarrez à l'aube pour éviter la foule. La présence d'un guide est préférable. Prévoyez à manger, vous ne trouverez rien en chemin.

À savoir Ne prenez pas plus d'une bouteille d'eau : vous pourrez la remplir dans les sources. Chaussures de marche protégeant la cheville car le sentier est très rocailleux. Évitez les grosses chaleurs des après-midi de juillet et août.

Internet www.gnto.gr, www.west-crete.com/fr, www.grece.infotourisme.com

■ Avec un peu de chance, vous croiserez un **bouquetin de Crète**. L'avifaune des gorges compte d'extraordinaires rapaces, comme le **gypaète barbu**.

■ L'église **Agios Nikolaos** (Saint-Nicolas) se dresse au milieu des cyprès. Selon la légende, elle fut bâtie sur les ruines d'un temple antique dédié au dieu Apollon.

■ Faites une pause dans le village abandonné de **Samaria** et visitez l'église byzantine Ossia Maria (sainte Marie) qui a donné son nom au village et aux gorges.

■ Aux **Portes d'Acier**, à l'extrémité sud des gorges, le défilé fait 3,4 m de large... et 340 m de haut.

■ Après l'excursion, détendez-vous à Agia Roumeli avec ses tavernes, ses restaurants et sa plage de galets. Plongez dans la mer de Libye, aux eaux limpides et tièdes.

EUROPE

MAROC

LE HAUT ATLAS

Les Berbères vous accueillent avec leur fameux sens de l'hospitalité pour cette randonnée au djebel Toubkal, sommet du Haut Atlas.

D es *kasbahs* – silhouettes de châteaux – sont perchées sur des escarpements rocheux. Un ruisseau trace un ruban verdoyant dans le paysage aride. Des maisons au toit plat s'accrochent aux reliefs. C'est ici qu'habitent les Berbères, bergers et fermiers qui cultivent le blé, l'orge et le maïs sur les versants aménagés en terrasses. Des mules portent vos affaires. Dès l'aube, le signal du départ est donné par le muletier, au cri de « Yalla ! ». À la nuit tombée, les grenouilles coassent au bord des cours d'eau qui disparaissent sous un amoncellement de lauriers-roses. Dessinant un arc immense au centre du Maroc, le Haut Atlas est isolé du monde moderne. Couvertes de neige en hiver, ces montagnes culminent au Toubkal (4 167 m), le plus haut sommet d'Afrique du Nord, qui attire un nombre croissant de marcheurs. Depuis la ville rose de Marrakech, rejoignez la vallée de Mizane par la route. C'est ici que commence la randonnée. Le début est assez facile – habituez-vous à l'altitude –, vous sillonnez les vallées au pied du Toubkal. Dans les villages, des enfants bruyants vous accueillent. On vous offre des amandes grillées et du thé à la menthe, piquant mais rafraîchissant. L'ascension du Toubkal (4 heures) est plus ardue, la pente est raide et glissante, mais le panorama sur les cimes enneigées du Haut Atlas occidental qui vous attend là-haut en vaut largement la peine.

Quand ? D'avril à septembre. Treks en hiver possibles à condition de se munir d'un pic à glace et de crampons.

Combien de temps ? 80 km avec détours par les villages berbères, puis ascension du Toubkal. Comptez 2 semaines.

Préparation Des torches et un bon équipement : chaussures solides, crème solaire, chapeau, sac de couchage léger en été. Comprimés pour purifier l'eau indispensables. Une lampe frontale peut être utile.

À savoir Guides, mules et conseils (mais pas de boutiques hors de prix !) disponibles à Imlil, Aroumd et Tacheddirt, près de Toubkal.

Internet http://81.192.52.41/onmt_fr, www.tourisme-marocain.com

TEMPS FORTS

■ Passez du temps à **Marrakech**. Dans la circulation, les charrettes tirées par des ânes défient les voitures. Charmeurs de serpents, acrobates et conteurs se retrouvent sur la place Djemmaá el-Fna, éclairée la nuit.

■ À la périphérie d'**Aroumd**, reposez-vous à l'ombre d'un amandier ou d'un noyer. Les maisons de boue séchée sont collées les unes aux autres. Le village surplombe les plantations d'orge, de maïs et de légumes aménagées en terrasses dans la vallée de Mizane.

■ Plongez dans les eaux laiteuses et turquoise du **lac d'Infi**, au sud-est du Toubkal. Il a pour écrin des versants couverts d'éboulis. C'est le plus grand lac de l'Atlas.

Les maisons de boue séchée de ce village s'accrochent aux versants rocailleux de la vallée et dominent des massifs d'amandiers et de noyers.

PORTUGAL

LES *LEVADAS* DE MADÈRE

Madère est striée de canaux d'irrigation, les *levadas*. Les sentiers qui les bordent constituent de parfaits chemins pour découvrir cette île paradisiaque, mosaïque de sites naturels.

C et extraordinaire réseau de canaux parcourt des tunnels, franchit des aqueducs et traverse des paysages idylliques. Les canalisations acheminent l'eau descendue de la montagne jusqu'aux vignes et aux plantations de canne à sucre. Les premières levadas (du portugais levar, qui signifie « porter ») furent aménagées au xve siècle, à l'arrivée des colons portugais. On en compte désormais 2 000 km, minces rigoles bordées d'herbes aromatiques ou larges sillons creusés au flanc de la montagne par des ouvriers suspendus des paniers d'osiers. Autant de canaux que d'excursions exceptionnelles pour cette île aux climats variés (ce qui motiva d'ailleurs l'aménagement des levadas). Commencez très fort avec la Levada da Serra de São Jorge, dans une région isolée du nord-est. De Queimadas, à 899 m au-dessus de la ville côtière de Santana, partez vers l'est, longez des vallées vert-émeraude au fond desquelles nichent de petits villages. Passez devant une cascade et par une série de courts tunnels avant d'arriver à Caldeirão Verde (le « Chaudron Vert ») où une autre cascade s'écrase de 300 m de haut dans une piscine naturelle. Si vous n'êtes pas sujet au vertige, poursuivez jusqu'au Caldeirão do Inferno (le « Chaudron du Diable ») : des chutes d'eau dévalent des parois vertigineuses tandis que des torrents s'engouffrent dans des gorges étroites.

Quand ? Toute l'année. Il pleut moins en été ; les hivers sont très doux.

Combien de temps ? 13 km de Queimadas à Caldeirão Verde, retour compris. Comptez entre 4 et 5 heures. Pour ne rien rater des *levadas,* programmez un séjour de 4 à 5 jours.

Préparation Les plus anciennes *levadas* peuvent être ardues. Soyez en bonne forme. Faites en sorte que l'on vous dépose à votre point de départ et que l'on vous attende en voiture (ou en taxi, très peu chers) à l'arrivée : les *levadas* sont longues, un aller-retour peut demander jusqu'à 10 heures de marche.

À savoir Les lois de Madère vous tiennent responsable en cas de dommages physiques et matériels. Soyez vigilant et ne marchez pas seul. Possibilité d'excursions organisées.

Internet www.madeiratourism.org, www.madeira-rural.com

AFRIQUE

TEMPS FORTS

■ L'une des plus célèbres *levadas* débute à **Ribeira Frio**, au nord de Funchal, la capitale. C'est une longue randonnée (12 km) jusqu'à **Portela**, mais l'effort est récompensé par des vues splendides sur Porto da Cruz et le rocher de l'Aigle.

■ Arbres centenaires et belles formations rocheuses le long du chemin du **Pico do Ariero** à **Achada do Teixeira** (13 km), à l'ouest de l'île. Passez le **Pico Ruivo**, point culminant de Madère (1640 m).

■ Depuis le Pico do Ariero, une courte randonnée passe par la vallée de Santa Luzio, la Levada do Barreiro, le Pico Alto et s'achève à **Poça da Neve**.

■ La **Levada das 25 Fontes** mène, depuis Rabaçal, à un lac qui s'étend au pied d'une muraille et recueille les eaux vives de 25 sources naturelles.

Ci-dessus, à gauche : Au printemps des fleurs aux couleurs éclatantes bordent les *levadas*. Ci-dessus, à droite : Vue sur le Pico Ruivo depuis le sentier qui mène du Pico do Ariero à Achada do Teixeira. Ci-contre : Dans une vallée boisée, la Levada das 25 Fontes emprunte un ancien aqueduc. Les sentiers étaient à l'origine des chemins de maintenance.

L'ASCENSION DU KILIMANDJARO

L'ascension du plus haut sommet d'Afrique convie à un voyage extraordinaire de la savane brûlante jusqu'aux glaciers.

Sur les pentes du Kilimandjaro, la forêt montagnarde et la lande cèdent la place aux hauts plateaux désertiques, puis à des glaciers veinés de bleu. Le trek débute aux portes du parc national du Kilimandjaro. L'ugali, une bouillie à base de maïs cuit sur un feu de bois, embaume. Les femmes bavardent et les enfants chahutent. Immédiatement, la forêt équatoriale humide et brumeuse vous accueille. Des plantes grimpantes couvertes de mousses se hissent jusqu'à la canopée. Des singes verts crient pour annoncer votre arrivée, mais se taisent et vous dévisagent dès que vous vous immobilisez. Le deuxième jour, le chemin forestier débouche sur la lande plantée de cardinales et de séneçons géants. Maintenant, le sentier monte. Plus haut, un désert alpin rocailleux – paysage lunaire – annonce le col qui sépare le Kibo du Mawenzi – le Kilimandjaro possède trois dômes volcaniques : le Kibo, le Mawenzi et le Shira. Le dernier tronçon s'effectue de nuit, le long d'un chemin d'éboulis qui gravit le Kibo. Progressez lentement, la récompense est bientôt là : au bord du cratère du Kibo, vous atteignez le point culminant de l'Afrique, le pic Uhuru, coiffé d'un chapeau de glace que les premières lueurs de l'aube teintent de rose. Vous êtes à 5 894 m au-dessus du niveau de la mer.

Quand ? En janvier, février ou septembre.

Combien de temps ? Environ 48 km l'aller. Comptez 5 jours pour gravir et redescendre la montagne.

Préparation Plusieurs itinéraires conduisent au sommet. La voie Marangu est la plus fréquentée, jalonnée de refuges et aménagée pour les évacuations d'urgence. Des organismes proposent des guides et porteurs. Passez au préalable une semaine à plus de 1 500 m pour vous habituer à l'altitude.

À savoir Commencez doucement, même si vous pensez pouvoir aller plus vite. Buvez beaucoup (de 3 à 4 litres d'eau par jour). Prévoyez un trépied pour prendre des photos au sommet : vous grelotterez sûrement et serez bien en peine de stabiliser votre appareil.

Internet http://tanzaniatouristboard.com, www.kilimandjaro-fr.com

AFRIQUE

TEMPS FORTS

■ **La richesse faunistique** de la forêt tropicale est inouïe : colobes, cercopithèques à diadème... sans compter une myriade d'oiseaux exotiques : calaos, touracos aux plumes pourpres... Des léopards fréquentent les lieux, mais ils restent très discrets.

■ Faites le détour jusqu'au bord du **cratère Maundi**, au-dessus de la limite de boisement. La vue sur le Kibo est impressionnante. Par temps clair, on voit les glaciers qui scintillent au soleil.

■ Euphorie au sommet du pic Uhuru. Sur le toit de l'Afrique, **le regard embrasse** à la fois les glaciers et les parois de glace et, en contrebas, les plaines écrasées de soleil.

Majestueuse, cette girafe, hôte de la savane, cherche de quoi manger. À l'arrière-plan, le Kilimandjaro et sa couronne de neige.

Des pitons basaltiques dominent les paysages gréseux du Drakensberg – symphonie de rouges, bruns et bleus.

AFRIQUE DU SUD

Le Drakensberg

Le plus haut massif d'Afrique du Sud est le paradis des marcheurs.
On y arpente des sentiers, des plus tranquilles aux plus ardus.

Cours d'eau et cascades dévalent de hauts reliefs et des vallées profondes. Çà et là émergent des parois de grès et d'imposants contreforts. Depuis la province du Cap-Oriental, le Drakensberg (la « montagne du Dragon » en afrikaans) s'étire vers le nord-est, pénètre au Lesotho et rentre à nouveau en Afrique du Sud par la province de KwaZulu-Natal. Pour les randonneurs, le cœur de l'action se situe dans le massif Cathedral, à la frontière du Lesotho et du KwaZulu-Natal, domaine des sommets isolés de Cathedral Peak, The Bell, Inner et Outer Horns et des Chessmen disséminés au bord d'un escarpement. De nombreux chemins – débutants ou aguerris – strient ces paysages spectaculaires. Ils conduisent à des grottes décorées de peintures rupestres réalisées par les San (Bushmen), ou à des échelles métalliques qui grimpent jusqu'aux plus hautes cimes du massif. Pour une excursion d'une journée, prenez le sentier de World's View, dans la réserve naturelle de Giant's Castle, qui s'achève sur un panorama à 360°. Pour une ascension plus raide, allez jusqu'au Mont-aux-Sources voir les chutes de Tugela (951 m). Dans la zone du Monk's Cowl, passez la nuit derrière une cascade, campez dans une grotte zouloue ou explorez les gorges de Didima. Les plus expérimentés relèveront le défi de la Grande Traversée, un trek de 12 à 16 jours le long de la bordure orientale du massif.

Quand ? Toute l'année. Le temps est plus stable en hiver (mai-août), les journées sont chaudes, les nuits froides et claires. L'été (septembre-avril), le climat est plus changeant, avec des orages soudains.

Combien de temps ? Pour être certain de ne rien rater, comptez 3 jours pleins.

Préparation Les randonneurs dorment dans les grottes, certaines accueillent jusqu'à 12 personnes (réserver à l'avance). Prenez aussi une tente – si le temps se dégrade vous serez peut-être incapable de trouver votre grotte. Sac de couchage de qualité indispensable : les nuits sont froides, même en été.

À savoir Prenez beaucoup d'eau, remplissez vos gourdes dans les rivières. Avant le départ, signez le registre de secours en montagne (auprès de KZN Wildlife). Pensez à émarger à votre retour.

Internet www.southafrica.net, http://drakensberg.kzn.org.za, www.kznwildlife.com

TEMPS FORTS

■ Écoutez les cris des **babouins** et repérez les différentes espèces d'antilopes : guib harnaché, ourebia, cobe de montagne, céphalophe, éland. La nuit, vous observerez peut-être des tamanoirs et des porcs-épics. **Gypaètes barbus** et **aigles** planent avant de rejoindre leur aire installée sur un affleurement rocheux.

■ Au printemps, admirez les tapis de **fleurs sauvages**, symphonie de rose, blanc et rouge. À l'automne, ils sont épais de près d'un mètre. Dans les ravines s'épanouissent **cycadales** et **protéas**.

■ Défiez le froid et **baignez-vous** dans l'eau cristalline gelée de **piscines naturelles** qui se nichent entre les affleurements gréseux.

AFRIQUE

VOYAGES CULTURELS

Les itinéraires décrits dans ce chapitre vous entraînent dans les méandres du cœur et de l'esprit des hommes. Chacun d'entre eux rend hommage à l'imagination jusque dans ses aspects les plus débridés. Certaines de ces destinations sont déjà bien connues et considérées comme de véritables joyaux, d'autres restent à découvrir. Certaines ramènent à des temps reculés, d'autres renvoient au savoir-faire d'hommes et de femmes d'aujourd'hui. Lieux sacrés, foyers artistiques, vestiges de civilisations anciennes, fragments de mondes disparus, champs d'expérimentation architecturale : vous avez l'embarras du choix. Laissez-vous envoûter par les lumières et les couleurs de la Normandie et découvrez les sites préférés des impressionnistes. Remontez la vallée du Nil et visitez certains des plus beaux monuments de l'Égypte ancienne. Partez pour l'Afrique du Sud et immergez-vous dans la culture des Zoulous. Amateurs de beaux-arts, d'histoire et de culture, le monde vous appartient !

Depuis plus de 4 500 ans, le Sphinx veille sur les pyramides de Gizeh, en Égypte. Les historiens continuent à s'interroger sur l'origine et de la fonction de cette sculpture monumentale taillée dans le roc qui trône sur un promontoire surplombant le Nil.

LE KYOTO HISTORIQUE

Explorez tout un monde de temples et de châteaux
remontant à l'époque féodale.

ASIE

En flânant dans les rues de Kyoto, vous ne manquerez pas de voir surgir le passé de la cité à de multiples reprises. Les commerces éclairés au néon jouxtent les salons de thé traditionnels, les hommes d'affaires s'égosillent dans leurs téléphones portables tandis qu'une des rares geishas demeurant encore en ville passe à leurs côtés, revêtue d'un délicat kimono valant plusieurs millions de yens… Sur une colline dominant la ville, le Kiyomizu-dera («temple de l'eau pure»), construit au VIIIᵉ siècle, s'élève au milieu des bois, parmi une multitude de sanctuaires plus modestes. Si l'on en croit la légende, boire l'eau des trois cascades du temple serait gage de chance et de longévité. Le Kinkaku-ji (Pavillon d'or) se trouve au nord-ouest de Kyoto. L'original a été brûlé en 1950 par un jeune moine déséquilibré, mais le bâtiment que vous découvrirez aujourd'hui n'en est pas moins impressionnant. À l'est de la ville, le temple Sanjusangen-do est le plus long édifice en bois du pays ; il abrite mille et une statues de Kannon, la déesse aux mille bras, incarnation bouddhique de la compassion. Ne manquez pas de vous rendre au château Nijo, bâti par Ieyasu, le premier shogun de la famille Tokugawa ; efforcez-vous de marcher sans faire de bruit sur le «parquet rossignol», un sol en bois qui fut conçu pour «chanter» dès que quelqu'un y posait le pied.

Quand? On peut se rendre à Kyoto à n'importe quelle période de l'année, cependant l'été est très chaud et il est pénible de se promener à pied à travers la ville. Kyoto apparaît sous son meilleur jour à l'automne et pendant la très courte période de la floraison des cerisiers, en avril.

Combien de temps? Il faut bien 1 semaine pour découvrir les principaux centres d'intérêt de la ville.

Préparation Des agences de voyages peuvent organiser des visites guidées en langue étrangère.

À savoir Si vous êtes à Kyoto pendant la saison des cerisiers en fleur, faites comme les Japonais et rendez-vous dans un parc ou sur les rives de la Kamo pour le *hanami* («contemplation des fleurs»). Prévoyez un pique-nique et détendez-vous sous les cerisiers : une expérience très japonaise !

Internet www.tourisme-japon.fr

TEMPS FORTS

■ Si vous vous rendez à Kiyomizu-dera, ne manquez pas le **temple Jishu**. Les célibataires qui réussissent à franchir, les yeux fermés, la distance entre les deux «pierres d'amour» sont censés connaître le bonheur sentimental.

■ Lors de votre visite au **temple Nanzen-ji**, à l'est de Kyoto, prenez le court sentier à travers la forêt jusqu'au **sanctuaire Oku-no-in**, situé à côté d'une cascade dans un vallon ombragé. Vous y verrez peut-être des pèlerins intrépides prier sous la chute d'eau.

Le Kinkaku-ji, ou Pavillon d'or, se reflète dans l'étang Kyo-ki.

La maison Moore-Dugal fut la première commande de Frank Lloyd Wright à Oak Park.

ÉTATS-UNIS

FRANK LLOYD WRIGHT À OAK PARK

Découvrez à vélo le plus grand ensemble de bâtiments construit par le célèbre architecte.

On est souvent surpris d'apprendre que Oak Park, banlieue tranquille située à l'ouest de Chicago, est l'une des destinations les plus prisées des amateurs d'architecture moderne. C'est ici que, dans la dernière décennie du XIXᵉ siècle, l'architecte américain Frank Lloyd Wright construisit ses premières « maisons de la Prairie », une série de bâtiments longs et bas dotés de toits doucement inclinés, caractérisés par leurs terrasses à plusieurs niveaux et leurs décrochements qui sont l'une des « marques de fabrique » de l'architecte. Une promenade à vélo permet de découvrir une bonne dizaine de ces demeures. Ensuite, ce ne sont pas moins de 27 maisons conçues par l'architecte, sans parler des quelque 60 autres bâtiments tout aussi intéressants sur le plan architectural, qui vous attendent. Parmi les temps forts du circuit : la visite de la propre maison et du studio de Wright, où il commença à mettre en œuvre ses principes, et le Unity Temple voisin, doté de hautes fenêtres et d'une acoustique exceptionnelle, décrite par le créateur comme son « petit bijou ».

Quand ? Pour découvrir les lieux à vélo, privilégiez la période entre mai et septembre. En mai, l'Association pour la conservation du site propose une promenade historique et architecturale d'une journée, la Wright Plus Housewalk, qui est l'occasion d'accéder aux maisons privées les plus intéressantes.

Combien de temps ? Il y a environ 80 constructions à voir à Oak Park et dans les banlieues voisines de River Forest. Comptez au minimum 1 journée.

Préparation Louez un vélo à Oak Park Cyclery, situé près du centre d'information des visiteurs, où vous pourrez acheter une carte indiquant tous les bâtiments intéressants.

À savoir La promenade du mois de mai est très courue : pensez à réserver vos places longtemps à l'avance. Si vous la faites, comptez un autre jour pour découvrir le reste d'Oak Park.

Internet http://archiguide.free.fr/AR/wright.htm

TEMPS FORTS

■ La visite guidée de la **maison et du studio de Wright** apporte un éclairage intéressant sur les projets de l'architecte et sur sa carrière. La maison abrite également de beaux exemples de ses créations de mobilier.

■ Ne manquez pas la **Frank W. Thomas House**, première maison de style Prairie à Oak Park.

■ L'extérieur de la **Arthur B. Heurtley House** a été réalisé en briques de différentes textures et couleurs, ce qui lui permet de se fondre dans son environnement.

■ **Unity Temple**, première commande publique de Wright, est remarquable pour son intérieur de style cubiste.

AMÉRIQUE DU NORD

Les ruines du temple de Tikal sont à demi-enfouies dans la jungle. On aperçoit, à droite du bâtiment visible au premier plan, le sommet du Temple IV.

MEXIQUE/BELIZE/GUATEMALA

LES TEMPLES MAYAS

Découvrez les impressionnants vestiges de la civilisation maya
au fil d'un voyage dans la nature tropicale.

É vitez de regarder en contrebas lorsque vous grimperez, avec prudence, les étroites marches de pierre taillées presque à la verticale du Temple IV de Tikal ! Une fois arrivé en haut, vous verrez tout autour de vous émerger de l'épaisse forêt tropicale d'autres bâtiments. La civilisation maya, qui domina la Méso-Amérique pendant des centaines d'années, a laissé une extraordinaire architecture monumentale. Bâties en pierre calcaire, les cités mayas comptaient des palais, d'immenses places, des temples, des observatoires et des terrains pour les jeux de balle. Commencez, dans la plaine aride du Yucatán, au Mexique, par la visite des ruines d'Uxmal et de Chichén Itzá, et poursuivez, après Cancún, par celle de Tulum, qui a pour cadre un site magnifique dominant les eaux turquoise de la mer des Antilles. De là, rendez-vous à Lamanai, dans le New River Lagoon, au cœur de la jungle du Belize. Enfin, traversez la frontière du Guatemala, pour atteindre l'imposant site de Tikal, dont la construction fut entreprise en 600 avant notre ère et qui demeura un centre religieux et politique important durant un millénaire et demi. À son apogée, le lieu compta jusqu'à 100 000 habitants. Enfouis dans une forêt tropicale bourdonnante, les temples massifs de Tikal figurent parmi les sites archéologiques les plus impressionnants du continent.

Quand ? Le climat est subtropical, la saison sèche se situe de décembre à avril. Pendant la saison des pluies, vous essuierez des averses courtes et violentes. Évitez la saison des ouragans (d'août à décembre).

Combien de temps ? Entre 2 et 3 semaines pour voir les sites mayas les plus importants.

Préparation Cancún ou Mérida peuvent servir de point de départ pour la visite des sites du Mexique. Pour celle de Lamanal, au Belize, vous pourrez partir d'Orange ; pour Tikal, au Guatemala, de Flores.

À savoir Vous trouverez facilement de bons guides anglophones sur place. Les guides officiels portent un badge professionnel. Prévoyez de bonnes chaussures, car l'humidité et les fréquentes averses peuvent rendre les marches des temples très glissantes.

Internet www.mayasites.com, www.southerncrossings.com

TEMPS FORTS

■ C'est a **Chichén Itzá** que l'on trouve l'un des terrains de jeu de balle les plus grands et les mieux préservés.

■ Le **Temple IV**, à **Tikal**, est l'un des plus élevés de tous les temples mayas.

■ Le **Castillo**, à **Tulum**, perché sur une falaise, surplombe la mer des Antilles. Vous pourrez faire de la plongée autour de la barrière de corail du Belize.

■ Regardez le **jour se lever** sur la forêt tropicale depuis le sommet du Temple IV de Tikal. Les bruits de la jungle, comme les cris des oiseaux et des singes, accompagnent le lever du soleil sur la canopée.

MEXIQUE

LES VILLES COLONIALES

Cette balade est une invitation à admirer l'architecture coloniale
de la Nouvelle Espagne, où le baroque règne en maître.

C'est au nord de la ville de Mexico que se trouve le cœur du Mexique colonial. Les conquistadores espagnols, qui exploitaient les mines de la région pour envoyer or et argent à la couronne d'Espagne, fondèrent des villes magnifiques, dotées de cathédrales imposantes, de palais baroques et de places bordées de palmiers. Ces cités à l'architecture extravagante, où se lit l'influence européenne, n'en sont pas moins authentiquement mexicaines, tant par leurs édifices de couleurs vives que par la chaleur de leurs habitants. Commencez par découvrir Morelia, à 4 heures de route à l'ouest de Mexico, où vous verrez un grand nombre de belles demeures et d'églises, construites pour beaucoup en pierre rose et pourvues de façades d'un style recherché. Non loin, le paisible village de Pátzcuaro se caractérise par sa superbe grand-place et un mélange de maisons coloniales et indigènes. Bâtie à flanc de colline, Guanajuato est peut-être la plus belle des « cités de l'argent ». San Miguel de Allende, toute proche, offre aux visiteurs une atmosphère cosmopolite et une riche vie culturelle, sur fond de grandes demeures et de rues sinueuses. Le voyage s'achève à Zacatecas, qui marque la limite septentrionale de l'Empire espagnol dans le Nouveau Monde.

Quand ? La plaine centrale jouit d'un climat tempéré, généralement doux et sec, avec des précipitations surtout entre juin et septembre.

Combien de temps ? Il est très facile de se déplacer par la route dans cette partie du Mexique. 10 jours suffisent pour découvrir les plus beaux sites coloniaux de la région.

Préparation Essayez de partir pendant la Semaine sainte (Pâques), période de grandes festivités. Pensez à réserver les hôtels à l'avance.

À savoir Arrêtez-vous dans les villages des Indiens Huichol et Cora dans la Sierra Madre pour vous immerger dans le mode de vie indigène traditionnel.

Internet www.visitmexico.com

TEMPS FORTS

■ **Guanajuato** possède de magnifiques exemples d'architecture baroque : la basilique Nuestra Señora, le temple de San Diego, l'Alhóndiga de Granaditas.

■ La **façade de la cathédrale de Zacatecas** est un excellent exemple de l'extravagance de l'architecture ornementale baroque espagnole, appelée « churrigueresque ».

■ Le **téléphérique de Cerro** de la Bufa, à Cerro del Grillo, offre une vue magnifique sur Zacatecas.

La *Parroquia*, c'est-à-dire l'église paroissiale de l'archange Michel à San Miguel de Allende, a été construite au XVIIe siècle.

LES TEMPLES DE THAÏLANDE

La découverte des 30 000 temples bouddhiques disséminés
à travers le pays constitue un bonheur pour les sens.

À Bangkok, les premiers rayons du soleil illuminent le temple de l'Aube qui se reflète dans les eaux du Chao Phraya, tandis que des moines bouddhistes avancent d'un pas lent sur les bords de la rivière, serrant un bol à aumônes sous leur robe safran. Le bouddhisme Theravada s'est répandu en Thaïlande au XIIIᵉ siècle, période d'âge d'or du royaume de Sukhothai. De nos jours, environ 95 % de la population du pays est bouddhiste, et les hommes, y compris les membres de la famille royale, s'astreignent à une retraite monastique pendant au moins une semaine durant leur vie, afin d'attirer les bénédictions sur leurs familles. Les temples ont subi l'influence des cultures des pays voisins, et pourtant ils demeurent singulièrement thaïs avec leurs toits en escalier et leurs tuiles aux couleurs vives, leurs représentations du Bouddha, leurs créatures mythiques, leurs lotus, leurs parfums d'encens et leurs petites lampes à huile. Chacun d'entre eux est un labyrinthe de cours, de cloîtres et de salles où résonnent le chant des moines et le son des cloches et des gongs. Vous pourrez y consulter votre horoscope, et, les jours de fête, participer à la kermesse. Débutez par les temples rutilants d'or de Bangkok puis prenez la direction des plaines centrales pour découvrir les sites anciens d'Ayutthaya et de Sukhothai avant de poursuivre vers le nord jusqu'à Chiang Mai et Mae Hong Son, où vous attendent de ravissantes pagodes de style birman.

Quand ? Les températures restent élevées entre novembre et février, mais l'humidité est moindre. De nombreux festivals ont lieu pendant cette période.

Combien de temps ? 924 km de Bangkok à Mae Hong Son. 3 semaines pour une visite approfondie.

Préparation Combinez le train, la voiture et l'avion. Vous pouvez visiter Ayutthaya en 1 jour depuis Bangkok et revenir en bateau de croisière. Consultez les agences de voyages sur place.

À savoir Habillez-vous sobrement. Ne vous asseyez pas les pieds pointés vers une représentation du Bouddha. Évitez les contacts physiques avec les moines. Pas de photos du bouddha d'émeraude.

Internet www.tourismethaifr.com

TEMPS FORTS

■ Le **Wat Po**, le plus ancien et le plus grand des temples de Bangkok, abrite un bouddha allongé de 46 m de long.

■ Le **Wat Phra Kaeo**, à Bangkok, renferme une petite statue très vénérée d'un bouddha d'émeraude.

■ Le bouddha d'or du **Wat Traimit**, à Bangkok, a été réalisé avec cinq tonnes d'or massif.

■ Haut de 125 m, le **chedi de Phra Pathom**, à l'ouest de Bangkok, est considéré comme le plus élevé du monde. Un chedi est un monument religieux contenant des reliques de bouddha.

■ On atteint le **chedi** doré **de Doi Suthep**, dans les environs de Chiang Mai, après avoir franchi 290 marches encadrées de rampes figurant des serpents à tête de dragon.

Des fleurs sont déposées en offrande dans la main d'un bouddha dans un temple de Sukhotai.

Le Tadj Mahall, l'un des trésors de l'architecture mondiale, apparaît tel un joyau sous le soleil.

INDE

Le triangle d'or de l'Inde

Embarquez pour un voyage dans l'univers des maharajas, qui ont paré leurs domaines de palais et de forts sans égal.

L'Inde est un immense pays d'une grande diversité, et il faut généralement plusieurs séjours pour saisir ses complexités et apprécier ses paysages. La visite du « triangle d'or », région septentrionale relativement peu étendue qui comprend les villes de Delhi, de Jaipur et d'Agra, constitue une merveilleuse introduction au romantisme exotique dont est empreinte cette nation fascinante. New Delhi, la capitale, offre un concentré de tous les contrastes de l'Inde, de l'élégance de Connaught Circus et du Raj Path à l'effervescence de Chandni Chowk où flottent les parfums entêtants des épices et où se succèdent échoppes de nourritures, de saris, de tapis… Jaipur, où l'on découvre le palais des Vents, admirable bâtiment de couleur rose, et le spectaculaire fort Ambre – encore plus impressionnant si l'on y accède à dos d'éléphant – témoignent de la splendeur dont les maharajas aimaient à s'entourer. Mais c'est à Agra que se trouve l'un des édifices les plus célèbres et les plus célébrés du monde : le Tadj Mahall. Symbole d'un amour éternel, cette construction de marbre fut érigée entre 1632 et 1648 par l'empereur moghol Chah Djahan, pour servir de mausolée à Mumtaz Mahal, son épouse bien-aimée. Entre les différentes étapes du circuit, vous aurez l'occasion de sillonner les campagnes où les paysans travaillent encore « à l'ancienne ».

Quand ? Toute l'année, mais la meilleure période se situe entre octobre et avril.

Combien de temps ? Environ 250 km. La plupart des circuits organisés durent 5 ou 6 jours.

Préparation Déplacez-vous entre les villes en bus, en train, en voiture ou en taxi. L'office de tourisme de Delhi peut vous réserver une voiture avec chauffeur et vous offrir le luxe de voyager à bord d'une Ambassador blanche traditionnelle. Les non-hindouistes ne sont pas admis au Tadj Mahall le vendredi.

À savoir Ne buvez que de l'eau ou des boissons en bouteille et évitez les glaçons. Prévoyez un produit contre les moustiques, voire un traitement contre la malaria.

Internet www.inde-en-ligne.com, www.india-fr.com

TEMPS FORTS

■ Fréquentez les cafés en terrasse de **Chandni Chowk**, à Delhi, et goûtez aux dosas et aux douceurs traditionnelles.

■ Soyez intrépides et prenez un **rickshaw** pour sillonner les rues de Jaipur que vous partagerez avec des voitures, des bus, des chameaux et des éléphants !

■ Ne manquez pas **Jantar Mantar**, à Jaipur, observatoire astronomique construit au XVIIIe siècle par un maharaja et qui abrite de nombreux instruments.

■ Bien que très fréquentés, les jardins du **Tadj Mahall** demeurent un lieu très paisible et extrêmement romantique, propice à la contemplation.

Le Trésor, à Pétra, compte plusieurs étages. Sa magnifique façade ouvragée a été sculptée directement dans la falaise de grès.

JORDANIE

LES TRÉSORS DE LA JORDANIE

Cet itinéraire fréquenté depuis 5000 ans vous permettra d'apprécier Pétra et les merveilles du désert jordanien.

Depuis Amman, prenez la direction du sud sur la King's Highway, qu'emprunta Moïse avec le peuple hébreu. Arrêtez-vous à Madaba, une cité composée de nombreux bâtiments d'époque byzantine, alors ornés de mosaïques aujourd'hui présentées au musée local. De là, faites un petit détour par le mont Nébo, jusqu'au monastère situé à l'emplacement supposé de la tombe de Moïse. Une immense forteresse croisée, aujourd'hui en ruine, et dont les salles voûtées abritaient des quartiers d'habitation, des étables, des zones défensives, domine Al-Karak, étape autrefois redoutée des caravanes qui se rendaient d'Égypte à La Mecque. Vous voilà arrivé à Pétra. Les origines du lieu restent obscures, mais on y retrouve les influences combinées des Assyriens, des Égyptiens, des Grecs et des Romains. Au IVᵉ siècle av. J.-C., la cité était occupée par les Nabatéens qui contrôlaient la route des caravanes du commerce des épices, laquelle allait jusqu'en Chine. Pétra s'enrichit grâce à la vente de l'encens et de la myrrhe, des clous de girofle et de la cannelle, produits très demandés en Europe. La cité prospéra jusqu'à ce qu'un tremblement de terre, au VIIᵉ siècle, endommage l'ingénieux système qui lui permettait d'assurer son approvisionnement en eau. Elle fut totalement abandonnée au XIIᵉ siècle, après la conquête du Moyen-Orient par les musulmans.

Quand? Toute l'année.

Combien de temps? Il y a 262 km entre Amman et Al Aqaba. Comptez 1 semaine pour visiter les sites.

Préparation Louez une voiture à Amman. Le long de la King's Highway, vous trouverez de nombreuses commodités pour les touristes. Hôtels à Madaba (48 km d'Amman), Al-Karak (124 km) et Pétra (262 km).

À savoir Pétra apparaît sous son meilleur jour tôt le matin ou en fin de journée. Vous pouvez louer les services d'un guide à l'entrée du site.

Internet www.tourism.jo, www.amnh.org/exhibitions/petra

TEMPS FORTS

■ Dans la basilique Saint-Georges, à Madaba, la **carte en mosaïque** du VIᵉ siècle figurant la Palestine et le delta du Nil.

■ La **vue magnifique** sur la vallée du Jourdain et la mer Morte et, au-delà, Jérusalem et Bethléem, depuis le sommet du mont Nébo.

■ Le choc de la découverte du **Trésor** (el Khazneh), à Pétra, lorsque vous sortez de la gorge. Ce splendide édifice haut de 40 m est le plus célèbre du site. Personne ne sait à quoi il servait. Il pourrait s'agir d'une tombe royale ou d'un temple.

DANEMARK/SUÈDE/NORVÈGE

L'héritage des Vikings

Profitez des longues journées d'été pour découvrir le pays des marins et des guerriers scandinaves et goûter la vie à la mode viking.

Envahisseurs intrépides dotés d'un prodigieux savoir-faire en termes de construction navale et de navigation, les Vikings ont réussi à traverser des espaces maritimes jusqu'alors inexplorés et à s'établir dans tout le nord de l'Europe. Entre le VIIIᵉ et le XIᵉ siècle, ils ont occupé le nord de l'Angleterre et de la France, l'Islande et même certaines régions d'Amérique du Nord, mais c'est en Scandinavie, leur patrie d'origine, qu'ils ont laissé le plus grand nombre de témoignages. Débutez votre périple à Ribe, la doyenne des villes danoises, où, sur un site du VIIIᵉ siècle, un village traditionnel a été reconstitué. Au nord du Jutland, à Ålborg, une cité fondée il y a 1300 ans, vous pourrez voir un musée consacré à la culture viking et une immense nécropole. À Oslo, capitale de la Norvège, visitez le musée des Navires vikings. Puis allez jusqu'au Vikinglandet. Situé juste à la sortie de la ville, ce parc à thème est consacré à l'héritage viking. Des figurants en costume y font revivre le passé dans un village reconstitué. Terminez par Birka, la plus ancienne ville de Suède. Fondée au VIIIᵉ siècle sur une île proche de Stockholm, la cité fut un grand centre commercial pour toute l'Europe du Nord. Les fouilles archéologiques, les maquettes et les reconstitutions visibles au musée permettent de mieux connaître la vie quotidienne et les traditions des Vikings.

Quand ? Toute l'année, mais la meilleure période se situe de mai à septembre.

Combien de temps ? Il n'existe pas d'itinéraire viking officiel, mais pour découvrir les sites mentionnés ci-dessus, comptez 1 semaine. Les différentes villes sont accessibles en avion, en train et en ferry.

Préparation Esbjerg est l'aéroport le plus proche de Ribe. La Scandinavie, et plus particulièrement la Norvège, est la région la plus chère d'Europe. Établissez votre budget en conséquence.

À savoir L'été, les moucherons sévissent en Scandinavie : prévoyez un produit répulsif.

Internet www.visitdenmark.com, www.visitsweden.com, www.visitnorway.com

TEMPS FORTS

■ Le Musée viking de Ribe possède des collections inégalées sur la **culture** de ce peuple.

■ À Ålborg, vous découvrirez la plus grande **nécropole** viking de Scandinavie.

■ Trois **navires vikings** en bois, avec leurs proues figurant un dragon, sont présentés au musée des Navires vikings d'Oslo. Ils ont été découverts dans les eaux du fjord d'Oslo.

■ Au Vikinglandet, non loin d'Oslo, vous pourrez **naviguer** à bord d'un navire viking traditionnel.

■ À Birkan, en Suède, il est possible de se rendre sur des **chantiers de fouilles**.

Le site de Lindholm Hoje, dans les environs d'Ålborg, au nord du Danemark, abrite plus de 700 sépultures.

LES JARDINS ANGLAIS

Les réalisations des plus grands paysagistes se concentrent dans le sud de l'Angleterre. Venez en juin y humer le parfum des roses.

L a culture des jardins du sud de l'Angleterre est une tradition amoureusement préservée. Aux portes de Londres, les comtés du Surrey, du Sussex et du Kent sont l'occasion d'admirer les splendides domaines royaux et les créations plus personnelles de « mains vertes » bien connues comme Vita Sackville-West et Christopher Lloyd. Au printemps et en été, ces lieux magnifiques et paisibles se remplissent de parfums et de couleurs pour incarner l'essence même du jardin anglais. À la périphérie ouest de Londres, vous découvrirez Hampton Court, résidence favorite d'Henri VIII, Kew Gardens, jardins botaniques royaux, et Saville Gardens, sur le territoire de Windsor Great Park. La Société royale d'horticulture gère Wiskey Garden, à Woking, dans le Surrey, un splendide parc de 81 ha qui abrite aussi une pépinière où l'on dispense de précieux conseils aux amateurs de jardinage. Également dans le Surrey, Polesden Lacey abrite des expositions florales en été comme en hiver. Sheffield Park, dans l'East Sussex, compte de magnifiques jardins aménagés au XVIIIe siècle par Lancelot « Capability » Brown. À Ticehurst, vous découvrirez Pashley Manor, si romantique, et non loin de Rye, Great Dixter, demeure dont les jardins ont été dessinés par Christopher Lloyd. Vita Sackville-West consacra sa vie à concevoir les jardins de Sissinghurst Castle, à Cranbrook dans le Kent, que le National Trust continue d'entretenir avec le plus grand soin. Aménagés entre 1904 et 1908, les jardins d'Edenbridge, où Anne Boleyn passa son enfance, comprennent un jardin à l'italienne, une roseraie et un jardin Tudor.

Quand ? D'avril à septembre.

Combien de temps ? Il faut prévoir généralement 1 semaine, en circuit organisé, pour visiter tous les jardins de la région, mais il est possible de voir les plus intéressants en 3 jours.

Préparation Les jardins sont magnifiques tout au long du printemps et de l'été, cependant, en mai, vous pourrez assister au Chelsea Flower Show, manifestation qui se déroule chaque année à Londres.

À savoir Les billets pour le Chelsea Flower Show se vendent très vite. Réservez sur www.rhs.org.uk

Internet www.visitengland.fr

TEMPS FORTS

■ Prenez le temps de vous perdre dans le **labyrinthe** de Hampton Court.

■ Savourez la tranquillité de la **roseraie** de Polesden Lacey, à Great Bookham, près de Dorking.

■ Sheffiel Park, non loin de Uckfield, abrite la **collection nationale de rhododendrons**. L'endroit se pare également de **superbes couleurs à l'automne.**

■ Les jardins de Sissinghurst sont répartis en dix espaces (rooms) différents ; le **White Garden** est le plus célèbre.

■ Dans le **jardin à l'italienne** de Hever Castle, statues antiques et Renaissance côtoient arbustes et plantes herbacées.

Ci-dessus, à gauche : Au début de l'été, fleurissent de nombreuses fleurs sauvages, comme les coquelicots. Ci-dessus, à droite : On jouit d'une vue magnifique sur la région depuis le parc de Polesden Lacey. Ci-contre : Les jardins de Sissinghurst sont aménagés en une série d'espaces distincts autour des restes d'un manoir élisabéthain.

SUIVRE LES IMPRESSIONNISTES

Faites quelques pas sur le pont japonais du jardin d'eau de Monet
et vous entrerez dans un tableau impressionniste.

Les impressionnistes doivent leur nom à une œuvre de Claude Monet, *Impression, soleil levant,* représentant Le Havre dans la brume. C'est dans ce port normand que le peintre passa son enfance et exécuta ses premières toiles en plein air, sous le patronage de son aîné Eugène Boudin, y découvrant sa vocation à capturer la lumière et à restituer les ambiances. Depuis Le Havre, vous pouvez vous rendre dans les stations balnéaires de Deauville et de Trouville, visiter Honfleur puis suivre la Côte d'Albâtre en direction du nord jusqu'à Dieppe, en vous arrêtant pour découvrir les falaises d'Étretat et de Fécamp. Ces lieux n'ont pas manqué d'attirer d'autres peintres impressionnistes comme Pissaro, Manet, Degas, Renoir ou Berthe Morisot. L'itinéraire vous conduit ensuite à l'intérieur des terres, à Rouen, pour voir la cathédrale à laquelle Monet consacra une série de toiles. En remontant le cours de la Seine, vous atteindrez Giverny, maison où Monet passa la seconde partie de sa vie. Vous y découvrirez le jardin que le peintre s'attacha à créer et qui inspira sa célèbre série des *Nymphéas.* Paris, ressemble aujourd'hui beaucoup à ce qu'ils peignirent : ajoutez des passants en costume du XIXᵉ siècle et des voitures à chevaux, et vous retrouverez le pont Neuf peint par Renoir et la place de la Concorde vue par Degas.

Quand? La maison de Monet et le musée d'Art américain de Giverny sont ouverts d'avril à octobre. La végétation est la plus belle au printemps et au début de l'été.

Combien de temps? Le trajet d'Honfleur via Le Havre et la côte jusqu'à Dieppe puis vers Paris fait environ 320 km. Comptez au minimum 3 jours, 5 en prenant bien votre temps.

Préparation Si vous voyagez seul, vous n'aurez aucun problème à suivre la vallée de la Seine en voiture ou en train. La gare de Vernon dessert Giverny depuis Rouen ou Paris. Le Comité départemental de tourisme de Seine-Maritime propose différents itinéraires autour des impressionnistes.

À savoir À Giverny, vous pouvez passer la nuit au Bon Maréchal, un café-chambres d'hôtes qui ne propose que trois chambres, et où Monet avait l'habitude de retrouver ses amis.

Internet http://giverny.org, www.marmottan.com, www.impressionniste.net, www.lehavretourisme.com

TEMPS FORTS

■ Baladez-vous sur les falaises de Normandie et observez les **lumières changeantes du Nord.**

■ Les murs des pièces de la maison de Monet, à Giverny, sont décorés de la collection d'**estampes japonaises** du peintre.

■ À Giverny, **le musée d'Art américain** présente les œuvres d'artistes américains de 1750 à nos jours, parmi lesquels James Whistler, Winslow Homer et Mary Cassatt.

■ Découvrez **le bois de Boulogne,** à l'ouest de Paris, que Berthe Morisot et Auguste Renoir ont peint.

■ **Le musée Marmottan,** à Paris, possède la plus grande collection au monde d'œuvres de Monet ainsi que de nombreuses toiles de Morisot, Renoir, Pissarro et de leurs contemporains.

Le jardin d'eau de Monet, l'un des thèmes les plus connus de l'œuvre du peintre, est entretenu avec soin.

La splendide façade ouest de Notre-Dame de Paris comprend quatre niveaux couronnés par deux tours.

FRANCE

LA FRANCE DES CATHÉDRALES

Bâtis il y a plusieurs siècles, ces chefs-d'œuvre de l'architecture gothique sont toujours aussi impressionnants.

Ce circuit dans la moitié nord de la France vous entraîne dans la région des cathédrales gothiques. Édifiées selon les principes en vogue vers le milieu du XIIe siècle − nefs imposantes, arcs-boutants, voûtes nervurées, croisées d'ogives, rosaces... −, elles constituent toutes une œuvre d'art. Commencez par la cathédrale d'Amiens, la plus vaste, et vous aurez une bonne idée des prouesses techniques qui furent nécessaires pour créer et embellir ces imposantes constructions. En passant par Laon, vous arriverez à Reims où se dresse la « cathédrale des Anges », Notre-Dame de Reims, lieu du couronnement des rois de France. À Strasbourg, admirez la plus haute des cathédrales : dotée d'une seule tour et d'une façade de grès rose finement ouvragée. Prenez la direction de Chartres pour découvrir la plus célèbre des cathédrales gothiques avec l'ensemble de sculptures du portail royal et les 176 merveilleux vitraux au célèbre bleu chartrain couvrant plus de 2 500 m^2. Vient ensuite Notre-Dame de Paris, symbole de la France chargé d'histoire.

Quand ? Toute l'année.

Combien de temps ? Environ 1380 km par les voies les plus directes. Comptez au moins 8 jours.

Préparation Renseignez-vous auprès de la SNCF (www.sncf.com) sur les différentes formules et forfaits (Escapade, combiné train + location de voiture...).

À savoir À l'origine, les vitraux furent conçus pour les fidèles dans un but didactique. Un bon guide sur le symbolisme médiéval et religieux vous aidera à les déchiffrer.

Internet www.notredamedeparis.fr, cathedrale.chartres.free.fr, www.cathedrale-strasbourg.asso.fr

TEMPS FORTS

■ La nef de la cathédrale d'Amiens est supportée par 126 piliers élancés à l'intérieur et une double rangée d'**arcs-boutants** à l'extérieur. Dans le chœur, les **stalles en chêne** sont ornées de plus de 4 000 personnages bibliques, mythiques ou réels sculptés.

■ À Reims, ne manquez pas la **grande rosace** au coucher du soleil, ni le vitrail de la dernière chapelle, à l'arrière de la cathédrale, réalisé par **Marc Chagall**, qui illustre la crucifixion et le sacrifice d'Isaac.

■ À Chartres, admirez la **rosace de la façade**, qui figure le Jugement dernier, le vitrail de l'**Arbre de Jessé**, qui évoque la généalogie du Christ, et le vitrail de la **Vierge bleue**.

■ La **Sainte-Chapelle**, à Paris, a été qualifiée de « chambre du paradis » en raison de ses merveilleuses proportions et de ses splendides vitraux.

LES MONASTÈRES PEINTS DE MOLDAVIE

Embarquez pour un voyage dans le temps en découvrant des fresques magnifiques, une campagne merveilleuse et la vie traditionnelle des moines.

Avec leurs murs extérieurs figurant des scènes bibliques et des événements historiques, les monastères peints de Bucovine, au nord-est de la Roumanie, évoquent des pages d'un manuscrit enluminé qui auraient été agrandies. La région compte une quinzaine de monastères mais la plupart des touristes visitent Voronet, Humor, Moldovita et Sucevita, lieux réputés pour la beauté des fresques colorées qui ornent leurs murs intérieurs et extérieurs, leur qualité architecturale et les paysages ruraux préservés qui les entourent. Voronet est peut-être le plus spectaculaire ; ses fresques exceptionnelles lui valent souvent le titre de « chapelle Sixtine de l'Est ». Sucevita, doté d'imposantes fortifications, s'inscrit dans un cadre impressionnant. Plus petit, plus isolé et plus calme, Moldovita est un lieu plein de charme. Humor possède des intérieurs de toute beauté. Inscrits sur la liste du patrimoine mondial de l'humanité de l'Unesco, ces trésors de l'architecture sacrée, qui datent pour la plupart du XVIe siècle, furent construits à une époque où il était nécessaire de renforcer la domination de la Moldavie dans la région et de rallier les populations – les images ayant pour fonction de renforcer la foi des orthodoxes illettrés exposés à l'expansion ottomane. Aujourd'hui, tous ces monastères orthodoxes sont en activité : plusieurs messes y sont dites chaque jour, et ils remplissent un rôle important dans la communauté. Ils attirent aussi de nombreux pèlerins, en particulier à Pâques.

Quand ? Entre avril et octobre.

Combien de temps ? Comptez au moins 3 semaines pour bien explorer la région.

Préparation Cette partie du pays est mal desservie par les transports publics. Si vous voyagez en individuel, la voiture est le seul moyen de pouvoir vous rendre dans tous les monastères. Logez à Gura Humorului, près de Voronet et de Humor ; si vous désirez plus de confort, séjournez à Suceava, la plus grande ville de la région. Il existe des circuits pédestres qui durent le temps d'un week-end.

À savoir Chaque monastère fixe ses heures d'ouverture, mais les lieux sont généralement accessibles de 8 h à 20 h. Il y a au moins quatre messes par jour. Il faut acquitter un droit d'entrée partout. Habillez-vous sobrement, ne portez pas de shorts. Les femmes doivent se couvrir la tête.

Internet www.moldavie.fr, www.romanianmonasteries.org

EUROPE

TEMPS FORTS

■ Admirez les **fresques de Voronet**, réputées pour leurs qualités artistiques et leurs couleurs vives, notamment celle du *Jugement dernier*. La couleur bleue résulte de l'emploi du lapis-lazuli.

■ Vous serez émerveillé par les **fresques extérieures de Sucevita**, en particulier par celle de l'*Échelle du Paradis*. Elles sont protégées des intempéries par de larges avant toits.

■ À Sucevita, vous verrez aussi un **musée** qui abrite une belle collection d'objets de culte et de manuscrits enluminés.

■ La splendide fresque de l'**Arbre de Jessé**, qui se trouve sur la façade sud du monastère de Moldovita, possède un magnifique fond bleu foncé.

■ Profitez des **merveilleux paysages** de bouleaux et de collines en vous baladant entre les monastères de Humor et de Sucevita ou entre ceux de Sucevita et de Moldovita.

■ Visitez l'un des monastères à l'occasion d'une **fête**, lorsque les pèlerins et la population locale se rassemblent pour les célébrations.

Ci-dessus, à gauche : La tour de défense du monastère de Humor. Ci-dessus, à droite : Les couleurs éclatantes et les détails minutieux de la fresque du *Jugement dernier*, à Voronet. Ci-contre : Les fresques des murs extérieurs de cette église du XVIe siècle, à Humor, ont été réalisées avec des teintes vives.

À Vienne, les hommages à Johann Strauss et à son œuvre ne manquent pas, comme en témoigne cette statue qui se trouve au Stadtpark.

RÉPUBLIQUE TCHÈQUE/AUTRICHE/HONGRIE

VOYAGE MUSICAL AU CŒUR DE L'EUROPE CENTRALE

Dans les pas des grands compositeurs, visitez leurs maisons et écoutez leur musique interprétée par des orchestres de légende.

Ce circuit vous entraîne au centre de l'Europe, patrie des maîtres de la musique classique. Vous pourrez y apprécier les influences culturelles qui les ont marqués et écouter leurs œuvres dans des salles de concerts et des opéras remarquables. Commencez à Vienne, en République tchèque, par le musée Dvorák, installé dans la maison où le compositeur vécut jusqu'à sa mort en 1901 ; le soir, des concerts y sont donnés par des musiciens en costumes d'époque. Rendez-vous ensuite à Vienne, capitale de l'Autriche ; ici, Beethoven eut pour maître Haydn, et le roi de la valse, Johann Strauss, créa son fameux *Danube bleu*. Mozart, Schubert, Strauss, Beethoven, Haydn… tous ont vécu dans cette cité et y ont aujourd'hui leur musée. Salzbourg, ville natale de Mozart, se trouve à 3 heures de Vienne. Son festival, qui débute chaque année à la fin du mois de juillet et accueille les meilleurs interprètes, est le grand événement de l'année. Enfin, à Budapest, visitez la prestigieuse Académie de musique, dont la grande salle de concert peut accueillir 1 200 spectateurs.

Quand ? Toute l'année.

Combien de temps ? 2 à 3 semaines.

Préparation Les correspondances en train ne sont pas toujours aisées, et mieux vaut entreprendre ce voyage par la route avec un pass bus Eurolines. Cette compagnie peut aussi s'occuper de votre hébergement et d'une location de voiture.

À savoir Pour assister à un concert, évitez les tenues décontractées.

Internet www.pis.cz, www.wien.info, www2.salzburg.info, www.budapestinfo.hu

TEMPS FORTS

■ À Prague, assistez l'après-midi à un **concert** à la villa Bertramka (XVIIIᵉ siècle), où Mozart acheva *Don Giovanni*.

■ À Vienne, le plus grand événement musical est le **concert du Nouvel An**, donné par l'orchestre philharmonique de Vienne. Pour valser, venez plutôt pendant la période du **carnaval** (janvier-février) : des bals ont lieu chaque week-end.

■ À Budapest, entre septembre et juin, il y a de nombreux concerts à l'**Opéra**, dont Liszt et Malher ont dirigé l'orchestre, ou à l'**Académie de musique Franz-Liszt** (fermée en juillet et août).

ITALIE/GRÈCE

L'héritage de Venise

Ce circuit associe les splendeurs architecturales de Venise
et le soleil des îles grecques et de Chypre.

Commencez votre périple par Venise, où le palais des Doges et les demeures des puissants marchands qui donnent sur le Grand Canal témoignent de la puissance passée de la cité. Traversez l'Adriatique jusqu'à Corfou et longez la côte grecque jusqu'à Chypre à la recherche des traces de l'influence vénitienne. Occupée par Venise pendant quatre siècles, Corfou a été fortement marquée par cette présence, notamment à travers l'architecture de son hôtel de ville et des belles maisons qui ponctuent le lacis de ruelles de la capitale de l'île. Céphalonie et Zante, îles voisines, recèlent aussi de nombreuses ruines vénitiennes. Nauplie, dans le Péloponnèse, fut autrefois la capitale des Vénitiens en Grèce continentale : les fortifications du port et la vieille ville témoignent de cette époque. La Crète fut également une base importante pour la Sérénissime : à La Canée, vous ferez le tour des remparts de l'ancien port vénitien jusqu'au phare et découvrirez au passage plusieurs bars et restaurants élégants ; à Réthymnon, vous verrez l'une des plus grandes forteresses jamais construites par ces occupants. Le voyage s'achève à Chypre, où les Vénitiens entourèrent de fortifications plusieurs cités afin de protéger l'île des incursions régulières des Ottomans.

Quand ? Toute l'année.

Combien de temps ? 2100 km environ séparent Venise du nord de Chypre. Il faut prévoir au minimum 1 semaine.

Préparation L'idéal est d'affréter un bateau privé. Cependant, plusieurs endroits sont accessibles depuis la Grèce en ferry.

À savoir La partie nord de Chypre n'est pas accessible depuis la Grèce, mais elle l'est à partir du territoire turc.

Internet www.enit.it, www.aferry.fr/ferry-to-greece-ferries-fr.htm

TEMPS FORTS

■ Le **palais des Doges**, à Venise, construction gothique de marbre rose, est l'un des monuments les plus spectaculaires et les plus importants de la cité.

■ Le fort de **Palamède** domine aujourd'hui encore la petite ville de Nauplie. C'est la plus grande forteresse vénitienne du Péloponnèse.

■ À **Iraklion**, en Crète, l'arsenal et les bastions rappellent l'ancienne domination de Venise sur la région.

■ **Famagouste** (Ammochostos) et **Kyrinia** (Keryneia), dans la partie nord de Chypre, sont fortement marquées par la **présence vénitienne**, visible à travers l'architecture fortifiée.

Depuis les ruines du fort de Palamède, à Nauplie, on jouit d'une vue splendide sur le port et l'île fortifiée de Bourtzi, qui faisait partie du système défensif des Vénitiens.

La Basilique palladienne, à Vicence, est l'un des chefs-d'œuvre de l'architecte, auquel il consacra presque toute sa vie.

ITALIE

L'Italie de Palladio

Maître de la symétrie et des proportions harmonieuses, Palladio a conçu de véritables joyaux architecturaux que l'on peut encore visiter.

La Vénétie, région de douces collines et de vignobles avec, en toile de fond, les Dolomites, abrite de splendides villas conçues au XVIᵉ siècle par l'architecte Andréa Palladio. Pendant la Renaissance, on construisit dans cette zone, alors partie intégrante du territoire de la république de Venise, des villas au centre de domaines agricoles. Palladio, utilisant les formes du répertoire de l'Antiquité gréco-romaine, est à l'origine des plus belles d'entre elles. Commencez votre périple dans la ville natale de l'architecte, Vicence, à l'ouest de Venise, dont il contribua à faire une belle cité Renaissance avec la Basilique, vaste édifice civil qu'il reconstruisit entièrement et, surtout, le superbe Teatro Olimpico, tout en bois. La route qui prend la direction du sud, puis de l'est, en passant par les monts Berici, est ponctuée de villas palladiennes, parmi lesquelles la villa Pisani, à Bagnolo, sur la Guà. Depuis Vicence, une route mène, vers le nord, à la construction la plus célèbre de l'architecte : la villa Barbaro, à Maser.

Quand? De mai à septembre, pour être sûr d'accéder aux principaux sites. Le printemps et le début de l'été sont parfaits pour échapper à la chaleur et voir la campagne et les jardins sous leur meilleur jour.

Combien de temps? Il y a environ 130 km de Vicence à la villa Foscari. Les routes sont sinueuses, comptez 1 journée. Prévoyez une demi-journée depuis Vicence pour gagner la villa Barbaro (48 km).

Préparation Les villas n'ont pas toutes les mêmes horaires. Certaines ne se visitent qu'entre mai et octobre. Passez la nuit dans une villa à la campagne : l'expérience n'en sera que plus complète !

À savoir En été, rendez-vous à la villa Foscari en bateau par la Riviera del Brenta, ancienne voie d'accès de Padoue à Venise. Cette voie d'eau est bordée de majestueuses résidences.

Internet www.boglewood.com/palladio, http://whc.unesco.org/fr/list/712

TEMPS FORTS

■ Avec ses quatre façades identiques inspirées des temples grecs et sa coupole centrale rappelant le Panthéon de Rome, la **villa Rotonda**, accessible à pied depuis Vicence, est l'œuvre la plus marquante de Palladio.

■ Située sur la Riviera del Brenta, non loin de Venise, la **villa Foscari** (également appelée La Malcontenta) abrite des **fresques** réalisées par deux contemporains de Palladio, Giambattista Zelotti et Battista Franco.

■ La villa Barbaro est ornée de ravissantes fresques en trompe-l'œil de **Véronèse**. La demeure constitue une parfaite illustration de l'**équilibre** propre aux constructions de Palladio : la façade du corps d'habitation est agrémentée de colonnes ioniques; de chaque côté se déploient des ailes à arcades destinées à abriter le bétail et le matériel agricole.

EUROPE

ITALIE

La Renaissance en Italie

Prenez quelques jours, ou quelques semaines, pour découvrir la Toscane, berceau de la Renaissance italienne.

L a Renaissance est née à Florence, et une balade à travers les rues du centre de la ville vous replongera dans cette époque. Les citoyens les plus fortunés de Florence contribuèrent largement à embellir leur cité, qui connut son apogée au XVe siècle, faisant bâtir des palais aujourd'hui transformés en musées, aménager d'élégantes piazzas et décorer les églises de fresques somptueuses. Au centre de Florence se dresse le Duomo, la cathédrale Santa Maria del Fiore ; l'édifice est coiffé d'une admirable coupole octogonale conçue par Filippo Brunelleschi. Au musée des Offices, considéré par beaucoup comme celui qui abrite l'une des plus belles collections d'art au monde, vous aurez l'occasion d'admirer des œuvres de Giotto, Botticelli, Léonard de Vinci, Raphaël, Michel-Ange, et d'un grand nombre de leurs contemporains. Prenez ensuite la direction du sud pour rejoindre Sienne ; vous traverserez la ravissante campagne toscane, paysage de douces collines ponctué de villages et de petites villes qui semblent tout droit sortis d'une toile de Piero della Francesca. La cité, qui connut un grand développement à la Renaissance, est organisée autour de la jolie Piazza del Campo, aménagée au XIIe siècle. De Sienne, rendez-vous à Rome pour découvrir les chefs-d'œuvre plus tardifs de Michel-Ange et de Raphaël.

Quand ? Le printemps et l'automne offrent les températures les plus agréables.

Combien de temps ? Ce circuit peut se faire en 3 jours, un dans chacune des villes, mais essayez de prendre 1 semaine, voire 2, pour pouvoir flâner dans chaque cité et découvrir la campagne toscane à votre rythme.

Préparation Vous pouvez acheter les billets de train et de bus au moment du départ ; en revanche, mieux vaut louer votre véhicule avant d'arriver en Italie.

À savoir Réservez les billets d'entrée des sites les plus importants un jour avant la visite, car les files d'attente sont souvent très longues.

Internet www.enit.it, www.toscane-toscana.org, www.romaturismo.com

TEMPS FORTS

■ À Florence, découvrez des musées et des églises moins connus, comme la collection privée des Médicis au **palais Pitti** et les fresques de Fra Angelico au **couvent San Marco**.

■ Admirez le **magnifique panorama** de Florence qui s'offre depuis le sommet du campanile.

■ Au Palazzo Pubblico, à Sienne, vous verrez l'*Allégorie du bon et du mauvais gouvernement*, fresque réalisée par **Ambrogio Lorenzetti** au début de la Renaissance.

■ Au musée du Vatican, émerveillez-vous devant les fresques de Michel-Ange pour la **chapelle Sixtine** et celles de Raphaël pour les **Loges vaticanes**. Ne manquez pas la *Pietà* de Michel-Ange dans la basilique Saint-Pierre.

Les églises de Florence abritent des fresques du début de la Renaissance. Celle-ci (détail), réalisée par Domenico Ghirlandaio, se trouve à Santa Maria Novella.

TOP 10 VOYAGES
DANS LE TEMPS

Ces destinations exceptionnelles sont
l'occasion d'une plongée dans le passé,
à la découverte de modes de vie révolus.

❶ Colonie de Plymouth, Massachusetts, États-Unis

Arpentez le pont du Mayflower, réplique du navire qui arriva de
Plymouth en Angleterre en 1620, et flânez à travers les rues bordées de maisons de bois du village des pèlerins, fondé en 1627.
Visitez une maison indienne, bâtie en roseaux, où vous verrez
les peaux de bête, les tissages et la cheminée. Laissez-vous raconter pourquoi les pèlerins quittèrent l'Angleterre et découvrez
comment les Indiens vécurent leur arrivée.

Préparation Circuit à pied (à la lanterne le soir), en bus ou en train.
www.visit-plymouth.com

❷ Gaimán, Chubut, Patagonie, Argentine

En 1865, un groupe de colons gallois qui voulait échapper à la
domination anglaise fonda Y Wladfa (« la Patrie ») dans les terres inhospitalières de la pampa, au pied des Andes. Leur cité,
Gaimán (6 000 habitants), semble avoir été directement trans-
plantée des collines du pays de Galles jusqu'en Amérique du
Sud. Promenez-vous à travers les rues paisibles de la petite
ville, régalez-vous dans l'un de ses salons de thé puis allez rendre visite à la colonie de pingouins.

Préparation Inscrivez-vous à une visite organisée ou louez une voiture
à Trelew. Gaimán se trouve à 18 km de là.
www.patagonia-argentina.com

❸ La cordillère Urubamba, Pérou

Quittez la piste des Incas, voie du XIVᵉ siècle, et partez à travers
les montagnes couronnées de neige qui se dressent au nord de
Cuzco. Découvrez les villages, dont les habitants élèvent des
troupeaux de lamas et d'alpagas et tissent de magnifiques étoffes
aux couleurs vives. Revenez par Pumamarca, en passant par
une succession de terrasses vouées à l'agriculture, pour découvrir les ruines d'Ollantaytambo, ancien relais impérial inca, ainsi
qu'un village dont les rues remontent à la même époque.

Préparation Choisissez une formule avec guide. Une bonne condition
physique est indispensable.
www.inkanatura.com

❹ L'île de Kiriwina, Papouasie-Nouvelle-Guinée

Découvrez la vie quotidienne des villageois, qui, comme ils le
font depuis des siècles, pêchent, jardinent, cuisinent le yam,
bâtissent des huttes, sculptent l'ébène et le bois de rose. Écoutez
le conteur du village, dansez et chantez sur la plage avant de vous
endormir sur une natte tissée dans une cabane sans électricité.

Préparation Kiriwina est la plus grande des îles Trobriand. L'aéroport est
à 15 min de Losuia. Il est recommandé de suivre un circuit organisé.
www.em.com.pg

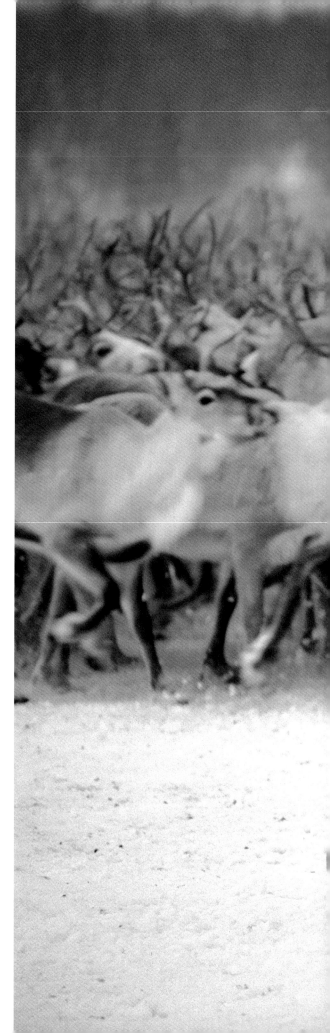

En Laponie, les Sames exploitent toujours des troupeaux de rennes.
Cette femme en costume traditionnel, une ramure
à la main, s'apprête à rassembler les bêtes.

❺ Le parc national de Gorkhi-Terelj, Mongolie

Rendez visite à une famille mongole dans sa *ger* et vivez dans l'une de ces yourtes traditionnelles. Marchez des kilomètres à travers des paysages sauvages et observez les ours bruns ou l'une des 250 espèces d'oiseaux qui vivent dans le parc. Pour un trek plus long, remontez 80 km en amont de Gorkhi-Terelj jusqu'à Khagiin Khar Nurr, un lac glaciaire de 20 m de profondeur.

Préparation À 80 km de la capitale, Oulan-Bator. Un guide est recommandé. Parfait pour le trekking, la randonnée à cheval ou à dos de chameau. www.mongoliatourism.gov.mn/

❻ Sautosjohkha, Suède

Traversez un lac gelé en motoneige et pénétrez dans une forêt éblouissante de blancheur, dont le silence n'est troublé que par le bruit étouffé des pas des chiens de traîneau. pour aller à la rencontre des Sami, les habitants de la Laponie. Prenez place autour du feu et dégustez de la viande de renne fumée accompagnée de confiture d'airelle et de pain savoureux. Séjournez à l'incroyable hôtel de Glace qui est reconstruit chaque année.

Préparation Voyages organisés uniquement. www.icehotel.com

❼ Le lac Peipsi, Estonie

Les rivages sablonneux, les bouquets de roseaux et les falaises de grès… rien ne semble avoir changé depuis l'arrivée, à la fin du XVIIᵉ siècle, des Vieux Croyants fuyant la Russie et ses persécutions religieuses. Dans les petites églises en bois coiffées de bulbes, la messe est toujours dite en vieux slavon. Le musée des Vieux Croyants (dans le bâtiment de l'école, à Kolkja) abrite une très belle collection de costumes brodés.

Préparation Visite du musée par l'intermédiaire de l'office de tourisme de Tartu, situé à 35 km de distance. Mieux vaut louer une voiture. www.france-estonie.org

❽ Le musée ethnographique de plein air, Riga, Lettonie

Découvrez la vie difficile des paysans lettons du XIXᵉ siècle. Baladez-vous à travers la forêt, près du lac, et visitez les fermes en bois, les moulins à vent, les maisonnettes de pêcheurs, les jardins potagers, les églises. Observez les artisans à l'œuvre avant de pousser la porte de la taverne traditionnelle.

Préparation À 8 km de Riga. Réservez une visite avec guide à l'avance. http://www.rigatourism.lv, www.ltg.lv/english/brivdabas.muzejs

❾ Le parc de Grūtas, Druskininkai, Lituanie

Ouvert en 2001, ce parc paysager abrite une collection de statues de l'époque soviétique, parmi lesquelles : Lénine, Staline et des communistes lituaniens célèbres. Dans cet espace entouré de barbelés, les statues, «surveillées» depuis des miradors, donnent l'impression d'être prisonnières du Goulag.

Préparation À 120 km de Vilnius. Louez une voiture ou prenez le bus n° 2 depuis la gare routière. www.grutoparkas.lt

❿ Le désert du Sinaï, Égypte

Partez à la rencontre des Bédouins au cœur de ce désert spectaculaire. Apprenez à survivre dans ce milieu hostile, à monter sur un chameau, à dormir sous la tente et à cuire votre pain sur le feu.

Préparation Circuits organisés uniquement. www.circuitsegypte.com, www.sheikhsalemhouse.com/safaris.asp

LES ÉGLISES ROMANES CATALANES

Les églises de la vallée de Boí illustrent les changements
culturels intervenus dans les Pyrénées à l'époque médiévale.

EUROPE

Cachée au cœur des Pyrénées espagnoles, la vallée de Boí est un endroit merveilleux avec ses pâturages d'altitude, ses torrents et ses petits villages qu'encadrent les sommets du parc national d'Aigues Tortes. Ce sont précisément les plus anciens villages de la vallée, Baull, Erill la Vall, Barruera, Durro, Cardet et Coll – dont certains ne comptent guère plus d'une poignée de maisons en pierre grise de la région – qui en font un endroit si particulier : chacun d'entre eux abrite au moins une église remarquable. Bâtis au XIᵉ et au XIIᵉ siècle, ces sanctuaires constituent un témoignage unique d'architecture romane, style qui se répandit à travers l'Europe en suivant les grandes routes des pèlerinages et qui se caractérise par des murs épais, des tours carrées, des voûtes en berceau d'arc. Si ces églises se distinguent toutes par leur haut clocher et leur toit d'ardoise, certaines possèdent une décoration intérieure époustouflante composée de fresques colorées figurant des scènes de la Bible. La plus étonnante est sans doute Sant Climent de Taull, avec ses trois nefs et son clocher de six étages orné d'arcatures et de pilastres. Vous pouvez explorer la vallée de Boí depuis Barruera ou Durro, ou trouver une location dans un autre petit village de la région.

Quand ? Toute l'année, mais les mois de mai à septembre sont les plus agréables (d'importantes chutes de neige sont possibles entre décembre et mars).

Combien de temps ? Comptez de 3 à 7 jours pour voir toutes les églises et visiter les environs.

Préparation Veilha est la grande ville la plus proche. Il y a peu de transports en commun. La route qui relie les différents villages fait 20 km : les bons marcheurs peuvent découvrir la vallée à pied.

À savoir Quelques hôtels proposent des vélos à louer.

Internet www.lleidatur.com, http://whc.unesco.org/fr/list/988

TEMPS FORTS

■ Vous serez émerveillé par l'**église Sant Climent,** dont l'intérieur est recouvert de splendides fresques aux teintes turquoise, pourpre, or et émeraude.

■ Découvrez **Aigues Tortes**, ses torrents, ses cascades, ses aigles royaux.

Ces églises sont parmi les plus beaux exemples du style roman. L'environnement préservé dans lequel elles s'inscrivent contribue au plaisir de la visite.

Parmi les éléments de la somptueuse décoration de l'Alcazar de Séville : cette impressionnante coupole en bois doré.

ESPAGNE

L'HÉRITAGE MAURE

Au cœur du sud de l'Espagne, découvrez des merveilles de l'architecture et des arts islamiques.

Les Maures régnèrent sur l'Andalousie, « Al Andalus », à partir du VIIIᵉ siècle. Ils irriguèrent les plaines, introduisirent de nouvelles cultures, comme la grenade, l'orange, le citron, l'abricot, le safran, le sucre et le riz, et firent de cette région la partie la plus civilisée de l'Europe pour les quatre siècles qui suivirent. Depuis Ronda, vous pourrez visiter la plupart des sites importants liés à l'héritage maure, notamment Séville, Cordoue et Grenade. À Séville, découvrez les ruelles tortueuses de la vieille ville, bordées de maisons blanches ornées de balcons et dotées de patios rafraîchis par des fontaines, caractéristiques de l'architecture musulmane. Capitale des Maures pendant 250 ans, Cordoue compta jusqu'à 70 bibliothèques qui firent d'elle l'un des hauts lieux de l'enseignement en médecine, en philosophie, en sciences et en musique. La mosquée de la ville, la Mezquita – transformée en cathédrale –, était alors réputée pour être le plus grand et le plus beau des lieux de culte en Europe. Lorsque les rois catholiques entreprirent la reconquête de l'Andalousie, la capitale du royaume maure fut transférée à Grenade. Aujourd'hui, l'Albaicín, le quartier arabe, présente toujours un lacis de ruelles bordées de boulangeries, d'épiceries, de cafés. Terminez la visite par le Mirador de San Nicolás, d'où vous jouirez d'un magnifique point de vue sur l'Alhambra.

Quand ? Toute l'année.

Combien de temps ? Environ 240 km. Prévoyez entre 5 et 6 jours.

Préparation Emportez des vêtements légers et de bonnes chaussures ; prévoyez des vêtements à manches longues pour la visite des sites religieux.

À savoir En été, il faut faire longtemps la queue pour accéder aux principaux sites. Vous pouvez réserver vos billets à l'avance par le biais des offices de tourisme ou, pour l'Alhambra, sur www.alhambratickets.com. La visite suppose 5 km de marche, pensez à vous munir d'un guide.

Internet www.andalucia.org

TEMPS FORTS

■ L'**Alcazar** de Séville est orné d'impressionnantes arcades en stuc. Les jardins du palais abritent des fontaines et des arbres fruitiers.

■ La **Mezquita**, cathédrale de Cordoue, présente un labyrinthe de colonnes à double arcature et un magnifique mihrab (niche indiquant la direction de La Mecque).

■ L'**Alhambra** de Grenade est un ensemble de palais, de bassins et de jardins. L'Alcazaba, partie la plus ancienne de la forteresse, offre de superbes points de vue.

■ Dans le **quartier de l'Albaicín**, à Grenade, vous trouverez de nombreux salons de thé orientaux où prendre un thé à la menthe.

LA GRÈCE CLASSIQUE

Toute la splendeur de la Grèce antique vous attend à Athènes et dans les sites des environs.

Quittez les trottoirs poussiéreux et l'intense circulation des rues d'Athènes pour gagner l'Acropole, la colline sur laquelle se dresse le Parthénon, temple d'Athéna, un monument qui semble hors du temps dans la cohue de la capitale grecque. Le contraste entre la construction en marbre parfaite et la colline pierreuse sur laquelle elle se dresse évoque le combat des hommes pour domestiquer la nature. Le lendemain matin, prenez un bus et longez la route côtière en passant par l'impressionnant canal de Corinthe pour rejoindre le théâtre d'Épidaure. Ses bancs de pierre s'étagent à flanc de colline jusqu'au chœur, avec, en toile de fond, des oliviers, la côte rocheuse et les flots scintillants. Mycènes, où vous découvrirez l'imposante porte des Lions et le tombeau d'Agamemnon, n'est pas très loin. Quittez la cité dans la chaleur de la fin d'après-midi pour arriver au crépuscule, au terme d'un voyage entre les collines escarpées du Péloponnèse, à Olympie. Le jour suivant, explorez les pistes et les temples du berceau des jeux Olympiques, avant de prendre la direction du nord, de revenir en Attique pour terminer le périple à Delphes, centre du monde chez les Grecs où se trouvait la Pythie, célèbre oracle d'Apollon.

Quand ? En été, lorsque le festival d'Épidaure, qui se déroule en même temps que le festival Hellénique, invite des artistes internationaux à se produire dans des théâtres anciens. Attention cependant, juillet et août sont les mois les plus chauds.

Combien de temps ? En 3 jours, vous aurez un aperçu des principaux sites. Comptez quelques jours de plus pour prendre votre temps et voir les musées et l'Acropole à Athènes.

Préparation De nombreuses agences de voyages inscrivent la visite de ces sites à leurs programmes. Vous pouvez voyager de façon individuelle pour décider du temps que vous passerez à chaque endroit.

À savoir Munissez-vous de crème solaire et d'une bouteille d'eau.

Internet www.athenstourism.gr, www.culture.gr

TEMPS FORTS

■ Montez de l'Acropole au **Parthénon** en empruntant le chemin usé par le temps.

■ Placez-vous dans l'orchestre du **théâtre d'Épidaure** et parlez à haute voix. L'acoustique parfaite des lieux permet à tous les membres du public, y compris ceux du dernier rang, d'entendre ce qui se dit sur scène.

■ Si vous effectuez le voyage en été, ne manquez pas le **festival d'Épidaure** qui présente des pièces du répertoire grec classique jouées dans leur langue d'origine.

■ Au musée de **Delphes**, arrêtez-vous devant le grand **sphinx naxien**, une statue en pierre du monstre qu'Œdipe réussit à vaincre pour sauver Thèbes.

Le Parthénon, à Athènes, demeure un exemple inégalé de la beauté et de la perfection de l'architecture de la Grèce antique.

Le masque mortuaire de Toutankhamon, en or martelé et pierres précieuses, est l'un des nombreux trésors du Caire.

ÉGYPTE

L'ÉGYPTE ANCIENNE

Découvrez les trésors de l'Antiquité égyptienne au Caire et visitez les villes et les temples de cette ancienne florissante civilisation.

C'est au Caire que vous aurez l'occasion de voir le musée des Antiquités égyptiennes, qui abrite les plus grands trésors de l'Égypte ancienne. Certains jours, en regardant en direction de l'ouest, aux portes du désert, vous pourrez apercevoir dans la brume les pyramides de Gizeh, des constructions vieilles de 4 500 ans qui n'en finissent pas d'impressionner par leur immensité. Célèbre pour ses pyramides à degrés et ses tombes couvertes de fresques, Saqqarah, vaste nécropole de l'ancienne capitale, Memphis, n'est pas très loin. Thèbes (Louqsor), autre capitale de l'Égypte antique, se trouve à 500 km au sud. Achevé par le pharaon Ramsès II, le temple de Louqsor est relié à l'immense temple de Karnak par une imposante allée processionnelle. Sur la rive ouest du Nil s'étend la Vallée des Rois, nécropole des pharaons. Vous pouvez commencer une croisière sur le Nil à Louqsor et visiter plusieurs temples qui bordent le fleuve en descendant vers le sud en direction de Isna, Edfou, Kom-Ombo et Assouan. Il est possible de se rendre au temple de Ramsès, à Abou-Simbel, depuis Assouan.

Quand ? Toute l'année. La haute saison pour les croisières sur le Nil a lieu de décembre à février. L'été (juin-septembre) est la période la plus chaude, avec des températures pouvant dépasser 40 °C.

Combien de temps ? Il y a 900 km du Caire à Assouan auxquels il faut ajouter 280 km pour aller à Abou Simbel. L'idéal est de prévoir 14 à 17 jours, mais il est possible de faire le circuit en 1 semaine.

Préparation Les sites principaux se trouvent au Caire et ses environs et dans le sud du pays, autour de Louqsor. Vous pouvez vous déplacer entre les deux villes en avion, en train ou par la route.

À savoir Séjournez dans deux hôtels « historiques » : le Mena House Oberoi, un ancien relais de chasse, et le Sofitel Old Cataract, à Assouan, construit dans les années 1890 dans le style mauresque.

Internet www.egypt.travel, www.egyptianmuseum.gov.eg

TEMPS FORTS

■ Le musée des Antiquités égyptiennes, au Caire, abrite le **trésor de Toutankhamon**. On y découvre également une collection d'objets de la vie quotidienne qui témoignent de la prospérité de la civilisation de l'Égypte ancienne.

■ La **pyramide de Gizeh** est la seule des Sept Merveilles du monde à être parvenue jusqu'à nous.

■ La **grande salle hypostyle** du temple d'Amon, à Karnak, compte 134 colonnes couvertes de hiéroglyphes qui présentent l'aspect d'une véritable forêt de pierre.

■ Le temple d'**Abou Simbel** est encadré de quatre statues colossales de Ramsès II. Dans les années 1960, l'édifice fut démonté et transporté à son emplacement actuel lors de la construction du grand barrage d'Assouan.

ÉGLISES TROGLODYTIQUES DE CAPPADOCE

Découvrez les nombreuses églises byzantines décorées et aménagées dans la roche qui composent un curieux paysage au centre de la Turquie.

Située au centre du pays, la Cappadoce est renommée pour ses étonnantes formations rocheuses et la beauté de ses paysages. La région, ancien foyer de christianisation, compte également de nombreuses églises qui furent creusées dans la roche volcanique. Les plus connues – l'église à la Pomme, au Serpent, aux Sandales et l'église Sombre – se trouvent dans l'enceinte du Musée en plein air de Göreme. Vous pénétrez dans ces lieux sacrés après avoir gravi les barreaux d'une échelle branlante : vous voilà face aux visages des saints, peints entre le VIIIᵉ et XIVᵉ siècle sur les murs, les voûtes et les piliers. Certaines colonnes ne tiennent plus que par le plafond, car leur base a disparu du fait de l'érosion. Certaines églises sont décorées de motifs géométriques simples, d'autres sont revêtues de fresques évoquant la vie de Jésus et des saints. Dans la vallée de Zelve, qui s'étend au nord-est de Göreme et abritait autrefois une importante communauté chrétienne, vous découvrirez des maisons, des pigeonniers et des églises creusés dans la roche colorée. La vallée de Soganli, au sud de Göreme, possède 150 églises ornées de fresques, aménagées entre le IXᵉ et le XIIIᵉ siècle. Longue de 16 km, la vallée de Ihlara, au sud-ouest de Göreme, forme une impressionnante entaille dans le sol. C'est un magnifique canyon verdoyant bordé d'anciennes églises byzantines à demi cachées et de puits creusés dans la roche.

Quand ? Au printemps et à l'automne : mi-avril à début juin et septembre-octobre constituent les meilleures périodes pour échapper à l'affluence et à la chaleur de l'été. En hiver, il peut y avoir de la neige, ce qui ajoute une dimension magique aux lieux.

Combien de temps ? Il faut 3 jours pour voir les sites les plus importants et 1 semaine pour explorer la région en profondeur.

Préparation Le mieux est de louer une voiture, mais le réseau local de bus et de minibus permet de rallier facilement les différents sites. La région offre de nombreux hôtels et pensions, dont certains ont été aménagés dans la roche. Plusieurs agences de voyages proposent des circuits dans la région.

À savoir Si vous devez conduire, procurez-vous à l'avance une carte détaillée de la région, car vous aurez du mal à en trouver en dehors d'Istanbul. Rendez-vous sur les sites tôt le matin pour éviter la foule. Assurez-vous que l'on ne vous entraînera pas chez tous les marchands de tapis et de poterie du coin si vous participez à un circuit organisé.

Internet www.turquie.com, http://cappadociaguide.wordpress.com, www.planet-turquie-guide.com

TEMPS FORTS

■ Au Musée à ciel ouvert de Göreme, ne manquez pas l'**église Sombre** (XIᵉ siècle), décorée de couleurs vives, et l'**église à la Boucle**, la plus grande de la vallée.

■ Faites une journée de randonnée dans la magnifique **vallée de Ihlara**.

■ Explorez la cité souterraine de **Derinkuyu**, au sud de Göreme, où la population locale trouva refuge depuis l'époque des invasions hittites jusqu'à l'époque de la domination ottomane. Pourvu de dortoirs, de salles à manger, de magasins à provisions, de chapelles, de puits et de colonnes d'aération, l'endroit pouvait abriter plusieurs milliers de personnes pendant une longue période.

■ Survolez la région en **ballon** pour jouir de points de vue incroyables et voir les jeux d'ombre et de lumière sur les formations rocheuses.

Ci-dessus, à gauche : Les églises se cachent dans un étrange paysage de « cheminées de fées ». Ci-dessus, à droite : L'obscurité a contribué à préserver les peintures qui ornent les murs de la plupart des églises. Ci-contre : Ces motifs géométriques marquent l'entrée d'une des nombreuses églises troglodytiques de la vallée de Göreme.

Avec ses immeubles de terre serrés les uns contre les autres, Shibam, dans la vallée du wadi Hadramout, a été baptisée la « Manhattan du désert ».

YÉMEN

L'ARCHITECTURE DE TERRE DU YÉMEN

Aux voyageurs les plus intrépides, le Yémen offre d'incroyables villes aux maisons d'argile et des oasis entourées de palmiers.

Inscrites au patrimoine mondial de l'humanité, la médina de Sanaa, avec ses 14 000 maisons-tours, et Shibam sont les meilleurs exemples de cette architecture de terre, réalisée avec des briques de boue séchée posées sur des fondations de pierre, qui fait l'une des spécificités du Yémen. Le climat et le besoin de se protéger des envahisseurs ont contribué au développement de ce style depuis deux millénaires. Commencez par vous promener dans les rues de la médina de Sanaa. En vous rendant par le wadi (rivière) Hadramout jusqu'à Shibam, ville-oasis du XVIᵉ siècle, vous admirerez les hautes constructions de terre plantées au sommet des collines rocheuses. Passez à Saywun, à l'est de Shibam, avant de poursuivre vers l'est jusqu'à Tarim, la ville aux 365 mosquées. Encadrée de deux minarets recouverts de gypse, la mosquée Al-Mihdhar, haute de 53 m, est la construction de terre la plus élevée au monde. En longeant la côte pour revenir à Sanaa, faites un arrêt à Habban, autrefois célèbre pour ses orfèvres juifs, et dont les constructions semblent n'être qu'un prolongement du décor grandiose des montagnes tabulaires environnantes.

Quand ? De septembre à mai - la mousson sévit de juillet à septembre.

Combien de temps ? Au moins 10 jours, car les distances entre les villes sont importantes.

Préparation Il est conseillé de voyager avec une agence agréée. Si vous allez dans le désert, prenez un guide bédouin pour des raisons de connaissance du terrain et de sécurité. Les risques d'enlèvement ne sont pas exclus, surtout en dehors des grandes villes, et certaines zones sont fermées aux touristes.

À savoir Interdiction de prendre en photo tout ce qui touche au domaine de la défense. Les femmes ne souhaitent pas être photographiées. Demandez l'autorisation pour un homme ou un enfant. Les femmes doivent s'habiller discrètement et ne pas soutenir les regards pour ne pas être importunées.

Internet www.bazaratravel.com, www.acaciatours.com

TEMPS FORTS

■ À Shibam, **baladez-vous avant le coucher du soleil** sur les montagnes face à la ville pour admirer les hautes silhouettes des constructions en argile.

■ Visitez la **bibliothèque Ahgaf, à Tarïm**, qui abrite de vieux manuscrits du Coran.

■ Faites vos emplettes au **marché du dimanche** à Al-Rawdah, village aux belles maisons d'argile construites dans le style de celles de Sanaa.

■ Déjeunez dans un *foundouk* (petite auberge) et goûtez au **poulet Saltah**, plat traditionnel aromatisé au fenugrec.

AFRIQUE DU SUD

À LA DÉCOUVERTE DES ZOULOUS

Apprenez à connaître l'histoire et le mode de vie
de l'une des nations les plus pittoresques du sud de l'Afrique.

À Durban, commencez par visiter le Killie Campbell Africana Museum, bonne introduction à la culture zouloue, avant de prendre la route en direction des sites historiques et des villages des environs de la ville. À l'extérieur de Durban, découvrez, planté au sommet d'une colline dominant la rivière uMhlatusi, le musée vivant de Shakaland, à Eshowe, un lieu pour tout apprendre du mode de vie des Zoulous, de leur organisation sociale, de leur culture et de leur artisanat. Poursuivez jusqu'à eMakhosini, la « vallée des Rois », située entre Eshowe et Ulundi. C'est ici que naquit Shaka Zulu, roi guerrier fondateur de la nation zouloue, et que sont enterrés sept rois zoulous. Ne manquez pas Ondini Museum et ses remarquables collections historiques et culturelles. Depuis Eshowe, prenez un taxi-minibus jusqu'au township de King Dinizulu, où vous pourrez vous balader et bavarder avec les commerçants et les passants pour mieux comprendre comment les Zoulous vivent aujourd'hui. Pour appréhender le mode de vie dans les campagnes et apprécier la légendaire hospitalité de ce peuple, visitez un village de la vallée des Mille Collines, au nord-ouest de Durban ; vous serez peut-être invité à séjourner dans une famille zouloue.

Quand ? Toute l'année. La danse royale du roseau a lieu début septembre, le King Shaka Day (fête du roi Shaka) se déroule mi-septembre.

Combien de temps ? Comptez au moins 5 jours pour vous familiariser avec la culture zouloue, visiter les sites historiques et appréhender la vie de la communauté aujourd'hui (faites en sorte de passer 1 nuit dans un village ou un township).

Préparation Vous pouvez visiter les sites culturels zoulous tout seul (il est facile de louer une voiture à Durban), mais mieux vaut se rendre dans les villages en compagnie d'un guide local qui vous servira d'interprète. Zululand Eco-Adventures propose ce type de prestations.

À savoir Sur la route T4, dans la vallée des Mille Collines, arrêtez-vous au village d'Isithumba, face au magasin Indunakazi, où les visiteurs sont très bien accueillis.

Internet www.southafrica.net, www.sa-venues.com, www.simunyelodge.co.za, www.eshowe.com

TEMPS FORTS

■ La **danse royale du roseau** (Umkhosi woMhlanga) se déroule chaque année début septembre au palais de KwaNyokeni, à Nongoma, non loin d'Eshowe. Il s'agit d'une procession haute en couleurs de jeunes filles zouloues, qui s'accompagne de danses et de chants.

■ Visitez le village de Dumazulu, dans le nord de la province du KwaZulu-Natal pour découvrir le **mode de vie traditionnel** des Zoulous.

■ **King Shaka Day** est une fête très animée qui a lieu à la mi-septembre à KwaDukuza, sur la côte nord du KwaZulu-Natal.

■ Allez voir un **sangoma**, un devin, qui lit le passé et prédit l'avenir en lançant des os.

Ces danseurs zoulous en costume traditionnel se produisent à Dumazulu.

Safari culturel en Terre d'Arnhem

Découvrez la plus ancienne des cultures encore vivante au monde, qui a pour berceau le Territoire du Nord, en Australie. Voici le vrai visage de l'Outback.

L a Terre d'Arnhem (Arnhem Land) est l'un des derniers territoires protégés des Aborigènes d'Australie. Près de 20 000 d'entre eux, appartenant à différentes tribus et différents groupes linguistiques, habitent cette région où le tourisme est limité pour leur permettre de préserver leur environnement et leur mode de vie traditionnel. Le meilleur moyen d'y accéder consiste à gagner le mont Borradaile par la route ou par les airs depuis Darwin, Cairns ou Jabiru. Toute la région de Borradaile abrite certains des exemples parmi les plus impressionnants de l'art rupestre aborigène. Réalisées pour certaines il y a 40 000 ans, ces peintures évoquent des scènes de la vie quotidienne et du Temps des rêves (Dreamtime), époque de la Création où, selon la mythologie aborigène, la terre, les plantes et les animaux ont reçu leur forme. Le mont Borradaile se trouve au cœur d'un écosystème de savane subtropicale qui abrite une faune et une flore variées : crocodiles d'eau salée, wallabies, tortues, plantes endémiques… Plus au nord vous attendent la péninsule de Cobourg et le parc national de Garig Gunal Barlu où vous découvrirez des marécages, de magnifiques plages de sable blanc, ainsi qu'une abondante faune marine et aviaire. Les eaux limpides de la mer d'Arafura sont l'endroit rêvé pour pratiquer la plongée. De là, vous pouvez poursuivre votre périple dans l'East Arnhem Land, l'un des derniers endroits sauvages du pays, ou descendre au sud jusqu'à Oenpelli, un village réputé pour les peintures rupestres du site d'Injalak Hill.

Quand ? Le climat est tropical, et mieux vaut effectuer votre visite pendant la saison sèche (mai-octobre) lorsque les températures sont comprises entre 15 et 27 °C. Il n'est pas recommandé de conduire pendant la saison humide (novembre-avril) : les routes deviennent impraticables.

Combien de temps ? Il faut 1 semaine.

Préparation La Terre d'Arnhem est accessible depuis Darwin. Certains voyagistes habilités proposent des circuits organisés dans la région. Tous les touristes doivent être munis d'une autorisation écrite pour entrer sur ce territoire qui appartient aux Aborigènes. Le permis peut être obtenu auprès d'une agence de voyages ou directement auprès du Northern Land Council (www.nlc.org.au).

À savoir Il n'est pas toujours facile de conduire dans la région, y compris pendant la saison sèche. Seuls les conducteurs les plus expérimentés devront se lancer dans l'aventure.

Internet www.northernaustralia.com, www.artaborigene.com

TEMPS FORTS

■ Au mont Borradaile, admirez la grande représentation du **serpent-arc-en-ciel** (5,5 m), élément clé de la culture des Aborigènes dans le Temps des rêves.

■ **Prenez place autour d'un feu de camp** à la lueur de la Croix du Sud pour entendre les récits du Temps des rêves. Ce sera aussi l'occasion de goûter à quelques spécialités du bush, comme les larves de lépidoptères !

■ **Pêchez** le barramundi et **baignez-vous** dans les billabongs et les criques… après avoir pris soin de vérifier auprès de votre guide qu'il n'y a pas de crocodiles !

■ Assistez à un **corroboree,** cérémonie sacrée fondamentale dans les liens qui unissent les Aborigènes à leur terre et à leurs ancêtres.

■ Achetez des pièces originales dans les centres d'**artisanat aborigène**.

■ Photographiez votre **premier crocodile** à Copper Creek, près du mont Borradaile.

Ci-dessus, à gauche : Les feuilles de pandanus servent à réaliser des vanneries. Ci-dessus, à droite : Des artistes ont puisé leur inspiration dans la richesse de l'art rupestre, comme ici à Injalak Hill. Ci-contre : Cette peinture d'un kangourou, à KarbenadjarInglawe, évoque une radiographie qui donnerait à voir les os et les organes de l'animal.

AU PARADIS
DES GOURMETS

P our les amoureux des plaisirs de la table, les voyages

sont une occasion formidable de découvrir de nou-

velles traditions culinaires, des recettes inédites, des

parfums exotiques. Visiter des vignobles, des distilleries, des bras-

series pour comprendre comment raisin et céréales se métamor-

phosent en vins, whiskys et bières de légende… Ces périples sont

un bonheur pour les sens, mais aussi pour l'esprit, car la gastro-

nomie reflète les paysages, le climat, l'histoire et la culture d'un

pays. Au menu de ce chapitre, une tournée des plus célèbres

vignobles de la planète et un pèlerinage dans les lieux cultes de

la grande cuisine. Plus terre à terre, mais tout aussi délicieuses,

ces promenades dans les supermarchés japonais, sur les marchés

vietnamiens ou ces rencontres avec des fermiers, des boulangers

et des cuisiniers qui transforment les bienfaits de la nature en

trésors gustatifs.

Sur les étals du marché, tous ces fruits sont extrêmement tentants. Connaître
les cuisines du monde, c'est d'abord apprécier le parfum et la texture des produits
naturels.

LES *DELICATESSENS* NEW-YORKAIS

Savourez un sandwich au pastrami ou au corned-beef.
Puis brûlez des calories en déambulant dans les rues de New York.

AMÉRIQUE
DU NORD

La plupart des spécialités qui font la renommée des légendaires *delicatessens* de la ville sont d'origine juive. Combinez tourisme et découverte de ces épiceries fines. Au petit déjeuner, un bagel au saumon chez Barney Greengrass, « le roi de l'esturgeon », dans Upper West Side ; après la visite du musée d'Histoire naturelle, un énorme sandwich au corned-beef ou un hot-dog casher chez Artie's Delicatessen sur Broadway. Avant le théâtre, les *blintzes* (des crêpes fourrées au fromage blanc sucré, nappées de crème aigre ou de coulis de pomme) et les longs sandwichs de pain de seigle au pastrami avec un cornichon à l'aneth chez Carnegie ou Stage. Quelques emplettes chez Macy's ? Prenez des forces avec le potage de *matzo balls* (boulettes juives) de Ben's Kosher Deli… La population du Lower East Side, historiquement juive, est maintenant en train de changer, mais Katz's Delicatessen fait toujours recette sur Houston Street, comme d'autres *delis* proposant des plats à emporter : des établissements comme Yonha Schimmel's Knish Bakery (le *knish* est une galette molle fourrée de purée de pommes de terre et d'oignons) ou Russ & Daughters ont ouvert leurs portes en… 1900.

Quand ? On en mange toute l'année… Particulièrement à New York !

Combien de temps ? 1 journée… ou plusieurs.

Préparation 2 bons hôtels de l'Upper West Side : The Lucerne, 207 West 79th Street, 212-875-1000, www.newyorkhotel.com ; The Excelsior, 45 West 81st Street, 212-362-9200, www.excelsiorhotelny.com. Pour les petits budgets, Howard Johnson Express dans Lower East Side, 135 E. Houston St., entre First et Second Avenues, 212-358-8844, hojo.com.

À savoir Dans les *delis* Carnegie ou Stage, un sandwich pour deux suffit largement (gardez de la place pour le cheesecake maison !)

Internet www.nycvisit.com

TEMPS FORTS

■ La célèbre « scène de l'orgasme » du film *Quand Harry rencontre Sally* a été tournée chez **Katz's Delicatessen**, un établissement fondé en 1888.

■ La scène d'ouverture de *Broadway Danny Rose* de Woody Allen se déroule chez **Carnegie**, une épicerie de Broadway ouverte en 1937. On s'y assied autour de longues tables.

■ Avant de visiter le Tenement Museum de Lower East Side, croquez un cornichon à l'aneth chez **Guss' Pickles**.

Katz's Delicatessen a nourri des générations de New-Yorkais. Chaque semaine, on y sert 2 200 kg de corned-beef, 900 kg de salami et 12 000 hot-dogs.

Au printemps, Napa Valley irradie de couleurs éclatantes.

ÉTATS-UNIS

LES VINS DE NAPA VALLEY

Combinez le soleil et les incroyables couleurs de la Californie
à la découverte de ses vignobles et de ses grands restaurants.

AMÉRIQUE
DU NORD

Il fait encore nuit. Soudain, une lumière jaillit, des mains vigoureuses écartent les feuilles de vigne et s'emparent des grappes de raisins. Pendant les vendanges, des faisceaux de lumière balaient les vignobles depuis Carneros Plain, au-dessus de la baie de San Pablo, jusqu'au mont St. Helena à Calistoga. C'est une véritable course contre la montre : les grappes se récoltent juste avant le lever du soleil, lorsqu'il fait encore frais. À cette époque de l'année, Napa Valley révèle tous les secrets liés à la fabrication du vin. Dans la salle de dégustation du domaine viticole de Sterling, les tonneaux débordent de grappes de cabernet et de pinot noir, en attente d'être écrasées. Lorsque les grains éclatent, le jus qui s'en échappe porte en lui la genèse d'un vin somptueux. À chaque saison, son rythme : en hiver, les pieds de vigne sont nus et les salles de dégustation vides, mais on discute avec les producteurs, autour d'un verre. Avec le printemps et l'éclosion des premiers grains, les vignobles se parent de fleurs d'un jaune éclatant : il est temps de goûter au vin jeune. Enfin, en été, quand la vallée est écrasée de chaleur, comme il est bon de trouver refuge dans la fraîcheur des caves cachées dans les collines !

Quand ? Salles de dégustation, restaurants et attractions sont ouverts toute l'année. L'ambiance et les couleurs sont à leur apogée pendant les vendanges, de la fin août à début novembre.

Combien de temps ? 3 jours au moins, de préférence en semaine (il y a moins de monde).

Préparation La visite des chais et la dégustation dans les domaines les plus réputés se font généralement sur rendez-vous. Une table dans un restaurant étoilé par le guide Michelin (The French Laundry, par exemple) se réserve au moins 2 mois à l'avance.

À savoir Pour éviter la circulation, empruntez une route secondaire vers l'est, direction Yountville, Oakville ou Rutherford, ou prenez la Zinfandel Lane à St. Helena. En quelques kilomètres, vous parvenez sur le versant oriental de la vallée et le Silverado Trail, où s'étendent les plus célèbres vignobles.

Internet www.napavalley.org

TEMPS FORTS

■ Napa Valley regorge de **sources thermales**. Entre deux dégustations, plongez dans une piscine naturelle des environs de Calistoga, ou offrez-vous un bain de boue volcanique.

■ Visitez les domaines **Rubicon Estate** (propriété de Francis Ford Coppola) et **Beringer** (avec sa vaste demeure victorienne ombragée de séquoias), tous deux fondés au XIXe siècle.

■ Depuis la crête qui surplombe Calistoga, empruntez le Palisades Trail : vue spectaculaire sur plus de **16 000 hectares de vignes** que survole la buse à queue rouge et le faucon pèlerin. Le panorama est encore plus beau paré de ses teintes automnales.

LE CAFÉ BLUE MOUNTAIN

L'un des meilleurs cafés du monde pousse sur les versants des montagnes Bleues, un paysage magique à la végétation luxuriante.

AMÉRIQUE DU NORD

S es arômes subtils lui valent d'être considéré comme l'un des plus grands crus du monde : le Blue Mountain pousse à 2 000 m d'altitude, au-dessus de Kingston, capitale de la Jamaïque. Enveloppés de brume, les reliefs paraissent effectivement bleus. Le secret du Blue Mountain ? Cette brume, justement, qui permettrait au café de mûrir lentement, en développant tous ses arômes. De Kingston, allez jusqu'à The Cooperage, un hameau où l'on fabriquait les tonneaux dédiés au transport des grains de café. Poursuivez vers Guava Ridge, puis Mavis Bank. Visitez la manufacture Jablum et suivez le processus de sélection des fèves (elles sont jetées à l'eau : les grains qui flottent sont éliminés), le séchage et la torréfaction. Revenez à Guava Ridge, prenez la route à flanc de montagne qui passe par Content Gap, Silver Hill et Section, des villages vivant exclusivement de la production de café. Obliquez vers Hardwar Gap puis gagnez Newcastle, où la plantation de Cold Spring s'étend en contrebas. Vous y verrez ses installations du XVIIIᵉ siècle, ses grills de torréfaction. Repartez vers Kingston en profitant du paysage, absolument magnifique.

Quand ? Privilégiez la période décembre-avril : vous éviterez la chaleur estivale, la pluie (avril-novembre) et les ouragans (août-septembre).

Combien de temps ? 60 km environ. Les routes sont sinueuses et en très mauvais état : prévoyez 1 jour, 2 de préférence.

Préparation Compte tenu du mauvais état des routes, louez un 4X4. Réservation indispensable pour visiter la plantation Alex Twyman's Old Tavern.

À savoir La quasi-totalité du café Blue Mountain est cultivée par des fermiers qui seront ravis de vous faire visiter leur ferme.

Internet www.visitjamaica.com, www.oldtaverncoffee.com

TEMPS FORTS

■ À Mavis Bank, le **panorama** sur Yallahs River Valley et le sommet des montagnes Bleues (point culminant du pays, 2 256 m d'altitude) est extraordinaire.

■ À mi-chemin de Content Gap et Silver Hill, arrêtez-vous à Clydesdale, pépinière du Département forestier de Jamaïque, et parcourez le sentier de 4 km qui serpente à travers le **jardin botanique Cinchona**, peu entretenu mais magnifique.

■ À Section, ne ratez pas la plantation **Old Tavern Coffee**. Elle est l'une des seules caféières familiales de la région, propriété des Twyman et de leur patriarche Alex.

C'est la terre volcanique qui donne aux fèves de café Blue Mountain leur arôme si particulier.

Dans la vallée Centrale, les vendanges ont lieu en mars et en avril.

CHILI

LE VIN DE LA VALLÉE CENTRALE

La plaine centrale chilienne, si fertile, se nourrit des eaux descendues des Andes. Elle produit un cépage de caractère.

Au Chili, les Andes font partie du décor de la vallée Centrale. Celle-ci s'étend entre les montagnes et le Pacifique et est limitée, au nord par le désert d'Atacama, la région la plus aride du globe. Son microclimat est idéal – sécheresse et absence de maladies garanties –, tandis que son fleuve procure l'eau nécessaire à la maturation des grains : au sud de Santiago, le Maipó coule depuis les contreforts andins jusqu'au cœur de la vallée. De part et d'autre de son lit se trouvent les plus anciens domaines viticoles du pays (les plus récents s'établissant dans la haute vallée du Maipó). Cabernet sauvignon, chardonnay, et carmenere (un cépage local) sont produits ici. Les vins les plus réputés sont issus des vignobles les plus élevés de la haute vallée du Maipó, parmi lesquels Antiyal, « laboratoire viticole », pionnier des techniques biodynamiques. Un peu plus loin, Perez Cruz, un autre domaine viticole moderne. Tout le long de la basse vallée du Maipó se succèdent d'excellents restaurants et de grandes propriétés qui utilisent toutes un matériel de vinification de pointe.

Quand ? Idéalement en avril-mai (automne) ou septembre-octobre (printemps).

Combien de temps ? 3 jours suffisent pour découvrir la vallée du Maipó.

Préparation La vallée du Maipó se situe à 80 km environ au sud de Santiago. Ayez un point de chute à Santiago et louez une voiture pour visiter les environs. Contactez les vignobles avant votre départ pour vérifier les horaires et les vins proposés à la vente.

À savoir Si vous souhaitez goûter le vin le plus avant-gardiste du Chili, direction la région de Casablanca, entre Santiago et Valparaiso. Des vignobles – Matetic et Casa Marin dans la San Antonio Valley, par exemple – produisent des nouveaux sauvignons et pinots noirs.

Internet www.visit-chile.org, www.winesofchile.org, www.santiagoadventures.com

TEMPS FORTS

■ **Santiago** est une ville immense : à son noyau urbain surpeuplé succède la solitude de ses immenses vignobles.

■ Visitez et dégustez le vin de **Concha y Toro** à Pirque, l'une des plus grandes et des plus anciennes propriétés viticoles de la vallée.

■ **Comparez** les vins puissants et secs produits du côté des Andes, et les vins de la vallée, au goût fruité très prononcé.

■ Dînez à **Almaviva**, propriété de la famille Rothschild, alliance réussie du savoir-faire bordelais et du sens des affaires chilien.

AMÉRIQUE DU SUD

LA QUÊTE DU SUSHI

À Tokyo, faites la tournée des innombrables restaurants de sushis. Un régal pour les sens.

Au saut du lit, partez pour Tsukiji, le plus grand marché aux poissons de la planète. Les étals sont remplis dès 7 h, et la foule afflue entre 8 et 10 h. Thon congelé ou oursins (*uni*), l'essentiel de la marchandise est acheminé vers les restaurants de sushi. Sur le marché, rejoignez la file d'attente de Sushi Dai ou Daiwa Sushi : vous y dégusterez des sushis divinement frais. Si le temps vous manque, choisissez l'un des petits établissements qui servent des *donburi*, de grands bols de riz avec des morceaux de thon et de saumon, des œufs de saumon (*ikura*) et des oursins. Descendez Harumi-dori jusqu'à Ginza. Au sous-sol des supermarchés Mitsukoshi ou Matsuya, vous pourrez voir les différentes sortes de sushis : *chirashizushi* (poissons et légumes sur un lit de riz) ; *oskizushi* (dés de riz pressé nappés de poisson cuit ou vinaigré) ; *makizushi* (sushi en rouleaux). À Ginza, dînez à Kyubey Sushi : le poisson y est découpé d'un seul geste sous vos yeux. Le riz gluant et vinaigré est assemblé en bouchées, nappé d'un peu de wasabi (condiment très relevé) et enrubanné d'un morceau de poisson. Saisissez délicatement le sushi, trempez-le dans la sauce au soja. Dégustez. Explosion de saveurs. Votre palais prend vie.

Quand ? Toute l'année.

Combien de temps ? Une journée, ou quelques sushis chaque jour.

Préparation Le marché Tsukiji se trouve sur les lignes Hibiya et Oedo. Les restaurants traditionnels de sushis sont très chers, renseignez-vous au préalable. Par ailleurs, un interprète peut s'avérer utile (les menus ne sont pas traduits). Les *kaiten-zushi*, établissements où les sushis avancent sur un petit tapis roulant, sont moins onéreux.

À savoir Pour libérer votre palais et intensifier les arômes, croquez un morceau de gingembre mariné avant de savourer un nouveau type de sushi. Buvez de la bière ou du thé plutôt que du saké.

Internet www.tourisme-japon.fr, www.tsukiji-market.or.jp

TEMPS FORTS

■ Offrez-vous une visite guidée du **marché Tsukiji**, où l'hygiène est irréprochable : des tonnes de marchandises transitent ici chaque jour, et pourtant il n'y a aucune odeur désagréable de poisson.

■ Un régal absolu : du **congre** (*anago*) légèrement grillé, nappé de sauce soja ; un **oursin** crémeux (*uni*) et de la **bonite** (*katsuo*) relevés de gingembre et de ciboulette...

Déguster des sushis dans l'un des milliers de restaurants que compte Tokyo fait partie de la découverte de la capitale japonaise.

Sur son embarcation, ce vendeur ambulant propose des bouchées cuites à la vapeur.

VIETNAM

CUISINE VIETNAMIENNE

Un périple gourmand sur la côte vietnamienne pour allier la découverte de la cuisine à celle de la culture locale.

Quelques graines de coriandre moulues viennent relever le contenu d'un bol fumant de *pho,* l'incontournable soupe de nouilles vietnamienne. Du café, noir et épais, coule dans une tasse à moka. Dans un panier à l'arrière d'un scooter, des baguettes de pain vibrent au rythme du moteur. Il flotte un parfum de fraîcheur et de gaieté que perçoivent immanquablement les gourmets venus découvrir la culture du Vietnam. Un *cha ca* (plat à base de poisson frit) à Hanoï, un *banh beo* (crêpes à la farine de riz garnies de crevettes et de poireaux, nappées d'une crème au poisson) à Huê, un *banh mi* (sandwich dans une baguette) dans les rues de Hô Chi Minh-Ville (Saïgon). Les spécialités vietnamiennes révèlent leurs influences coloniales – une goutte de Chine, un soupçon de Cambodge, une once de France – et s'affirment grâce aux herbes et aux aromates locaux : coriandre, basilic, ciboule, germe de soja et *nuoc nam* (sauce au poisson). La cuisine s'apprend d'abord au marché, parmi les pyramides de mandarines, de noix de coco et de crevettes séchées. Les marchands aux chapeaux pointus sont ravis de bavarder et de discuter les prix, même si l'échange se limite à des hochements de tête et à une poignée de dôngs, la monnaie locale.

Quand ? De novembre à avril de préférence : c'est la saison sèche sur la plus grande partie du territoire. La période de juin à août est chaude et humide, ponctuée de très grosses averses.

Combien de temps ? Idéalement, de 10 à 14 jours.

Préparation Voyagez avec un tour-opérateur spécialisé dans les voyages gastronomiques : il vous fera sortir des sentiers battus.

À savoir Goûtez les plats proposés par les marchands ambulants, mais méfiez-vous des aliments crus.

Internet www.cap-vietnam.com, www.visit-mekong.com/vietnam

TEMPS FORTS

■ À Hanoï, dînez dans une **villa coloniale** française restaurée, avec chandelles et ventilateurs au plafond : ambiance cinéma garantie.

■ Sillonnez le marché en compagnie d'un **cuisinier réputé** (une femme le plus souvent). Puis, dans sa cuisine, elle vous révèlera tous ses secrets.

■ Préparez et partagez avec les nonnes bouddhistes de Hanoï un **repas végétarien**. Confidences assurées sur un mode de vie très particulier.

■ Faites un **festin impérial** dans l'ancienne demeure d'une princesse royale à Huê, une ville à mi-chemin de Hanoï et de Hô Chi Minh-Ville.

THAÏLANDE

CIRCUIT GASTRONOMIQUE EN THAÏLANDE

Un voyage gourmand pour comprendre la complexe cuisine exotique d'une civilisation millénaire.

Les rues de Bangkok grésillent. Une marinade ruisselle des pièces de poulet et de porc qui rôtissent sur le grill d'une échoppe. Les arômes échappés des cuisines séduisent le passant qui se laisse tenter par un plat de nouilles, des beignets de banane, un curry au lait de coco, un porridge à base de riz et d'œufs pochés. Un motocycliste met en péril le fragile équilibre des plats qu'il transporte, car sur son engin ont pris place deux, trois, parfois quatre personnes. Influencée par la Chine, l'Europe et l'Inde, la cuisine révèle pourtant toute la dimension spirituelle de la Thaïlande. Dans la religion bouddhiste, les œufs symbolisent la renaissance ou la réussite, tandis que les fleurs de lotus représentent la pureté. Au wat (temple bouddhiste) du Grand Palais de Bangkok, vous verrez du poulet, du riz gluant, de la pâte à base de crevette, des fruits, des légumes verts et de l'eau disposés dans six petits bols blancs. À Chiang Mai, sur les marchés, visitez une fabrique de nouilles et savourez de délicieux plats traditionnels. Faites une excursion jusqu'à Tha Ton, sur le fleuve Kok. Dans les rues des bourgades, des étals débordent de fruits étranges — velus, piquants — que des vendeurs en sarong tranchent, pèlent et coupent en morceaux pour révéler une chair brillante, juteuse et exquise. Du lait de coco, encore dans sa coque, étanchera votre soif.

Quand? Temps relativement frais et sec de novembre à mars. À Bangkok, il fait chaud en mars, il pleut en octobre. Très grosses chaleurs en avril-juin; à cette période, il fait légèrement plus frais dans le sud du pays.

Combien de temps? De 9 jours à 2 semaines.

Préparation Vérifiez que votre voyagiste fait appel à des guides qui connaissent bien les aliments et les épices. Vous pouvez aussi, en individuel, contactez des écoles de cuisine dans chaque ville visitée.

À savoir Dans la rue, suivez un habitant et achetez le même plat ou en-cas que lui : authenticité et exotisme garantis.

Internet www.sitca.net, www.thaicookeryschool.com, www.cookinthai.com, www.bottingourmand-voyages.com

TEMPS FORTS

■ Au marché, à Bangkok, flânez et achetez des racines de galanga, du basilic, des combavas et des feuilles de coriandre : vous êtes fin prêt pour votre **cours de cuisine thaïlandaise.**

■ Arrivez tôt au **marché flottant de Damnoen Saduak**, au sud-ouest de Bangkok. Sautez à bord de l'une de ces longues embarcations et regardez les marchands pagayer le long des *klongs* (canaux) et négocier des fruits, des légumes et des fleurs avec d'autres vendeurs.

■ Appréciez les arômes millénaires d'un repas servi au centre **culturel Old Chiang Mai** et admirez la danse des douze épées, la danse de « la chandelle » et celle dite « de l'ongle ».

■ Sur le seuil d'une hutte en bambou, dans le **village de la tribu Lahu**, dégustez le repas préparé dans la hutte voisine (qui fait office de cuisine), sous le regard d'une poignée d'enfants, insatiables curieux.

Ci-dessus, à gauche : Le ramboutan, un fruit exotique curieusement velu, ressemble au litchi et est très répandu en Thaïlande. Ci-dessus, à droite : La cuisine thaïlandaise est toujours colorée et admirablement présentée. Ci-contre : Les embarcations des marchands s'entrechoquent sur le marché flottant de Damnoen Saduak, à Bangkok.

LES PLANTATIONS DE THÉ

Ce voyage tranquille vous conduit dans les plantations sri lankaises,
au cœur d'un fabuleux paysage de montagne.

À perte de vue, des plantations tapissent les collines. Et dire que le thé a été introduit au Sri Lanka de façon fortuite : à la fin des années 1860, une maladie dévasta la récolte de café, obligeant les planteurs à se tourner vers le thé. Il est aujourd'hui cultivé dans toute la moitié sud du pays. À Galle, on produit de l'Orange Pekoe, tandis que le thé de Ratnapura est intégré à des mélanges. De Ratnapura, la route part à l'assaut des montagnes du centre de l'île, un océan de verdure piqué du blanc des demeures de planteurs et des manufactures. Les meilleurs thés de la province de Dimbula poussent en hiver ; au contraire des thés de la province d'Uva, dont les arômes s'épanouissent pleinement sous la brise estivale. Kandy, l'ancienne capitale, est célèbre pour ses temples, ses palais et son thé. Mais le Ceylan le plus encensé – d'un doré éclatant, son parfum est des plus délicats – vient de Nuwara Eliya, une ville fleurie aux maisons pittoresques. Tôt le matin, parcourez les sentiers, à pied ou en voiture, et regardez les femmes cueillir « deux feuilles et un bourgeon ». Au loin, une cascade égrène sa mélodie cristalline, et le parfum des feuilles de thé séchées embaume l'air.

Quand ? Les thés les plus fins poussent à la saison sèche (en été à l'est, en hiver à l'ouest).

Combien de temps ? 1 semaine dans les montagnes, 4 ou 5 jours supplémentaires pour visiter Galle et Ratnapura.

Préparation En matière d'habillement, le classicisme est apprécié : prévoyez des tenues adéquates. À Nuwara Eliya (1890 m), les nuits sont fraîches, prenez des vêtements chauds (ailleurs, le coton est suffisant). Le Kandy Perahera Festival se déroule en août : réservez votre hôtel plusieurs mois à l'avance. Au Sri Lanka, le contexte politique est difficile, suivez bien les conseils donnés en matière de sécurité.

À savoir Choisissez l'option « voyage organisé » ou louez une voiture avec chauffeur auprès d'une agence locale réputée pour son sérieux (et mettez-vous bien d'accord sur les tarifs). Les Sri Lankais sont décontractés et courtois. Vous recevrez des cadeaux : pensez à en offrir.

Internet www.teatrails.com

TEMPS FORTS

■ Visitez une **manufacture**, suivez toutes les étapes et les procédés de fabrication puis savourez une tasse de thé aux vertus bienfaisantes.

■ À l'**aube**, dans les **montagnes**, un voile de brume plane au-dessus des plantations. Seul le gazouillis des oiseaux lève-tôt vient briser le silence.

■ **Pique-niquez** au bord d'une cascade. Au-delà des plantations verdoyantes se dresse la montagne sacrée du pic d'Adam (Sri Pada) vers laquelle, en hiver, convergent des milliers de pèlerins.

■ Passez la nuit dans une **manufacture de thé** luxueusement **réhabilitée** ; vous dormirez peut-être dans la salle de séchage, à côté des vieilles machines.

Des femmes cueillent les feuilles de thé sur les hautes terres du centre de l'île.

Le vignoble de Central Otago s'épanouit dans l'un des plus spectaculaires paysages naturels de Nouvelle-Zélande.

NOUVELLE-ZÉLANDE

LES VIGNES DE CENTRAL OTAGO

Sensationnelle à tous points de vue, cette nouvelle région viticole du cœur de l'île du Sud est réputée pour son pinot noir.

À l'est de Queenstown, aux confins méridionaux de l'île du Sud, l'autoroute 6 suit l'étroit défilé des gorges Kawarau. Des rapides moutonnent au fond d'un ravin vertigineux que surplombent des reliefs schisteux. Et puis, soudain, des hectares de vignes se dévoilent, méticuleusement alignées, gorgées de soleil. Les domaines de Chard Farm, Gibbston Valley et Peregrine produisent des vins parfaitement équilibrés depuis les années 1980 seulement, mais leur pinot noir a rapidement obtenu une reconnaissance internationale. Le Central Otago possède un relief accidenté qui particularise quatre sous-régions. La plus proche de Queenstown est Gibbston (25 minutes en voiture), mais les trois autres ne sont pas bien éloignées. Au pied des sommets enneigés de Wanaka, au nord, Rippon Vineyard descend jusqu'au lac Wanaka. À l'est, les vignes couvrent les versants limoneux des alentours de Cromwell, un ancien centre minier qui abrite désormais le plus grand nombre de domaines viticoles du pays. Non loin de là s'étendent Bannockburn et, un peu plus au sud, Alexandra, où s'épanouit Two Paddocks, le vignoble de l'acteur Sam Neill.

TEMPS FORTS

■ La cave du domaine de **Gibbston Valley** est creusée à même la montagne de schiste. Goûtez vins et fromages de la manufacture locale.

■ Traversez le pont Kawarau, berceau du **saut à l'élastique**. Admirez les sauteurs, sans être obligé de les imiter !

■ Sillonnez les eaux limpides, d'un bleu profond, du **lac Wakatipu**, à Queenstown, ou descendez les rapides de la Shotover River à bord d'un **canot à moteur**.

■ À pied, à vélo ou à cheval, suivez la **ligne ferroviaire** qui relie Middlemarch à Clyde (près d'Alexandra).

Quand ? D'octobre à mai (printemps, été et automne), de la naissance du grain aux vendanges.

Combien de temps ? 3 ou 4 jours à Queenstown vous laissent amplement le temps de visiter les vignobles, faire de bons repas, une croisière sur le lac... Passez une nuit au lac Wanaka et visitez Rippon Vineyard.

Préparation Offre pléthorique en matière de visites guidées : en limousine, en canot à moteur ou même en hélicoptère.

À savoir Nombreuses possibilités d'hébergement, mais les hôtels sont pris d'assaut, réservez donc suffisamment à l'avance. De même, certains vignobles ne se visitent que sur rendez-vous.

Internet www.queenstown-nz.co.nz, www.otagowine.com

INDE

CIRCUIT GASTRONOMIQUE EN INDE

À Goa, si l'alliance des influences indiennes et européennes se devine dans les traditions culturelles et dans l'architecture, elle se révèle pleinement dans la gastronomie.

Dans ce paradis tropical, la vie s'écoule lentement. Restez des heures étendu sur le sable, en plein soleil, ou sirotez un *feni*, un cocktail délicieusement frais, à Old Goa, l'ancienne capitale portugaise de l'Inde. Dans les rues de Panaji (ou Pajim), l'actuelle capitale où l'on déguste des *balchão* (crevettes pimentées), ou dans les églises coloniales de Old Goa, l'Histoire est palpable. Goa est l'une des rares régions d'Inde où le bœuf et le porc figurent au menu des restaurants. Pour une fête catholique, un plat mijoté, un porc vindaloo (ou *vindalho*) par exemple, sera solennellement épicé : à chaque culture son assaisonnement. Un soupçon de vinaigre signe un plat d'origine chrétienne, quand l'hindouisme privilégie le tamarin et le kokum (un fruit au goût aigre et assez prononcé). Le poisson frais et les crustacés se savourent en curry mariné au citron et mijoté avec de la mangue, ou en *ambot tik*, un plat relevé et acide. Les marinades et les currys de Goa sont soulignés d'un trait de poivre. La noix de coco est incontournable, elle enrichit et adoucit certaines saveurs épicées. Pour les desserts, la *bebinca* – un gâteau de crêpes riches en œufs – intègre une pointe de muscade et cuit pendant des heures au feu de bois, au rythme lent qui sied si bien à Goa.

ASIE

Quand ? Privilégiez la période octobre-mars. Il fait très chaud en avril et en mai. Évitez la mousson (juin-septembre).

Combien de temps ? Comptez environ 10 jours.

Préparation Nombreux pèlerinages et festivals début décembre : réservez votre hôtel suffisamment à l'avance. Les hôtels sont également pris d'assaut à Noël, et les tarifs augmentent. Déplacez-vous en voiture avec chauffeur ou en taxi.

À savoir Au nord de Goa, de nombreuses plages sont bordées de huttes en paille et d'hôtels. Elles sont très fréquentées, mais certaines sont particulièrement paisibles (Bambolin Beach, Candolim Beach).

Internet www.goatourism.org, www.goacentral.com, www.indetourisme.com

TEMPS FORTS

■ Le vendredi, le **bazar de Mapusa**, centre commercial du nord de Goa, attire les foules.

■ La **réserve animalière de Bondla** est le plus accessible des parcs naturels de Goa. La faune y abonde, on peut y faire des promenades à dos d'éléphant. Dans le jardin botanique s'épanouissent des herbes et des épices locales.

■ Le *rechad masala*, la spécialité de Goa, est une **pâte très épicée**. On l'utilise dans les currys et les marinades de viandes et de poissons.

■ Le *feni*, un alcool très fort, s'obtient à partir du suc de noix de coco ou de noix de cajou. Il est servi en **cocktail**, mélangé à des jus de fruits.

Ci-dessus, à gauche : Un étal de fruits, touche de couleurs éclatantes dans une rue de Panaji. Ci-dessus, à droite : Sur le marché, un étal débordant de légumes d'une fraîcheur irréprochable, bientôt cuisinés en ragoût *(khatkhate)*. Ci-contre : Une jeune ouvrière agricole devant une montagne de piments, ingrédient essentiel de la cuisine de Goa.

À Bodegas Weinert, dans la province de Mendoza, le vin est stocké dans des tonneaux de chêne de 100 ans d'âge.

ARGENTINE

CÉPAGES MALBEC DE MENDOZA

Sur les contreforts andins, l'air est pur et ensoleillé.
Idéal pour visiter les vignobles qui produisent du malbec.

Les raisins de la province de Mendoza ne donneraient qu'un vin fruité parmi d'autres si la chaleur, le soleil, les nuits fraîches et les eaux descendues des Andes – chargées de minéraux – n'avaient fait des miracles. En quittant la ville de Mendoza, à l'ouest de l'Argentine, partez à la découverte des domaines producteurs de malbec : Catena Zapata, Achaval Ferrer, Paul Hobbs Vina Cobos, Dominio del Plata, Bodega Norton et Bodegas Salentein. Le trajet de 160 km jusqu'à la vallée d'Uco est une véritable odyssée de saveurs et d'arômes à travers les vignobles. Au nord, à la sortie de la ville, le malbec est plus étoffé et charpenté. Au sud, là où la vigne pousse en altitude, son vin est plus floral et élégant. Sillonnez les collines de la province, au pied des murailles vertigineuses des montagnes andines. Les couleurs sont superbes. Ne ratez pas le musée du Vin San Felipe à Maipú, dédié à l'histoire de la production régionale. Il rassemble la plus grande collection de matériel viticole du monde. À la fin de la journée, laissez-vous séduire par la cuisine de la province de Mendoza : ses plats et ses glaces artisanales ont un petit goût d'Europe.

Quand ? À l'automne, pendant les vendanges (mars-avril). Le printemps (septembre-octobre) est également une bonne période. Le festival annuel Vendimia (« vendange ») se déroule le premier week-end de mars.

Combien de temps ? De 2 à 5 jours.

Préparation Contactez les vignobles au moins 1 semaine à l'avance pour prendre rendez-vous (beaucoup sont fermés au public les samedis et dimanches). Pour le festival, réservez votre hôtel au moins 6 mois à l'avance.

À savoir En quittant les routes principales, vous pouvez facilement vous perdre. Il y a peu de panneaux, et les cartes routières ne sont pas d'une grande utilité. Louez une voiture avec chauffeur (environ 10 $ de l'heure).

Internet www.sectur.gov.ar, www.carinaevinos.com

TEMPS FORTS

■ À la fin de la journée, détendez-vous avec quelques *empanadas* et une bouteille de malbec sur la terrasse du Park Hyatt de Mendoza, qui surplombe la **Place de l'Indépendance**.

■ Sur la place principale de Chacras de Coria (à 20 minutes au sud de Mendoza), une **brocante** se tient tous les dimanches. Installez-vous à la terrasse d'un café en sirotant un verre de chardonnay.

■ Savourez la **cuisine délicieuse** de deux établissements de Mendoza : Restaurant 1884 et Francesco Ristorante. Ne ratez pas non plus le domaine de la famille Zuccardi.

AMÉRIQUE DU SUD

AUSTRALIE

LA RÉGION DES VINS DE MARGARET RIVER

Soleil, mer et vin au programme de ce circuit aux confins du sud-ouest de l'Australie.

L'océan Indien, si bleu, frange la côte occidentale de l'Australie et la région productrice de vins de qualité supérieure qui court du cap Leeuwin (au sud) au cap du Naturaliste (au nord). Dans les terres, à l'arrière d'une végétation littorale balayée par les vents, s'étendent des terres agricoles généreuses, d'épaisses forêts… et des hectares de vignes. Les domaines se sont implantés dans de petits cantons et, partout, des salles de dégustation ont fleuri (on en recense environ 80). Les terres sont basses, rythmées par quelques collines : à chaque relief, son microclimat et la typicité de son cépage. Les vins se distinguent par leur origine géographique – il fait plus frais autour du cap Leeuwin que dans la région de Cowaramup, Yallingup et Carbunup. Privilégiez un circuit qui vous conduira d'Augusta jusqu'au cœur de la région de Margaret River. Dans les domaines les plus anciens, Voyager Estate, Vasse Felix, Cape Mentelle, Leeuwin Estate, Xanadu, Cullen et Pierro, les salles de dégustation sont spacieuses, confortables, et souvent équipées d'un restaurant. Entre amateurs de bons vins, on conjugue de façon subtile décontraction et raffinement.

Quand ? À la fin de l'été ou au début de l'automne (fin février ou mi-mars), après la rentrée scolaire : nombreux événements musicaux et festivals à cette période. Venez en novembre pour le Margaret River Wine Region Festival, qui rassemble ce que la région compte de spécialités culinaires et viticoles.

Combien de temps ? Comptez 1 ou 2 jours pour la visite des propriétés viticoles ; 2 ou 3 jours supplémentaires pour explorer la région. 3 ou 5 jours au total.

Préparation Tous les types d'hébergements sont disponibles. Pour les circuits de dégustation, prenez un guide : vous goûtez les vins, il conduit.

À savoir La plupart des domaines proposent leurs vins avec une remise de dix à quinze pour cent.

Internet www.margaretriver.com, www.margaret-river-online.com.au

TEMPS FORTS

■ Les **eaux des océans** Indien et Austral se rencontrent au cap Leeuwin. Au niveau du phare, les vagues se fracassent les unes contre les autres.

■ La **faune** régionale foisonne : oiseaux, kangourous et wallabies. Pour **observer des baleines**, la meilleure période court de mai à septembre. Les **dauphins** se laissent admirer tout au long de l'année, mais plus particulièrement de juin à août.

■ À **Howard Park**, dans la salle de dégustation, savourez la vue et des vins délicieux : un riesling sec, un chardonnay herbacé, un cabernet-sauvignon lumineux, un shiraz épicé…

La région de Margaret River ne produit que trois pour cent du raisin australien, mais représente vingt pour cent du marché national des vins de qualité supérieure.

GOURMANDISES BALTES

Le parfum vif de l'aneth, conjugué à la douceur de la crème,
égaye la généreuse gastronomie des Pays baltes.

La cuisine locale, bien évidemment influencée par la Pologne, la Suède, l'Allemagne et la Russie – des pays qui, tous, dans le passé, ont régi les États baltes –, possède néanmoins une singularité indéniable. Viande, poisson, tubercules, crème aigre et aneth constituent la base de l'alimentation, et les différences régionales sont subtiles. Les végétariens savourent des crêpes, sucrées ou salées, et ceux qui surveillent leur ligne grignotent de classiques salades de crudités assaisonnées de vinaigrette, mais tous les gourmands se régalent d'un dessert aux fruits des bois. Partez de Vilnius (Lituanie), une ville à l'architecture composite – gothique, baroque, Renaissance – où l'on consomme des plats à base de porc et de pommes de terre, des crêpes, des quenelles et du *sakotis*, un gâteau de plusieurs épaisseurs. Ensuite, direction Riga (Lettonie), sur le littoral de la mer Baltique, avec ses cafés et ses pâtisseries Art nouveau. Au menu : soupe de betterave, poisson et kebabs. À Tartu, capitale culturelle et universitaire d'Estonie, on déguste du hareng mariné, du porc et de la choucroute, sans oublier ce pain noir frit et tartiné de crème aigre. La bière est la boisson favorite des Baltes, mais ces trois pays fournissent à la Russie dix pour cent de sa vodka, ce qui explique le nombre important de distilleries.

Quand ? Évitez l'hiver, à moins que vous n'adoriez la neige et le verglas.

Combien de temps ? 2 semaines.

Préparation L'infrastructure ferroviaire n'est pas très développée. Eurolines propose un service d'autocars très performant entre Vilnius, Riga et Tartu. Pas d'aéroport à Tartu, mais des autocars rallient l'aéroport de Tallin en 2 h 30.

À savoir Dans les restaurants, les portions sont énormes. Partout et avec tous les plats, on vous sert du pain, en particulier le célèbre pain de seigle balte.

Internet www.pays-baltes.com, www.eurolines.com

TEMPS FORTS

■ À Vilnius, ne ratez pas **Ritos Smukle** (« la Taverne de Rita »), un établissement cent pour cent lituanien !

■ À Riga, Staburags et son dédale de pièces meublées en chêne. On y sert des merveilles, comme le Jâñu siers, un **fromage au cumin**.

■ À Tartu, plongez dans l'atmosphère de **Püssirohukelder**, une cave voûtée dans laquelle la Grande Catherine de Russie faisait stocker la poudre à canon et où, aujourd'hui, on consomme des bières délicieuses. Essayez la Püssirohu Punane, une bière rousse locale.

Sur le marché de Riga - considéré comme l'un des mieux achalandés de la région -, une vendeuse remet de l'ordre sur son étal.

De nombreuses distilleries de l'île d'Islay sont basées à Bruichladdich. Ici, la vue depuis la jetée.

ÉCOSSE

LA ROUTE DU WHISKY

Un pèlerinage au cœur des Highlands et dans l'archipel
des Hébrides pour remonter jusqu'aux sources de « l'Eau de Vie ».

C'est à la mosaïque de paysages naturels de l'Écosse – des zones humides et les tourbières d'Islay et de Jura jusqu'aux landes de bruyère et les vallons cachés des Highlands – que la centaine de whiskys de malt doit sa remarquable variété. Une tournée des augustes distilleries de la région est le juste hommage qu'il convient de rendre à cet alcool ambré. Le whisky de malt est fabriqué dans toute l'Écosse, mais deux terroirs se distinguent, par la qualité de leurs whiskys et le romantisme de leurs paysages. La région de Speyside, au nord-est du pays, et les petites îles d'Islay et de Jura (au large de la côte occidentale) concentrent un nombre incroyable de distilleries et produisent des malts réputés. Ceux de Speyside s'enorgueillissent d'un arôme sucré, tandis que les malts des îles sont plus secs et tourbés. Vous pouvez ne visiter que ces deux régions, mais la découverte de toute l'Écosse en vaut assurément la peine.

Quand ? Le temps écossais est moins instable d'avril à septembre.

Combien de temps ? Passez au moins 2 ou 3 jours dans les îles et autant dans la vallée de la Spey. Au milieu du séjour, faites une halte de 1 jour ou 2 à Édimbourg, capitale historique de l'Écosse, ou à Glasgow, une ville très dynamique à moins de 3 h en voiture du ferry pour Islay.

Préparation Réservation indispensable pour visiter certaines distilleries. Rejoignez la vallée de la Spey par la route ou le train au départ de Glasgow ou Édimbourg ; Islay en avion depuis Glasgow ou en ferry depuis Kennacraig (péninsule de Kintyre) ; Jura en ferry au départ d'Islay.

À savoir Les lois écossaises sur l'alcool au volant sont très strictes : faites preuve de modération et veillez à ce qu'il y ait toujours un conducteur sobre dans votre groupe.

Internet www.maltwhiskytrail.com, www.islay.co.uk/web, www.bladnoch.co.uk, www.scotchwhisky.net/french/index.htm

TEMPS FORTS

■ La visite de la distillerie Glen Grant, à Roth (vallée de la Spey), réserve bien des surprises, parmi lesquelles d'**immenses alambics de cuivre**. À la fin du circuit, une dégustation est offerte.

■ Sirotez un **malt local** dans un pub de la région de Speyside, par une tiède soirée d'été, et regardez les ombres grandir sur les monts Grampians.

■ Les **petites distilleries familiales** implantées sur le littoral rocheux de l'île d'Islay se partagent le paysage avec des châteaux en ruine, des colonies de phoques et des oiseaux marins.

La fête de la Bière et du Houblon se tient au printemps à Zatec, dans le nord de la République tchèque. Ce trio prend visiblement la bière très au sérieux.

RÉPUBLIQUE TCHÈQUE

Un parfum de bière blonde

Un voyage dans le pays qui a vu naître la pils est l'occasion de conjuguer dégustations et tourisme historique.

« Là où il y a de la bière, il y a de la joie ! ». Ce proverbe tchèque résume à lui seul mille ans de brassage, de dégustation et de commerce de ce délicieux breuvage. La bière blonde de République tchèque (la Bohême historique), l'une des meilleures du monde, doit sa qualité à des conditions optimales de culture du houblon et à des méthodes de brassage ancestrales. Connaître la bière tchèque, c'est percevoir l'histoire de ce pays fascinant. Au xe siècle, le roi Wenceslas faisait exécuter quiconque était surpris en train de sortir du houblon du pays. Les Tchèques fabriquaient de la bière chez eux, pour leur consommation personnelle ; l'une des plus anciennes brasseries familiales, U Fleku, fut fondée à Prague en 1499. Sillonnez les environs depuis Prague. C'est à Zatec que l'on cultive la meilleure qualité de houblon : participez à sa fête de la Bière, avec dégustations et concours de danse. Toutefois, les plus importantes réjouissances se déroulent à Plzen : c'est ici qu'en 1842 fut produite la première bière blonde ambrée légère, la Pilsner Urquell, dont le goût unique est obtenu grâce à une eau à faible teneur en carbonate et en sulfite. Chaque année, la reprise de la production donne lieu à des dégustations égayées de musique et de feux d'artifices.

Quand ? Toute l'année. Les fêtes de la Bière se déroulent de la fin août à début octobre.

Combien de temps ? 1 semaine.

Préparation Il y a de plus en plus de circuits organisés autour du thème de la bière : renseignez-vous. Plzen est à 1 h de bus de la station de métro Zlicín, sur la ligne B (jaune), ou de la gare des bus de Florenc.

À savoir Au musée de la Bière de Plzen, installé dans une maison moyenâgeuse, les guides sont en costumes d'époque et connaissent tous les secrets de la fabrication de la bière.

Internet www.czech.cz/fr, www.mesto-zatec.cz, www.prazdroj.cz

TEMPS FORTS

■ À la **brasserie de l'abbaye de Strahov**, à Prague, essayez la Svaty Norbert (« saint Norbert »), blonde (svetle) ou brune (tmave).

■ À la brasserie Kozel à Velké Popovice (environs de Prague), découvrez comment on obtient une **bière couleur caramel à la mousse brune**, à partir d'eau de source, de houblon et d'orge. Après la dégustation, déjeunez sur place.

■ Ne ratez pas la brasserie de Plzen, vous y boirez la **mythique « bière de référence »** non-filtrée et non-pasteurisée, conservée dans de vieux tonneaux et destinée aux contrôles de qualité.

EUROPE

LES BIÈRES DES MONASTÈRES

Laissez-vous porter par une bière délicieuse, mondialement reconnue, produite par les moines contemplatifs trappistes.

Six monastères seulement sont autorisés à utiliser l'appellation « Authentic Trappist Product » : Saint-Sixtus de Westvleteren (à côté d'Ypres) ; Notre-Dame de Scourmont, à Chimay ; Notre-Dame d'Orval (près du village de Florenville) ; Notre-Dame de Saint-Rémy, à Rochefort ; Saint-Benoît, à Achel ; Notre-Dame du Sacré-Cœur, à Westmalle. Ce label atteste un procédé de production supervisé de bout en bout par un moine trappiste, dans les murs d'un monastère trappiste. Ces communautés religieuses fabriquent, à elles six, une vingtaine de bières. La plus ancienne brasserie, celle d'Orval, fut fondée au XIe siècle. Seuls des ingrédients naturels d'une qualité supérieure entrent dans la composition du divin breuvage, obtenu par un procédé manuel ancestral. Les brasseries ne sont pas ouvertes au public, mais leurs bières sont disponibles à la vente à la boutique de l'abbaye, dans les cafés des environs, et sont distribuées dans toute la Belgique (exception faite de la bière de Westvleteren). Les bénéfices sont intégralement reversés pour l'entretien et le fonctionnement de la communauté.

Quand ? Toute l'année. La brasserie d'Orval ouvre ses portes au public 2 jours par an : renseignements (dates et réservations) sur le site Internet de l'abbaye.

Combien de temps ? Comptez 2 ou 3 jours.

Préparation Louez une voiture à Anvers. Circuit de 700 à 800 km. La plupart des abbayes sont fermées au public, mais vous pouvez visiter leur église.

À savoir La bière de Westvleteren ne s'achète qu'à l'abbaye. Produite en quantités limitées, elle est réservée aux particuliers et aux détaillants : vous devez donc commander le nombre de bouteilles souhaité. Renseignements sur le site Internet de l'abbaye.

Internet www.tourismebelgique.com, www.orval.be, www.sintsixtus.be, www.trappistes-rochefort.com

TEMPS FORTS

■ La très rare **Abbott**, la bière riche et maltée de Westvleteren, figure sur la carte du Café In De Vrede, juste à côté du monastère.

■ Goûtez la **Chimay Bleue** accompagnée d'un morceau de **fromage parfumé à la bière** également fabriqué par les moines.

■ Visitez le **musée** et les **ruines de l'abbaye** d'Orval, puis savourez cette bière surnommée « la **Reine des Trappistes** ». Achetez bières et fromages à la boutique du monastère.

■ Les **bières brunes et sucrées de Rochefort** sont produites avec 3 degrés d'alcool différents (6, 8 et 10).

L'abbaye Notre-Dame d'Orval se situe dans un paisible cadre champêtre. On y produit l'une des plus célèbres bières trappistes.

LA ROUTE DES VINS HONGROIS

Explorez la campagne du nord-est de la Hongrie jusqu'aux vignes qui donnent un vin doré exceptionnel, produit artisanalement.

En été, les routes qui rayonnent autour de Budapest traversent des champs plantés de tournesols, à perte de vue. Bienvenue dans la région de Tokaj-Hegyalja, située au pied des Carpates et réputée pour ce vin ambré dont Voltaire disait qu'il « tissait les fils d'or de l'esprit ». La production de tokay – l'un des premiers grands crus classés au monde – a débuté officiellement au XVIIe siècle. Son vin phare est l'aszu, issu des cépages furmint et Harslevelu qui restent accrochés à la vigne jusqu'à ce que l'humidité automnale monte des rives de la Bodrog et développe le botrytis, cette pourriture noble qui confère au vin sa douceur unique. Dans l'obscurité des caves à vin creusées dans les collines, encombrées de tonneaux de chêne, bat le cœur de la Vieille Europe. La région viticole s'étire de Tokaj, au sud, à Sárospatak, au nord-est. Séjournez dans l'une ou l'autre de ces villes, à proximité des domaines de Mad, Tarcal et Tolcsva (là, ne ratez pas le petit musée). Les environs sont rythmés par des villages aux maisons basses à toit rouge. Dans un champ, un paysan se débat avec sa meule de foin. Plus loin, un autre conduit sa carriole tirée par un âne. Là, c'est une femme âgée qui emporte un seau d'eau dans sa maisonnette… coiffée d'une antenne satellite.

EUROPE

Quand ? En avril et en mai, le temps est agréable et les collines sont piquées de fleurs sauvages. Partez en octobre ou au début novembre pour assister aux vendanges (même s'il neige parfois à cette période !).

Combien de temps ? 3 h de route pour rejoindre Tokaj, à l'est de Budapest. 40 km environ (par la N37) séparent Tokaj de Sárospatak. Comptez 5 jours pour visiter les villes et les villages, faire des dégustations et des randonnées.

Préparation Vous goûterez la production dans la plupart des propriétés viticoles, en échange d'une petite somme (forfait ou au verre). Visites guidées sur réservation au moins 24 h à l'avance.

À savoir En Hongrie, il est absolument interdit de conduire en ayant consommé de l'alcool, quelle qu'en soit la quantité. Offrez-vous les services d'un chauffeur. Certains hôtels peuvent vous en fournir un (renseignez-vous sur les tarifs, souvent très élevés).

Internet www.tokaji.hu, www.lahongrie.net

TEMPS FORTS

■ Vous aurez peut-être l'honneur de goûter l'**essencia**, un vin rare et onéreux assemblé avec le jus qui s'écoule des grains écrasés sous le poids de la récolte.

■ Visitez le **musée** de Tokaj : art religieux régional, histoire de la culture de la vigne et de la vinification.

■ Vous pouvez sans aucun problème **randonner à travers les vignes** et les forêts alentour plantées de chênes, de charmes et de hêtres.

■ Dînez au **domaine** de Disznoko (près de Mád), **fondé au XIXe siècle**, et rendez-vous dans la cave pour y goûter le vin de dessert.

■ Saisissez l'occasion de déguster un vin assemblé par **István Szepsy**, l'un des meilleurs œnologues de Tokaj.

Ci-dessus : Tokaj-Hegyalja est la seule région viticole au monde à figurer sur la liste du patrimoine mondial de l'Unesco. Ci-contre : Le tokay vieillit dans des caves aux allures de labyrinthes. La moisissure qui couvre les murs et la bouteille permet au vin de vieillir indéfiniment, un procédé qui confère au tokay son caractère onctueux et sucré.

La maison Mumm, à Reims, fut fondée en 1827. Ses caves abritent quelque 25 millions de bouteilles de champagne.

FRANCE

Un voyage en Champagne

Un circuit pétillant au cœur du vignoble champenois :
les occasions de trinquer ne se comptent plus !

Jules César instruisait ses soldats en Champagne. Plus tard, les Romains y vainquirent Attila le Hun. Aujourd'hui, les champs de bataille ont laissé la place à des hectares de vigne où s'épanouissent les cépages blancs (chardonnay) ou noirs (pinot noir, pinot meunier) dont est issu le pétillant vin de champagne, célèbre dans le monde entier. Sous le sol crayeux qui s'étend de Reims (capitale régionale) à Épernay, les Romains ont creusé des kilomètres de galeries, emplacements idéaux pour faire vieillir le vin. La plupart des grandes maisons de champagne sont établies à Reims et Épernay. Elles proposent visites guidées et dégustations. Poursuivez votre périple vers la Côte des Blancs qui court d'Épernay à Sézanne et recèle une foule de petits domaines viticoles : il s'y produit du champagne blanc de blancs, cent pour cent chardonnay. Les vins de Vertus sont quant à eux issus d'un mélange de chardonnay et de pinot. Depuis Troyes, rejoignez les vignobles des environs de Bar-sur-Seine et Bar-sur-Aube, un autre bastion de petits producteurs.

Quand ? Idéalement en mai-juin.

Combien de temps ? Un week-end (le trajet Paris-Reims ou Paris-Épernay, en voiture ou en train, est suffisamment court). Si vous visitez toute la région, ses villages et ses vignobles, comptez 1 semaine.

Préparation En individuel ou en groupe. Dans les grandes maisons, la dégustation est généralement comprise dans le prix de la visite. Renseignez-vous au préalable.

À savoir Fête de village à Mailly-Champagne pendant le mois de mai. Vous ferez de bonnes affaires à la coopérative.

Internet www.champagne.fr, www.ot-epernay.fr

TEMPS FORTS

■ À Épernay, visitez la maison de Castellane et découvrez les **procédés de la méthode champenoise**. Grimpez en haut de la tour (66 m) : la vue sur la ville et la vallée de la Marne y est superbe.

■ Faites une halte à Cuis, un village au sud d'Épernay qui offre un **panorama inoubliable** sur la plaine de Champagne couverte de vignes.

■ Réservez à l'avance votre visite du domaine familial **Launois Père & Fils**, établi à Le-Mesnil-sur-Oger (Côte des Blancs). Petit musée (ancien matériel de vinification) et dégustation.

■ Flânez dans le **centre historique médiéval** de Troyes, qui compte également quelques édifices Renaissance.

FRANCE

LES FROMAGES DE NORMANDIE

En Normandie, les ingrédients de la « sainte Trinité » de la cuisine française – pain, fromage et vin – se conjuguent à merveille !

Les villages nichés au cœur des vertes vallées normandes ont donné leur nom aux fromages qu'ils produisent. Ceux-ci occupent une place de choix au panthéon culinaire : camembert savoureux, livarot corsé, pont-l'évêque crémeux (il se fabrique depuis le XIIIᵉ siècle), sans oublier le neufchâtel de Bray qui se décline dans une belle variété de formes (carré, rond ou cylindrique). La Normandie regorge de villages pittoresques aux maisons à colombages rassemblées autour d'une vieille église, et affiche avec fierté son patrimoine gastronomique. À Camembert, par exemple, l'exposition permanente qui rend hommage au fromage s'abrite derrière une façade en forme de boîte à camembert, ronde et en bois. Non loin de là, une statue de Marie Harel : selon la légende, c'est elle qui aurait perfectionné la recette en 1791, alors que la Révolution faisait rage. C'est un fait, il émane des vaches normandes blanc et noir qui broutent l'herbe grasse des champs bordés de pommiers une dignité dont la nature a privé les autres bovins de la planète…

Quand ? Mai, juin et septembre de préférence. Évitez autant que possible juillet et août, il y a beaucoup de circulation (notamment autour du 14 juillet).

Combien de temps ? 2 ou 3 jours en voiture, plus longtemps si vous visitez les cités historiques.

Préparation Dormez à Caen ou à Lisieux, proches des villages producteurs. Rouen est un peu plus distant de Camembert, mais son patrimoine culturel et culinaire est remarquable. N'hésitez pas à choisir l'option chambres d'hôtes, elles sont nombreuses et extrêmement confortables, mais à réserver au moins 2 semaines à l'avance.

À savoir Adoptez les coutumes locales : pour digérer le fromage, la crème fraîche et la cuisine au beurre, rien de mieux qu'un « trou normand », un petit verre de calvados avalé entre les plats ou à la fin du repas.

Internet www.normandie-tourisme.fr, www.fromages.org

TEMPS FORTS

■ Rendez-vous absolument sur les **marchés** et achetez de quoi concocter un fameux pique-nique : pain rustique, fromages de Normandie, pâtés et fruits frais (surtout des pommes !).

■ Goûtez les **fromages fermiers** sur le lieu même de leur fabrication.

■ Ne faites pas l'impasse sur le **cidre** – tout à la fois délicieux et puissant. Dans les fermes, celui que l'on vous propose est tiré du pressoir.

■ Les produits laitiers régionaux sont absolument divins, notamment la **confiture de lait** au goût sucré-salé inédit.

Niché dans la merveilleuse campagne normande, le village de Camembert a donné son nom à l'un des plus célèbres fromages du monde.

Top 10 Route des vins d'Italie

Des vins fabuleux, souvent méconnus, trouvent leur origine dans les montagnes du Piémont aux collines de Toscane, en passant par la Sicile.

❶ Blanc de Morgex et de La Salle, Val d'Aoste

Enfilez vos moufles pour rallier ce vignoble alpin d'Italie (mais beaucoup de Français habitent dans ses environs immédiats). Le panorama à 360° sur la montagne est absolument étourdissant. Le plus haut vignoble d'Europe génère la plus faible production, mais le vin blanc issu de ses cépages, au délicat parfum fleuri, mérite une visite.

Préparation Comptez 13 km de plus par la route jusqu'à Morgex depuis Genève que depuis Milan, mais la beauté des Alpes vaut assurément le détour.
www.regione.vda.it

❷ Franciacorta, Lombardie

La route du franciacorta suit les ruelles tortueuses des villages perchés à flanc de colline. Dans la région productrice des plus célèbres vins pétillants d'Italie, des vinificateurs avant-gardistes ont métamorphosé d'anciens cépages pour obtenir un breuvage dont la qualité se compare à celle du vin de champagne. Bienvenue dans ce nouveau paradis gastronomique.

Préparation Ne ratez pas les demeures de l'ancienne noblesse italienne, ni les fresques de l'église Sante Maria de Assunta à Favento, ou le château du Xᵉ siècle de Passirano.
www.stradadelfranciacorta.it, www.regione.lombardia.it

❸ Vernaccia di San Gimignano, Toscane

Treize tours, une place d'où Dante harangua la foule et un vin pur, riche en minéraux, produit ici depuis huit siècles et considéré, à la Renaissance, comme l'un des meilleurs vins blancs d'Italie, ont fait la réputation de cette cité médiévale. San Gimignano abrite une kyrielle de négociants en vins et de boutiques de souvenirs, mais ne ratez pas les fresques restaurées de la collégiale de la Piazza del Duomo.

Préparation De nombreux négociants en vins. Allez chez Fattoria di Cusona : la boutique est située sur la place de l'église, mais le vignoble s'étend entre San Gimignano et Poggibonsi.
www.toscane-toscana.org

❹ Brunello di Montalcino

On pénètre dans cette petite cité médiévale toscane comme dans une toile de Van Gogh : les tournesols et le maïs s'épanouissent à l'ombre des cyprès. L'atmosphère se prête au romantisme mais aussi à la dégustation d'un merveilleux vin rouge.

Préparation Montalcino se situe à 40 km au sud de Sienne. Savourez ce rouge robuste avec une tranche de salami et un morceau de pecorino, dans le bar à vin aménagé à l'intérieur d'un château du XIVᵉ siècle. Visitez le vignoble de Castello Banfi.
www.consorziobrunellodimontalcino.it, www.castellobanfi.com

Les vins proposés dans cette boutique napolitaine reflètent l'étonnante variété des vins d'Italie. La vigne pousse dans tout le pays, mais chaque région s'enorgueillit de sa production locale.

❺ Sagrantino di Montefalco, Ombrie

Églises romanes, fresques, châteaux et sublimes panoramas : Montefalco rassemble tous les ingrédients de la ville italienne typique. Toutefois, c'est le vin rouge sagrantino qui attire ici les visiteurs. D'après la légende, des moines français auraient, au Moyen Âge, introduit dans la région du raisin originaire d'Asie Mineure.

Préparation Le domaine viticole Paolo Bea est à 10 min du centre-ville par la route SS316. Visite guidée de la propriété et des plantations d'oliviers. www.italianmade.com

❻ Taurasi, Campanie

L'une des plus célèbres familles des séries télévisées américaines, les Soprano, serait originaire de cette région de vignobles qui couvrent les reliefs de l'Irpinia, autour d'Avellino. Vous y découvrirez un vin parfumé issu de l'ancien cépage aglianico, introduit dans la région par les Grecs de l'Antiquité.

Préparation Si vous êtes du côté de Naples, prenez l'A-16 en direction d'Atripalda et visitez les caves à vin de la famille Mastroberardino, productrice de longue date de taurasi et d'autres crus confidentiels. www.mastroberardino.com

❼ Aglianico del Vulture, Basilicate

Aucun battage publicitaire autour de ce vin rouge de Basilicate, région du sud de l'Italie. Mais quand vous en rapporterez une bouteille, vos amis seront convaincus : l'aglianico del Vulture est nettement moins onéreux que le barolo, mais son arôme est tout aussi puissant.

Préparation Visitez les Sassi de Matera, ensemble d'habitations troglodytiques et d'églises rupestres. www.vinsditalie.com/Basilicate.htm

❽ Vermentino di Gallura, Sardaigne

Les crustacés sont la spécialité de cette région aux évidentes influences espagnoles. Ils s'accompagnent d'un vin blanc local, légèrement frisant. Ne ratez pas le domaine Sella & Mosca, au nord-ouest de l'île, le deuxième plus grand vignoble d'Italie (486 ha).

Préparation Si vous séjournez sur la Côte d'Émeraude, visitez la Tombe des Géants à Arzachena, au cœur de la région du Vermentino. www.regione.sardegna.it, www.sellaemosca.com

❾ Contea di Sclafani, Sicile

Ce terroir de vignobles se situe hors des sentiers battus, dans les montagnes du centre de la Sicile, près de Vallelunga. Si vous y parvenez, goûtez le délicieux vin rouge issu du cépage nero d'Avola. En matière de vinification, la région fait à la fois preuve d'innovation et d'attachement à la tradition, pour la plus grande joie des visiteurs.

Préparation Déplacez-vous en voiture ou, si vous avez le temps, en train, sur l'ancienne voie de chemin de fer Palerme-Vallelunga. À Palerme, offrez-vous une glace sur la Piazza Mondello. enit-france.com

❿ Moscato di Passito di Pantelleria, Pantelleria

La légende dit que la déesse grecque Tanit aurait donné à Apollon ce vin blanc sucré, véritable philtre d'amour. Vous aussi tomberez amoureux de ce vin doré, onctueux, et de cette île de Méditerranée si exotique, située au large de la Sicile.

Préparation Prenez le ferry à Palerme ou à Trapani. Depuis la côte ouest de l'île, on voit la silhouette du continent africain se dessiner à l'horizon. www.pantelleria.com

Des coquelicots inondent les vignes de graves de leurs couleurs éclatantes.

FRANCE

LES VINS DE BORDEAUX

Les vrais amateurs de vin s'y retrouveront parmi les rouges élégants, les blancs fleuris et le doux sauternes.

L e circuit débute sur les pentes douces de la région des vins de graves, des grands crus désormais regroupés sous l'appellation d'origine contrôlée Pessac-Léognan. Les graves s'étendent au sud de Bordeaux, le long de la Garonne. On y produit des vins rouges réputés, à la saveur complexe, mais aussi des blancs (sémillon et sauvignon). Passez devant les grilles du prestigieux Château Haut-Brion et les toits pointus du Château Pape-Clément, deux domaines situés à Pessac, dans les environs de Bordeaux. La route s'enfonce dans la campagne, en direction du Château de Chantegrive à Podensac : là, goûtez des rouges élégants et des blancs fleuris. Plus au sud, à Preignac, dégustez des blancs, secs ou liquoreux du Château de Malle, entre graves et sauternes. Ce château du XVIIᵉ siècle, agrémenté de jardins à l'italienne, est le cadre idéal pour découvrir la gamme remarquable des vins de la région. À la fin des vendanges, des ouvriers cueillent à la main des grappes couvertes d'une pourriture noble – *Botrytis cinerea*. Ce champignon, conjugué aux brumes automnales qui s'élèvent du lit de la Ciron, confèrent au sauternes son caractère onctueux et sucré si particulier.

EUROPE

Quand ? Mars-avril, ou octobre-novembre (derniers jours de vendange à Barsac et sauternes). Les châteaux et les grands sites historiques sont ouverts au public de Pâques au début du mois de novembre. La bicyclette est idéale pour parcourir la région au printemps.

Combien de temps ? Week-end Portes ouvertes « Les vins de graves » début novembre. Comptez 1 semaine pour visiter la région et faire quelques dégustations.

Préparation Vous pouvez louer une voiture à Bordeaux. Consultez les sites des châteaux avant votre départ. Dégustation et achat se font en général sur rendez-vous.

À savoir Possibilité de location de vélos à Léognan.

Internet www.vins-graves.com, www.otmontesquieu.com, www.haut-brion.com, www.chateau-de-malle.fr

ITALIE

TRUFFES ET CHAMPIGNONS

Partez à la découverte d'un délice absolu, très rare
et cher : la truffe blanche.

On toute saison, les amoureux de bonne chère et de vins parfumés sont séduits par l'Italie. Toutefois, c'est à l'automne que les visiteurs venus à Alba, dans la région viticole des Langhe (sud-est de Turin), partageront l'un des plus importants événements de l'année gastronomique italienne, quand les champignons – cèpes, chanterelles, et bien d'autres variétés tout aussi odorantes – abondent dans les champs et les forêts. C'est également à cette période qu'il convient de dénicher un pur joyau : la truffe blanche, aux arômes si intenses. La truffe prend vie sur les racines des arbres – chêne, peuplier, saule pleureur, tilleul et cep de vigne. Sa couleur varie du blanc au brun, en passant par le gris. Enterrée, elle est localisée grâce au flair de chiens truffiers. Des ventes aux enchères se déroulent à Alba et dans les environs. Des chefs et des gastronomes aisés dépensent des fortunes pour repartir avec ces « diamants blancs ». Si les conditions météorologiques sont mauvaises, la truffe devient difficile à trouver et son prix peut alors doubler en quelques jours. Le parfum entêtant de ces champignons flotte dans les rues, car ils figurent en bonne place sur les menus des restaurants locaux, tout au long de l'automne.

Quand ? À l'automne; Foire internationale de la truffe à Alba en octobre. D'autres villes (Asti, Acqui Terme) accueillent des foires et des marchés de la truffe en octobre et novembre. Plats aux truffes et champignons frais au menu des restaurants de la fin septembre jusqu'à la fin de l'hiver.

Combien de temps ? Comptez de 3 à 5 jours pour explorer la région en voiture.

Préparation Si vous venez à Alba pendant la Foire, réservez votre hôtel suffisamment à l'avance.

À savoir La truffe blanche ne se cuit pas. Elle doit être consommée crue ou râpée. N'achetez pas de conserves : mises en boîtes, les truffes perdent tout leur parfum.

Internet www.saporidilanga.com, www.fieradeltartufo.org, www.turismodoc.it

EUROPE

TEMPS FORTS

■ Humez le parfum qui s'élève d'un plat de pâtes – appelées *tajarin* dans la région – parsemées de **truffe blanche râpée.**

■ Savourez l'arôme succulent et la texture sensuelle des **cèpes** frais incorporés à un copieux risotto.

■ Écumez foires et marchés. Faites provision de **gourmandises locales** : du salami aromatisé au barolo, du miel de châtaigne et des fromages (ricotta piémontaise).

Un *trifolau* (professionnel de la truffe) observe son chien creuser le sol pour déterrer le précieux champignon.

« SLOW FOOD » EN TOSCANE

Oubliez les *fast-foods*. Levez le pied. Vous êtes en Toscane.
Prenez le temps de savourer les spécialités locales.

EUROPE

L'association internationale Slow Food – qui œuvre à la promotion et à la sauvegarde des traditions culinaires régionales, des produits locaux et des techniques agricoles respectueuses de l'environnement – a été fondée par des Italiens. La Toscane constitue le point de départ idéal d'un périple qui reflétera cet état d'esprit. Les Toscans se passionnent pour la bonne cuisine. Ils argumentent des heures sur un infime changement apporté à une recette traditionnelle, et se réjouissent de l'arrivée sur le marché des produits saisonniers. En hiver, soupe de haricots (les Toscans sont surnommés «les mangeurs de haricots»), *cavalo nero* («chou noir») et *faro* (une variété de froment). Le printemps et l'été apportent leur lot de légumes délicats, comme ces jeunes fèves qui accompagnent un morceau de pecorino. En automne, les chasseurs traquent gibier, cèpes et châtaignes. En revanche, c'est tout au long de l'année que les pains rustiques au levain, les viandes rôties à la broche et les *pappardelle* – pâtes larges et plates traditionnellement nappées de sauce au lièvre braisé – se retrouvent sur la table. Les cités Renaissance et la merveilleuse campagne de la Toscane sont le parfait écrin de ces festins de roi.

Quand ? Toute l'année, car à chaque saison ses friandises, mais beaucoup de restaurants et de boutiques sont fermés en août. La campagne est particulièrement belle au printemps et à l'automne.

Combien de temps ? Au moins 5 jours si vous voyagez en voiture, plus longtemps si vous visitez les villes (si romantiques), les villages et la campagne environnante.

Préparation Ayez un point de chute à Sienne, Florence ou Lucques ou pratiquez le tourisme agricole en séjournant dans une ferme à la campagne.

À savoir Dans les villes et les villages, lisez le bulletin d'informations placardé sur la façade de la mairie pour connaître la date des fêtes locales. Ces réjouissances sont l'occasion de grands repas où l'on goûte aux produits du terroir dans une ambiance particulièrement chaleureuse.

Internet www.slowfood.com, www.agriturismo.com

TEMPS FORTS

■ **La finocchiona**, un saucisson qui tient son nom des graines de fenouil, est l'une des innombrables variétés de viandes, saucisses et jambons que servent les petits restaurants et les *osterie* (négociants en vins proposant une restauration légère) de la région.

■ Achetez l'**huile d'olive extra-vierge** en provenance directe du pressoir. Petits producteurs ou grands domaines, l'offre est impressionnante.

■ Savourez une épaisse côte de bœuf - **bistecca alla fiorentina** - grillée au feu de bois, issue de la race bovine chianina, qui compte de moins en moins de représentants.

■ Visitez les **domaines viticoles** des producteurs de chianti, de brunello di Montalcino, et de blancs vibrants, comme la vernaccia de San Gimignano.

Saucissons et jambons salés ont envahi les vitrines de cette épicerie siennoise renommée.

Tous les matins, la foule se presse autour des étals du marché au poisson de Catane.

ITALIE

Vins et spécialités de Sicile

Un périple entre Palerme et Syracuse est une occasion merveilleuse d'apprécier la diversité et la richesse culinaires de l'île.

Dans les vieux quartiers de Palerme, des marchands vendent des poissons de toutes tailles et de toutes formes, mais les sardines, elles, sont roulées car le *sarde a beccafico* est une spécialité locale. Quittez la ville et traversez le cœur montagneux de l'île au rythme de panoramas époustouflants et de sites historiques. Faites étape à Enna, riche d'églises des XVᵉ et XVIᵉ siècles. Dévorez sur la Piazza 6 Dicembre des *braciole alla siciliana*, côtelettes de porc marinées et grillées, relevées d'origan, grande spécialité des restaurants de l'arrière-pays. Les vins siciliens récitent la gamme des rouges (nero d'Avola tannique et profond, corleone robuste) et des blancs (cépages catanese bianco et grecanico). Sur la côte Ionienne, au sud de l'Etna, flânez sur le marché au poisson de Catane – le plus important de la zone méditerranéenne. Votre odyssée s'achève à Syracuse et le port d'Ortygie. Détendez-vous en grignotant un morceau de massepain *(frutta martorana)* avec un verre de castelmonte frizzante (pétillant).

Quand? Évitez les mois d'été. En octobre (époque des vendanges au sud-ouest de Syracuse), on peut encore se baigner et profiter des plages du cap Passero.

Combien de temps? Comptez au moins 2 semaines pour apprécier la cuisine sicilienne et explorer l'île de fond en comble.

Préparation Chaussures confortables indispensables pour cheminer hors des sentiers battus. À Catane, marché au poisson du lundi au samedi, de 5 h à 11 h.

À savoir Les panneaux sont souvent cachés par des feuillages ou des broussailles. Si vous vous déplacez en voiture, étudiez bien l'itinéraire avant votre départ.

Internet www.lasicile.com, www.regione.sicilia.it, www.comune.siracusa.it

TEMPS FORTS

■ Vous aussi, adoptez la coutume de la *passeggiata*, une promenade vespérale à laquelle s'adonnent traditionnellement tous les Siciliens. Ou regardez les passants, en suçotant une glace, confortablement installé à la terrasse d'un café.

■ **Pique-niquez** à l'intérieur des terres. Sur le marché des villages, vous aurez fait des emplettes à moindre prix : saucissons épicés, pecorino et gressins.

■ Les vins siciliens s'apprécient accompagnés d'*arancine*, des boulettes de riz safrané sautées et farcies de champignons, de fromage, de légumes hachés ou de jambon.

■ Si vous avez le temps, allez jusqu'à **Trapani**, port célèbre pour ses salants et ses moulins à vent.

LES TAPAS DE BARCELONE

Tournée gastronomique, de bar en bar, pour butiner cette kyrielle
de délices proposés dans de petites assiettes.

Les arômes exquis de pâtisseries encore tièdes, de café fumant et de churros (pâte frite et sucré) embaument les allées de La Boqueria. Accédez à ce marché par la rambla, vous aurez l'impression de pénétrer dans une ruche. Au milieu des fruits, des légumes et des crustacés, c'est bien ici que se trouvent le Bar Pinotxo et El Quim, les deux meilleurs bars à tapas de la ville. Ils servent petit déjeuner et déjeuner, et se fournissent directement sur le marché : fraîcheur garantie. Accompagnez vos tapas d'un verre de vin, du cavapar exemple (le vin pétillant local), ou d'une bière. Poursuivez votre quête – tapas résolument traditionnelles ou étonnamment exotiques – dans les quartiers du centre-ville : Barrio Gotico («quartier gothique»), El Born, El Eixample et La Ribera. À la Bodega La Palma, un bar bien connu sur la Calle Palma, les vins sont servis du tonneau. Euskal Extea, centre culturel basque et excellent restaurant de la Placeta Montcada, propose des poulpes et des piments farcis, servis au bar. Le quartier médiéval regorge de bars et de restaurants et illustre à lui seul les deux principaux pôles d'intérêt de la ville : ses spécialités culinaires et son formidable patrimoine artistique et architectural (Gaudí, Picasso, Miró et Dali ont habité Barcelone).

Quand ? Barcelone se visite toute l'année, mais le temps est agréable et il y a beaucoup moins de monde au printemps (mi-mars/début mai) et à l'automne (mi-septembre/fin octobre).

Combien de temps ? Comptez au moins 3 jours pour avoir un bon aperçu des différents quartiers. 1 semaine est préférable pour découvrir la nourriture, l'architecture et les musées de la ville.

Préparation Le 24 septembre a lieu la fête de la Mercè, en hommage à la sainte patronne de Barcelone.

À savoir Quand vous passez commande, vérifiez les tarifs. Dans certains établissements, si vous prenez une table, le serveur vous apportera des tapas jusqu'à ce que vous lui demandiez d'arrêter : la note s'en ressent ! Dans les bars, on peut parfois vous facturer les plats et les fourchettes !

Internet www.bcn.es/turisme, www.barcelonaturisme.com, www.txapela.angrup.com

TEMPS FORTS

■ Visitez la **Sagrada Familia**, la **cathédrale** construite par Gaudí et située dans le quartier El Eixample. Grimpez en haut des tours, la vue est imprenable.

■ Le quartier verdoyant Montjuic offre également des **panoramas** exceptionnels **sur la ville et sur la Méditerranée**. Profitez-en pour aller à la **Fondation Joan Miró**.

■ Le **musée Picasso** occupe cinq bâtiments de la rue Montcada, dans le vieux quartier El Born.

Les bars à tapas abritent des trésors de gourmandises : crustacés, *tortillas,* légumes et viandes. Vous pouvez essayer autant de variétés que vous le souhaitez.

Les *rabelos* sont les bateaux dédiés au transport des tonneaux de porto, sur le Douro.

PORTUGAL

PORTO ET LE DOURO

Savourez les produits d'un terroir qui a vu naître le plus célèbre vin muté de la planète.

Alliance de teintes fauves et vermeilles, le vin de porto fut créé à la fin du XVIIᵉ siècle par des marchands anglais. Pour que le vin supporte la longue traversée, ces négociants versèrent dans les tonneaux un peu d'eau-de-vie. Aujourd'hui, la préservation n'est plus un problème, mais le secret de fabrication est resté le même car l'eau-de-vie donne au porto son parfum si particulier. La ville de Porto est la porte d'accès à la région viticole dont est issu le vin du même nom. C'est ici que les producteurs stockent les bouteilles qu'ils exportent dans le monde entier. Située à l'embouchure du Douro, avec ses maisons perchées au flanc des collines qui surplombent le fleuve, Porto est une ville extrêmement dynamique. Vous pouvez bien sûr déguster du porto ici, mais évadez-vous plutôt vers les vignobles, en remontant le cours du fleuve, en train ou en bateau, jusqu'à Regua et Pinhão. En chemin, vous traverserez des paysages admirables. Si vous passez quelques jours à Regua, séjournez à la *pousada* de Mesao Frio, un délicieux hôtel de charme qui paresse au milieu des vignes. L'édifice, du XVIIIᵉ siècle, est décoré de mobilier ancien. Son restaurant est excellent et son jardin regorge de roses et d'orangers parfumés. De votre balcon, vous verrez la lune se refléter dans les eaux du Douro.

TEMPS FORTS

■ Promenez-vous dans les vignes et admirez la vue sur le fleuve qui miroite en contrebas.

■ Rendez-vous dans une *finca*, où se fabrique le porto, et participez à une **dégustation**. Vous découvrirez les procédés de fabrication et percerez les secrets de ce vin enivrant.

■ Faites le trajet Porto-Regua **en bateau** ; de part et d'autre du cours du Douro, les hautes collines sont couvertes de vignes.

Quand ? Choisissez septembre pour assister aux vendanges. Le temps est très agréable au printemps et à l'automne.

Combien de temps ? Comptez 2 ou 3 jours pour vous relaxer et profiter de la ville et du port.

Préparation Réservez longtemps à l'avance si vous souhaitez séjourner dans une *pousada*, un hôtel de charme aménagé dans une vieille maison ou un château.

À savoir Multipliez les expériences : prenez le bateau à l'aller, le train au retour.

Internet www.visitportugal.com, www.pousadas.pt, www.lamaisondesporto.com

Chez les Bédouins, le café est le symbole de l'hospitalité. Il est parfumé à la cardamome et moulu devant vous.

JORDANIE

Un festin bédouin

Savourez du café à la cardamome et de l'agneau grillé au yaourt dans le décor aux reflets cannelle du Wadi Rum, en Jordanie.

Des palmiers signalent l'entrée du campement bédouin dont on distingue les tentes coiffées de peaux de chèvre. Le cheik vous accueille avec un café aromatisé à la cardamome. À l'aide de pelles, ses gardes dégagent du sable. Un four apparaît. L'odeur délicieuse d'un agneau grillé enduit de yaourt se répand. La viande sera bientôt servie, accompagnée de riz et de pignons. Bienvenue au Wadi Rum, un oued *(wadi)* du sud-ouest de la Jordanie connu grâce à Lawrence d'Arabie et l'inoubliable film de David Lean qui fut tourné ici-même en 1962. Lawrence qualifiait l'endroit de « vaste, sonore et divin ». À juste titre. Dans l'étroit défilé de Khazali, les gravures qui ornent les parois rocheuses semblent vous épier. Au camp, assis sur un tapis, vous piochez dans les plats disposés devant vous. Vous vous servez en hoummous et baba ghanouj (une pâte à base d'aubergine et de sésame) à l'aide d'un morceau de pain pita, puis saisissez une brochette de poulet frotté à l'ail. Ici, le taboulé symbolise la puissance de la terre, sa modestie (le blé concassé) et son penchant pour la révolte (le persil, les tomates, l'oignon, la menthe et le citron), à l'image du Wadi Rum où le sable et la rocaille cèdent la place, l'hiver venu, à une oasis verdoyante.

TEMPS FORTS

■ Gravir le **Jebel Rum**, le deuxième plus haut sommet de Jordanie (1750 m). La vue y est étourdissante (réservation indispensable auprès du Visitor Center).

■ Parcourez le **canyon Barrah** en 4X4. Au lever du soleil et à la tombée de la nuit, la roche se pare d'une teinte orange vif. Ne ratez pas les sompteuses arches minérales de Burdah et Um Frouth.

■ Observez la faune : **loup de Syrie, hyène rayée, bouquetin de Nubie**. En 2002, l'**oryx d'Arabie** fut réintroduit dans la région, sa présence initiale étant attestée par des gravures rupestres.

Quand ? Toute l'année. L'hiver est humide. Janvier est le mois le plus frais, juillet le plus chaud (36 °C).

Combien de temps ? Au moins 2 jours. 4 ou 5 jours pour les férus de randonnée et d'archéologie.

Préparation Le Wadi Rum Visitor Center organisera à votre intention un repas traditionnel bédouin. Campez pour vous immerger dans l'ambiance de l'oued : apportez votre tente et dormez à la belle étoile, ou passez la nuit sous une tente bédouine *(bayt ash-sha'ar)*. Hébergements plus luxueux à proximité du village de Diseh. Visites de l'oued à cheval, à dos de chameau ou en 4X4.

À savoir Traditionnellement, les Bédouins offrent aux visiteurs 3 tasses de café : une pour l'âme, une pour le sabre, la dernière pour honorer son hôte. Il est impoli d'en réclamer une autre.

Internet www.visitjordan.com, www.wadirum.jo, www.tourguides.com.jo

ASIE

AFRIQUE DU SUD

LES VIGNOBLES DU CAP

Les vins sud-africains sont réputés pour leur diversité et leur qualité. Visitez leur pays natal, un véritable jardin des délices.

AFRIQUE

La ville universitaire de Stellenbosch s'étend à l'est du Cap, au rythme de ses édifices du XVIIᵉ siècle et de ses rues ombragées de chênes. La route des vins du Cap sillonne ses environs, en traversant une mosaïque de paysages naturels, de sites historiques… et de vignes. La région compte une centaine de domaines, ouverts au public : on peut y déguster des vins issus d'une exceptionnelle variété de raisins, et déjeuner ou même pique-niquer dans leurs superbes jardins. L'industrie du vin prit son essor en 1655 lorsque Jan van Riebeeck, premier gouverneur néerlandais du Cap, planta le premier pied de vigne. À la même époque, la ville devint un comptoir de la Compagnie néerlandaise des Indes orientales et accueillit, entre 1680 et 1690, des huguenots (protestants) chassés de France. Au cours des siècles suivants, la viticulture prospéra. Aujourd'hui, la région est striée d'une quinzaine de « routes des vins » : préparez soigneusement votre circuit, vous devez être sélectif. Prenez Stellenbosch comme point de chute, choisissez trois ou quatre domaines de réputation internationale et combinez la découverte de leurs vins à la visite de sites et de monuments – liés à l'histoire des Pays-Bas et des huguenots – essaimés dans un cadre admirable de montagnes et de vallées fertiles.

Quand ? Octobre-mai (de la fin du printemps au début de l'automne), la seule période où l'on peut envisager une excursion de plus d'une journée.

Combien de temps ? Prévoyez 4 ou 5 jours pour découvrir la région en voiture.

Préparation Stellenbosch et ses environs sont très touristiques : réservez suffisamment à l'avance votre hôtel et les visites des propriétés viticoles. Le Centre d'information touristique de Stellenbosch fournit des cartes routières… et de précieux conseils. Le personnel vous aidera à faire vos réservations par Internet.

À savoir Prenez le temps de découvrir les vignes et la ferme Rustenberg. L'atmosphère y est incroyablement paisible.

Internet www.stellenboschtourism.co.za, www.wineroute.co.za

TEMPS FORTS

■ Le vignoble **Rustenberg**, à proximité de Stellenbosch : ses vins sont extrêmement proches du bordeaux (assemblage de cabernet sauvignon, cabernet franc et merlot).

■ Le vin produit par le domaine Kanonkop soutient la comparaison avec un premier cru. Il est issu du **pinotage**, une création sud-africaine obtenue par le croisement des cépages pinot noir et hermitage.

■ Le domaine Meerendal fut fondé en 1702 par Jan Meerland. Il est réputé pour son **shiraz millésimé**. Goûtez aussi ses vins issus des cépages cabernet et pinotage.

Dans les environs de Stellenbosch, les rangées de vignes mûrissent sous le soleil sud-africain.

MALAISIE

POT-POURRI DE MALAISIE

Des marchands ambulants aux élégants restaurants, la cuisine malaisienne porte en elle la promesse d'une expérience riche et colorée.

Partez de Singapour et remontez la côte de la péninsule Malaise : imprégnez-vous en chemin des influences arabes, chinoises et indiennes léguées autrefois par les marchands. Elles sont aujourd'hui bien présentes dans la cuisine locale. À Malacca, ancien comptoir du commerce des épices de la côte ouest, goûtez des plats qui allient des ingrédients chinois et indiens à la sensibilité culinaire malaisienne : c'est le cas des *popiah*, rouleaux de printemps fourrés au jicama et nappés d'une sauce aux cacahuètes (une spécialité nationale). En bus, poursuivez jusqu'à Kuala Lumpur, la plus grande ville du pays. L'identité culinaire de ses trois millions d'habitants est issue du métissage des trois groupes ethniques auxquels ils appartiennent : malais, chinois, indien. Flânez dans le quartier chinois à la recherche de mets originaires du Fujian ou du Hainan. Allez à Kampung Baru, l'une des enclaves malaises de la ville, et goûtez au *nasi lemak*, un riz à la noix de coco parfumé au gingembre. Visitez le quartier de Brickfields et plongez dans l'atmosphère particulière du sud de l'Inde. Toutes ces influences se mêlent dans le *kare laksa*, l'un des plus délicieux plat de nouilles de l'Asie du Sud-Est (ou peut-être même du monde entier…). Achevez votre odyssée à George Town, capitale de l'île de Penang : la cuisine sud-asiatique est à son apogée sur les étals des marchands ambulants qui colonisent les rues de la ville et proposent des produits absolument exquis à moindre prix.

Quand ? Il fait chaud toute l'année. Deux saisons des pluies (avril-mai et octobre-novembre), mais les averses sont de courte durée.

Combien de temps ? Idéalement 1 mois, mais le séjour peut être ramené à 2 semaines.

Préparation Voyagez en train, ou associez train et bus. En train, pour Malacca, changez à Tampin. À Butterworth, ferry à destination de Penang.

À savoir Ne cherchez pas, il n'y a ni couteau ni fourchette. Les Malaisiens mangent avec leur main droite (sauf les plats de nouilles, pour lesquels ils utilisent des baguettes). Du bout des doigts, saisissez de petites quantités. Avec votre pouce, nettoyez vos autres doigts et votre bouche.

Internet www.motour.gov.my, www.ontmalaisie.com/france/malaisie.php

TEMPS FORTS

■ À Singapour, sur les étals des marchands ambulants, traquez le *ketam lata hitam* (**crabe au poivre noir**) relevé de gingembre, de curcuma frais ou de grains de poivre.

■ Croquez une **brochette saté** lorsqu'elle est encore chaude et exhale les arômes du feu de bois sur lequel on l'a mise à braiser. Cette spécialité vient vraisemblablement du kebab arabe introduit par les marchands d'épices à Java (Indonésie) au VIIIe siècle. Les Javanais l'auront repris à leur compte et enrichi de marinades parfumées de coriandre, gingembre, galanga, citronnelle, ail et échalote.

■ La Malaisie est le paradis des grignoteurs, et manger dans la rue est ici un art de vivre. Visitez l'un de ces lieux qui rassemblent quelque 300 **marchands** et leurs minuscules étals avec, en bruit de fond, le ronronnement des ventilateurs accrochés au plafond.

Ci-dessus : Les épices de la cuisine locale. Les clous de girofle (à gauche) pour des plats salés et les currys, la noix de muscade (à droite) pour des recettes sucrées (ainsi que les currys). Ci-contre : Les pêcheurs utilisent des barques de bois, des filets et des pièges pour capturer poissons, calamars, homards, crevettes, vedettes de l'alimentation malaisienne.

7

DANS L'ACTION

Les périples proposés dans ce chapitre sont taillés sur mesure pour les assoiffés d'action. Certains s'adressent aux plus sportifs, ou aux plus téméraires, d'autres sont parfaitement paisibles ; tous cependant sont l'occasion de faire un bilan personnel, un retour sur soi. Les amoureux des grands froids tenteront le chien de traîneau en Alaska, les inconditionnels du soleil partiront à dos d'éléphant au Népal ou goûteront aux joies d'un safari au Botswana, gage de fabuleuses rencontres — rhinocéros, léopards, buffles, lions, éléphants. Dévaler les versants du mont Blanc, ou planer au-dessus de Rio... Et pourquoi ne pas descendre dans les entrailles de la Terre, dans les grottes de Porto Rico ? De toutes ces expériences de l'extrême, il en est une qu'il ne faut surtout pas sous-estimer — elle est de loin la plus difficile : danser un tango à Buenos Aires sous le regard impitoyable des puristes !

Descente en eaux vives musclée sur le Zambèze, en Afrique. Le rafting garantit les poussées d'adrénaline ; il se pratique partout où les rivières s'engouffrent dans des gorges étroites - de l'Australie à l'Alaska.

Les huskies d'Alaska sont réputés pour leur endurance.

ALASKA
Traîneaux à chiens en Alaska

Emmené par un attelage de huskies, filez à vive allure au cœur d'une nature intacte, tapie sous la neige.

A u chenil, les chiens sentent qu'une sortie est en préparation. Ils aboient quand on les attache à l'attelage, ils sont fébriles, excités. Vous grimpez à l'arrière du traîneau. C'est le départ. Les huskies se taisent et s'élancent sur la piste. Seuls le bruit de leurs pattes et le grincement du traîneau se font entendre. Ici, faire du traîneau à chiens se dit *mushing*, du verbe français « marcher ». De la vapeur s'échappe en tourbillons de la gueule des chiens, au rythme de leur course. La piste est bordée d'épicéas qui ploient sous des morceaux de glace taillés comme des pierres précieuses. La silhouette du mont MacKinley, le plus haut sommet d'Amérique du Nord (6 194 m), se profile. Le sol est criblé d'empreintes d'élans et de renards. Dans le ciel, un corbeau suit votre cortège. De temps à autre, les chiens tournent la tête. Vous suivez leur regard : ici, ils ont repéré un lagopède d'un blanc parfait, là, un lièvre arctique bondissant. Vous ne rencontrerez personne. Dans cette nature immaculée, vous êtes seul avec vos chiens.

Quand ? De la mi-novembre à la mi-avril, quand la neige et l'état des pistes le permettent.

Combien de temps ? Les trajets varient de 1 h 30 à 5 jours.

Préparation Équipement et bottes fournis. Prévoyez des sous-vêtements en lainage (pas de coton). Caleçons longs en laine de mérinos indispensables.

À savoir Ne soyez pas trop couverts pour ne pas transpirer. La sueur trempe les vêtements : froid assuré.

Internet www.iditarod.com

TEMPS FORTS

■ Les pistes sillonnent le **parc national Denali** (24 600 km²), au cœur de l'écosystème subarctique qui abrite grizzlis, loups, mouflons de Dall et élans. Vous ne verrez pas d'ours : ils hibernent en hiver.

■ Les circuits de 3 à 5 jours peuvent vous conduire sur l'**Iditarod**, une piste de 1850 km sur laquelle se déroule tous les ans, en mars, une course reliant Nome à Anchorage. Passez la nuit dans l'un des postes de contrôle. Discussions passionnantes avec les concurrents assurées.

■ **Tokosha Mountain Lodge**, entre la Tokositna River et le Pirate Lake, n'est pas accessible par la route. Savourez la solitude, la vue sublime et la cuisine délicieuse de votre hôte (dont des biscuits et des tartes maison).

AMÉRIQUE DU NORD

CANADA

Ours polaires au Canada

Un univers blanc et gris pour ce safari où, derrière chaque rocher, derrière chaque congère, peut se cacher un ours.

AMÉRIQUE DU NORD

Le plus terrifiant chez l'ours polaire n'est ni son regard carnassier, ni la toute-puissance dégagée par sa silhouette massive, ni même sa réputation – justifiée – de tueur d'hommes, mais bien la capacité de cet énorme animal de se camoufler n'importe où… même lorsqu'il n'y a pas de neige. Endormi sur une berge rocailleuse à quelques mètres de vous, entre rochers et blocs de glace, il est impossible à repérer. Churchill, au nord de la province canadienne du Manitoba, est l'un des meilleurs sites d'observation de ces créatures blanches, hors normes. La ville est située sur leur voie de migration, sur la côte occidentale de la baie d'Hudson. Quand l'été arrive et que la banquise fond et se brise, les ours partent à la recherche de nourriture. Ils farfouillent à la périphérie de la ville, mais c'est en pleine nature que vous les observerez le mieux, à l'abri de votre «toundra-mobile», un 4X4 équipé de pneus gigantesques et de grosses suspensions. Les ours se sont habitués à ces véhicules, et certains viennent coller leur museau sur les vitres! Attendez-vous à passer plusieurs heures par jour en voiture, à la recherche des ours.

Quand? Idéalement en octobre et novembre. À cette période, les ours se réunissent sur la côte en attendant la formation de la banquise.

Combien de temps? Comptez au moins 3 nuits. 1 semaine complète est préférable pour goûter pleinement à l'ambiance arctique.

Préparation Une veste adaptée au grand froid vous sera prêtée. Même en automne, la température peut chuter en dessous de zéro dès le milieu de la journée. Emportez des sous-vêtements thermiques, des gants et des sous-gants de soie, un bonnet de ski et des chaussures bien étanches.

À savoir Entre Winnipeg et Churchill, prenez le train plutôt que l'avion. Le trajet proposé par VIA Rail Canada dure environ 36 h.

Internet www.townofchurchill.ca, www.viarail.ca

TEMPS FORTS

■ Passez une nuit dans un **refuge itinérant**, à l'est de Churchill. C'est le zoo à l'envers : vous êtes enfermé, et dehors, les ours vous regardent…

■ Churchill est l'un des meilleurs sites au monde pour les **aurores boréales,** que l'on observe ici plus de 300 nuits par an.

■ En été, Churchill est envahi par les **oiseaux**. Au sud, le parc **national Wapusk** abonde en espèces rares : barge hudsonienne, mouette blanche, sterne caspienne et faucon gerfaut.

■ En juillet et août, visitez le fort Prince-de-Galles, vestige du comptoir de commerce des **fourrures de la compagnie de la baie d'Hudson** (XVIIIᵉ siècle).

Une mère et ses deux oursons se reposent dans la neige du parc national Wapusk, au sud de Churchill.

CANADA

La Transcanadienne

Sillonnez les forêts, parcourez à vélo la côte de l'île de Vancouver, descendez la rivière Athabasca en kayak… Sur ce sentier gigantesque, les activités sont innombrables.

La Transcanadienne est une voie de 18 078 km qui relie d'est en ouest Saint John's (Terre-Neuve) à Victoria (Colombie-Britannique) et se prolonge vers le nord de Calgary (Alberta) jusqu'à l'océan Arctique. Succession de provinces, de territoires, de terroirs… Certains tronçons sont entièrement balisés, d'autres en passe de l'être. Relevez le défi de la traversée du Canada, véritable mosaïque de milieux naturels. Toutes les activités sont possibles : randonnée pédestre ou équestre, vélo, ski, motoneige, kayak… Que choisir ? Pourquoi ne pas commencer par l'île du Prince-Édouard (270 km) ? Vous pouvez également longer le lac Ontario puis pénétrer dans les épaisses forêts boréales et les régions sauvages du nord de l'Ontario. Pagayez sur la rivière Athabasca, de l'Alberta à la Colombie-Britannique, ou parcourez à vélo le Galloping Goose – un sentier de 70 km qui relie Victoria aux reliefs des Sooke Hills et à la mine désaffectée de Leechtown. Les paysages sont spectaculaires. Certains sentiers sont chargés d'histoire : Cowichan Valley Rail Trail (île de Vancouver), Kettle Valley Railway Trail (Colombie-Britannique), Whitehorse Copper Trail (Yukon)… Pendant ce temps, dans les Territoires du Nord-Ouest, les vrais aventuriers suivent les traces – en toute sécurité – de pionniers, tel Samuel Hearne, le premier Européen qui remonta la rivière Coppermine jusqu'à l'océan Arctique.

Quand ? Toute l'année, selon les tronçons et les activités.

Combien de temps ? Programmez des randonnées d'une journée (avec observation des oiseaux), ou des raids de plusieurs mois.

Préparation Contactez l'office de tourisme local pour vous assurer que votre activité sportive est compatible avec la géographie de la région.

À savoir Les habitants de 800 villes et villages utilisent quotidiennement cette route. Dans les chalets qui la jalonnent, vous trouverez de l'aide et des conseils.

Internet www.tctrail.ca, www.canadatrails.ca, www.athabascacountry.com, www.gov.pe.ca, www.gallopinggoosetrail.com

TEMPS FORTS

■ Les occasions de voir des **animaux sauvages** sont nombreuses : grizzlis, ours noirs, élans, cerfs, pumas… Sur l'île de Vancouver, la marmotte endémique est en voie de disparition : il en reste à peine 200.

■ En été, tentez la randonnée 24 heures sur 24 grâce aux **jours sans fin du Yukon**… Ou faites une pause à Whitehorse, capitale du territoire, et assistez aux reconstitutions de la ruée vers l'or.

■ Chaque tronçon a son charme, mais le **sentier d'interprétation de la nature de Guysborough** (44 km), en Nouvelle-Écosse, est particulièrement séduisant : chutes d'eau, ponts suspendus… À son extrémité orientale, vues sublimes sur la baie Chedabucto, la plus vaste de la côte atlantique.

Ci-dessus : Couleurs éclatantes le long de cette rivière à proximité de Banff (Alberta). Ci-contre : Dans les Rocheuses canadiennes, l'air est également pur et les couleurs intenses. Le vert des vallées et des forêts de mélèzes contraste superbement avec le bleu d'un ciel où les nuages se font rares.

À cheval sur la piste de Santa Fe, partagez les sensations des pionniers qui partirent s'établir dans le Sud-Ouest.

ÉTATS-UNIS

La Piste de Santa Fe

Cette voie historique traverse les paysages les plus grandioses du désert du Sud-Ouest américain.

Dans le désert, armoises et cactus s'étendent à perte de vue. À chaque pas, les chevaux soulèvent la poussière. Il fait chaud. Aucune zone ombragée à l'horizon. Pourtant, la beauté austère du lieu, et ce sentiment de remonter le cours de l'Histoire, font oublier l'inconfort du voyage. La piste de Santa Fe fut, au XIXᵉ siècle, un axe commercial et militaire reliant Franklin (Missouri) et Santa Fe (Nouveau-Mexique). Après la guerre américano-mexicaine de 1846, des milliers de colons venus du Kansas, du Colorado et de l'Oklahoma ont emprunté cette voie de 1 300 km pour rallier le Nouveau-Mexique, territoire que l'Amérique venait d'annexer – une route que l'avènement du chemin de fer, à la fin des années 1880, rendit obsolète. De nos jours, les automobilistes suivent le même itinéraire sur une route goudronnée qui a reçu le statut de National Scenic Byway pour son intérêt culturel et historique. Mais rien ne vaut la randonnée équestre. La piste historique étant trop fragile, vous suivez des pistes parallèles. L'une d'elles passe par les prairies de Cimarron – un site protégé à proximité de Elkhart, dans le Sud-Ouest du Kansas.

Quand ? Toute l'année, mais le printemps et l'automne sont préférables. L'été est chaud, avec des vents secs, et il peut neiger en hiver.

Combien de temps ? Comptez 1 semaine pour parcourir plusieurs tronçons. Le plus long, la traversée des prairies de Cimarron (31 km), se fait tranquillement en 1 journée (à cheval).

Préparation Attention, il y a peu d'endroits où louer des chevaux. Des randonnées sont organisées de temps à autre, renseignez-vous sur Internet.

À savoir Ayez toujours de l'eau, de la crème solaire et un chapeau. Aire de repos et de soins pour les chevaux aux deux extrémités du tronçon Cimarron.

Internet www.nps.gov/safe, www.santafenm.gov, www.fs.fed.us/r2/psicc/cim

TEMPS FORTS

■ La piste est un véritable observatoire de l'avifaune – **aigles royaux, tétras, coucous de Californie.** On y croise aussi de nombreux mammifères : coyotes, porcs-épics, wapitis et pronghorns.

■ Environ 15 % de la piste historique est encore visible. En regardant bien, vous pouvez voir les **ornières** creusées par les **chariots.**

■ Les **mares boueuses**, dans lesquelles se roulaient les bisons (pour se débarrasser des taons) sont encore visibles, surtout au printemps, lorsqu'elles sont remplies d'eau.

ÉTATS-UNIS

Rafting dans le Grand Canyon

Ressentez au plus près toute la puissance du Colorado, le fleuve qui a creusé le Grand Canyon.

Au plus fort de son cours, le Colorado déferle au fond du Grand Canyon tel un torrent furieux. Ses flots déchaînés semblent impossibles à franchir… C'est compter sans l'incroyable habileté des guides qui manœuvrent avec adresse rafts, kayaks et doris (bateaux à rames à fond plat) sur les 450 km qui séparent Lees Ferry du lac Mead. Le décor est le même depuis 1869, date à laquelle le major John Wesley Powell, héros de la guerre civile, conduisit la première expédition sur le Colorado. Le trajet est paisible dans sa majeure partie – détendez-vous et profitez du paysage étourdissant. Chaque jour, une excursion vous emmène à la découverte des vestiges de la civilisation des Anasazis ou de merveilles naturelles, comme les grottes de Saddle Canyon, noyées sous les fleurs. Alimenté par la fonte des glaciers des Rocheuses, le Colorado n'est pas propice à la baignade, sauf au printemps lorsque des piscines naturelles se forment dans des gorges contiguës. Les moments de quiétude le long des rives sablonneuses alternent avec de puissantes montées d'adrénaline quand il s'agit de défier des rapides aussi vertigineux que ceux des Roaring Twenties.

Quand? D'avril à octobre. Les conditions sont optimales au printemps et à l'automne. En été, sur les rives, le thermomètre peut grimper jusqu'à 50 °C.

Combien de temps? Si vous campez, comptez de 3 à 5 jours minimum. 2 semaines pour rallier Lees Ferry au lac Mead.

Préparation Excursions organisées. Nourriture et matériel de cuisine fournis. Apportez votre sac de couchage, un sac d'affaires personnelles, des bouteilles d'eau.

À savoir Ce voyage est parfait pour faire découvrir le Grand Canyon aux enfants. Dès 7 ans.

Internet www.oars.com, www.office-tourisme-usa.com/Rafting-act_14.html

TEMPS FORTS

■ Soyez aux aguets et munissez-vous d'une bonne paire de jumelles pour apercevoir les hôtes du canyon : **pumas, mouflons, coyotes et castors**, sans oublier le **crotale rose**.

■ La **réserve des Havasupai** abrite environ 450 Amérindiens, qui parlent encore leur dialecte d'origine. Le site est célèbre pour ses cascades grandioses et ses piscines naturelles aux eaux turquoise. On peut y camper ou dormir dans un petit refuge confortable.

■ Jaillissant du Grand Canyon, le Colorado se jette dans le **Mead**, un lac artificiel créé par la construction du barrage Hoover. Les rives du lac sont festonnées de criques qui se prêtent idéalement à la pêche, au ski nautique et au cabotage.

Le pont Navajo enjambe le canyon à Lees Ferry, point de départ de nombreuses excursions en raft.

LE GRAND CANYON À DOS DE MULET

À dos de mulet, descendez au plus profond des gorges démesurées du Grand Canyon, où se cachent d'incroyables merveilles naturelles.

« Si vous êtes cardiaque… Rentrez chez vous ! Si vous avez des problèmes respiratoires… Rentrez chez vous ! Si vous doutez de vous une seule seconde… Rentrez chez vous ! ». Le message du muletier au visage buriné qui se tient debout devant l'entrée du corral, dans la brume matinale, est très clair : l'excursion la plus populaire du Grand Canyon n'est pas un voyage d'agrément, mais un véritable défi. Tous les ans, des participants sont évacués d'urgence : coups de chaud, déshydratation, troubles de l'altitude. Et pourtant, tous les ans, des milliers de personnes caracolent sur le dos de robustes mulets le long d'un sentier de 17 km qui enregistre un dénivelé de près de 1 500 m jusqu'au fleuve, au fond de la gorge. Si le périple est ardu, il constitue cependant le meilleur moyen d'appréhender l'immensité du canyon. Chaque virage dévoile d'extraordinaires formations minérales. Le chemin est flanqué, d'un côté, d'une muraille gigantesque qui décline une myriade de reflets rouges, bruns, orange et gris ; de l'autre, à la pointe de votre étrier, s'ouvre un abysse sans fin. Au fond du canyon, depuis 80 ans, le charme rustique de Phantom Ranch est intact. La nourriture est bonne et les lits confortables. Le silence convie sans tarder au sommeil. Dormez bien – demain, il faut remonter…

AMÉRIQUE
DU NORD

Quand ? En mars, avril et mai, les températures sont idéales et la flore abondante. Le temps est également agréable de septembre à novembre, quand les couleurs automnales s'épanouissent.

Combien de temps ? 3 nuits dans le Grand Canyon. Les mulets descendent tôt le premier jour et remontent tard le deuxième.

Préparation Réservez longtemps à l'avance (un an !). Suivez scrupuleusement toutes les recommandations qui précèdent le départ. Un bon système d'attache pour votre appareil photo est indispensable.

À savoir Vous serez très ankylosé à votre arrivée à Phantom Ranch. Faites une petite marche jusqu'au fleuve Colorado et levez les yeux sur les impressionnantes murailles minérales.

Internet www.nps.gov/grca, www.grandcanyonlodges.com (recherche : mule)

TEMPS FORTS

■ Un **condor de Californie** plane, les ailes déployées, profitant des courants ascendants. L'espèce a failli disparaître. Les condors se reproduisent désormais en captivité puis sont lâchés dans le canyon.

■ Des «oh !» et des «ah !» accueillent les **paysages d'exception** réservés aux seuls courageux descendus au fond du canyon à dos de mulet ou à pied.

■ Les strates rocheuses que vous longez matérialisent un temps géologique de **deux milliards d'années**, soit un quart de l'histoire de la Terre.

■ L'après-midi, le soleil se reflète sur les eaux tourbillonnantes du **Colorado**. Sans relâche, le fleuve, qui coule à proximité de Phantom Ranch, continue de creuser le canyon.

■ Arrivé à Phantom Ranch, reposez-vous. Installé au soleil, écoutez le chant des oiseaux et la mélodie du fleuve. Au dîner, un bon **steak** achèvera de vous remettre en forme.

Ci-dessus, à gauche : Mulets et cavaliers en file indienne, le long du sentier. Ci-dessus, à droite : La vedette du désert, cousine de la marguerite, pousse entre les rochers. Ci-contre : Le Grand Canyon dans toute son immensité, tel que le voit le condor de Californie ; à dos de mulet, votre approche sera beaucoup plus intimiste.

SURF À HAWAII

Apprenez à surfer à Kauai, « l'île jardin » d'Hawaii.
Après la théorie, place à la pratique. Exaltant !

AMÉRIQUE
DU NORD

Leçon numéro 1 : réussir à passer au-delà de la zone de déferlement des vagues demande considérablement plus de temps et d'énergie que d'atteindre la plage debout sur une planche… Une fois ce principe acquis, apprenez en deux heures les rudiments du surf à Po'ipu Beach, sur la splendide côte méridionale de l'île Kauai, à Hawaii. Les surfeurs professionnels à la retraite qui dirigent les écoles de surf vous enseignent l'art de reconnaître une bonne vague, de se redresser sur la planche, de chevaucher la vague, de se glisser dans les rouleaux… et d'être capable de s'arrêter ! Après une ou deux semaines d'entraînement sur des vagues d'environ 1 m, les choses sérieuses peuvent commencer. Allez à Waikiki Beach, Honolulu, sur l'île d'Oahu (que fréquenta Elvis Presley…). Avec votre équipement, rendez-vous sur la légendaire côte nord où, avant vous, tant de pros se sont heurtés aux vagues monstrueuses de Waimea Bay. Cet extraordinaire spot sert au quotidien des vagues de 10 m ! La légende raconte que l'énergie d'une seule de ces vagues pourrait éclairer une ville pendant une semaine… Debout sur la plage, vous doutez de réussir un *hang ten* – figure qui consiste à agripper ses dix orteils au bord de la planche en prenant la vague à pleine vitesse. Respirez à fond et, votre planche sous le bras, lancez-vous.

Quand ? Toute l'année, mais l'eau est plus chaude en été. Les tempêtes hivernales dans le Pacifique nord génèrent les plus hautes vagues. Prévoyez une combinaison en décembre et janvier.

Combien de temps ? Les cours pour débutants durent 2 h Prévoyez 1 semaine ou 2 pour prendre enfin la vague avec aisance et élégance.

Préparation Pour le cours, tout est fourni : la planche, le leash (courroie autour de la cheville). Si vous êtes conquis, achetez une planche dans l'une des innombrables boutiques.

À savoir Cours de la Garden Island Surf School tous les jours sur Po'ipu Beach (en anglais). La leçon se déroule en deux temps : 1 h avec un professeur, 1 h de pratique individuelle.

Internet www.gardenislandsurfschool.com, www.surfhawaii4u.com

TEMPS FORTS

■ À **Waikiki Beach**, les vagues ne sont pas très hautes, mais cette plage symbolise à elle seule le surf à Hawaii. Le sommet du Diamond Head se dessine au loin tandis que vous réalisez un *hang ten* au large de la façade corail de l'hôtel Royal Hawaiian.

■ À **Waimea Bay** et **Banzai Pipeline**, célèbres spots de la côte nord d'Oahu, les vagues sont gigantesques. Place à l'action.

■ Offrez-vous une *aloha* – l'**authentique chemise hawaiienne à fleurs** – dans l'une des nombreuses boutiques d'Honolulu et de l'archipel. Les plus recherchées sont siglées Reyn Spooner.

Avec la pratique vient la confiance... Comptez toutefois quelques heures d'entraînement avant de prendre la vague avec la même audace que ce surfeur téméraire.

Vous apprendrez rapidement à descendre en rappel et à grimper le long de ces cordes.

PORTO RICO

LES GROTTES DE PORTO RICO

Ce périple souterrain au cœur de la jungle vous laissera épuisé, trempé et couvert de boue. Mais l'aventure est inoubliable.

L'excursion débute à l'aube lorsque, avec votre guide, vous pénétrez dans la forêt tropicale, luxuriante. La capitale de Porto Rico, San Juan, n'est qu'à 80 km, mais le dépaysement est total. Une courte leçon vous familiarise avec la technique du rappel. Vous parcourez ensuite la canopée, suspendu à une tyrolienne, en direction du site d'Angeles Cave. Un instant, votre cœur s'arrête de battre en découvrant, sous vos pieds, le trou béant qui mène à la grotte. Vous descendez 75 m – un immeuble de 25 étages ! – jusqu'à l'entrée de la grotte. Équipé d'un casque, d'une lampe frontale et d'un gilet de sauvetage, partez à la découverte d'un monde inédit qui, petit à petit, vous révélera ses secrets. Dans le fracas d'une rivière souterraine, vous croisez des chauves-souris, des araignées, des scorpions, des crabes, des stalactites et des stalagmites absolument gigantesques, ainsi que les fossiles d'étranges créatures aquatiques qui vivaient ici il y a des millions d'années. Progressez entre des rochers de calcaire déchiquetés, le long de galeries étroites, à travers de vastes cavernes. Enfin, mettez-vous sur le dos, pieds en avant, et laissez-vous emporter par le courant du Río Camuy. De retour au grand jour, le soleil vous fait cligner des yeux. L'univers souterrain que vous venez de quitter vous manque déjà.

TEMPS FORTS

■ Pour pénétrer dans la grotte, vous devez plonger dans les eaux vivifiantes d'une **piscine souterraine.**

■ Pour passer de grotte en grotte, vous **flottez sur le dos.** Seule votre lampe frontale vous éclaire, et vous n'entendez que le fracas de l'eau.

■ Déjeuner dans une **caverne à la lueur d'une bougie** et un modeste pique-nique prend la saveur d'un repas gastronomique.

AMÉRIQUE DU NORD

Quand ? Toute l'année.

Combien de temps ? Une journée, départ à 5 h 45 du matin.

Préparation Excursion organisée, sur réservation. La visite est physique. Soyez en bonne forme. Interdit aux moins de 15 ans.

À savoir Chaussures de randonnée ou vieilles baskets qui ne craignent ni l'eau ni la boue. Pantalon léger ou short (les jeans sont lourds une fois trempés). Plus facile, la visite des grottes en petit train, dans le parc des Río Camuy Caves.

Site internet www.aventuraspr.com

L'eau turquoise est plus transparente que du cristal. La beauté du lieu dépasse l'entendement.

MEXIQUE

Kayak en Basse-Californie

Pagayez autour d'une île du Pacifique et découvrez la richesse de la faune marine au large de la côte occidentale du Mexique.

En contournant une presqu'île rocheuse qui s'avance dans les eaux miroitantes du golfe de Californie (mer de Cortez), vous distinguez la plage de sable d'une crique déserte où vous passerez la nuit. À chaque coup de pagaie, la côte se rapproche ; ici, vous remarquez un sentier escarpé qui grimpe à flanc de colline, là, des vagues qui se brisent sur les coraux. En une semaine, faites le tour de l'île du Saint-Esprit, au large de la péninsule mexicaine de Basse-Californie. Le matin, contournez l'île en kayak, dans le sens des aiguilles d'une montre. D'un côté, le littoral hérissé de promontoires rocheux et rythmé de baies échancrées ; de l'autre, au large, les îlots affleurent. La côte occidentale réserve une succession de plages désertes idylliques, tandis que la côte orientale est dominée par des falaises abruptes. L'après-midi, flânez le long des sentiers qui sillonnent l'intérieur des terres, ou partez en plongée dans les eaux cristallines. Regardez le soleil se coucher depuis la plage, en sirotant une margarita.

Quand ? Évitez l'été, bien trop chaud. D'octobre à décembre, la température de l'eau est parfaite pour la plongée.

Combien de temps ? 7 jours complets. Entre 3 et 4 h de kayak le matin.

Préparation Le séjour débute à La Paz, capitale de la Basse-Californie du Sud. Un bateau à moteur vous emmène jusqu'à l'île du Saint-Esprit. Matériel de camping et nourriture sont fournis et transportés par bateau à chaque étape (avec vos affaires personnelles).

À savoir Une excellente protection solaire est indispensable. Buvez beaucoup d'eau. Transportez crème, eau et appareil photo dans un sac étanche.

Internet www.kayactivities.com, www.bassecalifornie.org, www.discoverbajacalifornia.com

TEMPS FORTS

■ Le golfe accueille **31 espèces de mammifères marins**, dont plusieurs types de tortues et 500 espèces de poissons. Dans l'île du Saint-Esprit vivent des animaux uniques au monde comme le **lièvre de Californie** et plusieurs espèces d'**écureuils.**

■ À la pointe nord de l'île, une **colonie de lions de mer**. Cet animal gracieux peut vous accompagner, avec ses petits, pour une séance de plongée inédite...

■ Pagayer sur la mer transparente, escorté par des **raies mantas** qui jaillissent à intervalles réguliers puis glissent sous l'eau, le long de votre kayak.

■ Dans chaque campement, des toilettes ont été aménagées en toute discrétion sur des petits escarpements rocheux. Elles offrent un **panorama splendide** sur l'océan !

AMÉRIQUE
DU NORD

LA BARRIÈRE DE CORAIL DU BELIZE

Bienvenue au paradis des plongeurs, à l'ouest de la mer des Caraïbes, un monde sous-marin aux couleurs incroyables.

Tous les plongeurs vous le diront : la barrière de corail du Belize — la plus longue de l'hémisphère Nord — est un must absolu. Le récif est moins important que celui de la Grande Barrière de Corail australienne, mais son écosystème est tout aussi foisonnant : 500 espèces de poissons, 65 sortes de coraux… Entre le récif et la côte s'étirent des lagons où se prélassent les lamantins et se ravitaillent les pélicans. La zone est également piquée de plus de 450 îlets, les cays, où nichent frégates et fous à pieds rouges. Séjournez à San Pedro ou Ambergris Cay — la plus grande île de la pointe nord du récif. L'excursion la plus mémorable conduit au Blue Hole, gigantesque fosse circulaire aux eaux turquoise et mystérieuses, à moins de 80 km au sud-est de San Pedro. Au large du Belize, d'autres sites accueillent une faune encore plus riche — Half Moon Cay Wall ou le bien nommé « Aquarium » de Long Cay, qui regorge de poissons et de dauphins. Prévoyez une plongée nocturne ; la nuit sublime ce monde sous-marin peuplé de pieuvres d'un vert brillant, de homards qui ne se laissent apercevoir que la nuit, et faites la connaissance du poisson-perroquet, une créature digne d'un tableau de Picasso.

Quand ? De novembre à juin. De juillet à octobre, les plongées sont parfois annulées à cause de la météo.

Combien de temps ? Au moins 1 semaine.

Préparation Vol jusqu'à Belize City. Un petit avion vous conduit à San Pedro, sur Ambergris Cay. Vous pouvez rallier d'autres îles depuis Belize City ou San Pedro. Matériel de plongée disponible à la location sur Ambergris Cay.

À savoir Le Blue Lagoon est extrêmement profond. Soyez vigilants et disciplinés : même pour de courtes plongées, le danger est réel.

Internet www.ambergriscaye.com, www.gbrmpa.gov.au

TEMPS FORTS

■ Sur **Ambergris Cay**, depuis la plate-forme du Sharks Bar, observez les requins, les raies et les tortues, prisonniers d'un corral sous-marin. Quand vous plongez depuis les jetées de l'île, régalez-vous du spectacle de milliers de poissons qui s'enfuient à votre arrivée.

■ Les **tortues** vertes et les tortues carets, hôtes des eaux peu profondes, viennent déposer leurs œufs sur le sable. La silhouette d'un lamantin se dessine sur la mer, à la lueur du crépuscule.

■ Quelques îles des trois atolls coralliens – **Glover Reef**, **Turneffe Islands** et **Lighthouse Cay** – sont habitées, seuls des oiseaux marins et des bernard-l'hermite peuplent les autres. Au large, les requins et les barracudas rôdent.

La monotonie n'est pas de mise dans les profondeurs caraïbes, domaine des poissons bariolés et des délicates dentelles de coraux.

Top 10 Descentes en eaux vives

Un tour du monde des rapides – des plus calmes jusqu'aux descentes classées V.

❶ Les rivières Alsek et Tatshenshini, États-Unis/Canada

Les glaciers et les icebergs font partie du décor de cette splendide région de montagnes et de toundra, à la frontière de l'Alaska et du Canada. Les rivières sont plaisantes et le contact avec la nature absolument inouï : grizzlis, élans, saumons bondissants et airelles savoureuses.

Préparation De juin à septembre. Descente de l'Alesk de Haines Junction (Yukon) à Dry Bay (Alaska), de la Tatshenshini de Dalton Post (Yukon) à sa confluence avec l'Alesk.
www.wildernessriver.com

❷ La rivière Magpie, Canada

Un hydravion vous dépose sur le lac Magpie, point de départ d'un périple de 8 jours à travers les forêts de pins les plus isolées de l'est de la province du Québec. Les premiers rapides se situent à l'entrée de la rivière ; leur difficulté s'accroît jusqu'aux rapides classés V des chutes Magpie. Vous camperez sur une petite île et pourrez contempler, au nord, les lueurs d'une aurore boréale.

Préparation En juillet et en août.
www.Earthriver.com

❸ Middle Fork, Salmon River, États-Unis

L'une des descentes en eaux vives les plus populaires de la planète. Des rapides de difficulté croissante (jusqu'à classe IV), un paysage de montagnes et de forêts magnifique, une région retirée du monde à la frontière de l'Alaska. Scène touchante : une ourse traverse la rivière avec ses petits.

Préparation De mai à septembre. Réservez suffisamment à l'avance, le nombre de places étant limité.
www.ioga.org

❹ Río Upano, Équateur

Dans la forêt équatoriale, toucans et papillons bigarrés volent de branche en branche. Au loin, un village shuar aux maisons coiffées de feuilles de palmier. À Macas, une ville isolée de la bordure occidentale du bassin de l'Amazonie, vous embarquez pour un périple où alternent passages calmes et rapides furieux s'engouffrant dans des gorges étroites. Point d'orgue : Namangosa Gorge, des rapides classés IV+ flanqués d'innombrables chutes d'eau.

Préparation De novembre à janvier.
www.rowinternational.com, www.condorjourneys-adventures.com

La descente en eaux vives ne laisse pas de place à l'hésitation.
Les rapides sont classés selon une échelle qui va
de I (faibles courants) à VI (danger de mort).

❺ Rivière Futaleufú, Chili

Les eaux limpides de la rivière Futaleufú sont issues des lacs glaciaires des Andes de Patagonie. La descente s'effectue au cœur d'un paysage montagneux grandiose. Certaines sections s'adressent aux débutants, d'autres sont classées V, donc réservées aux pagayeurs accomplis.

Préparation De décembre à avril.
www.visit-chile.org, www.aquamotion.cl

❻ North Johnstone River, Australie

Périple tropical aux confins septentrionaux du Queensland avec des rapides classés IV et V. Bienvenue au parc national Palmerstone, ses gorges volcaniques et ses forêts tropicales humides. Quand la nuit tombe, d'extraordinaires champignons lumineux éclairent les rochers alentour, et les lucioles enflamment la canopée de leurs arabesques. Le spectacle est surréaliste. En prime, un hélicoptère vous dépose au point de départ de la descente : c'est le seul moyen d'y accéder.

Préparation D'avril à juillet. www.raft.com.au

❼ La Sun Kosi, Népal

Prenant sa source à la frontière du Tibet, au cœur des plus hauts sommets de la planète, la rivière Sun Kosi sillonne la majestueuse chaîne himalayenne avant de rejoindre, dans la plaine, le cours du Gange. Les rapides classés V se succèdent au rythme de gorges étroites et de défilés boisés. La dernière section traverse une forêt tropicale touffue où résonne le cri des singes.

Préparation Préférez les périodes septembre-décembre et février-mai.
www.welcomenepal.com

❽ La Çoruh, Turquie

L'une des rivières les plus rapides du monde. Elle franchit les gorges magnifiques des montagnes de Kaçkar, aux confins nord-est du pays. La faune y est foisonnante – ours, chèvres, sangliers sauvages – et les témoignages historiques, parmi lesquels des vestiges de l'époque byzantine, abondent.

Préparation De mai à juillet. Le mont Ararat - où, selon la Bible, l'arche de Noé se serait échouée - se situe dans la chaîne des Kaçkar : combinez la descente de la rivière et l'ascension du relief.
www.waterbynature.com

❾ La Noce, Italie

Alimentée par les glaciers des Alpes, la Noce déferle dans la « vallée du Soleil » *(Val di Sole)*, une zone reculée des Dolomites, au nord du pays. C'est le site de descente en eaux vives le plus spectaculaire d'Europe, avec une impressionnante série de rapides classés V à travers les gorges de Mostizzolo.

Préparation De mai à septembre.
www.extremewaves.it

❿ Le Zambèze, Zimbabwe/Zambie

Dans les gorges Batoka, le Zambèze bouillonne au rythme de 23 rapides qui se succèdent sur 24 km, au-delà des chutes Victoria. Il s'agit de la descente la plus extrême que l'on puisse réaliser en Afrique. Le paysage est stupéfiant.

Préparation Les eaux sont basses de juin à février, et vous pouvez donc franchir les 23 rapides. De mars à juillet, quand les eaux sont hautes, vous ne pouvez passer que les 13 derniers.
www.zambiatourism.com, www.zimbabwetourism.co.zw

Un tango à Buenos Aires

Le tango est bien plus qu'une simple danse. Issu des quartiers pauvres de Buenos Aires, il est l'âme de l'Argentine.

AMÉRIQUE
DU SUD

Il est minuit passé lorsque les passionnés arrivent dans les *milongas,* les clubs de tango. Cette danse est pratiquée avec ferveur par les *Porteños* (les habitants de Buenos Aires) et par tous ceux qui, y ayant goûté un jour, et ne peuvent plus s'en passer. Pour certains touristes, une démonstration de 3 minutes égayant une dégustation de viande argentine suffira amplement, mais pour d'autres… Certains établissements s'enorgueillissent de clients fidèles depuis 30 ans! La ville propose une multitude d'activités et de lieux liés au tango, que vous souhaitiez apprendre les rudiments de la danse ou perfectionner votre technique. Le must : des leçons particulières au Abasto Plaza. Le tango débute par un regard : le couple se dévisage, s'envisage… œillades enflammées… En tournoyant dans le sens contraire des aiguilles d'une montre, les danseurs tour à tour s'attirent et se repoussent, leurs jambes tendues fendant l'air d'avant en arrière. L'histoire du tango remonte au XIXe siècle il est issu du mélange de plusieurs rythmes musicaux, dont le candombe – que les esclaves Africains ont introduit en Amérique du Sud. Comme le blues, le tango chante les souffrances du peuple. Bientôt, sa popularité dépasse les frontières – en 1913, on danse le tango à l'hôtel Waldorf, à Londres. Interdit sous le gouvernement de la junte militaire, le tango s'épanouit à nouveau depuis les années 1980, symbole incontournable de l'Argentine moderne.

Quand? Le temps est plus agréable à l'automne (mars-mai) et au printemps (septembre-novembre). Tarifs promotionnels en septembre.

Combien de temps? Vous pouvez passer 6 jours à Buenos Aires sans vous ennuyer une seconde.

Préparation Prenez quelques leçons avant votre départ pour saisir le rythme et maîtriser les pas de base.

À savoir Les *Porteños* sont toujours très habillés, prévoyez quelques tenues. Faites une sieste, car vous danserez peut-être jusqu'au bout de la nuit. Tous les renseignements nécessaires sont publiés dans les magazines *B.A. Tango* et *El Tangauta.*

Internet www.turismo.gov.ar, www.tangueratours.com, www.abastoplaza.com, www.coursdetango.fr

TEMPS FORTS

■ Le pas *viborita* («**le petit serpent**») : l'homme place sa jambe droite entre les jambes de sa partenaire. Celle-ci déplace d'abord sa jambe gauche, puis sa jambe droite, dans un déhanchement lascif.

■ Faites une pause au milieu des fleurs et des jacarandas. Les jardins botaniques du **quartier de Palermo** ont beaucoup à offrir : roseraie, lac et promenade boisée.

■ Le dimanche, au marché aux puces de **San Telmo**, sur la **Plazza Dorego**, dénichez de l'argenterie, des statuettes, un vieux phonographe et des disques. Dans la rue, des danseurs font la démonstration de leurs plus beaux pas.

Allez à Buenos Aires apprendre tous les secrets de la danse la plus passionnée du monde.

Dans le Pantanal brésilien, un jabiru a installé son nid à une hauteur vertigineuse.

BRÉSIL/BOLIVIE/PARAGUAY

LA FAUNE DU PANTANAL

Découvrez la richesse faunique du Pantanal - la plus grande zone humide de la planète qui s'étend au Brésil, en Bolivie et au Paraguay.

Au crépuscule, vous distinguez la silhouette voûtée d'un gigantesque jabiru (une cigogne de 1,50 m de hauteur) qui descend vers l'eau. Lorsque les eaux du Río Paraguay inondent la région, le Pantanal se métamorphose en une immense zone humide — navigable — qui résonne du cri des oiseaux venus se repaître de poissons et de mollusques. Sillonnez à cheval les reliefs environnants, refuge de nombreux mammifères. Au coucher du soleil, le Pantanal se nimbe de reflets dorés et rosés et les arcs-en-ciel y sont fréquents. Cet espace gigantesque (210 000 km²) est un fabuleux conservatoire de la faune. À la saison sèche, les ibis se restaurent dans des mares poissonneuses. Vous observez le chien des buissons, le cerf des marais, le tapir, la moufette, tandis que des nuages de papillons flottent dans l'air. Les excursions nocturnes sont particulièrement enthousiasmantes. Qui sait ? Dans le noir, vous verrez peut-être briller les yeux d'un puma.

Quand ? Toute l'année. À la saison sèche, privilégiez la randonnée et les safaris en 4X4.
À la saison humide (octobre-mars), certaines zones ne sont accessibles que par voie d'eau ou en petit avion.

Combien de temps ? Comptez 4 jours.

Préparation Le logement varie du plus rudimentaire (hamac) au plus sophistiqué (dans un ranch). Dans les refuges les plus sommaires, prévoyez un sac de couchage et de l'insecticide.

À savoir Un bon guide est indispensable. Adressez-vous aux agences ou aux refuges. Ne faites pas affaire avec la première personne qui vous accoste à l'aéroport ou à la gare routière.

Internet www.pantanal.org, www.caiman.com.br

TEMPS FORTS

■ Croiser une famille de **capybaras**, les plus gros rongeurs du monde, tandis que vous parcourez le Pantanal à cheval à la nuit tombée. Avec leur corps de chien et leur museau aplati, ils ressemblent à des cochons d'Inde géants. Ils peuvent peser jusqu'à 80 kg.

■ L'**ara hyacinthe** est le plus grand perroquet du monde (1 m). Il est en voie de disparition - ses œufs se négocient plusieurs milliers de dollars -, mais on en voit encore un certain nombre dans le Pantanal.

■ Avançant à grandes enjambées, le **fourmilier géant** est immédiatement reconnaissable, avec son long museau et ses poils hirsutes.

■ Prendre son petit déjeuner en compagnie de **toucans** descendus des arbres pour chiper des baies de leur bec fragile.

AMÉRIQUE DU SUD

Construit en 1893, l'ascenseur Artillería assure un périple bringuebalant le long des falaises qui surplombent le port.

ARGENTINE/CHILI/PÉROU

EN AMÉRIQUE DU SUD SUR LES TRACES DU « CHE »

Revivez le *Voyage à motocyclette* du Che à travers la pampa, les montagnes et le désert.

Suivre le trajet du *Voyage à motocyclette* de Che Guevara de l'Argentine au Chili, puis vers le nord jusqu'au Pérou, constitue à la fois un pèlerinage et une aventure. N'hésitez pas à entreprendre ce voyage si vous admirez l'homme ou si vous souhaitez tester vos capacités physiques, tout en découvrant des moyens de transport inédits. Le Che et son ami Alberto Granado ont chevauché une vieille Norton 500cc, la *Poderosa* (« la puissante »), mais préférez une moto tout-terrain et munissez-vous d'un bon GPS. De bout en bout, les conditions sont extrêmes. Les montagnes et les cours d'eau cristallins se succèdent au même rythme que vos poussées d'adrénaline. Traversez les Andes, dirigez-vous vers le désert d'Atacama et poursuivez jusqu'à Cuzco, capitale de l'ancien Empire inca, et le Machu Picchu.

Quand ? Partez en janvier pour visiter la Patagonie en été (hémisphère Sud) et arriver dans le désert d'Atacama au début de l'automne.

Combien de temps ? 8 000 km environ. Il faut prévoir au moins 1 mois.

Préparation Louez une moto tout-terrain auprès de Renta Moto à Buenos Aires. Consultez les informations du South American Explorers Club sur Internet.

À savoir Le « Che » et Alberto sont allés jusqu'en Colombie et au Venezuela, mais sans leur moto. Quant à vous, achevez votre périple au Machu Picchu - une apothéose.

Internet www.rentamoto.com.ar, www.saexplorers.org

TEMPS FORTS

■ **San Carlos de Bariloche** s'étend sur la rive nord du lac Nahuel Huapí, dans les Andes argentines. C'est la porte d'accès à la **Patagonie**, une région de lacs et de glaciers qui s'étire jusqu'au point le plus méridional du globe (hors Antarctique).

■ À **Valparaiso**, les quartiers résidentiels surplombent la zone portuaire. Quinze ascenseurs - funiculaires branlants - transportent les piétons le long des rues abruptes. Visitez l'ancienne maison de Pablo Neruda, prix Nobel de littérature et poète préféré du Che (La Sebastiana, 692 Ferrari).

■ Au Pérou, le **Salkantay** domine le **Machu Picchu**. Depuis la nuit des temps, les locaux vénèrent ce relief en tant que dieu protecteur. Il abrite le sachacabra, un cerf nain de 40 cm de haut.

BOLIVIE

La Route de la mort en VTT

Forfanterie interdite sur cette route réputée la plus dangereuse au monde, où les virages s'enchaînent à un rythme effréné.

AMÉRIQUE
DU SUD

Vous êtes à 4 700 m d'altitude, au milieu des sommets de la cordillère Real, une chaîne granitique de l'Altiplano bolivien. Le vent est vif, le froid mordant. Autour de vous, des lamas grattent le sol. Sous le regard d'une statue du Christ, vos compagnons et vous-même, le souffle court, vérifiez vos freins et vous concentrez. Une bonne préparation est essentielle lorsqu'on se lance dans la descente de la Carretera de la Muerte («la Route de la mort ») – une section de la route qui relie La Paz, la capitale, aux confins subtropicaux du pays. Aménagée à flanc de falaise par les prisonniers au cours de la guerre du Chaco qui opposa dans les années 1930 la Bolivie au Paraguay, la route enregistre en 60 km un dénivelé de 3 400 m, depuis le col de La Cumbre jusqu'à la ville de Coroico. Le tronçon de 24 km qui mène au village de Yolosa (au sud-ouest de Coroico) terrifiera le vététiste le plus accompli. Après la descente vertigineuse de La Cumbre, la boue et les cailloux remplacent l'asphalte. Un klaxon retentit, un bus surgit au détour d'un virage en épingle à cheveux noyé dans la brume. La gorge serrée, vous approchez d'un carrefour qui a vu de nombreux accidents mortels. Le moindre caillou, la moindre ornière ajoute à votre stress. Surtout, restez vigilant, quoi qu'il arrive, jusqu'à Coroico. Le plus petit impair peut être fatal.

Quand ? De mars à octobre. Précipitations maximales à La Paz de novembre à février.

Combien de temps ? De 5 à 6 h.

Préparation À La Paz, plusieurs tour-opérateurs organisent des excursions à la Carretera de la Muerte. Avant de tenter la descente, acclimatez-vous quelques jours à l'altitude.

À savoir Prévoyez de quoi vous changer à l'arrivée (votre voyagiste se charge du transport). Si vous survivez au trajet, déjeunez à Coroico avant de rentrer en autocar à La Paz.

Internet www.gravitybolivia.com, www.travel-tracks.com, www.bolivie.net

TEMPS FORTS

■ En chemin, lors des pauses, vous verrez beaucoup de lamas, des chiens des buissons et des **oiseaux rares** (comme l'attagis de Gay).

■ Votre guide s'arrête pour jeter des bonbons au bord de la route, offrande à **Pachamama** (la Terre), pour qu'elle vous protège.

■ Admirez les **ponchos** aux couleurs chatoyantes et les **chapeaux melon** – *sombreros de cholita* – des femmes boliviennes.

■ Le **Cerro Mururata** (5 869 m), à la cime déchiquetée, couverte de neige, est l'un des innombrables sommets andins que vous repérerez au cours de la descente.

Reliant un col des Andes à la jungle bolivienne, la route la plus dangereuse du monde serpente au flanc des reliefs, en surplomb d'une vallée profonde.

Dans un souffle d'air chaud, vous survolez le plus spectaculaire paysage urbain du monde.

BRÉSIL

VOL LIBRE À RIO

Pour un panorama imprenable sur Rio de Janeiro,
la ville emblématique du Brésil, rien de tel que le vol libre.

Il est vrai qu'il faudra un certain courage pour vous élancer le long de la rampe d'envol et, soudain, sentir le sol se dérober sous vos pieds… Mais la vue exceptionnelle et étourdissante sur Rio vous fait immédiatement oublier toutes vos angoisses… Tentez cette excursion enivrante qui débute à Pedra Bonita, dans le parc national Tijuca, la plus grande forêt tropicale humide urbaine, à quelques minutes en voiture du sud-ouest du centre de Rio. Entre les eaux miroitantes de l'Atlantique et les falaises escarpées de la forêt, la situation géographique de la ville est réellement exceptionnelle. Lorsque vous débouchez, avec votre pilote, au-dessus de la plage de São Conrado, vous embrassez d'un seul regard tous ses symboles : le Pain de Sucre ; le Christ rédempteur dressé au sommet du Corcovado ; les immenses plages de sable de Copacabana et d'Ipanema ; les îlots boisés de la baie de Guanaraba et la ville voisine de Niterói. Les vols à deux ne demandent pas d'expérience préalable : votre pilote s'occupe de la technique, il ne vous reste plus qu'à vous détendre et à savourer ce panorama d'une beauté à couper le souffle.

TEMPS FORTS

■ Au **décollage**, vous prenez de l'altitude, l'air tropical vous enveloppe… Sensation exaltante de liberté, de légèreté, de sérénité.

■ Du ciel, appréhendez pleinement la géographie physique de cette **ville extraordinaire.** Les quartiers résidentiels, séparés les uns des autres par des reliefs **granitiques déchiquetés**, s'identifient par la longueur et la forme de leur plage.

■ Vos pieds touchent enfin le sable doux de la **plage de São Conrado**, mais votre cœur bat encore la chamade.

AMÉRIQUE
DU SUD

Quand ? 7 jours sur 7, toute l'année. Le soleil n'est pas indispensable, mais le vol est annulé en cas de pluie ou de nuages bas.

Combien de temps ? 12 minutes au minimum. Si le temps le permet, vous pouvez planer au-dessus de la ville pendant 1 h 30.

Préparation Une couche supplémentaire de vêtements – il peut faire froid au décollage, en altitude. Chaussures confortables indispensables (vous courez au décollage et à l'atterrissage).

À savoir Si vous passez quelque temps à Rio, contactez le centre de vol dès votre arrivée, on vous conseillera le meilleur jour pour voler.

Internet www.riohanggliding.com, www.rioturismoradical.com.br, www.hiltonflyrio.com

ARGENTINE/CHILI/PÉROU/ÉQUATEUR

RAID ÉQUESTRE DANS LES ANDES

Un périple à cheval en haute altitude
à travers les paysages majestueux des Andes.

AMÉRIQUE DU SUD

Les chevaux progressent sur un sentier qui court au flanc de la montagne. Sur les versants, des plantes alpines sont parvenues à pousser entre les éboulis. De temps à autre, un condor des Andes déploie ses ailes blanc et noir, d'une envergure de 3 m, et plane au-dessus de la vallée. À cheval, tout est différent : la nature est si proche. Précédé par les muletiers et les mulets qui portent tentes, réchauds, casseroles et nourriture, vous parvenez au lac au bord duquel vous dînerez. Les Andes, plus longue chaîne montagneuse du monde, s'étirent sur 7 240 km du Venezuela à la Terre de Feu. Elles abritent l'Aconcagua, le point culminant du continent américain (6 960 m d'altitude). Ici, l'offre en matière de randonnée équestre est généreuse, que ce soit en Argentine, au Chili, au Pérou ou en Équateur. L'une de ces excursions franchit les hautes prairies des Andes équatoriennes flanquées de sommets volcaniques enneigés – certains sont en activité et fument. D'autres suivent un ancien chemin de contrebandiers, du Chili à l'Argentine via les Andes de Patagonie et de magnifiques lacs de montagne, ou vous font rencontrer les populations locales, dont le mode de vie n'a pas changé depuis des centaines d'années. À vous de choisir.

Quand ? Cela dépend. Au nord des Andes, en Équateur par exemple, vous pouvez chevaucher toute l'année ; au sud (Chili, Argentine), préférez la période de janvier à juin.

Combien de temps ? Excursions de 1 journée ou raids de 2 semaines.

Préparation Certains itinéraires se déroulent à haute altitude : prenez quelques jours pour vous acclimater. Certains tour-opérateurs prétendent qu'il n'est pas nécessaire de savoir monter à cheval... Faites un essai et jugez de votre état à la fin de la journée.

À savoir Crème solaire avec indice de protection élevé, chapeau à large bord, foulard autour du cou. En toute saison, le soleil tape.

Internet www.rideandes.com, www.outdoorsargentina.com, www.randocheval.com

TEMPS FORTS

■ Les Andes sont un **régal pour les yeux** : lacs cristallins, prairies alpines, fleurs sauvages à foison. À la nuit tombée, contemplez le ciel, si pur, et ses étoiles brillantes.

■ Le cheval est un poste d'observation de la **faune** idéal : lamas, alpagas, pumas, faucons, chinchillas et condors des Andes.

■ Les muletiers et les guides installent le camp et préparent des **repas délicieux.** À l'heure du dîner, certains voyagistes envoient sur place des **musiciens** !

Les cavaliers suivent une piste à travers les Andes chiliennes. De nombreux treks partent de Santiago, capitale du Chili.

TRANSHUMANCE EN AUSTRALIE

Journées à cheval, nuits autour du feu de camp :
plongez dans l'atmosphère de camaraderie virile de l'Outback australien.

Des milliers d'étoiles illuminent la voûte céleste, mais la constellation de la Croix du Sud se repère tout de suite car elle brille bien plus que les autres. Après une journée en selle, vous parvenez au campement. Les bêtes génèrent un bruit de fond constant, mais, jusqu'à demain, c'en est fini des claquements de fouets et des « *C'mon, move yourself !* » (« Allez ! On avance ! ») poussés à grands cris. Le silence règne alentour, sur les dunes et le désert de rocaille. Vous êtes sur l'Oodnadatta Track, en Australie-Méridionale, un chemin historique qu'empruntait le bétail d'Oodnadatta, au plus profond de l'Outback, jusqu'à Marree, à 450 km au sud-est, via le désert de Tirari. Les bouviers qui vous escortent sont secs et bourrus ; ils incarnent à merveille l'esprit de l'Outback – un sens inné de la débrouille, une grande culture, beaucoup d'humour. Voyager avec eux au cœur de l'Australie, dans l'une des régions les plus isolées du monde, est une expérience unique. Le paysage est magnifique, l'air pur, les plaines et le désert immenses. Le bleu des tentes et celui du ciel s'harmonisent et vous transportent dans un autre monde. On se lève tôt le matin, et la journée est longue, mais ce périple est à la portée de tous, avec un maximum de 14 km parcourus chaque jour. De plus, les tentes sont confortables… et le bar est bien fourni.

AUSTRALIE

Quand ? Une année sur deux, du début mai à la fin juin.

Combien de temps ? Le trajet s'effectue en tronçons de 4 nuits et 5 jours. Il est possible de rallier n'importe quel tronçon. Prévoyez de passer quelques jours à Adélaïde, capitale de l'Australie-Méridionale, où il y a beaucoup de choses à voir.

Préparation Réservez suffisamment à l'avance (70 places seulement). La transhumance peut être écourtée en cas de sécheresse. Suivez les conseils donnés en matière d'habillement et de sécurité (casque obligatoire). Emportez un insecticide efficace.

À savoir À la fin de la journée, rien de tel qu'un bon feu de camp autour duquel on chante et fait connaissance. Si vous jouez d'un (petit) instrument, prenez-le. Ayez sur vous des espèces ou une carte de crédit, le bar qui vous accompagne tout au long du trajet accepte les deux !

Internet www.cattledrive.com.au, www.southaustralia.fr

TEMPS FORTS

■ Le plus important élevage du monde se trouve à **Anna Creek** : il s'étend sur 30 100 km², soit pratiquement la taille de l'État du Maryland (États-Unis).

■ Le lac Eyre est le **plus grand marais salant du monde** (1,2 million km²). Comme il est dépourvu d'émissaire, l'eau s'évapore, laissant apparaître des dépôts de sel blanc. Mais, environ tous les cinq ans, le lac est inondé : des millions de fleurs s'y épanouissent et des oiseaux viennent y nicher. Vu du ciel, le panorama est fantastique.

■ **Marree Man** est un mystérieux géoglyphe, immense motif de 4 km de long tracé à même le sol à 60 km à l'ouest de Marree et représentant un homme armé d'un bâton et d'un boomerang.

■ Tout au long du trajet, allez à la rencontre de la **culture aborigène**, le *bush tucker* (terme qui désigne les espèces animales et végétales dont les Aborigènes se nourrissent), le « Temps du rêve », les peintures et l'artisanat. Les Arabunas, par exemple, sont des Aborigènes de la région du lac Eyre ; ce dernier, selon la tradition, leur appartient.

Ci-dessus, à gauche : Remplissage du pot à eau traditionnel, un geste récurrent sur le campement. Ci-dessus, à droite : Le bétail patiente dans l'enclos en attendant le signal du départ. Ci-contre : Les silhouettes des hommes et du bétail se dessinent dans la brume matinale… le romantisme selon l'Outback.

SAFARI À DOS D'ÉLÉPHANT

Une créature géante vous transporte à travers la jungle du parc
national Royal Chitwan, au sud du Népal, dans les plaines du Terai.

ASIE

L e Chitwan est circonscrit par les rivières Narayani et Rapti. Cette région de marécages,
de collines, de forêts tropicales et subtropicales accueille une faune exceptionnellement riche, dont plusieurs espèces en voie de disparition. À dos d'éléphant, vous êtes
au plus près de cette nature prolifique, symbolisée par le rhinocéros indien unicorne. Ce
dernier, massif, puissant, la peau comme une armure, se tient coi à l'approche de votre monture. Vous êtes assis sur le *howdah* (une petite plateforme), sur le dos du géant que commande
le *mahout* (le dresseur). Le pas de la bête est rapide, vous tanguez… et pénétrez dans une zone
d'herbages peuplée de cervidés. L'éléphant fait un détour pour éviter un ou deux rhinocéros… Vous êtes enfin habitué au balancement, la bête s'enfonce dans la jungle, sa cadence
diminue quelque peu lorsqu'il s'agit de négocier une rive boueuse et pentue, mais son pied
est incroyablement sûr. Tous les animaux sont absolument splendides : le paon qui se rengorge
et déploie son éventail de plumes bleues, le sanglier sauvage qui gratte le sol, un cerf minia-
ture, et le gavial, cousin du crocodile.

Quand ? D'octobre à mai. En décembre et janvier, les matinées sont fraîches.

Combien de temps ? Restez au moins 3 nuits. Une promenade à dos d'éléphant dure de 2 à 3 h.

Préparation Chitwan se situe à 175 km au sud-est de Katmandou. La ville la plus proche est Bhaktapur
(petit aéroport). Prévoyez jumelles, chaussures de marche et anti-moustique (vêtements chauds de fin
novembre à février). Possibilité de logement dans le parc. Chitwan Jungle Lodge et le célèbre Tiger Tops
Jungle Lodge sont confortables et organisent des safaris.

À savoir Le lien qui unit l'éléphant et son dresseur est très fort et dure généralement de longues
années. Avec certains tour-opérateurs, il est possible d'assister au bain, au repas et au dressage de ces
bêtes monumentales.

Internet www.visitnepal.com, www.tigermountain.com, www.chitwanjunglelodge.com

TEMPS FORTS

■ Juché sur le dos de l'éléphant,
à 3 m au-dessus du sol, vous aurez
une **vue imprenable**.

■ La **faune** est **exceptionnellement
variée** : ours lippus, hyènes rayées,
nombreuses espèces d'antilopes,
de cerfs et de singes, quelques
tigres du Bengale et des léopards.

■ Descendez la **rivière Narayani**
dans une pirogue, guettez les gavials
(qui peuvent atteindre 6 m de long)
et les représentant des quelque
450 espèces d'oiseaux du parc.

■ Après la promenade, approfondissez
votre savoir en matière d'éléphant
à l'Elephant Breeding Center, où l'on
s'occupe des mamans et de leurs
petits.

Traversée d'une rivière lors d'un safari. Les éléphants ont le pied agile et sûr, et ils parcourent le parc à grandes enjambées quel que soit le terrain.

Gage d'un safari réussi : observer un tigre magnifique qui se rafraîchit dans une mare du parc national Ranthambore.

INDE

SAFARI TIGRE

Le majestueux tigre du Bengale, rare et insaisissable, vous attend au parc national Ranthambore, dans l'ouest du Rajasthan.

Rathambore n'abrite qu'une vingtaine de tigres, mais la zone est relativement peu étendue (394 km^2) et les animaux, ici, se laissent plus volontiers observer que dans les autres réserves. Le parc, ancienne réserve de chasse des maharajahs de Jaipur, rayonne autour du fort qui lui a donné son nom. Strié de cours d'eau, il déploie une mosaïque de milieux naturels : forêts touffues, affleurements rocheux, vastes étendues d'herbages… Au cours du safari, vous apercevez de nombreuses espèces de cervidés – le sambar, le chital –, des chacals et des hyènes rayées. Les ours lippus, les cobras et les léopards sont également les hôtes de ce lieu fascinant. Mais que cela ne vous détourne pas de votre but principal : à intervalles réguliers, votre guide descend du véhicule pour vérifier les empreintes, à d'autres moments, il se fie au cri du chital… Et, enfin, vos yeux se posent sur un tigre, royal ! L'instant est magique.

Quand ? De mars à mai, avant la mousson. La couverture végétale est encore peu importante et les animaux sont plus mobiles (ils cherchent les points d'eau), mais il fait très chaud. L'hiver (décembre-février) est également une bonne période, moins chaude. Ranthambore est fermé de juin à octobre.

Combien de temps ? Pour être à peu près sûr de voir un tigre, restez au moins 2 jours dans la réserve.

Préparation Logements dans le parc. Prévoyez des vêtements chauds de fin novembre à février.

À savoir Pour observer la faune, ne faites pas de bruit, ne portez pas de couleurs vives ni de parfum entêtant. Dans le parc, les postes d'observation sont parfaitement situés.

Internet www.ranthamborenationalpark.com, www.india-wildlife-tours.com

TEMPS FORTS

■ Depuis le **fort de Ranthambore**, la vue sur le parc est superbe. Autour de vous planent les aigles et les vautours. Et qui sait ? En chemin, vous apercevrez peut-être ce fameux tigre.

■ Le parc abrite **trois lacs**. Au lever du jour et à la nuit tombée, les animaux viennent s'abreuver au plus grand, Padal Talo, que surplombe un pavillon de chasse. Le cerf des marais fréquente le Raj Bagh Talao. Enfin, autour du plus petit, le Malik Talao, où se cache le crocodile indien des marais, les oiseaux abondent.

■ Les tigres viennent parfois se reposer sur les **ruines du palais de Raj Bagh**, à proximité du lac du même nom.

■ La **beauté naturelle** du parc s'apprécie pleinement à l'aube, dans la brume, ou dans la lueur dorée de la fin de journée.

ASIE

GOLF EN ÉCOSSE

Avec plus de 500 parcours, l'Écosse est sans conteste le paradis du golfeur.
Certains parcours de légendes attirent des joueurs des quatre coins du monde.

Avec ses multiples parcours qui s'étirent à l'arrière des longues plages frangées de dunes de la mer du Nord, St. Andrews est le berceau du golf. Fondé en 1754, le Royal and Ancient Golf Club organise le championnat et est l'une des autorités qui assurent la réglementation de ce sport. L'*Auld Grey Toun* (« vieille ville grise ») vit au rythme du golf et des listes d'attente longues de plusieurs mois, voire plusieurs années. La patience des plus déterminés est récompensée : le « vieux » parcours est exceptionnellement stimulant, qui décline des greens et des bunkers pentus et cahoteux aux surnoms évocateurs (« l'enfer », « le cercueil »). Également sur la côte orientale, à 48 km au nord de St. Andrews, sur la rive nord du détroit Tay, Carnousie propose un parcours moins fréquenté, mais sur lequel le vent de la mer du Nord peut encore jouer des tours ! Les golfeurs dont les conjoints ne golfent pas préféreront Édimbourg ; l'Honourable Company of Edinburgh Golfers, situé à Muirfield, à la périphérie de la ville, est un cercle encore plus fermé que St. Andrews ; à proximité également, le parcours de Musselburgh. Sur la côte occidentale, Ayrshire, Turnberry et Royal Troon rivalisent avec St. Andrews.

Quand ? Au printemps (avril-début juin) et à l'automne (septembre-octobre). On joue au golf toute l'année, mais en hiver le temps est humide, froid et venteux, et les journées sont courtes (7 h) ; en été, il y a trop de monde.

Combien de temps ? L'Écosse est un petit pays (2 h de voiture de St. Andrews à Turnberry). En 1 semaine, vous pouvez écumer les meilleurs parcours.

Préparation Réservez suffisamment à l'avance, quelle que soit la saison. Le moyen le plus simple – et le meilleur – est de vous adresser à une agence spécialisée dans ce genre de circuits.

À savoir Le temps écossais est instable, extrêmement venteux, même en été, ce qui constitue un challenge supplémentaire. Sur le vieux parcours de St. Andrews, chaque trou a son histoire, mais les numéros 1, 11, 14 et 17 sont les plus célèbres. Le 18ᵉ, le Road Hole (le « Trou de la Route »), est absolument grandiose.

Internet www.visitscotland.com/fr, www.golfing-scotland.com, www.ecosse.fr

TEMPS FORTS

■ Le magnifique parcours de **Charleton**, sur l'estuaire du Forth, offre de vastes fairways et réserve bien des surprises. Il est apprécié des golfeurs de tous niveaux.

■ Le parcours de **Crail Balcomie Links** a été aménagé en 1895 sur le promontoire de Fife Ness. Petit mais séduisant, il attire les golfeurs internationaux en période d'Open à St. Andrews, tout proche.

■ Le trou le plus célèbre du parcours de Troon est surnommé **« le timbre poste »** (*Postage Stamp*) : on y a vu les golfeurs les plus aguerris pleurer des larmes de dépit. En 1977, à Turnberry, se déroula le fameux « duel au soleil », épuisant pour les nerfs, opposant Jack Nicklaus et Tom Watson (victoire de ce dernier).

■ Falaises abruptes, criques et plages de sable se succèdent le long de la **côte rocheuse de Fife**. Un sentier la parcourt. En été, guettez les requins pèlerins et les dauphins et, sur les îlots du large, des milliers d'oiseaux marins. Les petits villages du littoral et leur port creusé à même la falaise – Crail, St. Monans, Pittenweem – méritent une visite.

Ci-dessus : Le vieux parcours de St. Andrews et les locaux du Royal and Ancient Golf Club. Ci-contre : Les nombreux parcours (ici, sur l'île d'Arran) épousent parfaitement le paysage tourmenté de l'Écosse ; ils constituent un véritable défi pour les golfeurs et offrent des vues superbes.

L'IRLANDE EN ROULOTTE

Un moyen de transport paisible pour découvrir une île extrêmement agréable. Avancez à votre rythme, et faites des pauses dans un vallon boisé, au bord d'un lac ou d'un ruisseau.

Prenez une pile de livres, éventuellement une canne à pêche : vous êtes fin prêt pour les monts Wicklow, superbe région boisée d'Irlande. Dans votre roulotte, quatre lits, une table, un évier et un petit réchaud. Le voyagiste vous a fourni une carte des routes les moins fréquentées et des lieux où vous arrêter le soir pour prendre une douche, un repas… ou une pinte de bière. Avant le départ, à Carrigmore, à 20 km au sud du Dublin, apprenez à panser, nourrir et soigner votre animal, généralement un cheval de trait irlandais, robuste et patient. En une journée, parcourez entre 7 et 20 km (de 2 à 5 heures), en fonction du temps, de l'état de la route, et au rythme de vos envies (parcours de golf, partie de pêche…). De temps à autre, un vaste domaine attire votre regard – peut-être celui de Powerscourt (XVIIIe siècle), l'une des plus célèbres demeures de style palladien du pays. Visitez de superbes jardins – ceux des monts Usher par exemple, le long de la Killiskey River. La cadence est paresseuse, mais il y a quantité de choses à voir.

Quand ? D'avril à octobre. En juin, les prairies sont en fleurs. Septembre est agréable, mais vous risquez de cheminer souvent derrière des moissonneuses…

Combien de temps ? Au moins 1 semaine.

Préparation Étudiez au préalable la géographie de l'Irlande pour savoir où vous souhaitez aller. Le comté de Wicklow n'est pas un incontournable. Allez jusqu'à Galway, dans le comté historique de Laois ou le comté de Mayo.

À savoir Anti-moustique indispensable. Marchez à côté du cheval quand la pente est trop raide. Louez une monture pour vous promener dans la campagne environnante.

Internet www.irishhorsedrawncaravans.com, www.dochara.com

TEMPS FORTS

■ Dans les **villages**, le **marché** est un must. Au coucher du soleil, lorsque la roulotte ne peut plus circuler, allez écouter de la musique dans un pub, une bonne façon de terminer la journée. Faites de beaux rêves !

■ Si vous poussez jusqu'à **Galway**, ne ratez pas le Festival des arts, chaque année en été. Et si vous aimez les chevaux, venez fin juillet pour les courses.

■ Les **meilleurs poissons et légumes** d'Irlande s'achètent le samedi matin au marché de Galway.

■ Détendez-vous sur les **longues et splendides plages** du comté de Mayo. Le littoral est piqué de petites îles que l'on rejoint par des passerelles.

Les roulottes ressemblent à des tonneaux couchés. On peut y dormir, mais elles sont suffisamment légères pour être tirées par un cheval.

Les routes tranquilles du parc naturel régional du Luberon sont plus ou moins abruptes.

FRANCE

LE LUBERON À VÉLO

La montagne du Luberon - parc régional - concentre les plus beaux paysages naturels de Provence.

Les versants du parc naturel régional du Luberon sont criblés de magnifiques bourgades et villages – retranchés à l'arrière d'anciens remparts –, étapes successives de votre périple à vélo. Vous n'avez qu'à suivre le réseau de routes qui sillonnent le parc. Partez de Roussillon et longez des falaises multicolores où affleurent les reliefs de terre rouge qui attestent la présence de gisements d'ocre. Vers l'ouest, grimpez jusqu'à Gordes, un des plus beaux villages de France, perché à la limite méridionale du plateau du Vaucluse, et son château du XIIe siècle. Pour un circuit moins ardu, depuis Cavaillon, dirigez-vous à l'ouest du parc et suivez la piste cyclable jusqu'à Forcalquier (100 km). Sa vieille ville, datant du XIIIe siècle pour certaines demeures, est faite de ruelles et de places étroites typiques. En route, vous passez devant de purs joyaux, par exemple Ménerbes, village perché qui abrite les ruines de l'abbaye de Saint-Hilaire (XIIIe siècle). Si vous avez le temps, retournez à Cavaillon par le tronçon sud de la piste, qui effectue un circuit de 237 km par Manosque, Lourmarin et Mérindol. Tous les parcours sont parfaitement balisés dans les deux sens.

TEMPS FORTS

■ À 3,5 km de Gordes, ne ratez pas le **village de bories**, ces constructions traditionnelles provençales rondes en pierres sèches, qui servaient autrefois de refuge, d'étable et de maison.

■ **Ménerbes** et **Lourmarin** figurent sur la liste des plus beaux villages de France.

■ Le défi ultime du cycliste consiste à gravir le **mont Ventoux**, au nord du Luberon. Ce sommet de 1912 m est l'une des ascensions vedette du Tour du France. Attention aux vents de côté !

Quand ? De mi-avril à mi-octobre. Il n'y a jamais autant de monde que sur la Côte d'Azur toute proche, mais, pour des conditions optimales, privilégiez la période mi-avril/juin et septembre/mi-octobre.

Combien de temps ? Au moins 3 nuits dans le village que vous aurez choisi comme point de chute.

Préparation L'aéroport le plus proche est celui de Marseille. Gares SNCF à Aix-en-Provence et Avignon. Petits hôtels, gîtes (à louer pour la semaine) et chambres d'hôtes dans de charmants villages.

À savoir Même sur les petites routes, serrez bien à droite, une voiture lancée à pleine vitesse peut déboucher à tout moment. Les routes les plus agréables sont souvent très étroites. En été, pensez à vous équiper de beaucoup d'eau, lunettes de soleil, chapeau, crème solaire et trousse de premiers secours.

Internet www.provenceweb.fr, www.parcduluberon.fr/iti/itineraire.php

Une farandole de patineurs, parfaitement synchronisés, près de Dokkum.

PAYS-BAS

La Course
des onze villes de Frise

Un circuit de 200 km sur les canaux, les rivières et les lacs gelés
du nord des Pays-Bas. Un vrai challenge pour les patineurs.

Moulés dans leur combinaison en Lycra, les sourcils gelés, les patineurs jouent des coudes pour négocier virages et congères sur cette route de la province septentrionale de Frise. Des spectateurs s'égosillent : « *Hop! Hop! Hop! Volhouden!* » (« Allez! Allez! Allez! On continue! »). Les concurrents, épuisés, sont partis depuis le lever du soleil, et, à mesure que l'astre du jour baisse dans le ciel, ils savent qu'ils se rapprochent de l'arrivée. Cette célèbre course sur glace – qui débute et s'achève à Leeuwarden – existe depuis des siècles. Elle est devenue officielle en 1909, mais depuis cette date l'*Elfstedentocht* (la « Course des onze villes de Frise »), organisée par l'association Vereniging, n'a connu que 15 éditions : elle ne peut avoir lieu que si la glace est suffisamment épaisse (15 cm au moins). Limitée à 16 000 participants, la course n'est parfois annoncée que quelques jours, voire quelques heures avant son départ, mais, si course il y a, c'est tout un pays qui se mobilise, au bord de la route ou devant la télévision. Quand vient le dégel, il est possible d'effectuer le circuit en kayak, à pied, à vélo ou en rollers.

Quand? Pour la course en patins, de décembre à février. Si vous utilisez d'autres moyens de transport, privilégiez juillet et août. Les étés hollandais sont doux.

Combien de temps? Le trajet peut se faire à vélo en 1 journée (une course est d'ailleurs organisée en mai); mais les voyagistes prévoient 1 semaine ou plus.

Préparation Les agences locales peuvent vous aider à composer votre itinéraire estival. Pour la course, contactez l'association Vereniging, qui vous fournira tous les détails.

À savoir Si vous tentez la course, sachez que les Néerlandais sont des patineurs-nés... la concurrence sera rude!

Internet www.visitfryslan.com, www.elfstedentocht.nl, www.11steden.nl, www.cycletours.com

TEMPS FORTS

■ La **frénésie** générée par l'*Elfstedentocht* est contagieuse (le patinage est d'ailleurs surnommé la « maladie hollandaise »). La famille royale s'est piquée au jeu : en 1986, le prince héritier Willem Alexander a participé à la course sous le nom de W.A. Van Buren.

■ Si vous effectuez le circuit dans sa totalité, en patins ou non, on vous remet un « **passeport** », tamponné à chacune des 11 étapes.

■ La **Frise** mérite d'être visitée. Elle possède près de 200 des 1200 moulins à vent du pays. Les Frisons pratiquent un dialecte qui leur est propre, proche de l'anglais.

PAYS-BAS

Les champs de fleurs de Hollande

À vélo, sillonnez les champs et visitez les plus célèbres jardins du monde, où les fleurs composent de merveilleux tableaux.

EUROPE

Au printemps, les champs de bulbes de Hollande-Méridionale s'épanouissent dans un embrasement de couleurs. Ici, chaque année, sont produits des millions de bulbes, pièces maîtresses de l'industrie de la fleur des Pays-Bas (les fleurs ne sont d'ailleurs que des produits secondaires, et sont souvent jetées sur le bas-côté de la route pendant la récolte des précieux bulbes). Pour le paradis des fleurs, enfourchez votre vélo et ralliez Noordwijk, à Keukenhof. Là, un jardin de 32 ha fut fondé au xve siècle pour la comtesse Jacqueline de Hainaut. Au printemps, les producteurs y envoient quelque six millions de tulipes qui composent une extraordinaire symphonie florale, pour le plus grand bonheur des abeilles et des papillons. Un thème est choisi tous les ans, pour que les « jardins d'inspiration » de Keukenhof donnent des idées aux visiteurs pour embellir leur propre carré de verdure. Une exposition raconte comment, depuis les steppes d'Asie centrale et les palais ottomans, la tulipe est parvenue jusqu'à la Hollande et les jardinières d'Amsterdam.

Quand? De la fin mars à la mi-juin. La floraison est à son apogée en mai.

Combien de temps? Excursion à vélo d'une journée (25 km).

Préparation Le circuit débute à l'office de tourisme de Noordwijk puis dans le café où vous prendrez un petit déjeuner (café et viennoiseries) avec votre guide. Trains depuis la gare centrale d'Amsterdam ou de l'aéroport de Schipol toutes les demi-heures à destination de Leyde, puis correspondance par le bus 54 pour Keukenhof.

À savoir Le week-end, achetez des bulbes à moindre prix au marché de Keukenhof – dahlias, lys, glaïeuls, bégonias... et bien sûr des tulipes de toutes les couleurs.

Internet www.holland.com, www.hollandrijnland.nl, www.keukenhof.com

TEMPS FORTS

■ La **serre de Groei et Bloei**, à Keukenhof, abrite plus de 50 000 tulipes multicolores. On s'y réfugie en cas de mauvais temps. Visites guidées gratuites (en anglais).

■ Keukenhof est l'un des rares endroits du monde où se procurer des bulbes de l'illustre **tulipe « Perroquet Noir »** – en réalité d'un violet profond : depuis 400 ans, les producteurs s'escriment en vain à obtenir une tulipe d'un noir véritable.

■ À Leyde, visitez **Hortus Botanicus**, le plus ancien jardin botanique d'Europe, fondé en 1590. Le centre historique de la ville ne manque pas d'intérêt, de même que le musée d'art Lakenhal.

Des bandes de tulipes rouges et jaunes se déroulent à perte de vue, un régal pour les yeux et les appareils photo.

Top 10 Vélo SUR ROUTE

Des routes de difficulté très variable,
à parcourir en une seule journée... ou
en plusieurs semaines. À vous de choisir.

❶ La Route verte, Canada

Aménagée récemment, cette Route verte traverse la province
du Québec d'est en ouest, sur plus de 4 000 km, au rythme d'axes
secondaires et de routes de campagne peu fréquentées. Très bien
balisée, elle est ponctuée de panneaux indiquant les sites touristiques. Le sol et les paysages sont variés – tronçons paisibles le
long du Saint-Laurent, plus ardus dans les Laurentides.

Préparation Le programme national Bienvenue Cyclistes vous aide
à trouver des endroits où dormir, campings ou hôtels.
www.routeverte.com

❷ Underground Railroad Bicycle Route, États-Unis/ Canada

L'Adventure Cycling Association a aménagé cette route qui relie
Mobile (Alabama) à Owen Sound (Ontario) en mémoire des
esclaves fugitifs et de ceux qui les aidèrent à trouver la liberté. Les
cinq parties totalisent 3 310 km. Tout au long du parcours, des
sites et des musées retracent l'histoire des Afro-Américains et de
l'esclavage.

Préparation Au début du printemps ou à l'automne, certains campings
du tronçon le plus au nord risquent d'être fermés.
www.adv-cycling.org

❸ La Route australe, Chili

Ses pavés sont réguliers mais disjoints... La route court sur
1 300 km de Puerto Montt, au cœur du Chili, jusqu'à Villa O'Hig-
gins, au nord de la Patagonie, en passant par Caleta Yungay. Vous
devez souvent emprunter des ferries. Le paysage est étourdissant,
notamment dans les parcs nationaux de Queulat et Cerro Castillo. De vastes zones de forêt indigène et de gigantesques fougères
cernent les sources chaudes de Puyuhuapi, près de Queulat.

Préparation Vous traversez des zones désertiques : ayez avec vous
suffisamment de provision et d'effets personnels.
www.gochile.cl, www.lapatagonie.com

❹ Le Munda Biddi Trail, Australie

Dans le dialecte aborigène Noongar, *Munda Biddi* signifie «sentier
à travers la forêt ». Cette piste cyclable traverse des kilomètres de
forêt de *jarrah*, nom local de l'eucalyptus. Le tronçon Mundaring-
Collie (332 km) fut inauguré en juillet 2004, avec extension pré-
vue jusqu'à Albany. Vous pouvez croiser le wallaby de l'ouest, le
kangourou gris ainsi que le cousou.

Préparation Évitez le brûlant été australien, de décembre à février.
www.mundabiddi.org.au

Le Cape Argus Cycle Tour, en Afrique du Sud,
rassemble professionnels et amateurs ;
la route montagneuse est magnifique mais ardue.

❺De Hanoi à Ho Chi Minh-Ville, Vietnam

Si vous aimez le vélo et la plage, cette route de 1 200 km qui relie les deux plus grandes villes du Vietnam le long d'un littoral sablonneux est faite pour vous. Ce n'est toutefois pas une partie de plaisir : la nature du sol est très changeante et les obstacles sont nombreux, par exemple le col Hai Van, frontière historique entre le nord et le sud du pays.

Préparation Prenez un vol Hanoi-Hue et réduisez ainsi la distance de moitié.
www.exotissimo.com

❻Gran Fondo Campagnolo, Italie

Ils sont nombreux à participer à cette course dans les Dolomites, à proximité de Feltre, organisée en hommage à Tulio Campagnolo, inventeur du dérailleur. Elle se déroule chaque année à la mi-juin, quand les routes ne sont plus enneigées. 4 200 m de montée pour un trajet de 209 km, et quatre sommets à franchir.

Préparation Certificat médical obligatoire.
www.infodolomiti.it

❼Luchon-Bayonne, France

C'est en 1910 que, pour la première fois, le Tour de France franchit un col de haute montagne. L'étape 10, la plus difficile cette année-là, reliait Luchon à Bayonne via quatre cols, sur des routes non asphaltées. Le vainqueur a parcouru les 325 km en 14 h. Refaites ce fameux trajet par les cols de Peyresourde, Aspin, Tourmalet et Aubisque.

Préparation Les cols sont fermés pour cause de neige de la fin de l'automne au début du printemps.
www.lagrandeboucle.com, www.clevacances-65.com

❽Route du comte Jean, Belgique/France

La Belgique est réputée pour la *Vlaanderen Fietsroute* (« Piste cyclable flamande ») aménagée sur des sentiers et des chemins de campagne. La Route du comte Jean (un général flamand du XIVᵉ siècle) est un tronçon de 220 km, entre Bruges et le nord de la France. Le relief est plat, mais les vents sont redoutables.

Préparation En toute saison, prévoyez une tenue imperméable.
www.visitbelgium.com, www.velo101.com

❾Land's End-John O'Groats, Grande-Bretagne

En fonction de l'itinéraire choisi, le trajet s'étend sur 1 450 km ou plus. Dans le sens nord-sud, les vents vous poussent. Même si vous roulez tranquillement et effectuez le circuit le plus long, vous avez toutes les chances de battre le premier record officiel, établi en 1885 en 65 jours… et en grand bi.

Préparation La plupart des cyclistes s'accordent 1 semaine ou plus et empruntent généralement de paisibles routes de campagne.
www.ctc.org.uk

❿Cape Argus Pick'n Pay Cycle Tour, Afrique du Sud

L'épreuve n'est pas la plus longue du monde – 109 km –, mais elle compte certainement le nombre le plus élevé de participants, 35 000. Elle fait le tour de la péninsule du Cap, succession de montées et de descentes. Si vous n'êtes pas là pour gagner, admirez la côte et le paysage fabuleux du parc national de la Montagne de la Table.

Préparation Réservez suffisamment longtemps à l'avance.
www.cycletour.co.za

SKI HORS-PISTE DANS LA VALLÉE BLANCHE

Au point culminant des Alpes, pistes à pic et conditions extrêmes constituent un défi taillé pour les skieurs les plus chevronnés.

La montée de 3 842 m dans le téléphérique qui relie Chamonix au massif granitique de l'aiguille du Midi est une première épreuve, mais bien peu de chose en comparaison avec la crête étroite qui vous attend à l'arrivée. Vous devrez la franchir, skis à l'épaule, encordé à votre guide. La récompense ? Une fois les skis chaussés non loin du sommet du mont Blanc – point culminant des Alpes à 4 808 m d'altitude – vous dévalez la vallée Blanche, sur 22 km. Le dénivelé de 2 804 m est impressionnant et semble ne jamais devoir se terminer. Cependant, cette fabuleuse descente n'est pas réservée aux seuls skieurs accomplis. Avec le matériel adéquat et un guide, les skieurs moyens et les surfeurs peuvent eux aussi parcourir ce que certains qualifient de « piste de ski la plus fabuleuse de la planète ». Après le glacier du Tacul, la piste traverse la Mer de Glace, le plus grand glacier du pays, véritable océan de glace et de neige. Selon les conditions météorologiques, vous achèverez votre descente à Chamonix ou à la gare de Montenvers.

Quand ? La neige est meilleure en février et en mars, et il y a moins de monde le lundi.

Combien de temps ? Si vous prenez le ski au sérieux (c'est le cas de tout le monde à Chamonix), comptez au moins 1 semaine, peut-être 2. Les pistes et les activités sont innombrables.

Préparation De nombreux guides sont à votre disposition. Ils sont indispensables si vous skiez dans la vallée Blanche pour la première fois.

À savoir En haute montagne, chaque détail compte, prévoyez l'équipement adéquat. Ayez sur vous un sifflet, une pelle, une sonde, un en-cas et de l'eau. Les séracs – crevasses entaillant le glacier – sont un réel danger. Des skieurs y périssent chaque année.

Internet www.chamonix.com, www.guides-du-montblanc.com, www.pistehors.com

EUROPE

TEMPS FORTS

■ Il y a beaucoup de boutiques et de restaurant à Chamonix, de même qu'une vraie **vie nocturne**. C'est ici que se déroulèrent les premiers jeux Olympiques d'hiver en 1924 – ainsi que la scène finale du *Frankenstein* de Mary Shelley (1818) !

■ Les sports d'hiver ouvrent l'appétit. Laissez-vous tenter par la **tartiflette**, spécialité régionale à base de pommes de terre, de vin blanc et de reblochon.

■ Pas de panique si vous n'avez pas l'occasion de pouvoir aller skier pendant la saison hivernale. Vous pouvez **randonner** dans la **vallée Blanche** au printemps ou en été et arpenter ainsi des forêts qui sont inaccessibles à ski.

Depuis l'aiguille du Midi, les skieurs se préparent à la descente exaltante de la vallée Blanche.

Le cœur de la Roumanie est montagneux et réserve aux cyclistes des panoramas absolument superbes.

ROUMANIE

La Traversée de la Transylvanie

La légendaire Transylvanie – ses forêts profondes, ses loups hurlants et ses châteaux médiévaux – existe bel et bien et vous attend.

Enclavée dans les Carpates, la Transylvanie s'étend au cœur de la Roumanie. Ses paysages magnifiques, striés de sentiers, se prêtent idéalement au vélo tout-terrain, particulièrement dans la région de Sinaia et de Brasov, au sud-ouest des Carpates. La nature y est étonnamment préservée, sur les hauteurs comme à basse altitude. Il est vrai que l'agriculture intensive qui a épuisé les terres du pays n'a pas eu cours ici. En chemin, à une allure tranquille, savourez ces panoramas généreux – prairies en fleurs, nuées d'oiseaux, forêts centenaires et pâturages verdoyants. Sans oublier l'imagerie traditionnelle des bottes de foin et des carrioles tirées par des chevaux. L'ensemble crée l'illusion parfaite d'un voyage dans le temps à destination de la légendaire Ruritanie.

Quand? D'avril à octobre. Les mois de mai et juin sont magnifiques.

Combien de temps? La plupart des séjours organisés durent de 6 à 8 jours.

Préparation Maintenant membre de l'Union européenne, la Roumanie s'ouvre au tourisme – plusieurs compagnies aériennes à bas prix la desservent désormais. Les infrastructures s'enrichissent, mais le VTT n'y est pas encore très développé. Mieux vaut réserver auprès d'une agence spécialisée.

À savoir Si vous voyagez seul en direction du massif Bucegi et de la station de ski de Poiana Brasov (au nord, à proximité de Brasov), louez votre VTT à Sinaia et Busteni.

Internet www.adventuretransylvania.com, www.romaniatravelcentre.com, romania.ibelgique.com

TEMPS FORTS

■ Les plus beaux sentiers conduisent dans le haut plateau du **massif Bucegi**, tapissé de forêts de hêtres et de pins, entre Sinaia et le village de Bran (sud-ouest de Brasov). Le relief appartient à la barrière montagneuse qui sépare la Transylvanie des terres basses de Valachie, au sud.

■ Au sud-ouest de Bran, depuis le col Fundata, une pente formidable conduit à travers les **montagnes Piatra Craiului**. Le village de Fundata est réputé pour ses fromages fumés et ses sirops de fruits des bois.

■ Ne ratez pas le **château Peles**, un magnifique édifice du XIXᵉ siècle, résidence d'été des rois de Roumanie; le château de Bran (pseudo «château de Dracula») et le centre historique de Brasov.

EUROPE

Observer les oiseaux dans le delta du Danube

Ce lieu calme est un paradis pour les milliers d'oiseaux qui y résident et pour tous ceux qui viennent les observer.

Après un périple de 2 900 km à travers l'Europe, de la Forêt-Noire aux Balkans, le Danube se jette dans la mer Noire par un large delta. Conservatoire de plus de 300 espèces d'oiseaux, cette zone humide est la plus grande roselière du monde, et l'une des régions naturelles les mieux préservées d'Europe. La plupart des échassiers et du gibier d'eau européens – pélicans blancs, ibis falcinelles, crabiers chevelus, spatules – y ont été recensés, de même que de nombreux rapaces, des martins-pêcheurs, des rolliers et des guêpiers au plumage irisé. On y observe également des loutres, des visons et des chacals. Les étendues d'eau libre, comme le lac Fortuna, près de Crisan, constituent des lieux privilégiés pour les ornithologues. Le delta du Danube possède également des zones de prairies, de landes et de forêts… À chaque espèce son habitat. Cette immense région isolée, dépourvue de route, a des airs de bout du monde. Paradis incontesté de la flore et la faune, elle s'enorgueillit aussi d'une dimension historique puisque c'est ici qu'au XVIIIᵉ siècle se réfugièrent les Lipovènes, des Russes persécutés pour raisons religieuses.

Quand ? Avril-mai et septembre-octobre : les oiseaux migrateurs font alors escale sur leur route entre l'Afrique et la Sibérie. Mai, avec l'arrivée des espèces nicheuses, est idéal.

Combien de temps ? La plupart des séjours comptent de 3 à 5 jours.

Préparation Vous pouvez voyager en individuel. Depuis Tulcea, transport fluvial assuré jusqu'aux bases de Crisan, Sulina et Sfântu Gheorge. Suivez un pêcheur ou un groupe pour rejoindre les postes d'observation. Le voyage organisé est tout de même préférable.

À savoir Il y a toujours beaucoup de pêcheurs chez les descendants de réfugiés ukrainiens et de Lipovènes. Ils vivent dans des villages disséminés sur le delta. Leurs maisons de bois méritent une visite.

Internet www.traveldelta.ro, www.romaniatravelcentre.com, www.eco-romania.ro, www.turism.ro

TEMPS FORTS

■ Des hors-bord sont disponibles, mais, si vous avez le temps, louez plutôt un **bateau à rames ou un canoë** pour ne rien troubler de la quiétude des lieux et vous perdre dans le dédale du delta.

■ Contemplez une **nuée de pélicans blancs** prendre son envol.

■ Logez chez l'habitant à **Crisan** ou à **Sfântu Gheorge**. À proximité de Sfântu Gheorge, il y a une superbe **plage** déserte.

■ Terminez la journée en dégustant, pour le dîner, des **carpes** pêchées dans le delta, de préférence face à un coucher de soleil, au son du coassement des grenouilles.

Dans une traditionnelle barque de bois, un pêcheur lipovène pagaie dans une zone très calme du delta du Danube.

Dans l'arrière-pays, des fondeurs traversent des étendues désertes, sous un ciel d'un bleu sublime.

NORVÈGE

Ski de fond à Lillehammer

Le ski en Norvège, sur des étendues infinies de neige scintillante, est une expérience absolument unique.

La neige s'étend à perte de vue, piquée de bouleaux et de pins. Vous skiez depuis des heures sans rencontrer âme qui vive, et croisez soudain un groupe qui vous salue joyeusement : tous — adultes à skis et enfants en luge — ont les joues bien rouges. Lillehammer, au sud de la Norvège, est la capitale mondiale du ski de fond. Située sur la rive septentrionale du lac Mjøsa — à 180 km au nord d'Oslo —, la ville est cernée par la montagne. La plupart des pistes partent du Birkebeineren Ski Stadium, dont une de 5 km éclairée jusqu'à 22 heures. À moins que vous ne préfériez, plus à l'est, les stations de Nordseter ou Sjusjøen (anciennes communautés rurales) et leurs 350 km de sentiers balisés qui mènent de forêts touffues en lacs gelés. Les skieurs chevronnés se lanceront à l'assaut du Troll Trail (170 km) qui relie Høvringen (au nord-ouest) à Lillehammer en passant par l'extraordinaire parc national Rondane.

Quand ? En Norvège, la neige est omniprésente – dans certains endroits, on peut pratiquer le ski de fond en été – mais la meilleure période court de décembre à mars.

Combien de temps ? 2 semaines pour les fans de sports d'hiver... il n'y a pas grand-chose d'autre à faire !

Préparation Lillehammer est très bien desservie depuis l'aéroport international Gardermoen d'Oslo. Ne vous embarrassez pas de matériel, louez tout sur place !

À savoir Prenez des aliments énergétiques (oranges, jus de fruits, barres chocolatées) et de l'eau. Vous ferez de nombreux en-cas sur le trajet. Hafjell culmine à 919 m d'altitude seulement : aucun risque de mal des hauteurs.

Internet www.lillehammerturist.no, www.norske-bygdeopplevelser.no, www.la-rando.com/topos/topo-norvege-randonnee-nordique-famille.php

TEMPS FORTS

■ Après des heures à skis dans des paysages déserts, arrêtez-vous pour prendre un café et manger un morceau dans les **petits hameaux** de Pellestova ou Hörnsjö.

■ Pour les Norvégiens, le ski de fond est le meilleur moyen de *ga pa tur* (« prendre l'air »), une **activité familiale** idéale. Dans la plupart des stations, il y a quantité de services à disposition : garderies, baby-sitters, berceaux à louer et cours de ski pour les enfants.

■ Les amateurs de **ski alpin** ne sont pas en reste : remontées mécaniques à Nordseter et Sjusjøen, et Hafjell Alpine Centre à 15 km au nord de Lillehammer.

LES AÇORES

Voir les baleines aux Açores

Les plus gros mammifères marins se retrouvent toute l'année au large de cet archipel, kyrielle de petites îles portugaises.

Les embruns piquent les joues, l'embarcation – un canot pneumatique ou un catamaran – bondit de vague en vague et… Là! Elle souffle! *« Baleia a vista! Baleia a vista! »* (« Baleine en vue! Baleine en vue! ») hurle le *vigia* (« guetteur ») au visage buriné. La baleine est proche… Si proche! Les énormes mammifères fréquentent assidûment le large de ces neuf îlots volcaniques car ils y trouvent une nourriture abondante. On peut en observer tout au long de l'année : l'espèce la plus grosse et la plus connue est le cachalot, accompagné du globicéphale, de la baleine bleue et de la baleine à bosse, du rorqual commun et du petit rorqual. Il y a 25 ans, le propriétaire du canot était sans doute capitaine d'un bateau de pêche : la chasse à la baleine représentait alors une manne, mais elle est interdite depuis 1987. Désormais, les appareils photo ont remplacé les harpons et les touristes traquent la moindre nageoire (les espèces se distinguent d'ailleurs à la forme de leur nageoire). Ne vous limitez pas à une seule excursion : cabotez d'île en île et multipliez les sorties en mer. Le soir, offrez-vous un dîner de spécialités locales, des plats peu épicés à base de poissons – n'oubliez pas le vin local – et goûtez le sens de l'hospitalité açoréen.

Quand? De mai à septembre, pour profiter de la douceur estivale, avec des températures de 15 à 22 °C. C'est également la période des festivals.

Combien de temps? Si vous ne venez que pour observer les baleines, 5 jours ou 1 semaine suffisent largement. Restez plus longtemps pour visiter les îles.

Préparation Les Açores se situent à 2 h d'avion de Lisbonne (aucun vol direct n'existe depuis la France). Deux compagnies aériennes relient les îles au continent, la SATA (Air Açores) et la TAP (Air Portugal). Les agences sélectionnent les sites en fonction de la présence des baleines. Vous passez toute la journée en mer, jusqu'à 16 h 30 ou 17 h 30.

À savoir Enregistrez ce spectacle inouï : investissez dans un appareil photo et/ou du matériel vidéo étanche.

Internet www.visitazores.org, www.espacotalassa.com, www.norbertodiver.com

TEMPS FORTS

■ Tout à côté de votre bateau, un **cachalot** de 14 m de long se met sur le côté pour avaler des kilos et des kilos de krill.

■ **À chaque île ses différences.** São Miguel, la plus grande et la plus cosmopolite, conjugue lacs et montagnes; à Pico, végétation exotique et fabuleuses piscines naturelles; les paysages de Graciosa, «l'île blanche», sont piqués de moulins à vent et de sources chaudes, nombreux îlots au large.

■ **Observez les dauphins.** S'ils sont de bonne humeur, ils accompagneront l'embarcation, au rythme de leurs bonds fabuleux.

■ Faites des **rencontres impromptues** : le marlin, si vif; l'espadon; la caouanne, une tortue marine; le requin. Sans oublier l'avifaune dont le puffin cendré et la sterne de Dougall sont les fiers représentants.

Ci-dessus, à gauche : Le volcan de Pico - point culminant du Portugal - surplombe un village préservé de la côte méridionale de l'île. Ci-dessus, à droite : Les baleines font partie intégrante du patrimoine açoréen. Ci-contre : Une queue de baleine apparaît à la surface. Aux Açores, les eaux sont limpides et les conditions d'observation idéales.

Voyagez à dos de chameau, comme autrefois les nomades berbères du Sahara.

MAROC

Caravane de chameaux au Maroc

Franchir les dunes à dos de dromadaire – un mode de transport millénaire – est une expérience à la fois incroyable et romantique.

L'erg Chebbi, à l'est du Maroc, abrite des dunes dorées qui s'étirent à perte de vue entre la célèbre vallée du Ziz et la frontière algérienne. Avec vos guides touaregs, entièrement vêtus de bleu, cheminez dans ce paysage infini et immuable, à raison de 5 à 6 heures par jour sur le dos (ou à côté) de votre monture. De temps à autre, en bordure du désert, surgit le campement d'une famille de nomades berbères, ses chameaux au repos à côté d'un puits ombragé de palmiers. Au crépuscule, lorsque le soleil disparaît derrière les montagnes de l'Atlas, installez votre propre camp et dînez d'agneau et de couscous. Autour du feu, vos hôtes berbères entonnent des chants traditionnels. Pour finir la journée en apothéose, grimpez sur la dune la plus proche et, étendu sur le dos, goûtez le silence et l'extraordinaire ciel étoilé.

Quand ? D'octobre à mai (il fait moins chaud). Au cœur de l'hiver, les nuits peuvent être froides.

Combien de temps ? Comptez 3 jours en moyenne pour le trek avec les chameaux, mais 10 jours ou 2 semaines pour profiter pleinement des beautés du Maroc.

Préparation Des agences internationales (Wilderness Travel) assurent le transport en 4X4 depuis Marrakech ou Fès jusqu'aux dunes. Ils fournissent également le matériel. Pension complète.

À savoir Crème solaire indispensable, même en hiver. Si vous ne voulez pas monter sur le chameau, vous pouvez tout à fait marcher à côté, vous avancerez à la même allure ! Certains voyagistes prévoient même des 4X4 pour véhiculer ceux que les hautes dunes découragent.

Internet www.wildernesstravel.com

TEMPS FORTS

■ Les **spectaculaires dunes dorées** de l'erg Chebbi figurent parmi les plus remarquables merveilles naturelles du Sahara. Certaines culminent à 150 m de hauteur.

■ La ville de **Rissani**, ancien terminus des caravanes transsahariennes, est une oasis charmante de la vallée du Ziz. À découvrir : une magnifique casbah du XVIIe siècle, des souks animés… et les meilleures dattes du monde.

■ Comme les nomades, puisez l'eau du puits pour désaltérer votre monture, et réveillez-vous tôt pour voir le **lever du soleil** sur un panorama tout en courbes, si paisible.

■ Abordez le Sahara marocain de façon inédite avec le **surf des sables** ou la **descente de dunes**. Dans le premier cas, vous dévalez la dune debout sur une planche en bois ou en fibre de verre, dans le second, vous utilisez une luge en plastique ou un toboggan.

AFRIQUE

AFRIQUE DU SUD

PLONGÉE AVEC LES REQUINS

Un face-à-face avec le plus redoutable tueur de la planète.
Plongez si vous l'osez.

Dans la vie, certaines expériences paraissent a priori dangereuses et relever de l'inconscience. Nager avec des requins en fait probablement partie. C'est pourtant ce que vous vous apprêtez à faire en ce matin ensoleillé, à Walker Bay, un site surnommé Shark Alley (« l'allée des requins ») à proximité du vieux village de pêcheurs de Gansbaai. Le capitaine de l'embarcation a jeté des poissons à l'eau afin d'attirer les requins. Il répète pour la énième fois que vous ne risquez pas « grand-chose »… à l'abri d'une cage en acier attachée au bateau. Un aileron brise enfin la surface de l'eau, et les battements de votre cœur s'accélèrent. Vous voilà dans la cage, équipé d'un masque et d'un détendeur, votre appareil photo étanche à la main. Vous tremblez. De peur ? D'excitation ? Une ombre gigantesque s'approche, effectue un virage et laisse apercevoir une immense nageoire dorsale grise et une rangée de dents aiguisées comme des lames de rasoir. L'animal se rapproche, tourne autour de la cage, jauge la situation. Et puis soudain, c'est l'attaque, le requin ne fait qu'une bouchée des poissons. Le plus redoutable tueur de l'océan est tout près. En tendant la main vous pourriez le toucher. Mais vous ne tentez pas le diable. Vous tenez trop à votre main.

Quand ? Les requins fréquentent les eaux du cap toute l'année, mais la période mai-septembre (hiver) est idéale car ils sont attirés par l'eau fraîche et poissonneuse.

Combien de temps ? L'excursion dure environ 1/2 journée.

Préparation Trois sites pour la plongée en cage : False Bay, à proximité du cap ; Gansbaai, à 110 km environ au sud-est du cap ; et Mossel Bay, près de George. Le trajet peut être organisé par les agences.

À savoir Tout est fourni pour la plongée : cage, combinaison, masque et détendeur. Une expérience préalable de la plongée est indispensable.

Internet www.visitsaonsaa.com, www.white-shark-diving.com

AFRIQUE

TEMPS FORTS

■ Les grands requins blancs ne sont pas les seuls à fréquenter Walker Bay, les baleines sont également nombreuses, et plus particulièrement la **baleine franche australe**, qui migre chaque année.

■ Sur Walker Bay, ne ratez pas la station balnéaire de **Hermanus** (face à Gansbaai), les vignobles et les plages.

■ Le **cap de Bonne-Espérance** est une réserve naturelle parcourue de sentiers côtiers. La faune y foisonne : zèbres, autruches, babouins…

■ Au cap, visitez le **Two Oceans Aquarium** et son département des prédateurs qui abrite d'énormes requins féroces.

À l'abri de votre cage, vous n'avez rien à craindre de cette créature pourtant terrifiante : le grand requin blanc.

KENYA/TANZANIE

LES OISEAUX D'AFRIQUE DE L'EST

Au sol, sur les arbres, le long des cours d'eau, dans le ciel…
Seuls, en couple, en nuées… Dans ce paradis de l'ornithologie, les oiseaux sont partout.

Vous quittez votre refuge à l'aube pour vous aventurer hors des sentiers battus de la réserve – la réserve nationale de Samburu, au Kenya, par exemple. Les premiers rayons du soleil caressent la savane. Dirigez-vous vers les rives boisées d'un cours d'eau – à Sumburu, ce sera la rivière Ewaso Ngiro. Pendant les heures qui vont suivre, cochez sur votre liste, un à un, le nom des innombrables oiseaux d'Afrique multicolores que vous aurez aperçus : vanneau couronné, francolin huppé, outarde houpette et outarde à ventre noir, palmiste africain, bateleur des savanes, aigle ravisseur, tourterelle pleureuse, tourterelle masquée, coliou à tête blanche, spréo de Fischer, pie-grièche des Teita, souimanga violet et rollier à longs brins. L'Afrique de l'Est – le Kenya et la Tanzanie en particulier – compte parmi les meilleurs sites d'observation des oiseaux du monde. Ici, les ornithologues n'en croient pas leurs jumelles. Avec plus de 1 000 espèces d'oiseaux et une remarquable gamme d'habitats, on peut voir jusqu'à 100 espèces par jour ! Sur les plaines se rencontrent bucorves, serpentaires, autruches et différentes espèces d'aigrettes, d'outardes, d'aigles et d'urubus. L'eau est le domaine des flamants, des ombrettes du Sénégal, des martins-pêcheurs, des grues, des pygargues vocifères et des jacanas. Cerise sur le gâteau : vous pourrez croiser un éléphant, des lions ou des buffles.

AFRIQUE

Quand ? Toute l'année, mais préférez l'automne, période de migration. Ne ratez pas Nigulia (parc national Tsavo West, au Kenya), où les oiseaux semblent littéralement tomber du ciel dès l'instant où ils repèrent un endroit pour faire une halte.

Combien de temps ? 1 semaine au moins, mais le safari peut durer 1 mois, voire plus.

Préparation Une bonne paire de jumelles et un guide sur les oiseaux d'Afrique de l'Est. Demandez à votre médecin un traitement antipaludéen.

À savoir Dès votre arrivée à l'aéroport de Nairobi, vous verrez des corbeaux-pies, des milans noirs et des bergeronnettes-pies avant même d'atteindre le parking.

Internet www.kenya.as, www.natureswonderlandsafaris.com

TEMPS FORTS

■ Un tableau à couper le souffle : au lac Nakuru (Kenya), des millions de **flamants roses** prennent leur envol au-dessus des girafes, des hyènes et des rhinocéros blancs.

■ Au parc national Serengeti (Tanzanie) sont recensées **cinq espèces d'urubus**, des zèbres et des gazelles de Thompson.

■ La **faune** mène une **vie nocturne**. Les refuges aménagent des postes d'observation à proximité des points d'eau où les animaux viennent se désaltérer à la nuit tombée.

■ Pratiquez le **camping de luxe** et goûtez au plaisir, à la fin de la journée, d'un dîner avec nappe blanche, serviteurs et vin en abondance… sous la tente !

Ci-dessus, à gauche : À son coucher, le soleil souligne le contour des nids des tisserins à lunettes suspendus aux branches d'un arbre. Ci-dessus, à droite : Perché sur une brindille, un délicat guêpier à front blanc pépie. Ci-contre : Extraordinaire symphonie de rose au Kenya, quand une colonie de flamants se restaure sur les rives d'un lac aux eaux alcalines.

Une rencontre magnifique avec un rhinocéros noir constitue l'une des plus belles récompenses dans un safari en Afrique.

BOTSWANA

Traquer les « Grands Cinq »

Les rhinocéros vous attendent au nord du Botswana, où le bassin de la Chobe et le delta de l'Okavango rencontrent le désert de Kalahari.

Dans la plaine inondable de la rivière Chobe, vous êtes cerné par des centaines d'éléphants. Ils mâchonnent de l'herbe jaunie et vous remarquent à peine. Les éléphanteaux trépignent avec entrain entre les pattes de leurs mamans. Voici venu le clou du safari, le moment où vous contemplez tous les membres de la famille des « Grands Cinq » : le lion, le léopard, le buffle, le rhinocéros et bien sûr le colossal éléphant. Autrefois, ces espèces étaient réputées les plus difficiles à chasser. De nos jours, si les appareils photo ont remplacé les fusils, elles ont conservé ce surnom de « Grands Cinq ». Le safari débute à Chobe et prend rapidement sa vitesse de croisière : lever avant l'aube afin de voir les animaux profiter de la fraîcheur matinale, retour au camp pour le déjeuner et la sieste, nouveau départ en fin d'après-midi pour observer les léopards et les autres animaux nocturnes. Un bon dîner et quelques conversations autour du feu. Depuis Chobe, direction l'est et le delta de l'Okavango que vous sillonnez en *mokoro* (pirogue) : guettez les hippopotames, les crocodiles et la rare antilope des marais. Poursuivez vers le sud-est et le parc national Makgadikgadi Pans pour découvrir les cuvettes dépressionnaires du Kalahari, des lacs asséchés où les bêtes pullulent au coucher du soleil.

Quand ? De mai à octobre (hiver et printemps dans l'hémisphère Sud). Les températures sont plus fraîches, la végétation rare : les animaux se concentrent autour des points d'eau.

Combien de temps ? 1 semaine au moins (2 ou plus de préférence).

Préparation Des tours-opérateurs assurent le transport en 4X4 ou par bateau, le logement (lodges ou tentes), les repas, les guides (parlant anglais).

À savoir Les chutes Victoria, à la frontière du Zimbabwe et de la Zambie, sont proches du point de départ du safari. Le détour en vaut vraiment la peine.

Internet www.botswana-tourism.gov.bw, www.ecoafrica.com

TEMPS FORTS

■ Il y a plus d'éléphants dans le **parc national Chobe** que dans n'importe quelle autre réserve africaine. Le parc abrite également une impressionnante population de buffles, de zèbres et d'antilopes. Le Savuti Channel, zone de marécages et d'herbages, est très réputé pour les safaris.

■ À la saison sèche, la réserve animalière Linyanti accueille des espèces migratrices (éléphants, zèbres) et leurs prédateurs (**lions, léopards** et **hyènes**).

■ Ne manquez pas le **delta d'Okavango**, paradis des ornithologues et des amateurs de gros animaux.

NAMIBIE

Quad dans les dunes de Namibie

Enfourchez un véhicule tout-terrain et parcourez les hautes dunes namibiennes… en respectant la nature, bien entendu.

AFRIQUE

Là-haut, au sommet d'une dune abrupte, une ligne orange vif souligne le bleu éclatant du ciel matinal. Seriez-vous parvenu au bout du monde ? La pente est absolument vertigineuse. Sous votre casque, vous lancez un regard inquiet à votre guide, si confiant, lui, à califourchon sur son quad. Vous l'avez suivi jusqu'ici sans broncher, en sillonnant des plaines rocailleuses, des collines et des vallées… Mais il ne s'imagine quand même pas que vous allez grimper… ça ? Il sourit. « Accélérez ! » lance-t-il, tandis qu'il enclenche une vitesse et fonce vers la dune à toute allure. Pétrifié, vous le regardez s'élancer dans les airs puis disparaître à l'horizon. Vous inspirez profondément et partez à sa poursuite. Passé la crête, une descente à pic se présente. C'est un miracle : vous êtes toujours en selle, et le quad dévale le versant. Vous avez le souffle coupé, par l'euphorie et la vue inouïe sur l'océan Atlantique révélé à l'instant par les montagnes de sable. Entre les dunes et la mer, rien qu'un mince ruban d'asphalte.

Quand ? La côte est plus fraîche que l'intérieur des terres, vous pouvez vous y rendre toute l'année, même en été (mars-novembre). Pour visiter l'ensemble du pays, préférez la période mai-octobre.

Combien de temps ? La piste fait 35 km de long. Les séances de quad durent 2 h 30, mais plusieurs jours à Swakopmund en valent vraiment la peine.

Préparation Réservez auprès des agences ou des hôtels de Swakopmund. Prudence : sélectionnez une agence réputée pour son sérieux.

À savoir N'allez jamais seul dans les dunes, même à pied, vous pourriez nuire au fragile équilibre de certaines espèces. Pour les débutants, il y a des quads semi-automatiques.

Internet www.namibiatourism.com.na, www.outback-orange.com/quads.htm

TEMPS FORTS

■ À **Swakopmund**, capitale namibienne des sports extrêmes, pratiquez le surf des sables, l'équitation, les promenades à dos de chameau, le vol en petit avion et la chute libre au-dessus du désert.

■ La plage de Swakopmund est l'une des plus fréquentées du pays. Croisières d'**observation des dauphins** à proximité : régulièrement, des phoques montent à bord !

■ En voiture, allez vers le nord jusqu'à la **Skeleton Coast**, zone inhospitalière et aride, mais fascinante. Dans la brume, on distingue des épaves de navires. La pêche y est excellente.

■ Partez vers le sud pour un safari à Sesriem. C'est ici que se dressent les plus **hautes dunes** du monde.

Une colonne de quads sur un tronçon peu élevé et doucement rythmé des dunes namibiennes.

DANS LES AIRS

C ertains paysages se découvrent du ciel, avec des yeux d'oiseau : parce qu'ils sont inaccessibles par tout autre moyen, qu'une perspective différente est absolument nécessaire, ou pour observer en toute sécurité des représentants de la faune… Pour mener à bien ces excursions ambitieuses, les solutions sont innombrables. Certains périples – brefs – s'effectuent en petit avion, en hélicoptère ou même en montgolfière. D'autres réclament juste de grimper dans un funiculaire. Les voyageurs les plus intrépides survoleront Kauai, une île d'Hawaii, ou planeront, grâce à un pilote émérite, au-dessus de l'Alaska. Ceux qui préfèrent voir des animaux en liberté embarqueront à bord d'un ULM pour admirer les éléphants, les girafes, les rhinocéros blancs et les crocodiles du parc national de Kruger, en Afrique du Sud. Les amateurs des grandes énigmes de l'Histoire, quant à eux, se pencheront sur les lignes de Nazca, au Pérou, et tenteront de répondre à cette question : pourquoi et comment des hommes ont-ils tracé dans le désert, voilà 2 500 ans, des dessins si grands que seule l'altitude les révèle dans leur globalité ?

Fort Simpson, Territoires du Nord-Ouest, Canada : par une belle journée, un hydravion survole le fleuve Mackenzie à destination du parc national Nahanni.

LE BARRAGE HOOVER VU DU CIEL

De Las Vegas, partez admirer le génie humain à l'œuvre dans une oasis en plein cœur du désert.

Le fleuve Colorado a creusé son lit dans une terre rouge et aride. La chaleur est terrible et vous mourez de soif. Les paillettes et les néons de Las Vegas brillent à une soixantaine de kilomètres d'ici, et voilà que vous posez les yeux sur l'une des Sept Merveilles du monde industriel : le barrage Hoover. Son édification nécessita des millions de tonnes de béton, coulées par quelque 16 000 ouvriers pendant la Grande Dépression. Pendant le vol, les statistiques et les chiffres spectaculaires dont on vous abreuve restent finalement assez abstraits… jusqu'au survol de Black Canyon. Là, le gigantisme de la structure, désignée National Historic Landmark, est absolument étourdissant. Le fougueux Colorado a été emprisonné afin d'irriguer les terres agricoles et fournir de l'eau et de l'électricité à des millions de foyers. Le chantier terminé, le réservoir du lac Mead s'est rempli en… 6 ans. Il fait depuis la joie des navigateurs, des pêcheurs et des adeptes du ski nautique. L'hélicoptère remonte jusqu'à la bordure occidentale du Grand Canyon. Le panorama n'est pas aussi prodigieux qu'au sud, mais les plongées entre les défilés rocheux – 2 milliards d'années de temps géologique – sont absolument spectaculaires.

Quand ? Au printemps et à l'automne (en hiver, il peut pleuvoir, neiger et y avoir trop de vent ; en été, la chaleur est accablante). Allez-y tôt le matin (5 h 30-8 h) pour éviter les turbulences générées par l'air chaud.

Combien de temps ? De 2 h 30 à 3 h 30 au départ de Las Vegas, selon les options choisies.

Préparation L'offre est pléthorique : pique-nique au champagne dans le Grand Canyon, déjeuner au bord de l'eau... Possibilité de visites commentées en hélicoptère au-dessus du barrage, du lac Mead et du Grand Canyon.

À savoir Certains hélicoptères ont 4 sièges par rangée : asseyez-vous côté hublot.

Internet www.hooverdamtourcompany.com, www.scenic.com, www.paradisefoundtours.com

TEMPS FORTS

■ Les **dimensions titanesques du barrage** : 221 m de haut, 200 m de large à la base, 14 m au sommet.

■ Vus du ciel, **le lac Mead et ses plages** sont criblés de points minuscules – plaisanciers, nageurs, skieurs...

■ Une cinquantaine d'anciennes **coulées de lave** sur le site volcanique de Fortification Hill (Lake Mead National Recreation Area), au nord-est du barrage.

■ Une excursion à la tombée de jour permet de rentrer à **Las Vegas** de nuit et de contempler les **lumières** de la ville.

Le mur de retenue – absolument vertigineux – sur Black Canyon vu d'hélicoptère.

Jeux d'ombre et de lumière au sommet du McKinley.

ÉTATS-UNIS

LE BUSH DE L'ALASKA EN AVION

Un avion minuscule, un pilote talentueux : direction les confins sauvages de l'Alaska.

Vous décollez d'une piste gravillonnée et repérez immédiatement un énorme grizzly cheminant le long d'un ruisseau. Tout à côté, sur un relief battu par les vents, une ourse brune et ses petits cherchent des baies. Votre cœur s'emballe quand le pilote négocie un atterrissage serré sur le plateau herbeux d'un belvédère de 300 m de haut. Vous sortez au grand air et allez voir un troupeau de mouflons de Dall — reconnaissables à leurs cornes recourbées — brouter quelques mètres sur bas, sur le versant à pic. Nouveau décollage, direction une vallée cernée de hauts sommets enneigés qui semblent à portée de main. Encore un atterrissage acrobatique parfaitement exécuté — cette fois entre deux crevasses entaillant un glacier. Bien d'autres étapes émaillent ce safari aérien. Un jour, rejoignez les parcs nationaux Denali ou Lake Clark au départ d'Anchorage. Le lendemain, survolez Kenai, région de fjords, de glaciers et de profonds estuaires où flottent des icebergs veinés de bleu.

Quand ? De la fin mai à la mi-septembre.

Combien de temps ? Excursions de 1 journée au départ d'Anchorage à destination de Denali, du lac Clark et de la péninsule Kenai; tour de Wrangell-St. Elias depuis McCarthy en 1 journée également, camping et randonnée possibles. Comptez de 10 jours à 2 semaines pour explorer cette vaste contrée.

Préparation Pour le camping et la randonnée, même en été, prévoyez un sac de couchage, une tente, des chaussures de marche et des vêtements imperméables. N'oubliez pas provisions et ustensiles de cuisine.

À savoir À partir du mois d'août, il n'y a plus ces nuées d'insectes bien connues en Alaska.

Internet www.nps.gov/dena, www.ultimathulelodge.com, www.lakeclarkair.com

TEMPS FORTS

■ Les parcs nationaux Lake Clark et Kenai Flords sont réputés pour leur faune abondante. Le **parc national Denali**, au cœur de l'Alaska, qui abrite également de nombreux animaux, recèle le point culminant d'Amérique du Nord, le mont McKinley (6194 m d'altitude).

■ Ne ratez pas les **villes fantômes** et les colonies indigènes qui ne sont accessibles que par la voie des airs – ou après des semaines de marche.

■ Le plus grand parc national d'Amérique, **Wrangell-St. Elias**, s'étend aux confins sud-est de l'Alaska. Véritable mosaïque de paysages, il décline forêts, montagnes, littoraux et toundra.

■ Le **golfe de Cook** en hydravion pour observer les bélugas.

■ La formidable exposition – véritable hommage aux pilotes locaux – consacrée à une vingtaine d'anciens avions au Alaska **Aviation Heritage Museum**, à Anchorage.

ÉTATS-UNIS

AU SEPTIÈME CIEL

L'enivrant survol en hélicoptère des reliefs tourmentés
et boisés de Kauai, « l'île-jardin » d'Hawaii.

Peu d'endroits sur Terre rivalisent avec les paysages vertigineux de Kauai. D'un point de vue géologique, la plus ancienne île d'Hawaii est pourtant relativement récente : il y a six millions d'années, la lave, en se pétrifiant, a modelé les falaises à pic qui frangent le nord de Na Pali Coast et surplombent l'océan de plus de 1200 m de haut. Aujourd'hui, ces murailles et leurs vallées profondes restituent une atmosphère de jardin d'éden mâtinée de préhistoire (c'est ici que fut tournée la saga *Jurassic Park*). Seul l'hélicoptère permet de découvrir ces paysages verdoyants et impénétrables. Survolez le littoral déchiqueté qu'on dirait tapissé de velours vert et piqué çà et là de plumes blanches (des chutes d'eau), puis les vallées insondables, si densément boisées. Votre cœur s'arrête quand la forêt disparaît brusquement et qu'une immense paroi dégringole dans la mer. La côte s'incurve en une succession de baies – les fleurs, magnifiques, y poussent en abondance – bordées d'un fin croissant de sable blanc grignoté par les vagues. Celles-ci produisent un bruit de fond constant, léger la plupart du temps, plus prononcé quand le vent amène de gros rouleaux. Dans le folklore hawaiien, des chanteurs se postaient sur le rivage pour entonner leur *mele* (psalmodies) : on considérait leur apprentissage terminé si on percevait leurs chants par-dessus le bruit des vagues et du vent. L'ambiance est si magique que vous mourez d'envie de dire au pilote : « Laissez-moi ici. Revenez me chercher dans une semaine, dans un mois… ou quand vous voulez. »

Quand ? Le soleil brille toute l'année à Kauai, mais il peut pleuvoir en hiver (décembre-mars) qui est aussi la « haute saison » touristique, donc la plus chère. Beau temps et bonnes affaires en avril-mai et septembre-octobre.

Combien de temps ? Le vol dure 55 min. Pour visiter toute l'île, comptez au moins 1 semaine.

Préparation Les hélicoptères décollent à la périphérie de Lihue. Préférez une journée ensoleillée. En basse saison, surveillez la météo et réservez dès qu'il fait beau, mais pour un voyage entre décembre et avril, réservez longtemps à l'avance.

À savoir Pas de tenue particulière à prévoir, les hélicoptères sont climatisés.

Internet www.bluehawaiian.com, www.gohawaii.com

AMÉRIQUE
DU NORD

TEMPS FORTS

■ Les paysages boisés et tourmentés de **Waimea Canyon** (1067 m de haut) font penser au Grand Canyon, en plus petit et en plus verdoyant.

■ À l'intérieur des terres, sur les versants abrupts, des troupeaux de **petites chèvres des montagnes**.

■ Survolez **Kauapea Beach** (également appelée Secret Beach) jusqu'à la presqu'île rocheuse du phare Kilauea.

■ Après l'hélicoptère, découvrez les paysages de Na Pali à pied en empruntant le **Kalalau Trail** (18 km), un sentier assez ardu sur la côte nord. Montées et descentes se succèdent sans relâche, mais le décor est inouï : chutes d'eau, vallées luxuriantes, ruines, murailles rocheuses et, enfin, Kalalau Beach, superbe.

Ci-dessus, à gauche : Vue paradisiaque depuis l'hélicoptère. Ci-dessus, à droite : Tel un insecte dans une toile d'araignée, l'hélicoptère est prisonnier d'une brume arc-en-ciel au-dessus de Waimea Canyon. Ci-contre : Parfaite harmonie du bleu du ciel et de la mer ; les murailles de Kalalau Valley surplombent la forêt tropicale d'où émergent des fougères géantes.

CAMBODGE

ANGKOR EN HÉLICOPTÈRE

Prenez de l'altitude pour voir dans son ensemble le chef-d'œuvre de l'Empire khmer avant de visiter les temples perdus dans la jungle.

A bandonnez la foule de Phnom-Penh, partez vers le nord en direction du lac Tonle Sap. L'aube khmère se lève, des nappes de brume bleue s'accrochent au ciel. Il fait frais, mais dans quelques heures, la chaleur sera écrasante. À 300 m d'altitude, les routes ressemblent à de fins rubans de poussière ocre, les voitures à une colonie de fourmis, les villages à des jeux de construction. De microscopiques bateaux criblent les eaux du lac, et là, un petit point trahit la présence d'un nageur. Survolez les plaines et gagnez la ville de Siem Reap. Pendant des siècles, la jungle environnante a abrité un trésor sensationnel : Angkor, dont même les locaux ignoraient l'existence. Il est indispensable de prendre de la hauteur pour saisir l'extrême sophistication de ce complexe archéologique. Un carré parfait délimite la capitale royale, Angkor Thom, tandis qu'une série de *wats* (temples) hérisse le sol : façades ouvragées, terrasses immenses, tours en fleur de lotus... À l'atterrissage, une incroyable quiétude envahit votre corps et votre esprit. Tout est calme, seul un cri venu de la jungle retentit de temps en temps. Vous vous demandez... combien de temples reste-t-il encore à découvrir ?

Quand ? Attention à la mousson. L'hiver (novembre-mars) est la saison la plus fraîche et la plus sèche.

Combien de temps ? Le périple de 300 km dure environ 2 h. C'est vous qui décidez du nombre d'étapes.

Préparation Les visas sont émis à l'entrée au Cambodge, vérifiez toutefois auprès de votre ambassade avant le départ.

À savoir Depuis Siem Reap, visitez le site sur plusieurs jours. Ne ratez pas le lever du soleil au temple du Bayon. À l'aube, les visages gravés sur les tours semblent prendre vie. Un autre must : le coucher du soleil à Angkor. Arrivez tôt, les places sont chères car il y a beaucoup de monde.

Internet www.phnompenhtours.com, www.angkorview.com/helico.htm, ww.angkorvat.com, www.angkor-planet.com

TEMPS FORTS

■ **Angkor Vat** est le plus grand monument religieux du monde. Il s'étend, en toute sérénité et magnificence, à l'arrière d'un fossé. La robe orange d'un moine éclaire un instant le gris de la muraille, touche de couleur minuscule.

■ Parcourez **Ta Prohm** à pied. Le temple est resté dans l'état où il a été découvert au XIXe siècle : des racines géantes et des arbres semblent dévorer ses pierres.

■ Les gravures et sculptures d'animaux des temples représentent la faune de la jungle environnante : singes, éléphants, perroquets... le **Tonlé Sap** est l'un des plus vastes écosystèmes d'Asie du Sud-Est et abrite quelques-unes des espèces les plus gravement menacées.

Le temple d'Angkor Vat, avec ses cinq tours majestueuses et ses enceintes richement sculptées, s'apprécie pleinement vu du ciel.

Un avion au-dessus du port de Vancouver, tandis que la lumière de fin de journée caresse les bâtiments et les bateaux.

CANADA

SURVOL DE LA COLOMBIE-BRITANNIQUE

Un petit hydravion vous emmène au-delà de la côte déchiquetée et piquée d'îlots de l'Ouest canadien.

Une fois passé la bouée colorée du port de Vancouver, l'hydravion prend de l'altitude, effectue un large virage au-dessus du Lion's Gate Bridge, des cargos et des paquebots de croisière. Au nord s'aligne une succession de hauts sommets. À l'ouest, vers les îles Gulf, l'eau est calme et translucide, parfaite pour observer la faune. L'hydravion descend en piqué entre les îlots Galiano et Mayne, zigzague dans Active Pass en rasant les ferries qui sillonnent cet étroit passage. Repérez les pygargues à tête blanche, les phoques et les groupes de marsouins ; admirez ces îlots microscopiques, sur lesquels se dresse parfois une maison gigantesque ; enfin, saluez les plaisanciers, debout sous leur voile éclatante de blancheur.

Quand ? Les décollages sont assurés et le temps plus fiable de la fin du printemps au début de l'automne. Le vent baisse au coucher du soleil, et la lumière nimbe alors le paysage de reflets superbes.

Combien de temps ? De 20 min à 2 h, avec pauses pique-nique ou repas. Excursions sur mesure, à combiner avec l'observation des baleines ou des parties de pêche.

Préparation Réservez un vol l'après-midi, mais reportez-le si les conditions météo ne sont pas idéales.

À savoir Hors saison, prenez un vol régulier Victoria-Nanaimo et asseyez-vous à côté du pilote ; ou empruntez le courrier quotidien qui transporte des passagers et livre des colis sur les îles.

Internet www.harbour-air.com, www.adventures.ca

TEMPS FORTS

■ Du nord de Vancouver à l'embouchure de Powell River, la **Sunshine Coast** est entaillée de fjords. L'excursion inclut une pause repas avec saumon du Pacifique au menu.

■ L'hydravion vole à **basse altitude** pour repérer tous les représentants de cet écosystème maritime fabuleusement riche.

■ Une excursion aux **Gulf Islands** au départ de Victoria pour découvrir une succession de baies bordées de petites maisons et observer des orques, des lions de mer et des oiseaux marins.

■ **À l'arrivée**, le cœur s'emballe quand l'hydravion pique du nez vers la mer sur les 15 derniers mètres.

Vus du ciel, tous les paysages sont splendides. Ici, la baie Marigot hérissée de yachts.

SAINTE-LUCIE

UNE ÎLE PARADISIAQUE EN ALTITUDE

Traversez la forêt tropicale qui tapisse un tiers de l'île et saluez les hôtes de la canopée.

Sainte-Lucie récite la gamme du vert, dans toutes ses teintes et sous toutes ses formes. L'air aussi paraîtrait vert s'il n'était piqué du jaune d'un oriole de Sainte-Lucie ou du mauve et de l'orange d'une cascade de fleurs. Sous la canopée, le cri du perroquet multicolore répond au chant mélodieux du sucrier à ventre jaune et aux stridulations perçantes du solitaire siffleur. L'air embaume du parfum des orchidées et des heliconias autour desquels rôdent de délicats oiseaux-mouches. Quel bonheur de se retrouver au cœur de cette faune foisonnante sans mettre en péril son fragile équilibre ! Dans le Rain Forest Sky Rides Park, harnaché à une tyrolienne, passez d'arbre en arbre, à toute vitesse. Grimpez les différents étages de la forêt grâce à un funiculaire capable d'emporter neuf personnes à près de 40 m de haut : c'est une occasion unique de voir des animaux qui ne descendent jamais au sol. Ajoutez la connaissance au plaisir en écoutant un naturaliste présenter les plantes médicinales de la forêt – on en connaît 105 espèces. Le patrimoine historique et culture de Sainte-Lucie est tout aussi passionnant.

Quand ? Pleine saison de mi-décembre à la mi-avril. Tarifs promotionnels de juin à novembre (à la saison des pluies et des ouragans...).

Combien de temps ? Comptez 1/2 journée pour l'excursion dans la forêt tropicale humide, au moins 1 semaine pour visiter toute l'île.

Préparation Appareil photo et jumelles indispensables. Les funiculaires sont accessibles aux personnes handicapées. Attachez vos cheveux pour les tyroliennes. Avant le départ, abordez la culture locale en lisant les poèmes et les pièces de théâtre du Prix Nobel Derek Walcott.

À savoir Rapportez un souvenir « commerce équitable » : un panier tressé en fibres de palmier ou en racines, un collier de graines colorées.

Internet www.rfat.com

TEMPS FORTS

■ **Dans les airs**, au-dessus de la canopée, contemplez les magnifiques îles caraïbes, montagneuses et frangées de plages de sable blanc.

■ Les **sources sulfureuses** du seul volcan au monde accessible en voiture, près de Soufrière, la plus ancienne ville de l'île, jaillissent au pied des reliefs de Gros et Petit Piton. À proximité, chutes d'eau chaude et froide, et sources minérales aux vertus thérapeutiques.

■ Ne ratez pas la **plantation de cacaoyers** : les techniques de fabrication du chocolat sont les mêmes depuis 250 ans.

AMÉRIQUE DU NORD

PÉROU

LES MYSTÈRIEUX GÉOGLYPHES DE NAZCA

C'est du ciel que ce pur joyau de l'art précolombien s'apprécie pleinement.

AMÉRIQUE DU SUD

Le mystère entoure les centaines de silhouettes d'animaux et de figures géométriques gravées sur un haut plateau désertique et battu par les vents du sud du Pérou. De 200 av. J.-C. à 700 apr. J.-C., ces gigantesques géoglyphes – des dessins tracés au sol – ont été réalisés par les Nazcas en écartant les cailloux les plus sombres pour découvrir le sable sous-jacent, plus clair. D'après les archéologues, les Nazcas réalisèrent ces œuvres d'art à partir d'un dessin préalable agrandi à l'aide de techniques de relevé élémentaire ; selon d'autres théories plus discutables, des extra-terrestres seraient venus leur prêter main-forte, ou les Nazcas auraient utilisé une montgolfière (opinion confortée par la fabrication d'un ballon avec des matériaux « préhistoriques »…). Du ciel, on s'interroge sur la fonction de ces oiseaux et de ces animaux stylisés, sur la nature de ces triangles, cercles, trapèzes, spirales énigmatiques et ces lignes droites, longues de… 14,5 km. Le pilote inclinera l'avion pour que votre regard puisse embrasser ces décors incroyables, témoignages de l'inépuisable soif de création de l'espèce humaine.

Quand ? Toute l'année.

Combien de temps ? Comptez 1 h pour couvrir le site de 350 km².

Préparation Le trajet par la route de Lima à Nazca dure environ 8 h. Seulement 1 h en avion. Des avions décollent de Nazca tous les matins en direction du site.

À savoir La plage El Chaco, à 200 km au nord de Nazca, est l'endroit idéal pour faire une pause sur le long trajet du retour vers Lima. Après avoir survolé les lignes, arrêtez-vous là-bas en début d'après-midi et sirotez un pisco sour en regardant les pélicans voler au-dessus de l'Atlantique. Le lendemain matin, faites une excursion en bateau jusqu'aux îles Ballestas, qui abrite une faune exceptionnelle (fous de Bassan, cormorans, pélicans et lions de mer).

Internet www.perufly.com

TEMPS FORTS

■ En contrebas de ce **paysage contrasté** – noir et blanc –, des vallées verdoyantes au fond desquelles coulent des rivières alimentées par la fonte des neiges andines. Champs de coton et de citronniers y prospèrent.

■ Parmi les géoglyphes, repérez les tracés **zoomorphes** : grenouille, singe, araignée, baleine, lézard, oiseau-mouche, condor… et un pélican de 305 m de long !

■ Les **dessins** – leur tracé et leur taille – ne s'apprécient qu'en altitude. Certaines silhouettes d'animaux, étonnamment détaillées, sont grandes comme deux terrains de football.

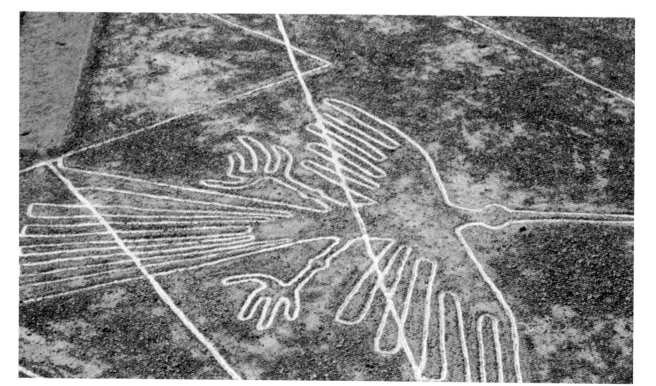

À côté de lignes géométriques, un condor, l'une des gigantesques silhouettes d'animaux réalisées par les Nazcas.

TOP 10 TRAJETS EN FUNICULAIRE

Des cabines transparentes vous hissent jusqu'à des sites exceptionnels : chaîne de l'Himalaya, forêt tropicale australienne, mégalopoles…

❶ Zacatecas, Mexique

Le *teleférico* tangue au-dessus de la mosaïque que composent les rues, les places, les toits et les coupoles de cette élégante ville rose. Dans quelques minutes, l'ascension du Cerro de la Bufa commence.

Préparation Le téléphérique fonctionne entre le Cerro del Grillo et le centre-ville tous les jours de 10 à 18 h, sauf en cas de vents forts. www.enjoymexico.net

❷ Rio de Janeiro, Brésil

Ce périple conduit d'abord de la colline de l'Urca à la baie de Guanabara, puis jusqu'au Pain de Sucre (396 m). Au loin, le Christ rédempteur se dresse au sommet du Corcovado. À vos pieds, la ville et ses plages. Magique au coucher du soleil.

Préparation Tous les jours de 8 h à 22 h, départ toutes les 30 min. Comptez 2 h pour un aller-retour. www.braziltravelvacation.com, www.bresil.org

❸ Mérida, Venezuela

Le plus haut et le plus long *teleférico* du monde relie en 1 heure un haut plateau andin (3 125 m) au sommet du Pico Espejo. Arrêtez-vous aux quatre stations intermédiaires. Tout en haut, panorama sur le Pico Bolívar.

Préparation De 7 h à midi, mais les horaires peuvent varier. Prenez des vêtements chauds. Supplément pour le dernier tronçon. www.andes.net

❹ The Peak, Hongkong, Chine

Le funiculaire longe le versant de Victoria Peak, et son inclinaison est telle que les immeubles semblent penchés ! Au sommet, une vue époustouflante, restaurant, boutique et chemins de randonnée vous attendent.

Préparation Tous les jours de 7 h à minuit, départ toutes les 10-15 min. www.thepeak.com.hk

❺ Genting Skyway, Malaisie

La télécabine la plus rapide du monde et la plus longue d'Asie du Sud-Est vous emmène à 2 000 m au-dessus du niveau de la mer à Genting Highlands Resort, son parc de loisirs, ses boutiques, ses hôtels, son casino…

Préparation Liaison de Gohtong Java à Highlands Hotel, du dimanche au vendredi de 7 h 30 à 23 h, le samedi de 7 h 30 à minuit. www.genting.com.my

La télécabine monte vers le Pain de Sucre ; au-dessous, Rio de Janeiro ; au fond, le Corcovado.

❻Télécabine de Gulmarg, Jammu et Cachemire, Inde

La superbe vallée de Gulmarg, à 2 730 m d'altitude au nord-ouest de l'Himalaya, est légitimement surnommée «la prairie des fleurs». D'ici part une télécabine de conception française, en deux tronçons, qui grimpe – à la verticale au-dessus de versants tapissés de pins – jusqu'à 3 980 m (la même hauteur que la cime du mont Apharwat, tout proche). La vue sur le K2 et les autres sommets himalayens est sublime. En hiver, tentez une descente en ski hors piste.

Préparation Gulmarg est située à 56 km au sud-est de Srinagar. Décembre-mars pour le ski, avril-juin pour la randonnée. Forfaits disponibles pour la télécabine.
www.skihimalaya.com.au

❼Parc national Picos de Europa, Espagne

Ces montagnes du nord de l'Espagne composent un paysage absolument magnifique. Prenez le téléphérique qui grimpe au versant d'une vallée boisée. Parvenu à 1 840 m d'altitude, allez jusqu'au mirador d'Aliva : la vue y est exceptionnelle. Enchaînez sur une randonnée.

Préparation La gare de départ est située à proximité du refuge de Fuente Dé. Le téléphérique fonctionne tous les jours, mais les horaires varient selon la saison.
www.asturiaspicosdeeuropa.com

❽Funiculaire Grindelwald-Männlichen, Suisse

L'un des plus longs funiculaires du monde relie le village de Grindelwald-Grund (943 m d'altitude) à Männlichen (2 230 m), au cœur des Alpes Suisses. Au passage, vue imprenable sur les monts Jungfrau et Eiger. Un très agréable périple de 30 minutes de sommets en vallées, cette fois sans ski ni chaussures de randonnée !

Préparation Les horaires varient selon la saison. Fonctionne tous les jours. Possibilité de tarifs réduits.
www.maennlichenbahn.ch

❾La Montagne de la Table, Le Cap, Afrique du Sud

Le sol du funiculaire pivote à 360° pour offrir un magnifique panorama complet le temps de l'ascension du relief (1 085 m d'altitude). À l'arrivée, de nombreux sentiers balisés ; prévoyez un pique-nique. Le ciel est généralement plus clair tôt le matin ou en fin de journée.

Préparation La direction du funiculaire est très bien indiquée. Tous les jours (sauf en cas de vents forts), départ toutes les 10-15 min. Les horaires varient selon la saison.
www.tablemountain.net

❿La Powell-Hyde, San Francisco, États-Unis

La découverte de San Francisco n'est pas complète sans un trajet à bord du tramway à traction par câble *(cable car)* de la ligne Powell-Hyde qui sillonne le quartier de Russian Hill puis descend les fameuses collines de la ville. Vues intermittentes sur le Golden Gate Bridge. Terminus à Fisherman's Wharf.

Préparation Les *cable cars* partent des plates-formes de Powell et Market Streets, tous les jours de 6 h à 1 h 30 du matin. Achat des billets à bord. Venez tôt pour éviter la foule.
www.streetcar.org

SEYCHELLES

D'ÎLES EN ÎLES

Découvrez ces joyaux vus du ciel, en hélicoptère ou en avion : la forêt dense, les plages paradisiaques… Un avant-goût de ce qui vous attend une fois de retour sur Terre.

Quel que soit le point de départ, les Seychelles se situent au bout du monde : à 1 600 km à l'est de la côte kenyanne, au sud de l'océan Indien. L'archipel – très isolé, donc – regorge de plages, d'oiseaux, de forêts vierges. En vol, le contraste entre les îles de l'intérieur, granitiques, et les atolls coralliens de la périphérie de l'archipel est frappant. La voie des airs permet de rejoindre les sites les plus reculés et les plus paisibles. Sur Praslin, empruntez le chemin forestier de la luxuriante vallée de Mai, surnommée « le jardin d'éden » par le général Charles Gordon. Vous y verrez la plus grosse noix du monde, celle du cocotier de mer (de la taille d'un ballon de football), et découvrirez l'anse Lazio, l'une des dix plus belles plages de la planète. Les plages de La Digue sont également superbes, en particulier celle de l'anse Source d'Argent, décor d'innombrables films et publicités. Une fois sur ces plages de rêve, nagez, pêchez, admirez les eaux turquoise et savourez la sérénité des lieux. De temps en temps, vous verrez un pêcheur, de l'eau jusqu'aux genoux, attraper à la main les poissons prisonniers de son filet. Le week-end, dans un petit hôtel de La Digue, vous rejoindrez la piste de danse pour une démonstration de *moutia*, jugée en son temps trop érotique par les autorités coloniales… Le lendemain, au petit déjeuner, un foudi rouge viendra picorer les miettes sur la table.

Quand ? D'octobre à mai. Évitez la saison des pluies (janvier-février).

Combien de temps ? Au moins 2 semaines, selon le nombre d'îles que vous visitez. Restez quelques jours sur Mahé (la plus grande), Praslin et La Digue.

Préparation Vol depuis Paris à destination de Mahé. Vols à destination des autres îles depuis Mahé (à réserver auprès de votre hôtel).

À savoir La bière locale est bonne. Le vin est importé et sa qualité n'est pas en rapport avec son prix, exorbitant. Sur La Digue, ni lit double, ni voiture ; en revanche, des vélos sont à la disposition des visiteurs et des carrioles assurent votre transport et celui de vos bagages. Même un nageur accompli ne doit pas s'aventurer dans les zones signalées par un panneau « Danger ».

Internet www.seychelles.travel, www.helicopterseychelles.com, www.airseychelles.com

TEMPS FORTS

■ **L'anse Source d'Argent**, une heure avant le lever du soleil : les rochers de granit rose, le sable blanc et les cocotiers sont nimbés d'une lumière particulière.

■ Le graal des ornithologues : **Bird Island**, à 200 km de Mahé. De mai à septembre, les milliers d'oiseaux résidents sont rejoints par 1 500 000 sternes fuligineuses venues nicher. Le caquetage des oiseaux est assourdissant. **Cousin Island** est également un sanctuaire pour les oiseaux, et les tortues à écailles y déposent leurs œufs.

■ Un ancien repaire de pirates, **Frégate**, la plus distante des îles granitiques, a été luxueusement aménagé : on n'y accueille que 40 hôtes à la fois. Papayers, cocotiers et les autres espèces d'arbres locales constituent des abris de choix pour les frégates (oiseaux dont l'île tient son nom) et les tourterelles des bois.

■ L'archipel rassemble un nombre incroyable d'**espèces endémiques** parmi lesquelles la plus petite grenouille et la plus grosse tortue ainsi que le seul oiseau incapable de voler de l'océan Indien. La faune et la flore sont placées sous haute surveillance : la moitié de la superficie de l'archipel bénéficie du statut de parc national ou de réserve.

Ci-dessus, à droite : Les rochers granitiques sculptés par l'érosion sur une plage de La Digue bordée de cocotiers, paysage caractéristique des îles intérieures. Ci-contre : Aux Seychelles, les eaux tranquilles et translucides d'un lagon turquoise. Ci-dessus, à gauche : Le lis des Seychelles, l'une des nombreuses espèces endémiques de l'archipel.

Entre Kuranda et Cairns, une télécabine transporte six passagers au-dessus de la canopée.

AUSTRALIE

L'ANCIENNE FORÊT TROPICALE AUSTRALIENNE

La nacelle se balance au-dessus des arbres. Nuées de papillons, nœuds de serpents : le spectacle est hallucinant.

En quittant Kuranda, la télécabine glisse doucement au-dessus des eaux boueuses de Barron River et se dirige vers la canopée luxuriante de la forêt tropicale humide du Queensland. Vous flottez à la cime des arbres quand, soudain, vous repérez un python… qui dort au soleil. Une bruyante colonie de perruches s'envole, leur plumage rouge et bleu contrastant joliment avec le vert de la végétation. À la première station intermédiaire (Barron Falls), explorez la forêt tropicale au ras du sol, escorté par deux papillons ulysses aux ailes bleu irisé. L'humidité est terrible. Testez les trois postes d'observation et enivrez-vous de vues superbes sur des gorges et des chutes d'eau. Départ pour la deuxième station (Red Peak). Suivez le chemin balisé qui conduit d'arbres immenses en fougères géantes et orchidées sauvages. Retour à la nacelle, direction Cairns. Au-dessus de la canopée, la vue s'étend jusqu'aux plaines inondables et à la mer de Corail, destination finale de ce périple fabuleux.

TEMPS FORTS

■ À chaque étape, faites connaissance avec un **hôte de la forêt**, pourquoi pas le microscopique rat-kangourou musqué ou le casoar à casque, un oiseau de près de 2 m de haut incapable de voler, une espèce très menacée.

■ À Kuranda, ne manquez pas **la plus grande réserve de papillons d'Australie**; à Birdworld, regardez voler des milliers d'oiseaux; à Kuranda Koala Gardens, câlinez un koala.

■ À Caravonica, au **Tjapukai Aboriginal Cultural Park**, apprenez à jouer du didgeridoo, à vous familiariser avec la faune et la flore du bush et les coutumes des Aborigènes.

AUSTRALIE ET OCÉANIE

Quand ? Toute l'année. La télécabine fonctionne tous les jours, sauf le 25 décembre. L'hiver (juin-septembre) est plus sec et plus frais; l'été (décembre-mars) est plus humide, mais la pluie «réveille» magnifiquement la forêt.

Combien de temps ? Comptez 1h30 pour un aller simple (8 km environ), 2h30 pour un aller-retour, avec une pause de 30 minutes aux stations intermédiaires (vous pouvez y rester plus longtemps).

Préparation Partez de Kuranda ou de Cairns (gare de Caravonica, à la périphérie de la ville). Réservez pour éviter l'attente les jours d'affluence.

À savoir La canopée est épaisse, touffue. Si vous regardez avec attention, vous verrez peut-être des serpents endormis à la cime des arbres, des oiseaux et des papillons.

Internet www.skyrail.com.au

AUSTRALIE

La Grande Barrière de corail

Vue d'avion, la Grande Barrière est un immense jardin marin qui regorge de poissons scintillants et d'incroyables créatures.

Après quelques mètres parcourus sur une piste frangée de cocotiers, l'avion décolle ; immédiatement, les limites entre la terre, la mer et le ciel disparaissent, et vous pénétrez dans un monde en bleu et blanc. Au-dessous de l'appareil, les eaux pâles et turquoise virent à l'aigue-marine, puis au bleu de Prusse profond… Et enfin la Grande Barrière de Corail apparaît. L'une des plus grandes chaînes de récifs coralliens de la planète s'étend sur plus de 2 000 km le long du littoral du Queensland, depuis la pointe du cap York jusqu'à Fraser Island. Elle compte quelque 2 900 récifs et des centaines d'atolls et ses eaux – chaudes – constituent un écosystème riche de centaines de types de coraux et de 1 500 espèces de poissons. L'avion s'incline pour vous permettre d'apercevoir une raie manta, des tortues de mer, des requins et un dugong. Ici, un bateau est amarré, des plongeurs s'élancent de sa plate-forme arrière. Un peu plus loin, voilà un cortège de dauphins bondissants. Des vagues moutonnées d'écume s'écrasent autour des îles « hautes » et rocheuses, anciennes collines submergées, tandis que les cayes coralliens, ou îles « basses », cerclés de plages de sable blanc, semblent flotter sur la mer. Les coraux transparaissent, dessinant à la surface des motifs d'une extraordinaire beauté, mais, au-delà de la barrière, la mer se perd en des profondeurs insondables qui gardent tout leur mystère.

Quand ? Automne, hiver et printemps (mars-novembre), pour nager et plonger en toute sécurité.

Combien de temps ? Un petit tour de 10 min ou un vol de 1 à 3 h, 3 jours, 1 semaine ou 2.

Préparation Les vols décollent de plusieurs sites. Au choix : petit avion, hydravion ou hélicoptère. Certains voyagistes n'offrent que des vols secs, d'autres proposent la visite de plages, des séances de plongée et de pêche sous-marine, un logement.

À savoir Le littoral et les montagnes de l'arrière-pays sont aussi spectaculaires que la barrière de corail. Un survol de la forêt tropicale, des chutes d'eau et des gorges vaut vraiment la peine.

Internet www.whitsundaytourism.com, www.queenslandholidays.com.au

TEMPS FORTS

■ **Heart Reef**, un récif corallien en forme de cœur.

■ À hauteur de Cardwell, **Hinchinbrook Island** est l'une des plus belles îles « hautes ».

■ Depuis l'île Hamilton, l'excursion au-dessus des îles Whitsundays et de Whitehaven, fait une halte à la **plage de Whitehaven**. Le sable y est d'un blanc unique.

■ Airlie Beach, porte d'accès aux Whitesundays. De là, envolez-vous pour **Fantasea Reefworld**, vaste ensemble de plates-formes desquelles on plonge à la rencontre de poissons multicolores.

Les îles et les atolls coralliens de la Grande Barrière de corail.

Au-dessus des glaciers

Envolez-vous de la base aérienne du mont Cook.
L'île du Sud dévoile un monde de glace silencieux et fascinant.

S'agit-il d'un périple à skis ou d'un voyage en avion ? Vous êtes en droit de vous poser la question quand vous réalisez que le petit avion à bord duquel vous embarquez est équipé d'une paire de skis rétractables. Mais après tout, il est vrai qu'il va bien falloir atterrir sur le glacier… L'appareil prend de l'altitude, les vallées rocailleuses des Alpes du Sud s'étrécissent à vue d'œil. Les lacs glaciaires aux eaux translucides donnent l'illusion d'être tout proches. La faille alpine apparaît, égrenant ses sommets de plus de 3 000 m d'altitude. Des rochers escarpés criblent les versants. Les skis sortent dans un bruit sourd, l'avion descend vers le glacier et atterrit en douceur. Le pied à peine posé sur la neige, vous ne pouvez retenir un cri de surprise. À part vous et vos compagnons de voyage, il n'y a personne, rien qu'un univers de glace, de neige, de rochers déchiquetés qui brillent sous le soleil, et le ciel néo-zélandais d'un bleu profond. Dix minutes plus tard, de nouveau à bord, vous frôlez des chutes de glace et des reliefs enneigés. Sur votre gauche, la côte occidentale, très découpée, et les rivages de la mer de Tasman ; sur votre droite, l'immense plaine côtière. Vous survolez d'autres glaciers, que vous contemplez désormais avec l'air entendu de celui qui a déjà posé le pied sur l'un de ces extraordinaires océans gelés.

Quand ? Toute l'année, suivant la météo. Les vols sont susceptibles d'être annulés pour cause de pluie au printemps, ou en cas de mauvaises conditions de vol et de visibilité.

Combien de temps ? Le vol dure 1 h, pour une distance de 100 km.

Préparation Les avions décollent tous les jours de 7 h 30 (9 h 30 l'hiver) à 17 h 30. Portez plusieurs couches de vêtements : il fait chaud dans l'avion et parfois étonnamment doux sur le glacier. Bottes indispensables. En hiver, des bottes en caoutchouc s'imposent : vous aurez de la neige jusqu'aux genoux.

À savoir Pour les photos, privilégiez les premières heures de la matinée ou la fin d'après-midi. Le lendemain d'une tempête, le ciel est particulièrement clair.

Internet www.mtcookskiplanes.com

TEMPS FORTS

■ **Hochstetter Falls**, une cascade de glace, tombe du Grand Plateau. De temps à autre, un morceau de glace se détache et brise le silence en s'écroulant dans un terrible fracas.

■ **L'atterrissage sur le glacier** – le François-Joseph ou le Tasman – précède un silence d'une qualité rare.

■ Il n'y a pas beaucoup d'animaux et la faune est dépourvue d'espèces endémiques. Observer un **troupeau de chamois ou de chèvres sauvages de l'Himalaya** se déplaçant de vallée en vallée reste exceptionnel.

Des traces dans la neige : un petit avion a parfaitement réussi son atterrissage sur le glacier Franz Josef.

Sur les eaux bleues du Pacifique, les îles coralliennes vert et blanc sont auréolées d'un halo turquoise.

POLYNÉSIE

La Route du corail

Planez comme un oiseau marin, puis posez-vous sur les îles idylliques du Pacifique sud.

D'en haut, l'océan décline toute la gamme du bleu et du vert, une immensité piquée çà et là d'îles cernées de récifs ou d'un archipel d'atolls coralliens. Vous remontez la légendaire Route du corail, d'Auckland (Nouvelle-Zélande) à Tahiti (Polynésie française), jadis considérée comme le voyage aérien le plus romantique au monde. Atterrissez à Nadi (Fidji) et rejoignez l'escouade de pêcheurs sous-marins qui se laisse dériver au large de récifs colorés. Repartez vers le nord et Apia (îles Samoa), où les habitants vous accueillent en passant à votre cou des guirlandes de fleurs odorantes d'hibiscus et de frangipaniers. Là, installez-vous à l'hôtel Aggie Grey : sa fondatrice inspira à l'écrivain James Michener le personnage de Bloody Mary, héroïne du roman *Tales of the South Pacific*. À Rarotonga, capitale des îles Cook, nagez dans les eaux transparentes du lagon bordé de plages de sable blanc, à l'arrière desquelles se dressent des volcans. Destination finale : Papeete, Tahiti, la plus grande des îles de Polynésie française. Creuset d'influences polynésiennes, françaises et asiatiques, Tahiti est une île infiniment séduisante : depuis le développement touristique amorcé il y a une cinquantaine d'années, des milliers de visiteurs sont tombés sous son charme.

TEMPS FORTS

■ Dans toutes les îles, des bungalows sur pilotis permettent de dormir **au-dessus du lagon aigue-marine**.

■ Cernez **la nature et la culture** de chaque archipel. Aux Fidji, assistez au rituel du kava et buvez du jus de racine de poivrier. Les danseurs des îles Cook dans leurs costumes traditionnels effectuent la *hura* en ondulant des hanches au rythme des tambours.

■ Laissez-vous envahir par la beauté brute des **récifs coralliens** : plongez, pêchez, faites une excursion en bateau à fond transparent.

Quand ? Le temps est chaud et humide toute l'année, mais l'hiver (mai-octobre) est plus sec et plus agréable que la saison des pluies et des cyclones (novembre-avril).

Combien de temps ? 7 560 km. Comptez 3 semaines : 1 semaine aux Fidji, une aux îles Cook et la dernière en Polynésie française.

Préparation Préparez votre circuit et réservez suffisamment à l'avance : certaines îles ne sont desservies qu'une fois par semaine. Vous devrez réserver sur différentes compagnies nationales. Des voyagistes proposent une offre complète sur certains tronçons du parcours.

À savoir Aux Fidji, goûtez le poisson mariné cuit dans un *lovo*, un four creusé dans le sol.

Internet www.airraro.com, www.airmoorea.com, www.airpacific.com , www.qantas.com.au

Des montgolfières s'élèvent au-dessus du charmant village de Château-d'Oex et s'envolent vers les sommets.

SUISSE

UN FESTIVAL DE BALLONS DANS LES ALPES

Faites fi de la routine et quittez le plancher des vaches
en participant à cet événement... « ascensionnel »

L anternes géantes flottant paisiblement dans le ciel, un essaim de ballons à air chaud illumine le ciel des Alpes suisses. Non loin de Gstaad, Château-d'Oex se niche au creux d'une vallée. Le village bénéficie toute l'année d'un microclimat idéal pour le vol en montgolfière, mais c'est en hiver que se déroule son Festival international de ballons. L'événement attire des aérostiers de toute l'Europe qui font preuve, à cette occasion, de magnifiques talents de pilotage : vols en formations, courses longues distances, mais aussi démonstrations de vol de précision, largages de parachutistes. Sans oublier les courses à thèmes : la Don Quichotte (chaque équipe doit percer d'une flèche dix ballons gonflés à l'hélium), la Chasse au lièvre (poursuite aérienne et jet de balises à l'endroit précis de l'atterrissage). Enfin, on peut assister à des décollages groupés. L'atmosphère s'électrise pendant le gonflage. Certains ballons arborent des formes incroyables – une tortue, un éléphant, une cornemuse, un journal, une orange… Rarement vous connaîtrez ambiance aussi festive.

Quand ? Fin janvier pour le festival. En été pour des périples plus longs à destination des villes voisines.

Combien de temps ? Le festival se déroule traditionnellement sur 1 semaine ; les plus importantes démonstrations sont programmées le week-end.

Préparation Venez par vos propres moyens en voiture ou en train. En agence, réservez une place à bord d'une montgolfière, dîner fin (et vin) inclus.

À savoir Ne ratez pas l'Espace ballon de Château-d'Oex qui présente l'histoire et les techniques du ballon.

Internet www.festivaldeballons.ch et www.ballonchateaudoex.ch

TEMPS FORTS

■ En dehors de la période du festival, découvrez les formidables **étendues alpines noyées sous la neige**. Le survol des sommets, dans le plus parfait silence, est une expérience absolument inoubliable.

■ Les étourdissantes **démonstrations acrobatiques** des libéristes (pratiquants du vol libre).

■ Le sentiment d'appartenance à une **communauté internationale** est évident : les participants représentent 20 nations différentes.

■ Magie du spectacle d'un **décollage groupé de nuit** : les montgolfières illuminées montent dans le ciel étoilé, accompagnées par de la musique, des danseurs, des feux d'artifices…

EUROPE

FRANCE/ITALIE/AUTRICHE/SUISSE

HÉLISKI DANS LES ALPES

Un périple à haute altitude, suivi d'une descente à ski
en solitaire sur des reliefs tapissés d'une neige vierge.

D
u hublot de l'hélicoptère, vous contemplez les massifs alpins, océan de roches déchiquetées parées d'or blanc. Le pilote vous dépose au sommet d'une crête. Vous sortez
de l'appareil dont l'hélice continue de tournoyer. L'hélicoptère redécolle en soulevant des nuages de neige. Désormais, seul le bruit de vos chaussures s'enclenchant dans les
fixations des skis vient troubler le silence. Tout autour, des hectares de neige inviolée que
surplombe un amphithéâtre de remparts rocheux et de glaciers. Vous commencez à descendre. Bientôt, la gravité vous joue des tours et vous avez l'impression de voler. Pourtant, vous
tracez dans la neige de délicates arabesques. Maintenant, vous faites un schuss à travers un
champ de poudreuse : pas un rocher, pas une bosse, aucun arbuste, aucun skieur. Soudain,
le bourdonnement de l'hélicoptère déchire le silence. L'appareil se pose et vous y grimpez
une fois vos skis déchaussés. L'histoire se répète, encore et encore. Franchissez les frontières :
croissants au petit déjeuner en France et, pour le dîner, rösti en Suisse, ou pâtes et vin en
Italie. La nuit venue, dans la petite chambre d'un hôtel familial, revivez par la pensée ce
plaisir inouï de glisser sur une neige infiniment pure.

Quand ? De janvier à avril.

Combien de temps ? De 1 journée à 2 semaines, selon votre emploi du temps et votre budget. Choisissez
un point de chute en Suisse, en Autriche, en Italie ou en France, ou optez pour un périple transfrontalier.

Préparation À moins de posséder des skis spécial poudreuse, louez du matériel de pointe
(skis K2 Apache Chiefs ou Volkl Mantras), mais apportez vos chaussures.

À savoir Les skieurs d'un niveau moyen peuvent se lancer dans la poudreuse profonde,
mais il faut suffisamment se relâcher pour se laisser glisser.

Internet www.guides-des-cimes.com/hiver/heliski.htm, www.alpesexploration.com

TEMPS FORTS

■ **Laissez votre empreinte** dans les
Alpes : des traces dans la poudreuse.

■ De l'hélicoptère et des sommets :
vues spectaculaires sur la montagne,
décor somptueux et immaculé.

■ En combinant le ski et l'hélicoptère,
franchissez les frontières et
découvrez des cultures différentes
dans la même semaine... ou dans la
même journée.

■ Les sites difficilement accessibles
sont souvent **chargés d'histoire**,
comme le col du Grand-Saint-Bernard,
une voie empruntée depuis l'âge
de bronze. Prenez le thé à 2 438 m
d'altitude avec les moines de l'Hospice
du Saint-Bernard.

Un skieur solitaire regarde le mont Blanc depuis la vallée de Méribel, en Haute-Savoie (France).

LES MONTGOLFIÈRES DU NIL

Une façon inédite d'appréhender une civilisation antique : planez au-dessus de l'un des fleuves les plus célèbres de la planète et de ses sites légendaires.

Flotter au-dessus de la vallée du Nil – ruban verdoyant au cœur du désert – dans la nacelle d'un ballon à air chaud est l'un des périples les plus enchanteurs que l'Égypte puisse offrir… à condition de se lever à l'aube. Pour patienter pendant le gonflage, dans un champ des bords du Nil, on vous offre une coupe de champagne. Une fois à bord, votre destinée ne dépend plus que de la direction du vent. Vent d'est, vous partez vers les reliefs accidentés de la Vallée des Rois et de la Vallée des Reines et survolez l'extraordinaire complexe funéraire de la reine Hatshepsout. Vent d'ouest, vous filez droit vers le temple de Karnak – l'un des plus grands du monde. Le pilote est en contact permanent avec le véhicule de liaison grâce à un talkie-walkie ou un téléphone portable. Les paysages exotiques et les monuments défilent, vous observez les rues pleines de vie de Louqsor et les villages environnants. Depuis les champs ou les toits plats des maisons – sur lesquels, étonnamment, vivent des chèvres et des canards –, des groupes d'enfants crient et agitent les mains au passage du ballon. Vous distinguez parfaitement les voiles blanches des felouques qui remontent le cours du fleuve sacré. Au-delà, le désert s'étire jusqu'à la ligne d'horizon. Le retour sur terre ne se fait pas sans secousses, et votre atterrissage dans un champ en jachère ne manque pas d'attirer des groupes d'ouvriers agricoles.

Quand ? Toute l'année, idéalement de novembre à février.

Combien de temps ? Environ 1 h.

Préparation Le ballon décolle de Louqsor, après que voyagiste vous aura fait chercher à votre hôtel. Prévoyez un pull, car les matinées sont fraîches. N'emportez à bord que le srict nécessaire afin de limiter les risques de perte en cas d'atterrissage mouvementé.

À savoir La montgolfière progresse tout en douceur, sans à-coups, et ne dépasse généralement pas 300 m d'altitude : parfait pour prendre des photos et profiter pleinement des paysages (surtout quand le pilote fait pivoter le ballon).

Internet www.magic-horizon.com, www.sindbadballoons.com

TEMPS FORTS

■ Vue du ciel, **la vallée du Nil** apparaît comme un ruban vert déroulé dans le désert. Son lit est flanqué de montagnes abruptes. Les champs en losange s'étirent jusqu'à toucher les maisons aux toits plats dont la couleur se confond avec celle du sable. Même en vol, vous distinguez l'appel à la prière du muezzin lancé depuis la mosquée.

■ Au nord de Louqsor, les vestiges fabuleux du **site archéologique de Karnak**, avec ses temples construits sur une période de 1300 ans. Ne manquez pas la salle hypostyle et l'obélisque de granite rose d'Hatshepsout, le deuxième plus grand du monde (30 m).

■ Visitez la **tombe de Néfertari**, dans la Vallée des Reines. Les fresques murales rendent un vibrant hommage à sa beauté. Parfaitement exécutées, elles rivalisent avec les réalisations de la Vallée des Rois, mais elles sont si fragiles que la tombe n'accueille désormais pas plus de 150 visiteurs par jour (avec masque et protège-chaussures).

Ci-dessus : Le ballon survole toute la Vallée des Reines, où sont enterrées les épouses des pharaons et leurs enfants. Ici, le temple funéraire d'Hatshepsout, l'une des rares femmes-pharaons. Son règne dura quinze ans. Ci-contre : À Louqsor, une magnifique montgolfière décolle ; à l'arrière, les reliefs désertiques nimbés des reflets nacrés de l'aube.

LES CHUTES VICTORIA EN ULM

Découvrez les chutes d'eau les plus étourdissantes de la planète et leurs environs, tout aussi spectaculaires, à bord d'un gracile ULM.

AFRIQUE

Le bruit du moteur couvre le gazouillement des souimangas à collier qui se cachent dans les broussailles. L'heure du décollage est arrivée. Sanglé à la place arrière d'un ULM arachnéen, vous dépassez déjà la cime des acacias qui bordent l'aérodrome Maramba. Le trajet est bref, mais vous n'êtes pas près de l'oublier. En quelques minutes, vous survolez les îles boisées qui criblent le cours du Zambèze, non loin des chutes Victoria. Un arc-en-ciel traverse les embruns soulevés par la plus gigantesque cascade du monde, qui dévale une muraille de basalte de 108 m de haut s'étirant sur 1,6 km et matérialisant la frontière qui sépare la Zambie du Zimbabwe. Vous planez, tel le faucon pèlerin qui niche dans les failles rocheuses toutes proches. Le battement de votre cœur renvoie l'écho du tumulte fougueux provoqué par ce mur d'eau qui, au ras du sol, s'engouffre dans une crevasse étroite. Remous. Tourbillons. Le torrent se faufile ensuite à travers les gorges Batoka. Une silhouette minuscule jaillit des eaux – encore un intrépide qui aura voulu se risquer à un nouveau sport extrême. Un peu plus bas, des canots pneumatiques descendent les rapides. Vue du ciel, la nature est si grande… et les hommes si petits.

Quand? Toute l'année, sauf en cas de tempête. Il y a moins de turbulences tôt le matin et en fin d'après-midi : 6 h 30-10 h et 15 h-18 h.

Combien de temps? Le baptême de l'air au-dessus des chutes dure 15 min. Choisissez la «grande aventure aérienne africaine» pour 30 min de survol des chutes et du parc national Mosi-oa-tunya.

Préparation Réservation par téléphone, Internet, ou auprès des agences locales.

À savoir Combinaison et casque fournis. Les appareils photo sont proscrits (une pièce pourrait tomber et endommager l'hélice), mais une caméra fixée à l'extrémité de l'aile prend une photo-souvenir, en vol.

Internet www.southafrica.net, www.zambiatourism.com

TEMPS FORTS

■ Le parc national Mosi-oa-tunya, sur la rive zambienne du Zambèze, abrite de remarquables représentants de la **faune africaine** : rhinocéros, hippopotames, girafes, oryx blancs et gnous.

■ Voir quelques unes des **400 espèces d'oiseaux** qui fréquentent les abords des chutes : dans les gorges, martinets du Cap et hirondelles isabellines; aigrettes ardoisées et aigrettes garzettes à proximité des mares; et dans le ciel des aigles, des buses augures, des inséparables, des vanneaux et des balbuzards pêcheurs.

L'ULM passe au-dessus du panache de brume qui s'élève en permanence des chutes Victoria.

Olifants River, dans le parc Kruger, inondée par les pluies d'été. C'est un point d'eau que les animaux fréquentent tout au long de l'année.

AFRIQUE DU SUD

Survoler le parc national Kruger

Vue du ciel, la faune de la savane africaine dévoile tous ses secrets, comment elle se nourrit, se repose, chasse et dort.

A u décollage, depuis une zone herbue, l'ULM profite d'un courant d'air ascendant et s'élève très haut au-dessus du *veld*. L'instant est magique. Le soleil se lève à peine, tout là-bas, au Mozambique. À 300 m d'altitude, il fait frais. Le calme règne dans l'une des plus anciennes et des plus grandes réserves du continent africain. Ici, plus de 805 espèces ont été recensées. Dans le ciel, vous avez le même point de vue que le drongo brillant, le héron goliath ou le pygargue vocifère qui patrouillent à longueur de journée au-dessus de la plaine. Sur les berges d'une rivière aux eaux boueuses, vous repérez un troupeau d'éléphants. Le pilote pointe du doigt les crocodiles que l'ombre de l'appareil intrigue. L'ULM penche dangereusement, mais c'est pourtant en toute sécurité que vous franchissez d'immenses étendues boisées, impénétrables au niveau du sol. Partout, des représentants de la faune africaine : un couple de girafes mâchonnent les feuilles fraîches croquées à la cime des arbres, des gnous et des zèbres broutent tranquillement, un chacal trottine, visiblement pressé. Sans oublier la plus rare et la plus merveilleuse des visions : un rhinocéros blanc femelle et son petit qui se reposent à l'ombre d'un marula.

Quand ? L'hiver (juin-octobre) est idéal pour voir les animaux : la végétation est plus rase et les bêtes convergent vers les points d'eau.

Combien de temps ? Les vols durent de 15 min à 1 h. Pour le safari, prévoyez au moins 1 semaine.

Préparation Réservez auprès de votre refuge, ou des compagnies d'ULM. Prenez un pull, il fait frais en altitude.

À savoir On peut explorer Kruger en montgolfière, en hélicoptère ou en avion léger. Apprenez à piloter un ULM au Leading Edge Flight School, près de Kruger (comptez 2 ou 3 semaines de cours).

Internet www.sanparks.org/parks/kruger, www.timbavati.com, www.krugerpark.co.za

TEMPS FORTS

■ **Sabi Sabi**, la réserve privée la plus célèbre de Kruger, concentre le plus grand nombre d'animaux d'Afrique du Sud et rassemble tous les membres de la famille des «Grands Cinq» : éléphant, rhinocéros, léopard, lion et buffle.

■ Timbavati, réserve privée, était autrefois renommée pour ses lions blancs. Aujourd'hui, on peut y voir une grande variété d'animaux, sur **65 000 hectares de brousse**.

■ À l'intérieur du parc, des **sentiers balisés** permettent de sillonner la savane africaine à pied. Des promenades guidées (jusqu'à 16 km) sont organisées tous les jours.

AFRIQUE

SUR LEURS TRACES

D estinés aux amateurs d'histoire et d'art, les itinéraires proposés dans ce chapitre sont très divers.
L'un retrace l'épopée d'Ulysse à travers les îles
grecques, l'autre un événement qui bouleversa l'histoire de la
Chine, à savoir la Longue Marche de Mao Zedong et de ses
compagnons. Certains voyages ont un parfum d'aventure,
qu'il s'agisse du périple de Lewis et Clark à travers l'Amérique
du Nord ou de l'expédition du capitaine Cook en Polynésie.
D'autres sont empreints d'une dimension spirituelle, à l'image
de ceux qui vous emmènent sur les traces de Bouddha en Inde
ou de Jésus-Christ en Israël et en Palestine. Et que dire de ceux
qui vous transporteront dans les lieux-mêmes où les créateurs
puisèrent leur inspiration : la Russie de Tolstoï, le Dublin de
Joyce, la « route » de Kerouac ?

Ce promeneur solitaire semble ne faire qu'un avec ce paysage automnal des environs d'Elterwater, dans le Lake District, en Angleterre. Le poète romantique William
Wordsworth s'était établi dans cette région de montagnes, de forêts et de lacs, dont
il sut restituer toute la beauté dans son œuvre.

La Ligne continentale avec Lewis et Clark

Moins périlleuse aujourd'hui qu'à l'époque où l'empruntèrent les deux explorateurs, la voie n'en demeure pas moins impressionnante.

AMÉRIQUE DU NORD

Le Lost Trail Pass («col du sentier perdu»), au sud-ouest du Montana, ne doit pas son nom au hasard. Durant l'été 1805, Meriwether Lewis et William Clark, à la recherche de la route terrestre menant au Pacifique, atteignent les monts Bitteroot. Clark traverse le col pour essayer de suivre la Salmon River, mais la voie est dangereuse, les chevaux ne cessent de tomber et son guide shoshone se perd… Découragé et à court de vivre, il rebrousse chemin pour retrouver Lewis, tout en se nourrissant de poisson et de baies. Les deux explorateurs décident alors de chercher un chemin plus au nord, pour traverser les montagnes au niveau de l'actuel Lolo Pass. Aujourd'hui, des routes desservent ces cols, mais les pentes des Bitteroot sont aussi raides et sauvages qu'elles l'étaient voilà deux siècles. Les randonneurs chevronnés peuvent se lancer sur les traces de Lewis et Clark en suivant une partie du Continental Divide National Scenic Trail («sentier de la ligne de partage des eaux»), au sud du Lost Trail Pass. Il leur faudra compter plusieurs jours. Les moins sportifs peuvent se contenter de prendre en voiture le Lewis & Clark National Historic Trail.

Quand? On ne peut traverser les montagnes que lorsqu'il n'y a plus de neige, de fin juin à septembre. Mois le plus chaud, août est aussi celui où les moustiques et les mouches sont le moins gênants.

Combien de temps? Prévoyez au moins 3 jours de plus pour voir les sites historiques de la région.

Préparation Missoula, dans le Montana, est l'aéroport le plus proche. Vous pourrez y louer un véhicule. Les transports publics sont quasi inexistants dans la région.

À savoir Petite ville pittoresque dominée par les monts Bitteroot, Wisdom (Montana) constitue un bon point de départ pour explorer les environs à pied ou en voiture.

Internet www.lewis-clark.org et www.nps.gov/lecl

TEMPS FORTS

■ Rendez-vous à **Big Hole National Battlefield**, à l'est du Lost Trail Pass, où, en 1877, où se déroula la bataille de Big Hole opposant les Nez-Percés à l'armée américaine.

■ Faites un arrêt au sommet de la Ligne continentale, au niveau de **la ligne de partage des eaux** entre l'Atlantique et le Pacifique.

■ Dans le parc régional de Traveler's Rest («repos du voyageur»), prévoyez une halte au **camp indien** où séjournèrent Lewis et Clark.

■ À Salmon (Idaho), le **Sacajawea Interpretive Cultural & Education Center** présente une exposition sur les Indiens Agaidika et l'expédition de Lewis et Clark.

Les monts Sawtooth projettent leur immense ombre sur la Salmon River, baptisée la «rivière sans retour» en raison de sa profondeur et de ses méandres.

Le monastère des Vlachermes se dresse sur un îlot face à Corfou, île qui pourrait avoir été celle d'Alcinoüs, roi des Phéaciens.

TURQUIE/GRÈCE

L'Odyssée

Profitez de la mer et du soleil, et découvrez des lieux imprégnés de mythologie en refaisant le voyage d'Ulysse, de Troie à Ithaque.

Le voyage d'Ulysse, conté par Homère dans *l'Odyssée*, relève de la légende. Aucun des endroits où le héros fit halte n'a pu être localisé. Seuls sont connus avec certitude les lieux d'où il partit et où il arriva, mais il est amusant d'essayer de deviner sur quelles îles il a pu faire escale. Ulysse, maudit par les dieux, entreprit un long voyage à travers les îles grecques pour rentrer chez lui après le siège de Troie. Les Lestrygons, ces géants qui lançaient d'énormes rochers sur les navires passant près d'eux, vivaient-ils à Santorin ? Le volcan de cette île magnifique était peut-être encore en activité à l'époque d'Ulysse. Selon la légende, Gávdos, petite île au large de la Crète, aurait été le royaume de la magicienne Circé. Cythère, île montagneuse située entre la Crète et le cap Ténare, au sud du Péloponnèse, était-elle la terre des sirènes ? Les habitants de Corfou prétendent que le rocher qui se trouve dans le port de leur capitale et dont la forme évoque celle d'un bateau serait précisément l'épave pétrifiée du vaisseau d'Ulysse. Ce qui donne à penser que Corfou pourrait avoir été l'île d'Alcinoüs, roi des Phéaciens, lequel, ému par le récit qu'Ulysse lui fit de ses mésaventures, offrit au héros une embarcation pour lui permettre de regagner Ithaque.

Quand ? D'avril à octobre.

Combien de temps ? Jusqu'à 3 semaines.

Préparation Le seul moyen de suivre pas à pas l'itinéraire décrit par Homère consiste à affréter un bateau. Vous pouvez également aller à Troie en bus depuis Istanbul, puis vous rendre en bateau d'Ayvalik à Lesbos et, de là, rejoindre la Crète en passant d'île en île. Des bateaux relient Chora Sfakion, sur la côte méridionale de la Crète, à la petite île de Gávdos. De Kastelli, en Crète, vous pouvez ensuite rejoindre Cythère et Githion, au sud du Péloponnèse, puis aller en bus jusqu'à Patras, d'où part chaque jour un ferry pour Ithaque.

À savoir Avec ses jolies maisons anciennes et ses cafés agréables, le port de Corfou est idéal pour prendre quelques jours de repos après votre périple.

Internet www.gnto.gr

TEMPS FORTS

■ Les **tumuli antiques** sont les structures les plus hautes de Troie. La cité devait sa richesse et sa puissance à sa situation en bordure du détroit des Dardanelles.

■ Visitez le Musée archéologique de Mytilène, à **Lesbos**, île mise à sac par Ulysse. Goûtez à l'atmosphère traditionnelle du village d'Agiassos, au pied du mont Olympe.

■ Dégustez du **poisson** dans l'une des **tavernes** du petit port de Ghition, d'où Hélène et Pâris partirent pour Troie.

■ Reposez-vous à Vathi, la capitale d'Ithaque, et partez en **randonnée** sur l'une des très bonnes pistes de l'île.

Top 10 sur les pas des explorateurs

« S'il y a quelque part un chemin que nul n'a encore emprunté, il est pour moi ! » dit un jour Edward John Eyre. Une phrase fondatrice que peu d'explorateurs renieraient…

❶ Erik le Rouge, Qassiarsuk, Groenland

Banni d'Islande pour meurtre, Erik le Rouge navigua vers l'ouest et découvrit le Groenland en 982. Il revint avec 500 colons pour fonder Qassiarsuk, où Thjodhild, son épouse, bâtit une église. Le sanctuaire, ainsi qu'une maison scandinave, ont été reconstruits en bordure du fjord Tunulliarfik, au cœur du Groenland.

Préparation Envolez-vous pour Narsarsuaq de Copenhague ou d'Islande. Il n'y a pas de routes au Groenland : vous devrez rallier Narsarsuaq en bateau (3 h) ou en hélicoptère (15 min). www.greenland-guide.gl

❷ Hernán Cortés, Veracruz, Mexique

Cortés arriva à Veracruz en 1519, alors que la conquête du Mexique débutait. Aujourd'hui, la ville est un port animé. Baladez-vous sur le Malecón, la promenade du front de mer, ou installez-vous sur la place d'Armes, où se produisent des orchestres dont les registres associent influences cubaine et mexicaine. Il y a également de belles plages à proximité.

Préparation Depuis Mexico, vous pouvez gagner Veracruz par avion, par bus ou par train. www.visitmexico.com

❸ Christophe Colomb, île Watling, Bahamas

Watling pourrait bien être l'île que Colomb baptisa San Salvador. Véritable oasis pour la faune et la flore, cette terre a été préservée du fait de son isolement. Profitez de ses plages de sable blanc et de ses eaux transparentes avant d'explorer Long Bay et les trois sites où l'on suppose qu'accostèrent la *Niña*, la *Pinta* et la *Santa Maria*.

Préparation Il est facile de se rendre aux Bahamas depuis la Floride. Watling est accessible en avion privé ou par bateau postal depuis Freetown. www.bahamas-tourisme.fr

❹ Francisco Pizarro, Cuzco, Pérou

En 1533, Pizarro mit à sac cette cité inca où vous découvrirez aujourd'hui la magnifique église baroque de Santo Domingo, construite sur les fondations de granite qui étaient autrefois celles du temple du Soleil. Rendez-vous ensuite au Machu Picchu pour vous faire une idée de ce qu'était une ville inca.

Préparation Vous pouvez vous rendre en train au Machu Picchu depuis Cuzco. www.peroutourisme.com, www.peru.info/perufra.asp

❺ Isabella Bird, Séoul, Corée du Sud

Première femme membre de la British Royal Geographical Society, Isabella Bird fut aussi, en 1897, l'une des premières Occidentales à voyager en Corée. Emboîtez-lui le pas à travers Séoul et visitez le palais Gyeongbok, construit au XIVe siècle.

Préparation Privilégiez le printemps et l'automne. french.tour2korea.com

Encordés pour des raisons de sécurité, ces randonneurs traversent le glacier Jespersen à Narsarsuaq, au Groenland. Ils semblent minuscules par rapport à l'immensité de ces collines glacées.

❻ Abel Tasman, Tonga, Polynésie

Le Hollandais Abel Tasman, de retour de Tasmanie – île plus tard baptisée en son honneur –, explora le premier cet archipel de 156 îles pour la compagnie hollandaise des Indes Orientales. Vous pourrez y voir des baleines à bosse s'ébattre dans les eaux couleur d'azur et explorer les récifs coralliens sous un soleil radieux.

Préparation L'avion dessert Tongatapu, Ha'apai, Vava'u, les trois îles principales ; il vous faut affréter un bateau pour gagner les autres îles. www.tongaholiday.com

❼ Edward John Eyre et Wylie, Australie

Traversez l'inhospitalière région s'étendant entre Streaky Bay et Albany, comme le firent Eyre et Wylie, son compagnon aborigène. On dit qu'ils survécurent en suçant des racines et en mangeant leurs montures épuisées et même un pingouin ! La Eyre Highway (2 500 km) traverse la plaine stérile de Nullarbor et la Grande Baie australienne. Essayez de trouver des météorites : elles ont l'apparence de roches sombres et se détachent du sol clair.

Préparation Suivez la Eyre Highway dans la partie la plus méridionale de Nullarbor. Prenez garde à la fatigue et aux kangourous qui traversent. Les distances entre les villages sont très importantes, l'essence chère et l'approvisionnement en eau, impossible. www.australia.com

❽ Dr Livingstone, lac Tanganyika, Tanzanie

« Dr Livingstone, je suppose ? » La scène se déroule en 1871, à Ujiji, au bord du lac Tanganyika. Henry Stanley vient de retrouver l'explorateur David Livingstone, jusqu'alors porté disparu. Découvrez à votre tour, dans le parc national de Gombe Stream, les rives sauvages du lac et la jungle luxuriante que les deux hommes explorèrent ensemble. Prenez un guide pour aller au cœur de la forêt à la rencontre des chimpanzés rendus célèbres par la primatologue Jane Goodal.

Préparation Ne buvez que de l'eau bouillie ou en bouteille. www.amb-tanzanie.fr, www.janegoodall.org

❾ Mary Kingsley, Luanda, Angola

Dans les années 1890, Mary Kingsley partagea en Angola la vie des habitants du pays. Elle alla à la rencontre des cannibales, explora des marécages infestés de crocodiles et fit l'ascension du mont Cameroun. De nos jours, les conditions de voyage dans le pays demeurent difficiles après des années de guerre civile. Partez en randonnée (en circuit organisé) à travers la brousse pour voir des éléphants et découvrir le parc national de Quissama, réputé pour sa végétation luxuriante, ses chutes d'eau et ses papillons. Le coucher de soleil sur la plage de Luanda est inoubliable.

Préparation Optez pour une agence de voyages avec de sérieuses références. www.angola.org, www.amb-angola.fr

❿ Alfred Russel Wallace, Bali et Lombok, Indonésie

Naturaliste britannique, Wallace étudia la faune et la flore de l'archipel malais de 1854 à 1862. Il constata que les animaux vivant à l'ouest d'une ligne imaginaire (aujourd'hui connue sous le nom de ligne Wallace) appartenaient à la faune asiatique, tandis que ceux qui se trouvaient de l'autre côté relevaient de la faune australienne, confortant ainsi les théories de Darwin. Visitez Bali et Lombok, deux îles toutes proches l'une de l'autre.

Préparation Les habitants de Lombok sont plus traditionalistes que ceux de Bali ; habillez-vous de façon à ne pas les choquer. www.amb-indonesie.fr

Les néons de l'enseigne du B.B. King's Blues Club sur Beale Street à Memphis, Tennessee.

ÉTATS-UNIS

PÈLERINAGE BLUES
À CLARKSDALE

Vibrez dans la ville natale du blues, qui abrite aujourd'hui comme hier de nombreux talents.

Clarksdale, dans l'État du Mississippi, est une discrète petite ville entourée de champs qui semblent s'étendre à l'infini dans un paysage plat et brumeux. Le lieu n'est pas réputé pour sa beauté, mais derrière les routes écrasées de soleil et les murs à la peinture écaillée se cache une cité profondément imprégnée des traditions du blues. Le Mississippi Blues Trail et les différents musées de Clarksdale évoquent l'histoire du blues et l'apport de ce genre dans la musique populaire occidentale. Dans le delta du Mississippi comme dans le Tenessee, toutes sortes de clubs et de nombreux festivals perpétuent la tradition du blues. Partez sur les traces des grands artistes qui ont vécu ou joué dans la région, comme John Lee Hooker et W. C. Handy. Leurs héritiers se produisent aujourd'hui par exemple à Ground Zero, sur Blues Alley, club qui appartient notamment à l'acteur Morgan Freeman.

Quand? Essayez de venir pour le Juke Joint Festival, début avril, ou le Sunflower River Blues and Gospel Festival, en août.

Combien de temps? Vous pouvez élargir votre visite de Clarksdake à la région du delta du Mississippi et à Memphis. Le «pèlerinage» n'en sera que plus complet.

Préparation Les bus Greyhound ne desservent plus Clarksdale et la gare routière abrite désormais l'office de tourisme; vous pouvez venir en train ou en voiture.

À savoir Dînez au Madidi, un restaurant qui compte Morgan Freeman parmi ses propriétaires. Vous y dégusterez une cuisine traditionnelle à des prix raisonnables.

Internet www.msbluestrail.org et jocelyn.richez.free.fr

TEMPS FORTS

■ Logez au **Riverside Hotel**, qui fut jusqu'en 1944 un hôpital. C'est ici que Bessie Smith, la chanteuse noire la mieux payée des années 1920, mourut des suites d'un accident de voiture survenu sur la Highway 61, en 1937.

■ Ne manquez pas le **Delta Blues Museum**, aménagé dans la cabane en bois de Muddy Waters, qui se trouvait à l'origine à la plantation Stovall, à quelques kilomètres de Clarksdale.

■ «Recueillez-vous» au croisement des **Highways 49 et 61**, où, selon la légende, Robert Johnson aurait conclu un pacte avec le diable à l'origine de sa chanson Crossraod Blues.

■ Les fans de blues qui ont du temps devant eux peuvent suivre la Highway 61, la **Blues Highway**, celle qu'empruntèrent les Noirs des États du Sud pour monter jusqu'à Chicago, emportant avec eux leur musique. Parmi les arrêts : La Nouvelle-Orléans, Clarksdale, Memphis.

AMÉRIQUE DU NORD

ÉTATS-UNIS

La route avec Jack Kerouac

Traversez l'Amérique du Pacifique à l'Atlantique et retrouvez le souffle qui se dégage du roman le plus célèbre de Kerouac.

Jack Kerouac vécut dans de nombreux endroits. Ce circuit vous permet de découvrir boîtes de jazz, cafés et autres lieux qui nourrirent l'inspiration de l'un des grands noms de la Beat generation. Commencez votre périple à San Francisco, la ville où l'écrivain ressentit pour la première fois un sentiment d'émancipation. Passage obligé par le quartier de North Beach, aujourd'hui comme hier fréquenté par la bohème : on y trouve toujours d'excellents restaurants italiens, et, depuis 2006, le Beat Museum. Après quelques heures de vol, vous voilà dans le Colorado, à Denver, ville de Neal Cassidy, l'ami de Kerouac, modèle de Dean Moriarty, le personnage principal de *Sur la route*. Si les immeubles modernes confèrent un air futuriste à la cité qui s'étend au pied des Rocheuses, elle a cependant conservé le charme qui séduisit Kerouac et… un esprit Midwest authentique. Après deux jours en train à travers les grandes plaines céréalières, l'arrivée à New York est vivifiante. Le rythme trépidant de la ville évoque les vers de Kerouac. Achetez un hot-dog au coin d'une rue et sautez dans le train E en direction du Queens. C'est là, dans la maison familiale d'Ozone Park, qu'il écrivit *Avant la route*, son premier roman. Dernier arrêt à Lowell, dans le Massachusetts, petite ville aux maisons de brique rouge. C'est la ville natale de Kerouac, et le cadre de son roman fantastique *Dr Sax*.

Quand ? À l'automne, en septembre ou en octobre. Arrivez à San Francisco en début de semaine pour éviter l'affluence du week-end.

Combien de temps ? Comptez 12 jours, soit 3 dans chacune des villes.

Préparation Voyagez léger. Emportez des ouvrages de Kerouac, dont l'incontournable *Sur la route*, et munissez-vous d'un carnet pour prendre des notes.

À savoir Logez dans un hôtel comme le Wharf Inn à San Francisco et le Confort Inn à Denver, deux établissements modestes comme ceux que fréquentait l'écrivain désargenté.

Internet www.kerouac.com et www.geocities.com/Athens/4209/maps/kerouac_map.htm

TEMPS FORTS

■ Le café Trieste, sur Vallejo Street, à North Beach, est un lieu idéal pour observer l'animation de la rue. **Concerts de jazz et récitals de poésie** le soir.

■ Flânez à la **librairie City Light**, un lieu imprégné par l'esprit de Kerouac.

■ Des concerts de jazz sont organisés tous les soirs à **El Chapultepec**, à Denver. Kerouac et Cassady aimaient venir y boire des bières, assis dans le box près de l'entrée.

■ **Glen Patrick's Pub** se trouve juste en face de la maison familiale de Kerouac à Ozone Park (New York). Asseyez-vous pour y boire une bière en regardant par la fenêtre.

Les rayons de la librairie City Lights, dans le quartier de North Beach, à San Francisco.

YOSEMITE AVEC ANSEL ADAMS

Découvrez la nature majestueuse de l'un des parcs naturels les plus importants d'Amérique du Nord. Le photographe Ansel Adams consacra toute sa vie à ce lieu.

Lorsqu'ils offrirent à leur fils de 14 ans un appareil photo Kodak à l'occasion d'un voyage dans la Yosemite Valley, les parents d'Ansel Adams ne se doutaient pas qu'ils seraient à l'origine d'une véritable vocation. Les photos en noir et blanc qu'Adams prit tout au long de sa carrière restituent à merveille la puissance des paysages de l'Ouest américain. Toute sa vie, cet homme qui fut membre du Sierra Club, l'organisation de défense de l'environnement la plus ancienne et la plus puissante du pays, défendit la cause qui lui tenait à cœur : la protection des espaces naturels. Le photographe, qui vécut 30 ans dans la Yosemite Valley, l'arpenta en tous sens, chargé de 45 kg de matériel, dont une chambre noire portative. Emboîtez-lui le pas pour découvrir des sites au nom évocateur comme les flèches de cathédrale (*Cathedral Spires*) ou le pic de la Licorne (*Unicorn Peak*). Au fils des saisons, Adams saisit les différents visages du Capitaine (*El Capitan*), le plus grand pic granitique du monde, faisant deux fois la taille du rocher de Gibraltar ! Mais le photographe s'attachait aussi à fixer sur la pellicule la magie des détails : un cornouiller en fleur, un chêne solitaire, un bouquet de trembles… Adams s'éteignit en 1984, à l'âge de 82 ans. Aujourd'hui, ses admirables clichés continuent à témoigner d'une vie consacrée à la protection de la nature.

AMÉRIQUE DU NORD

Quand ? Le parc national de Yosemite est ouvert toute l'année. Les conditions d'accessibilité et la fréquentation dépendent de la saison. Au printemps, les cascades sont au maximum de leur puissance ; en été, le temps est chaud et sec, mais les touristes sont nombreux ; l'hiver séduit les amateurs de solitude, mais certaines routes sont fermées.

Combien de temps ? Le parc s'étend sur 93 182 ha. Comptez au minimum 1 nuit, mais plutôt 1 semaine ou davantage pour explorer la « terre d'adoption » d'Adams.

Préparation Il y a de nombreuses possibilités de logement, du confortable hôtel Ahwahnee au camping. Les aspirants photographes ont intérêt à s'informer auprès de la Yosemite Association, qui organise circuits sur mesure et visites guidées.

À savoir La galerie Ansel Adams publie une liste d'une dizaine de sites photographiés par l'artiste dans la Yosemite Valley. Un bon moyen de retrouver des lieux que vous avez déjà vus en photo.

Internet www.nps.gov/yose, www.anseladams.com

TEMPS FORTS

■ Arrêtez-vous à la **galerie Ansel Adams** dans la Yosemite Valley. L'endroit propose des ateliers ainsi que des visites guidées, comme celles que faisait Adams lorsqu'il vivait ici avec sa famille. En se rendant sur certains des lieux immortalisés par Adams, les photographes, quel que soit leur niveau, pourront s'initier à l'art de la composition et aux techniques de prise de vue.

■ Adams est surtout connu pour ses photos de paysages mais on lui doit aussi de nombreux clichés en noir et blanc de personnages dans la neige, que vous pourrez voir à **l'hôtel Ahwahnee**. Considéré comme l'un des meilleurs établissements du parc, il doit son nom aux Indiens de la région. Dans leur langue, *yosemite* signifie « grizzly ».

■ Non loin de Yosemite, le **parc naturel Minarets** (*Minarets Wilderness*) fait partie des quelque 3,6 millions d'ha protégés par la loi sur la protection de la nature (*Wilderness Act*), défendue en 1964 par Adams. Rebaptisé du nom du photographe, ce parc offre l'occasion d'un magnifique circuit sur ses traces.

Ci-dessus, à gauche : Un coyote en hiver. Ci-dessus, à droite : Le parc abrite de nombreuses espèces de fleurs sauvages comme le lupin vivace. Ci-contre : Les chutes de Yosemite (436 m) sont les plus hautes d'Amérique du Nord. Elles sont particulièrement impressionnantes au printemps, au moment de la fonte des neiges.

PABLO NERUDA CHEZ LUI

À travers la visite de trois maisons, découvrez un peu l'âme de celui qui fut une grande figure de la littérature et de l'histoire du Chili.

AMÉRIQUE DU SUD

Dès l'âge de 13 ans, Neruda révéla son talent en donnant des papiers à un journal local. Les œuvres de cet écrivain engagé, qui reçut le prix Nobel de littérature en 1971, traduisent ses préoccupations sociales et politiques. Aujourd'hui transformées en musées, les trois maisons dans lesquelles il vécut sont encore habitées de l'énergie et des passions qui l'animèrent. Commencez par visiter La Chascona dans le quartier de Bellavista, à Santiago. Dans cette retraite que Neruda construisit pour lui et sa troisième épouse, Matilde Urratia, on trouve une profusion de vaisselle colorée ainsi qu'une collection de coquillages et de papillons ; la chambre à coucher a été aménagée dans une tour. La Sebastiana, à Valparaiso (120 km au nord-ouest de Santiago), est la deuxième et la moins connue des demeures de l'écrivain. Accrochée à flanc de colline au-dessus de l'océan, elle abrite de nombreux objets, comme des pièces de matériel nautique ou un lion empaillé ! Mais la véritable demeure de l'écrivain est la Isla Negra, qui se dresse sur un affleurement rocheux, à 45 minutes au sud de Valaparaiso. Neruda acquit à cet emplacement une cabane en pierre qu'il transforma et agrandit progressivement. Son bureau fait face au Pacifique. Les murs sont décorés de figures de proue de navires.

Quand ? Au Chili, l'été a lieu de mi-novembre à mi-février et les températures peuvent être très élevées. Les mois d'hiver, juillet et août en particulier, sont froids et humides.

Combien de temps ? Il faut 1 semaine pour voir les trois maisons. Comptez davantage de temps si vous voulez visiter la région des vignobles, le désert d'Atacama ou la Patagonie, à l'extrême sud du pays.

Préparation Louez un véhicule à Santiago. Les maisons sont ouvertes du lundi au dimanche de 10 h à 13 h et de 15 h à 18 h ; elles sont gérées par la fondation Neruda, créée par Matilde, la dernière épouse de l'écrivain. La bonne qualité des routes vous offrira les conditions idéales pour découvrir la côte.

À savoir À Isla Negra, le long d'une grille faisant face à la mer, des visiteurs du monde entier, inspirés par le travail et les idées de Neruda, ont laissé des messages.

Internet www.fundacionneruda.org

TEMPS FORTS

■ À La Chascona, vous découvrirez un portrait de Matilde Urratia **peint par Diego Rivera** ; Neruda déposait les poèmes qu'il écrivait à sa femme dans une boîte en bois que l'on voit toujours dans le bureau.

■ Le placard de la salle à manger de La Chascona abrite un **passage secret** ; Neruda avait coutume de dire qu'il en ferait usage si ses hôtes devenaient trop ennuyeux !

■ L'une des chambres à l'étage de Isla Negra contient un **bureau en bois** fabriqué dans la porte d'un bateau que la marée avait déposé devant la maison de Neruda. C'était l'un de ses objets préférés.

Le centre historique de Valparaiso abrite de nombreux témoignages du XIXᵉ siècle, époque où la ville portuaire était considérée comme le « joyau du Pacifique ».

La chambre qu'occupa l'écrivain à l'hôtel Ambos Mundos, à La Havane, est restée dans l'état où il la laissa.

CUBA

HEMINGWAY À CUBA

Journaliste et écrivain, lauréat du prix Nobel de littérature en 1954, Hemingway fit de cette île des Caraïbes sa deuxième patrie.

Venu à Cuba depuis Key West pour pêcher au gros en 1928, Ernest Hemingway tomba sous le charme de l'île. Un an plus tard, il s'installa à l'hôtel Ambos Mundos, au cœur de la vieille ville de La Havane. C'est de cet endroit qu'il vous faut commencer la visite. Marchez jusqu'au Florida, tout proche, un bar où il aimait venir boire des daïquiris. C'est de Cojimar, petite ville à l'est de La Havane, que l'écrivain partait pêcher en haute mer, une de ses activités favorites ; l'endroit lui inspira d'ailleurs le cadre du *Vieil Homme et la mer*. Hemingway vécut et travailla à la Finca Vigía, une maison entourée de jardins tropicaux, située à San Francisco de Paula, dans les environs de La Havane. Transformé en musée, le lieu abrite des souvenirs de l'écrivain ainsi que sa bibliothèque (9 000 volumes). C'est de la salle de bains que l'on jouit de la plus belle vue : elle porte, au-delà du port, jusqu'à La Havane et la mer.

Quand ? La meilleure période se situe entre décembre et mai. Les mois d'été sont très chauds, ceux d'octobre et novembre correspondent à la saison des ouragans.

Combien de temps ? Une dizaine de jours. Mais Cuba mérite aussi d'être visitée pour ses belles villes coloniales et ses plages magnifiques : vous pouvez y passer facilement 2 à 3 semaines sans vous ennuyer une minute.

Préparation Il faut un visa pour entrer à Cuba. Pensez à le demander suffisamment à l'avance.

À savoir La Terraza, à Cojimar, fut aussi l'un des endroits que fréquenta Hemingway. Le restaurant abrite une belle collection de photos de l'écrivain. Dînez-y en profitant de la vue sur le port.

Internet www.cubatourisme.fr, www.cubtravel.cu, www.cubarte-francais.cult.cu

TEMPS FORTS

■ Au Floridita, commandez un **Papa Doble**, le cocktail préféré d'Hemingway : du jus de citron vert, un doigt de marasquin, une double dose de rhum, le tout sur de la glace pilée.

■ La **Bodeguita del Medio**, petit bar de la vieille ville de La Havane, était aussi l'un des repaires de l'écrivain. L'endroit s'est fait une spécialité du mojito.

■ À Cojimar, ne manquez pas le **buste d'Hemingway** qui se dresse au centre d'une colonnade. Il a été réalisé avec du bronze provenant d'hélices de bateaux de pêche.

■ Dans le jardin de la Finca Vigía, vous pourrez voir *El Pilar*, le **yacht de 12 m** sur lequel Hemingway aimait partir pêcher le marlin.

■ À La Havane, flânez le long du **Malecón**, promenade bordée de maisons coloniales décrépites dominant le détroit de Floride. C'est la première vision qu'eut Hemingway de la ville lorsqu'il débarqua des États-Unis. C'est toujours un endroit où les habitants de la capitale aiment traîner, boire du rhum et pêcher depuis les rochers.

AMÉRIQUE DU NORD

Voyage aux Galápagos

Rendu célèbre par le naturaliste Charles Darwin,
cet archipel isolé abrite une faune exceptionnelle.

AMÉRIQUE
DU SUD

Lors du trajet en canot qui vous conduira de votre bateau de croisière à l'île Santa Fé, vous sentirez les embruns fouetter votre visage. Le comité d'accueil ? De jeunes otaries s'ébattant joyeusement autour de votre embarcation. À peine débarqué, vous découvrirez d'austères paysages volcaniques couverts de forêts d'immenses cactus. Chacune des îles des Galápagos abrite de véritables trésors naturels que vous découvrirez jour après jour. Vous marcherez sur les traces de Charles Darwin, venu dans l'archipel en 1835 à bord du *Beagle*. C'est au cours de ce voyage qu'il recueillit les observations qui lui inspirèrent sa théorie de la sélection naturelle des espèces. Attendez-vous à voir des animaux aussi peu farouches qu'extraordinaires, et ne soyez pas surpris s'il prend à un oiseau moqueur la fantaisie de picorer vos lacets ! Sur Española, vous serez assailli par les odeurs musquées tandis que vous passerez à proximité d'une colonie d'otaries femelles, jalousement surveillées par un mâle imposant. Sur Santiago, vous foulerez des pierres de lave en gravissant les rochers d'où plongent iguanes marins pour grignoter des algues vertes, tandis que des crabes d'un rouge orangé vif se faufilent dans les anfractuosités. Ailleurs, des fous à pieds bleus foncent dans les flots du Pacifique à la poursuite de bancs de poissons, et des phaétons à bec rouge poussent des cris stridents. Des cormorans, incapables de voler, se penchent sur les eaux fertiles où glissent des tortues et des raies manta.

Quand ? Toute l'année. Les mois de juin à novembre sont les plus frais.

Combien de temps ? Vous irez en avion (966 km) de l'Équateur à Baltra ou San Cristóbal, aux Galápagos, d'où partent de petits bateaux proposant des croisières de 4 à 15 jours.

Préparation Prévoyez un bon écran solaire et une coiffure pour vous protéger du soleil des tropiques, ainsi que de bonnes chaussures de marche.

À savoir À Puerto Ayora, sur l'île Santa Cruz, vous trouverez des cybercafés et des boutiques où acheter entre autres, de la crème solaire.

Internet www.darwinfoundation.org

TEMPS FORTS

■ En espagnol, *galápagos* signifie « tortue » et l'archipel doit son nom aux nombreuses tortues géantes qui y vivent. À la **station de recherches Charles-Darwin**, à Santa Cruz, vous ferez la connaissance de Lonesome George, une tortue géante qui est la dernière représentante de sa race.

■ Levez les yeux vers le ciel pendant la saison des amours : la danse nuptiale des **albatros** à Española, en avril, offre un incroyable spectacle.

■ Grimpez dans un paysage lunaire sur les hauteurs de l'île Bartolomé : vous serez récompensé par la vue sur **Pinnacle Rock** et ses plages où les pingouins se dandinent et les otaries se dorent au soleil.

C'est la saison des amours : cette frégate mâle gonfle la grosse poche rouge qu'elle a sous la gorge pour attirer les femelles.

Une tortue passe au-dessus d'un récif dans les eaux de Tahiti. Celles-ci abritent une abondante vie marine.

POLYNÉSIE FRANÇAISE

AVEC LE CAPITAINE COOK

Partez en croisière à travers ce fabuleux archipel et découvrez une culture qui fascine les voyageurs depuis des siècles.

Premier européen à se rendre en Polynésie dans les années 1770, le capitaine Cook a eu depuis de nombreux successeurs. Commencez votre périple sur l'île de Papeete, capitale de Tahiti, où vous visiterez le musée de la Perle et le marché d'artisanat. En quittant l'île en bateau, vous verrez progressivement s'effacer les contours des constructions pour ne plus voir que les montagnes qui se dressent vers le ciel. Ce paysage est le même que celui qui apparut au capitaine Cook. Après l'animation de Papeete, Huahine et Raiatea sont des escales bien reposantes. Sur la première, vous découvrirez un ensemble de plus de 40 *marae* (lieux de culte) qui forment le *marae* de Maeva. Sur la seconde, qui fut autrefois le premier centre religieux de Polynésie, vous pourrez voir le plus grand et le plus important des *marae* de l'archipel, celui de Taputapuetea. De là, rendez-vous à Bora-Bora pour faire de la plongée, de la voile et visiter des installations défensives datant de la Seconde Guerre mondiale.

Quand? Mai, juin, septembre et octobre sont sans doute les meilleurs mois. Vous éviterez l'affluence de juillet-août et la saison des pluies (novembre-avril).

Combien de temps? Une croisière de 10 jours permet de bien découvrir les îles.

Préparation La Polynésie française est une destination onéreuse et les îles se trouvent à de grandes distances en avion les unes des autres. Une croisière est donc le meilleur moyen de voir le maximum de choses. Si vous arrivez en hiver, prévoyez quelques jours avant de commencer la croisière pour minimiser les risques de correspondances manquées. Vous trouverez des véhicules à louer sur la plupart des îles.

À savoir Avant de revenir à Papeete, arrêtez-vous sur l'île de Moorea dont les falaises volcaniques sont parmi les «cartes postales» les plus connues de Polynésie. Vous en aurez un bon aperçu en faisant le tour de l'île en catamaran.

Internet www.tahiti-tourisme.pf, www.tahitiguide.com

TEMPS FORTS

■ Le **musée Gauguin**, sur la côte sud de Tahiti, retrace la période polynésienne du peintre.

■ Les amateurs de plongée sous-marine pourront nager avec les requins et les raies mantas. Les autres pourront explorer le **monde sous-marin** à bord de bateaux à fond transparent ou de sous-marins, ou bien en plongeant avec un masque et un tuba.

■ Visitez une **ferme de perles** sur l'une des îles pour découvrir comment sont cultivées les célèbres perles noires de Tahiti.

■ À Moorea, le théâtre du Tiki Village propose d'intéressants **spectacles de danses et de musiques** traditionnelles.

Place Tian'anmen, à Pékin, le monument à la gloire des héros de la Révolution rend hommage à tous ceux qui contribuèrent à la création de la République populaire en 1949.

CHINE

La Longue Marche de Mao

Découvrez l'un des sites majeurs de la Longue Marche,
au cœur des montagnes de l'ouest du Sichuan.

En 1935, à la moitié du périple connu plus tard sous le nom de « Longue Marche », 22 hommes de l'armée de Mao Zedong prirent le pont de Luding sur la rivière Dadu. Le succès du tourisme lié aux lieux de mémoire du communisme a mis en vedette ce pont, l'un des sites emblématiques de la Longue Marche. L'endroit se mérite mais vos efforts seront récompensés par l'intérêt historique de la visite et l'extraordinaire beauté des lieux. Commencez par visiter le mausolée de Mao à Pékin avant de vous envoler pour Chengdu d'où vous suivrez la magnifique vallée de la rivière Dadu par la route. À Luding, traversez le pont de chaînes qui enjambe les eaux tourbillonnantes de la Dadu et allez voir le monument aux héros de la Longue Marche. Au-delà de Luding, les montagnes forment une barrière ininterrompue jusqu'au Tibet. À l'ouest, juste après la ville tibétaine de Kangding, surgit la masse imposante des montagnes de l'Ouest (Daxue Shan). Non loin au sud de la cité, vous pourrez vous rendre jusqu'au glacier Hailuogou, sur le mont Gongga. À Leshan, vous découvrirez une immense statue de Bouddha et, dans les forêts brumeuses et les gorges au nord de Chendgu, l'une des plus importantes colonies de pandas géants du pays.

Quand ? De mai à septembre. Emportez des vêtements bien chauds si vous devez aller à Hailuogou ou Kangding. À moindre altitude, le temps en cette saison est chaud et humide. Prévoyez aussi des vêtements imperméables : il y a souvent des pluies torrentielles en été.

Combien de temps ? Comptez 3 ou 4 jours pour un aller-retour depuis Chengdu, la grande ville la plus proche. Prévoyez une dizaine de jours pour une découverte plus approfondie de la région.

Préparation Allez en avion de Pékin à Chengdu où des agences de voyages peuvent prendre en charge l'organisation de votre circuit. Si vous voyagez seul, préparez-vous à des trajets en bus longs et éprouvants. La plupart des circuits organisés jusqu'au pont de Luding prévoient un arrêt à Hailuogou ou à Kangding, voire aux deux.

À savoir Chengdu, capitale de la province du Sichuan, est l'une des villes les plus animées du pays et sans doute le meilleur endroit pour goûter à la cuisine épicée caractéristique de la région.

Internet www.amb-chine.fr/fra et www.chine-nouvelle.com/voyage

TEMPS FORTS

■ Le **pont de Luding** est formé de planches de bois reliées par treize grosses chaînes de fer.

■ Explorez **Kangding**, ville commerçante animée située en bordure du plateau du Tibet, réputée pour ses marchés, dont celui des antiquaires, et le monastère Dorje Drak.

■ Émerveillez-vous devant le glacier de Hailuogou et le **Gongqa Shan** (7 556 m), point culminant de la province du Sichuan.

■ Rendez visite aux **pandas de la réserve naturelle de Wolong**, à 160 km au nord-ouest de Chengdu.

NÉPAL/INDE

LA VOIE DE L'ÉVEIL

Foulez les lieux qui marquèrent la vie et la quête spirituelle de Bouddha au VIe siècle avant notre ère.

Bouddha signifie «l'Éveillé», et c'est sous ce nom que fut connu Siddharta Gautama quand, après six années d'ascétisme, il atteignit l'éveil alors qu'il méditait sous l'arbre de la Bodhi (une sorte de figuier). La tradition orale a transmis pendant plus de quatre siècles l'histoire du cheminement de Bouddha, avant que sa quête ne soit fixée par écrit. Commencez votre voyage au sud du Népal, dans le petit village de Lumbini («sacré» en sanscrit), là où Bouddha vit le jour. Partez ensuite à la découverte de Kushinagar, au cœur de la plaine du Gange, lieu qu'il choisit pour son parinirvana, c'est-à-dire son exil de la Terre. Le temple de la ville abrite une statue de 6 m de long, entièrement dorée à la feuille, représentant Bouddha couché. À Sarnath, non loin de Varanasi, visitez le parc aux cerfs où, Bouddha prêcha son premier sermon. Plus à l'est, à Bodhgaya, vous verrez l'arbre de la Bodhi, dont on raconte qu'il est un descendant de la troisième génération de l'arbre sous lequel Bouddha méditait. Terminez le voyage à Patna, l'une des plus anciennes cités de la planète. Bouddha s'y rendit à de nombreuses reprises, notamment au cours de son dernier voyage pour Kushinagar.

Quand? La meilleure période se situe entre octobre et avril. Évitez la mousson, qui commence fin juin-début juillet et dure environ 2 mois.

Combien de temps? Il y a 885 km de route entre Lumbini et Patna. Comptez au minimum 5 jours.

Préparation Lumbini est accessible par la route depuis Lucknow ou Varanasi.

À savoir Marchez autour des stupas et des autres lieux ou objets sacrés dans le sens des aiguilles d'une montre. Le musée de Patna possède une belle collection d'objets anciens, parmi lesquels des statues en pierre de Bouddha et le coffret qui abrite ses cendres. Évitez la nourriture occidentale qui reste d'être moins fraîche que la cuisine locale; ne mangez que des choses très chaudes.

Internet www.amb-inde.fr, www.indetourisme.com

TEMPS FORTS

■ À Lumbini, voyez le **temple de Maya** Devi et le **pilier d'Ashoka**, qui marque le lieu de naissance de Bouddha.

■ À Kushinagar, admirez le **temple et le stupa de Mahaparinirvana**, où Bouddha atteignit le parinirvana (et y mourut) et le stupa Rambhar, où il fut incinéré.

■ À Varanasi, ne manquez pas les temples de Vishwanath et de Bharat Mata ainsi que l'université de Banaras Hindu. Faites une **promenade en bateau sur le Gange** tôt le matin.

■ Au temple de Mahabodhi, asseyez-vous sous **l'arbre de la Bodhi**, où Bouddha atteignit l'Éveil.

Des moines prient devant le stupa Rambhar, lieu de la crémation de Bouddha en 543 av. J.-C.

Le nécessaire d'écriture de Tolstoï est exposé dans le musée qui lui est consacré à Moscou.

RUSSIE

LA RUSSIE DE TOLSTOÏ

Faites un pèlerinage sur les lieux qui ont marqué la vie de l'un des maîtres de la littérature mondiale.

Pour appréhender l'univers dans lequel évolua Tolstoï, commencez par visiter Saint-Pétersbourg, l'ancienne capitale impériale, où vous découvrirez de somptueux palais et des collections d'art inestimables. Tel fut le monde que l'écrivain connut dès sa jeunesse et qu'il décrivit notamment dans *Anna Karénine*. La ville apparaît aussi comme un symbole du gouffre entre l'immense richesse de l'aristocratie russe et la grande misère du peuple. Partez ensuite pour Moscou et découvrez le musée d'État Léon-Tolstoï installé dans la maison où l'écrivain et sa famille passèrent leurs hivers entre 1882 et 1901. Iasnaïa-Poliana, domaine des Tolstoï dans la région de Toula, à 200 km au sud de Moscou, constitue le temps fort du voyage. C'est ici que Léon Tolstoï vit le jour et passa son enfance, écrivit plusieurs de ses œuvres, ouvrit une école expérimentale, travailla avec les paysans, reçut ses amis. C'est ici qu'il repose dans une tombe toute simple, parmi les arbres.

Quand ? Au printemps, en été, à l'automne. En hiver les températures sont extrêmement rigoureuses.

Combien de temps ? Comptez au moins 1 semaine. Vous pouvez visiter Iasnaïa-Poliana en 1 journée depuis Moscou (train ou bus), mais essayez de passer 1 nuit dans la ville pour découvrir le domaine.

Préparation Vérifiez les horaires des musées avant de vous déplacer.

À savoir Il existe 2 musées Tolstoï à Moscou : le musée d'État, installé dans son ancienne demeure ; le musée littéraire, qui présente manuscrits, notes et éditions originales de l'écrivain. Conférences et visites thématiques y sont proposées.

Internet www.russie.net, www.yasnayapolyana.ru

TEMPS FORTS

■ Riche en objets et en souvenirs personnels de l'écrivain, le **musée d'État Tolstoï** de Moscou a conservé l'atmosphère d'une maison familiale.

■ Tolstoï passa une enfance idyllique à **Iasnaïa-Poliana** et resta toute sa vie très attaché au domaine. Dans la maison que l'on visite aujourd'hui, les pièces ont en grande partie gardé leur décoration d'origine.

■ Attardez-vous dans le parc de Iasnaïa-Poliana, promenez-vous dans les **allées bordées de tilleuls** et admirez les paysages qui ont inspiré Tolstoï.

CHINE/KIRGHIZISTAN/OUZBÉKISTAN

LA ROUTE DE LA SOIE

Redécouvrez une route commerciale fort ancienne qui traverse
les confins de la Chine et de l'Asie centrale.

Il ne faut pas imaginer la route de la Soie, qui reliait autrefois la Chine au Moyen-Orient et à l'Europe, comme une route unique, mais plutôt comme un ensemble de voies partant du nord-ouest de la Chine et s'achevant à l'est de la Turquie ou à l'ouest de l'Iran actuels. Utilisée dès le IIᵉ siècle av. J.-C., la route fut abandonnée plus d'un millénaire et demi plus tard, du fait des progrès du transport maritime. Cette route mythique ne servit pas seulement à transporter de précieuses marchandises, elle permit aussi la circulation des idées et des inventions. C'est ainsi que le bouddhisme pénétra en Chine ou que la poudre à canon se diffusa en Occident. Le voyageur débute son périple à Pékin ou à Shanghai puis découvre dans l'ouest de la Chine de fabuleux sites archéologiques, tels ceux de Xi'an et de Dunhuang. C'est ici que commence la route qui passe par le désert du Taklamakan. La grande étape suivante est l'oasis de Kachgar, au pied de la chaîne du Tian Shan, cité qui contrôlait le passage vers l'Asie centrale, l'Inde et la Perse. Samarkand et Boukhara, deux villes légendaires, se trouvent encore plus à l'ouest, sur l'une des portions les plus animées de la route de la Soie. Samarkand semble surgir du désert avec ses édifices ornés d'éblouissants carreaux de céramique bleue. Boukhara fut l'un des centres les plus importants du savoir musulman et comptait les bazars les plus prospères de la région.

Quand ? Mars-avril et septembre-octobre sont les meilleurs moments pour éviter les températures extrêmes de ces régions montagneuses et désertiques.

Combien de temps ? De nombreuses agences de voyages proposent des circuits sur les portions chinoises ou d'Asie centrale de la route de la Soie qui peuvent durer jusqu'à 2 semaines. Si vous disposez de 1 mois, vous pouvez voyager de Pékin ou Shanghai jusqu'à Tachkent en Ouzbékistan.

Préparation Avant de partir, informez-vous sur la situation générale des différents pays d'Asie centrale.

À savoir Dans *Vers la cité perdue*, Colin Thubron raconte le périple de 11 265 km qu'il fit en suivant la route de la Soie. Une lecture à recommander aux voyageurs d'aujourd'hui.

Internet http://routesoie.ifrance.com, www.geo.ulg.ac.be/eduweb/poster/fr/routes-soie,

TEMPS FORTS

■ Découvrez sur le site des **grottes des Mille Bouddhas**, dans la région de Dunhuang, de superbes fresques et des sculptures réalisées entre les IVᵉ et XIVᵉ siècles.

■ Ne manquez pas l'**armée de guerriers en terre cuite de Xi'an**, enterrée avec le premier empereur de Chine.

■ À Kachgar, vous pourrez vous rendre le dimanche sur un marché très animé et visiter d'importants sites musulmans comme la **tombe de Abakh Koja** et la **mosquée Id Kah**, la plus grande de Chine.

■ Parmi les **trésors de l'architecture islamique** de Samarkand : l'ensemble du Registan, qui comprend trois écoles coraniques, et le mausolée de Tamerlan. La ville compte de magnifiques exemples de céramiques islamiques.

En Asie centrale, les habitants des régions les moins hospitalières comptent toujours sur des moyens de transport à la fiabilité éprouvée.

Top 10 Comme au cinéma

Découvrez des lieux fascinants à travers les yeux des héros du cinéma d'hier et d'aujourd'hui.

❶ New York, États-Unis

Passez en bateau au large de la statue de la Liberté comme Barbra Streisand dans *Funny Girl* et baladez-vous dans les rues de la Little Italy de Robert de Niro. Ayez une pensée pour *King Kong* sur l'Empire State Building, faites du lèche-vitrines dans les quartiers chics chez Tiffany (5th Avenue et 58th Street) avant de vous rendre sur les lieux des amours impossibles de Natalie Wood et Richard Beymer dans *West Side Story* (West 109th Street). Terminez à Harlem, au mythique Cotton Club.

Préparation Prenez le ferry de Staten Island pour avoir de beaux points de vue sur la Statue de la Liberté.
www.easynewyorkcity.com/movielocations.htm

❷ Hollywood, États-Unis

Ici, vous marcherez, au sens propre du terme, dans les pas des stars, devant le Théâtre chinois Grauman. Le lieu somptueusement décoré dans le style oriental, est l'endroit parfait pour voir un film. Visitez le Shrine Auditorium, où se déroule la cérémonie des Oscars. De nombreuses vedettes des débuts du cinéma, dont Rudolph Valentino, reposent au cimetière Hollywood Forever. Une fois par semaine en été, l'endroit se transforme en cinéma en plein air : vous y passerez une soirée vraiment inoubliable.

Préparation Vous aurez l'embarras du choix pour choisir une visite guidée des studios et des propriétés de stars.
www.seeing-stars.com, www.cinespia.org

❸ Monument Valley, États-Unis

En pénétrant à Monument Valley, vous aurez l'impression d'arriver sur le plateau de tournage d'un western. Dans les années 1920 et 1930, l'endroit, qui fait aujourd'hui partie d'une réserve navajo, fut souvent choisi par John Ford comme décor de ses films, à commencer par *La Chevauchée fantastique* (1939). La mesa, les buttes, les falaises, les ravines et les canyons prennent de merveilleuses teintes rose orangé au lever et au coucher du soleil.

Préparation Arrêtez-vous au Goulding's Trading Post, à l'ouest du parc. C'est Goulding, le fondateur, qui suggéra à John Ford de tourner dans ces lieux. www.navajonationparks.org, www.gouldings.com

❹ Bombay, Inde

Le quartier de Juhu constitue le cœur de l'industrie cinématographique de Bollywood. Plus de 200 films y sont produits chaque année selon une recette éprouvée qui associe chanson, danse et mélodrame. La visite de l'un des grands studios (RK, Filmistan…) vous permettra de voir Bollywood en pleine activité.

Préparation De nombreuses agences proposent des visites de studios.
www.westernoriental.com

La gloire, le chagrin, les larmes et les paillettes : vous retrouvez tous les ingrédients du cinéma sur la grande artère aménagée dans les studios Universal, à Hollywood, en Californie.

❺ Tokyo, Japon

Comme Bill Murray et Scarlett Johannson (*Lost in translation*), admirez Tokyo depuis le Park Hyatt Hotel. Dînez chez Gompachi, comme Uma Thurman dans *Kill Bill.* Revivez les aventures de Sean Connery aux prises avec l'organisation criminelle Le Spectre (*On ne vit que deux fois*) au New Otami Inn.

Préparation Déplacez-vous en taxi. Le Park Hyatt est dans le quartier de Shinjuku, le restaurant Gompachi, à Nishi-Azabu, le New Otami Inn, à Shinagawa. www.tourism.metro.tokyo.jp/english

❻ Queenstown, Nouvelle-Zélande

Rejoignez Frodo (Elijah Wood), Gandalf (Ian McKellen) et Saruman (Christopher Lee) dans la Terre du Milieu. Admirez le magnifique lac Wakatipu, demeure de Galadriel (Cate Blanchett), et découvrez les Alpes du Sud, où ont été tournées de nombreuses scènes du *Seigneur des anneaux.*

Préparation Des excursions partent de Queestown ou Wanaka. Il est possible de se rendre sur les sites des scènes tournées de l'île du Nord à partir de Wellington. www.lordoftheringstours.co.nz, www.destination-nz.com

❼ Rome, Italie

Retrouvez la Rome des films de Fellini (*Fellini Roma*) et de *Vacances romaines*, de Wyler (avec Gregory Peck et Audrey Hepburn), ou suivez le héros du *Da Vinci Code,* de Dan Brown, qui perce les secrets de la Bible sur la place d'Espagne, autour de la fontaine de Trevi, au Panthéon, au château Saint-Ange et au Vatican.

Préparation www.througheternity.com/ptour12.htm

❽ Paris, France

Jean-Paul Belmondo fréquente les bars de Saint-Germain-des-Prés et des Champs-Élysées dans *À bout souffle,* film manifeste de la Nouvelle Vague. Nicole Kidman et Ewan McGregor tombent amoureux au Moulin rouge. À Montmartre, vous serez sous le charme du Sacré-Cœur et d'Audrey Tautou, dans *Amélie Poulain.*

Préparation Achetez un pass métro ou en bus pour la journée (Paris Visite). www.ecrannoir.fr/dossiers/paris/index.html

❾ Prague, République tchèque

Wesley Snip pourchasse les vampires à travers la Vieille Ville dans *Blade II* et, dans *Mission impossible,* Tom Cruise assiste à l'explosion d'une voiture depuis le pont Charles. Les statues du pont ruissellent sous la pluie dans *Yentl,* de Barbra Streisand et le mariage ainsi que les funérailles de Tom Hulce (*Amadeus*) ont lieu dans l'église Saint-Gilles.

Préparation Tous les sites sont accessibles en métro. www.myczechrepublic.com/czech_culture/filming_locations.html

❿ Londres, Royaume-Uni

Baladez-vous dans les rues de Notting Hill où Julia Roberts et Hugh Grant trouvent le grand amour. Suivez René Zellweger à la Tate Modern qu'elle parcourt dans *Le Journal de Bridget Jones.* Traversez la Tamise jusqu'à l'église Saint-Bartholomew-the-Great, où Joseph Fiennes (*Shakespeare in love*) se recueille. Les fans de Harry Potter ne manqueront pas d'aller au vivarium du zoo et sur le quai n° 9¾ à la gare de King's Cross (en réalité, les scènes ont été tournées sur le quai n° 4).

Préparation Achetez un pass bus-métro d'une journée pour vous déplacer à bon compte à travers la ville. www.filmlondon.org.uk

VOYAGE AVEC UN ÂNE

Cette randonnée sur les pas d'un grand écrivain permet
de découvrir une région d'Europe encore sauvage.

En 1878, Robert Louis Stevenson entreprit le périple qui devait lui inspirer son *Voyage avec un âne dans les Cévennes*. Située au sud-est du Massif central, cette région de plateaux granitiques balayés par les vents est encore plus désertée aujourd'hui qu'elle ne l'était à l'époque de Stevenson. Le GR 70, qui commence au Puy, suit le chemin parcouru par l'écrivain et son ânesse Modestine. Il traverse les impressionnants paysages de l'Auvergne, où dominent reliefs volcaniques et culots de lave, pour arriver dans les Grands Causses, au cœur des Cévennes. Serpentant par les vallées de l'Allier, du Lot et du Tarn, l'itinéraire franchit ensuite des contrées plus sauvages, où sapins et bruyères durent rappeler à Stevenson son Écosse natale. Des cairns et des poteaux en bois marquent le chemin qui traverse le mont Lozère par des sous-bois de noisetiers. Le pic de Finiels (1 700 m) est le point culminant du parcours qui s'achève à la limite de la Provence, contrée nettement plus hospitalière avec son climat plus clément et ses paysages de vignoble.

Quand ? D'avril à septembre.

Combien de temps ? L'itinéraire compte 260 km. Prévoyez de 10 à 14 jours selon votre niveau d'entraînement physique. Ne manquez pas de prendre une journée de plus pour explorer les spectaculaires gorges du Tarn, avant d'arriver à Florac.

Préparation Il est indispensable d'être un marcheur entraîné et de savoir lire une carte. Vous trouverez facilement de quoi vous loger en camping, en gîte ou en hôtel tout au long du trajet, mais mieux vaut réserver à l'avance. Emportez de bonnes chaussures de marche et des vêtements chauds et imperméables, car il peut faire très mauvais quelle que soit l'époque de l'année. Vous pouvez aussi suivre le GR 70 en VTT, et, pourquoi pas, à dos d'âne !

À savoir Ne vous perdez pas comme Stevenson et ne manquez pas le lac du Bouchet, près de Saint-Nicolas. Ce magnifique plan d'eau d'origine volcanique est entouré de forêts.

Internet www.gr70-stevenson.com/fr, www.chemin-stevenson.org

TEMPS FORTS

■ Dans cette région touchée par l'exode rural, la **nature** a repris ses droits. Vautours, mouflons et castors ont été réintroduits ; loutres, pics noirs et hiboux striés ont réapparu.

■ Avant d'arriver au Bleymard, vous gravirez les **pentes boisées du Goulet**, petite montagne qui marque le début des Cévennes. Le Lot prend sa source dans cette région aux paysages magnifiques.

■ Le charmant village du **Pont-de-Montvert**, à 18 km au sud du Bleymard, se trouve à la confluence de trois cours d'eau : le Tarn, le Rieumalet et le Martinet. Ses maisons Renaissance, dominant le Tarn, forment un bel ensemble.

Une prairie en fleurs dans les Cévennes. Seuls des moutons et un promeneur solitaire troublent la sérénité des lieux.

À la fois église et mausolée, le Panthéon est l'une des constructions antiques les mieux préservées de Rome.

ITALIE

LE VOYAGE DE GOETHE

Découvrez certains des plus beaux sites de l'Italie en suivant les traces du grand poète jusqu'à l'extrémité de la Péninsule.

Romancier, poète, dramaturge, scientifique, peintre, Johann Wolfgang von Goethe fut aussi conseiller du duc de Saxe-Weimar. Lassé de son existence à la Cour, il décida de partir seul pour l'Italie (1786-1788). Voyageur curieux et consciencieux, Goethe prit de nombreuses notes qui fournirent la matière du *Voyage en Italie*. Les touristes peuvent lui emboîter le pas depuis Vérone et Venise, au nord, et descendre jusqu'à Rome, Naples et la Sicile. L'écrivain séjourna à Torbole, sur le lac de Garde, lieu où il tomba amoureux du pays. Trouvant de nouveaux sujets d'émerveillement au fil de ses pérégrinations – « Je date ma seconde naissance, une vraie régénération, du jour où j'ai foulé le sol de Rome… » –, il fit beaucoup de croquis de statues et de ruines. À Naples, qui était à l'époque la ville la plus animée d'Italie, Goethe se lia avec William Hamilton, ambassadeur de Grande-Bretagne, volcanologue passionné qui l'entraîna jusqu'au Vésuve, alors encore très actif. En Sicile, Goethe suivit un circuit devenu aujourd'hui classique. Il effectua de longues recherches au sein de l'immense jardin botanique de Palerme. Il explora les environs de la ville puis se rendit à Catane et Taormina, à l'est, visitant au passage des temples antiques, avant de gravir l'Etna.

Quand ? En voyageant au printemps et à l'automne, vous éviterez les fortes chaleurs estivales.

Combien de temps ? Au moins 1 semaine. N'hésitez pas, si vous le pouvez, à consacrer à ce voyage 1 mois, voire davantage.

Préparation Vous pourrez acheter sans problème vos billets de bus et de train sur place, mais si vous réservez une voiture, mieux vaut le faire avant le départ. Plusieurs agences de voyages proposent des circuits littéraires, mais aucun n'a Goethe pour seul thème. Beaucoup de sites Internet très complets évoquent la fascination de l'écrivain pour l'Italie.

À savoir Informez-vous sur les activités des associations consacrées à Goethe dans les offices de tourisme des différentes villes.

Internet www.enit.it, www.romeartlover.it

TEMPS FORTS

■ Faites l'ascension du **Vésuve** pour découvrir ce lieu qui, pour Goethe, évoquait un coin d'enfer au paradis. Il fut très déçu de ne pas assister une l'éruption du volcan.

■ Dans la charmante ville de **Taormina**, en bordure de mer, vous découvrirez le théâtre antique avec, en toile de fond, un paysage vallonné et l'Etna. Faites un tour dans les petits villages accrochés aux pentes du volcan ou accédez au cratère en funiculaire.

■ L'intérieur de la **cathédrale de Monreale**, sur les hauteurs de Palerme, est couvert de mosaïques byzantines qui ont fait la célébrité du lieu.

Prenez le temps de découvrir Grasse, la ville des parfumeurs.

FRANCE

La route Napoléon

Suivez le chemin pris par Napoléon, de la Méditerranée jusqu'aux Alpes, et découvrez des paysages et des villes chargés d'histoire.

L e 1er mars 1815, Napoléon Ier, fuyant l'île d'Elbe où il a été exilé, débarque à Golfe-Juan. Six jours plus tard, après une traversée épique du sud de la France pendant laquelle il doit éviter les troupes royalistes, il fait son entrée à Grenoble. Parti avec 1 200 hommes, l'empereur déchu a su reconquérir de nombreux fidèles pendant ce périple. En 1932, le parcours qu'il suivit fut officiellement baptisé route Napoléon. Commencez le voyage à Cannes, qui n'était qu'un modeste port lorsque Napoléon y passa la nuit en 1815, puis prenez la direction de Grasse, capitale française de l'industrie du parfum. De là, suivez la route que prirent Napoléon et ses hommes à travers les collines de Castellane, puis celle qui les conduisit, dans des conditions météorologiques épouvantables, du col des Lecques (1 145 m) à Barrême. À Sisteron, sur la Durance, vous découvrirez la forteresse laissée alors sans garnison, ce qui permit à la troupe de mettre le cap sur Gap, petite ville du département des Hautes-Alpes. Après le col Bayard et le village de Corps, vous arriverez à Grenoble, où Napoléon reçut un accueil triomphal.

Quand ? Toute l'année. Pour faire comme Napoléon, partez en mars, mais attention, les montagnes de Haute-Provence pourraient être encore enneigées. La région est très fréquentée en été.

Combien de temps ? 1 semaine à pied. Napoléon parcourut 320 km en 6 jours, ne s'arrêtant que pour dormir. Vous pouvez effectuer le parcours en voiture sur une journée ; comptez 2 h sans les visites.

Préparation La route nationale 85 suit la route qu'emprunta Napoléon : c'est le meilleur moyen de refaire le parcours de l'empereur. Louez une voiture à Nice, aéroport le plus proche du début du circuit. Parmi les bonnes étapes : Castellane et Sisteron. Réservez vos hôtels à l'avance, quelle que soit la saison.

À savoir Chaque année, durant un week-end en mars, le débarquement de Napoléon à Golfe-Juan est rejoué par des figurants en costume : une fois de plus l'empereur et ses fidèles foulent le sol de France. Scènes de bataille, expositions, démonstrations équestres et bivouac sur la plage.

Internet www.provenceweb.fr, www.route-napoleon.com

TEMPS FORTS

■ La petite ville de Castellane se situe aux portes des spectaculaires **gorges du Verdon**. Ici, on ne peut qu'être impressionné par la capacité de Napoléon à motiver ses troupes pour traverser cette région hostile.

■ Situé à l'ouest de Gap et couvert d'une belle forêt, le **col Bayard** (1247 m) est le point culminant du parcours.

■ Étagée au-dessus de la baie de Cannes, **Grasse**, petite cité historique, mérite un arrêt pour son site admirable, ses parfumeurs et son musée consacré au peintre Fragonard.

■ Visitez **Grenoble**, ville universitaire, qui accueille de nombreux festivals culturels entre mars et juillet.

ESPAGNE

L'Espagne de Don Quichotte

Découvrez la région de la Manche, terre aride ponctuée de vieux moulins, qui sert de décor aux aventures du héros de Cervantès.

Créé par Cervantès, l'inoubliable Don Quichotte est un pauvre hidalgo (gentilhomme), plus très jeune, imprégné d'idéaux chevaleresques et animé du souci de défendre la veuve et l'orphelin. L'auteur a choisi de situer son récit, qui a les apparences d'une satire burlesque, dans la terre la moins hospitalière de son pays : la Manche, une région aride et désertée, qui fut longtemps une zone tampon entre la Castille catholique et l'Andalousie musulmane et dont le nom provient de l'arabe al Mansha, « terre sèche ». Don Quichotte n'a pas suivi de route formellement établie. À vous d'inventer la vôtre, en sachant qu'elle débute à Tolède et se termine à Cuenca. Un grand nombre de villes et de villages de la Manche revendiquent l'honneur d'avoir accueilli le héros de Cervantès. À Consuegra, Campo de Criptana et Mota del Cuervo, vous verrez des moulins qui pourraient bien être ceux avec lesquels il se bat, les prenant pour des géants. El Toboso, à l'ouest de Mota del Cuerva, est la ville de Dulcinée, la servante qu'il prend pour une princesse ; un musée consacré à Don Quichotte est installé dans une maison dont on dit qu'elle aurait été celle de sa bien-aimée. Mais le plus impressionnant reste le paysage, et c'est à Belmonte, forteresse en ruine du xveᵉ siècle, que vous retrouverez la quintessence de l'univers de Don Quichotte.

Quand ? Il peut faire très froid en hiver et très chaud en été. Au printemps, la région est verdoyante.

Combien de temps ? Il y a 200 km de Tolède à Cuenca en passant par Campo de Criptana.

Préparation Tolède et Cuenca sont les points de chute les plus logiques. Pour rester dans l'esprit du voyage, vous pourrez loger dans deux hôtels *paradors*, tous deux aménagés dans un couvent du xvieᵉ siècle : l'un à Cuenca, l'autre à Almagro.

À savoir Inaugurée en 2005, la route Don Quichotte couvre un vaste réseau de routes et de chemins reliant les principales villes et les villages de la Manche. Le mieux est de les parcourir à pied, à vélo, voire à cheval, comme Don Quichotte !

Internet www.spain.info

TEMPS FORTS

■ À **Campo de Criptana,** vous pourrez voir les dix moulins qui constituent le plus grand ensemble de la Manche. Certains ont été remis en état de marche et peuvent être visités. Ils sont particulièrement beaux à l'aube et au crépuscule.

■ Doté de nombreuses tourelles, **Belmonte** est l'un des plus remarquables châteaux d'Espagne. Construit en 1456, il fut restauré pour l'impératrice Eugénie dans les années 1870 avant d'être de nouveau laissé à l'abandon.

■ On produit dans la Manche un **vin d'appellation d'origine contrôlée** et un excellent fromage à pâte dure à base de lait de brebis, le manchego.

Les moulins à vents et le château de Consuegra au lever du jour incarnent l'esprit et l'austère beauté de la Manche.

ESPAGNE

À Saint-Jacques-de-Compostelle

Pour les chrétiens, le voyage à Saint-Jacques-de-Compostelle est source d'une grande émotion spirituelle. Pour les autres, c'est l'un des plus beaux périples d'Europe.

Depuis près de 1 200 ans, les fidèles suivent un chemin qui les conduit à l'ouest de l'Espagne, dans l'un des lieux saints les plus vénérés de la chrétienté : la cathédrale de Saint-Jacques de Compostelle, où sont censées se trouver les reliques de Jacques le Majeur, l'un des apôtres. Cette ville de Galice se trouve entre les ports de Vigo et de La Corogne, non loin d'un des littoraux les plus spectaculaires d'Espagne. Pour y arriver, les pèlerins peuvent emprunter différents itinéraires dont le Camino Francés (chemin français), le plus célèbre, inscrit par l'Unesco au patrimoine de l'humanité en 1993. Le chemin franchit les Pyrénées au col de Roncevaux – où, selon la légende, le chevalier Roland aurait été vaincu par les Sarrasins – puis prend la direction de l'ouest. Le périple vous donnera l'occasion d'admirer de magnifiques témoignages d'architecture médiévale. À Puenta de la Reina, passé Pampelune, le Camino Francés rejoint le Camino Aragonés (chemin aragonais) qui emprunte un joli pont du XIᵉ siècle. Les pèlerins du Moyen Âge s'arrêtaient à l'hospice de Santo Domingo de la Calzada et les voyageurs d'aujourd'hui peuvent en faire autant : l'auberge médiévale est devenue un luxueux *parador*. En poursuivant en direction de l'ouest, vous atteindrez Burgos et León, deux villes dont les magnifiques cathédrales symbolisent la quête spirituelle des pèlerins. À Ponferrada, l'imposante commanderie des Templiers rappelle le passé mouvementé de la région. L'arrivée à Saint-Jacques de Compostelle marque le point d'orgue du voyage.

Quand ? Toute l'année, mais le printemps et le début de l'été (avril-juin) constituent le meilleur moment. Il fait froid et humide en hiver et la chaleur du milieu de l'été rend éprouvantes les visites à pied.

Combien de temps ? 240 km. Il faut compter 2 semaines environ, à raison de 10 à 30 km par jour.

Préparation Prévoyez de bonnes chaussures de marche et des vêtements de pluie, car la Galice est une région sujette à de fortes précipitations, quelle que soit la saison. Les possibilités d'hébergement sont nombreuses, mais mieux vaut réserver à l'avance du fait de l'affluence. Le réseau de transports (bus, train) est très développé et de nombreuses portions du parcours peuvent être faites en VTT.

À savoir Le Camino Francés offre une bonne signalétique : flèches jaunes sur les murs et les arbres, panneaux marqués de la coquille, emblème de saint Jacques le Majeur et du pèlerinage.

Internet www.chemins-compostelle.com, www.webcompostella.com

TEMPS FORTS

■ **Le col de Roncevaux** est le point culminant du chemin. Une fois que vous l'aurez franchi, vous commencerez votre descente vers l'Espagne.

■ **Pampelune**, célèbre pour ses courses de taureaux organisées à la Saint-Firmin, est la première ville du parcours. Ne manquez pas sa belle cathédrale gothique, bâtie dans une pierre aux tons ocre.

■ Deuxième grande ville du circuit, Burgos compte elle aussi une magnifique cathédrale gothique. Plus loin, arrêtez-vous à León : vous serez ébloui par la cathédrale, réputée pour ses **vitraux exceptionnels**.

■ Terminez une bonne journée de marche dans un **bar typique** en grignotant quelques tapas et en sirotant un verre de vin.

■ Le premier coup d'œil aux flèches de la cathédrale, à la fin du voyage, est une véritable récompense. L'édifice domine la grande place de Praza do Obradorio, au cœur d'un quartier abritant des **trésors d'architecture médiévale** ayant peu d'équivalents en Europe.

Ci-dessus : À travers la ville, des statues de pèlerins symbolisent la quête spirituelle des millions de croyants qui ont effectué le voyage. Ci-contre : La découverte de l'imposante façade baroque de la cathédrale de Saint-Jacques constitue le temps fort du pèlerinage ; l'intérieur de l'édifice abrite de véritables trésors.

Le musée des Écrivains est une splendide demeure de style géorgien. Sa visite est une étape indispensable dans le parcours littéraire que vous effectuerez à travers Dublin.

IRLANDE

Dublin avec James Joyce

La capitale de l'Irlande attire les visiteurs curieux de revivre la journée évoquée dans l'une des œuvres majeures des années 1920.

Bien que né et élevé à Dublin, James Joyce (1882-1941) passa l'essentiel de sa vie d'adulte à l'étranger. Celui qui, dès l'âge de 20 ans, déclara qu'il était « malade de Dublin » et connut un exil volontaire à Trieste, à Zurich et à Paris et fit pourtant de sa ville natale le décor de la plupart de ses œuvres. Érudits et vivants, drôles et truculents, ses livres décrivent cette ville pleine de caractère. Chef-d'œuvre de la littérature du xxᵉ siècle, *Ulysse,* l'ouvrage le plus connu de James Joyce (1922), est un voyage initiatique dont la forme bouscule tous les systèmes temporels et les formes traditionnelles de la narration. Le roman inspire aujourd'hui encore de nombreux séjours dans la ville. L'action se déroule au cours de la journée du 16 juin 1904, vue à travers le regard des trois principaux protagonistes du livre, Stephane Dedalus, Molly et Léopold Bloom, amenés à se déplacer à travers la ville. L'action débute à la tour Martello de Sandycove, dans la baie de Dublin, se poursuit dans la maison de Bloom et met en scène, entre autres, plusieurs pubs, la Bibliothèque nationale ainsi qu'un enterrement. Aujourd'hui, les admirateurs de Joyce célèbrent le « Bloomsday » tous les ans en juin — souvent vêtus de costumes d'époque —, en suivant les pérégrinations du héros du livre. L'année 2004 aura été marquée par le centième anniversaire du Bloomsday.

Quand ? Bloomsday est célébré chaque année le 16 juin, et différentes manifestations concernant Joyce ont lieu autour de cette date. Il est cependant possible de visiter Dublin en toute saison.

Combien de temps ? Les événements évoqués dans *Ulysse* se déroulent l'espace d'une journée, entre 8 h et 2 h du matin. Si vous ne voulez pas vous contenter du Bloomsday, la visite de Dublin peut facilement occuper plusieurs jours.

Préparation *Ulysse* est un ouvrage réputé à juste titre difficile. Il est conseillé de commencer par la lecture de *Gens de Dublin,* recueil de nouvelles ayant pour thème la ville et ses habitants.

À savoir Achetez le Dublin Pass, il permet d'accéder aux principaux sites touristiques de la ville.

Internet www.visitdublin.com, www.jamesjoyce.ie

TEMPS FORTS

■ Léopold Bloom appréciait la Guinness. Visitez l'**entrepôt Guinness**, l'une des premières attractions de la ville, ou buvez une pinte dans le quartier de **Temple Bar** où se trouve un grand nombre d'établissements parmi les mille pubs de Dublin.

■ Le **Davy Byrnes pub** (21 Duke Street) apparaît dans *Gens de Dublin* et dans *Ulysse.* Comme Bloom, commandez-y un sandwich au fromage et un verre de vin.

■ Le **James Joyce Centre** organise toute l'année des manifestations et propose un programme spécial pour la semaine de Bloomsday. Il organise des promenades à travers Dublin sur le thème des rapports de Joyce avec sa ville natale.

EUROPE

ISRAËL/PALESTINE

Jésus en Terre sainte

Découvrez les lieux associés à la vie de Jésus. Ces sites
à l'histoire millénaire sont empreints d'une profonde spiritualité.

D ans ce circuit, Jérusalem et Bethléem réservent les émotions les plus fortes – visitez-les en dernier. Commencez par l'église de l'Annonciation à Nazareth, ville où Jésus passa son enfance. Il fut baptisé vers l'âge de 30 ans dans les eaux du Jourdain par Jean-Baptiste et commença dès lors à prêcher. Jésus choisit de s'établir à Capharnaüm, cité située en bordure de la mer de Galilée (le lac de Tibériade) où vivaient Pierre et plusieurs autres de ses disciples. Vous pourrez y voir les fouilles de la synagogue où il dispensa son enseignement. Non loin, vous découvrirez le mont des Béatitudes, où il aurait prêché le sermon sur la Montagne, et Tagba, où s'élève une église du Vᵉ siècle commémorant le miracle de la multiplication des pains. L'église de la Nativité, érigée sur la grotte où Jésus vit le jour, se trouve à Bethléem, dans les territoires contrôlés par l'Autorité palestinienne. Jésus affronta les autorités juives sur le mont du Temple, dans la Vieille Ville de Jérusalem. Sur cette colline furent construits par la suite la Coupole du Rocher, lieu de pèlerinage pour les musulmans, et la mosquée al-Aqsa. Le mont des Oliviers, où se trouvait le jardin de Gethsémani, domine la Vieille Ville ; c'est ici que Jésus fut arrêté. L'église du Saint-Sépulcre s'élève sur les lieux où il fut crucifié.

Quand ? Toute l'année. Il fait très chaud en été (particulièrement en août) et il peut neiger en hiver. Les pèlerins sont nombreux à Jérusalem durant la période de Pâques.

Combien de temps ? Les voyages organisés effectuent le parcours en 7 à 10 jours. En règle générale, la moitié du séjour est consacrée à Jérusalem et Bethléem.

Préparation Les problèmes de sécurité aux frontières font qu'il peut être difficile de se déplacer entre les différents sites. Soyez prêts à changer vos plans à la dernière minute. Néanmoins, les pèlerins chrétiens constituent une part non négligeable des visiteurs et le parcours est bien balisé.

À savoir Le stop est un moyen de se déplacer en Israël, où les automobilistes n'hésitent pas à s'arrêter.

Internet www.biblelieux.com

TEMPS FORTS

■ Naviguez sur la **mer de Galilée** pour découvrir les lieux où Jésus prêcha et où se déroulèrent plusieurs des miracles qui lui sont attribués.

■ L'**église de la Nativité**, à Bethléem, est l'une des églises les plus anciennes encore en activité. Elle est placée sous l'administration conjointe des églises catholique romaine, grecque orthodoxe et arménienne apostolique.

■ À Jérusalem, le Mur des lamentations est le seul vestige du temple d'Hérode, détruit par les Romains en 70. Le **mont du Temple** est un lieu sacré pour les juifs, les musulmans et les chrétiens ; la ferveur religieuse y est palpable.

Situé sur les hauteurs de la Vieille Ville de Jérusalem, le site du jardin de Gethsémani, où Jésus fut arrêté, abrite des oliviers parmi les plus vieux au monde.

Index

CRÉDITS

Auteurs

Ian Alexander
Derek Barton
Rich Beattie
Karen Berger
Eleanor Berman
Hilary Bird
Hannah Bowen
Amanda Castleman
Marolyn Charpentier
Lucy Denyer
Olly Denton
Rachel Dickinson
Anne-Marie Edwards
Peter Ellegard
Polly Evans
Paul Franklin
Ellen Galford
Robin Gauldie
Jen Green
Sue George
Ned Goodwin
Chris Gutowsky
Lisa Halvorsen
Solange Hando
Marcus Hardy
Julie Hatfield
Colin Hutchinson
Tom Jackson
Marie Javins
Laura Kearney
Andrew Kerr-Jarrett
Judy Kirkwood
Tom LeBas
Mike Lee
Kathy Leong
Marian Marbury

Oliver Marshall
Antony Mason
Conrad Mason
Rick McCharles
Meg McConahey
John McGee
Margaret McPhee
John Motoviloff
Peter Neville-Hadley
Sue Norris
Rose O'Dell King
James Oseland
Bethanne Patrick
Alice Peebles
Ellen Perlman
Kathleen Pierce
Yukari Pratt
Dean Pulley
John Ralph
Zoe Ross
Rich Rubin
Dave Saunders
Jenna Schnuer
Stephanie Shorey
Donald Sommerville
Peter Sommer
Amy Smith
Lally Snow
Linda Tagliaferro
Alex Talavera
(traduit par Randy
B. Hecht)
Jenny Waddell
Joby Williams
Kevin Wiltshire
Joe Yogerst

Crédits photographiques

Abréviations :

GI (Getty Images) ; LPI (Lonely Planet Images) ;
RH (Robert Harding).

1 de gauche à droite : Ron Watts/Corbis ; Lee
Cohen/Corbis ; ©Paul Beinssen/LPI ; Ray Juno/
Corbis ; ©Chris Mellor/LPI ; Pete Atkins/GI. **2-3**
Louie Psihoyos/Corbis. **4** ©Chris Mellor/LPI. **5**
©Dallas Stribley/LPI (1) ; ©Witold Skrypczak/
LPI (2) ; Bob Green Photography (3) ; ©Andrew
Bain/LPI (4) ; Randall Stewart/Shutterstock (5) ;
Oliver Strewe/GI (6) ; Steve Bly/GI (7) ; Peter
Ellegard (8) ; ©David Tomlinson/LPI (9). **6**
Gavin Hellier/GI. **8-9** ©Dallas Stribley/LPI. **10**
©Ann Cecil. **11** ©Richard Cummins/LPI.
12 ©Richard Cummins/LPI. **13** Parks Canada,
Trent-Severn Waterway. **14-15** ©Krzysztof
Dydynski/LPI. **16** ©Richard Cummins/LPI. **17**
Sylvain Grandadam/RH. **18** ©Steve Simonsen/
LPI. **19** ©Jean-Bernard Carillet/LPI, L ; Windstar
Cruises/www.windstarcruises.com, R. **20**
©Margie Politzer/LPI. **21** ©Ralph Lee Hopkins/
LPI. **22** ©John Borthwick/LPI. **23** ©Lee Foster/
LPI, L ; ©Leanne Walker/LPI, R. **24** ©Eric L.
Wheater/LPI. **25** ©Martin Moos/LPI. **26** ©Peter
Solness/LPI. **27** ©Jane Sweeney/LPI. **28** ©Craig
Pershouse/LPI. **29** ©Eddie Gerald/LPI, L ; ©Paul
Beinssen/LPI, R. **30** Todd Gipstein/National
Geographic Image Collection. **31** Sampo Tours/
www.sampotours.com. **32** ©John Borthwick/
LPI. **33** ©Ralph Lee Hopkins/LPI, L ; ©Kerry
Lorimer/LPI, R. **34** ©Christopher Wood/LPI. **35**
©Anders Blomqvist/LPI. **36** ©Jonathan Smith/
LPI. **37** Bob Krist/Corbis. **38-39** ©Charlotte
Hindle/LPI. **40** ©David Greedy/LPI. **41** ©Glenn
van der Knijff/LPI. **42-43** Joel Sartore/National
Geographic Image Collection. **44** Solange
Hando. **45** ©Dallas Stribley/LPI. **46**
©Christopher Groenhout/LPI. **47** ©Craig
Pershouse/LPI, L ; ©George Tsafos/LPI, R. **48**
©Mike Cottee/LPI. **49** Andrew Kerr Jarrett.

50 ©Ariadne Van Zandbergen/LPI. **51** ©Karl
Lehmann/LPI. **52-53** Witold Skrypczak/LPI.
54 ©Paul Kennedy/LPI. **55** Guido Cozzi/Corbis.
56-57 John Meek. **58** ©Kraig Lieb/LPI. **59**
©Philip & Karen Smith/LPI, L ; ©Lawrence
Worcester/LPI, R. **60** Witold Skrypczak/LPI.
61 ©Jim Wark/LPI. **62** ©Chris Barton/LPI. **63**
©James Lyon/LPI. **64** ©Frank Carter/LPI. **65**
©Chris Mellor/LPI. **66** ©Sara-Jane Cleland/LPI.
67 ©Anthony Plummer/LPI, L ; ©Lindsay
Brown/LPI, R. **68** ©David Tomlinson/LPI. **69**
©Holger Leue/LPI. **70** ©John Banagan/LPI. **71**
©Oliver Strewe/LPI, L/R. **72** ©Paul Harding/LPI.
73 ©Gareth McCormack/LPI. **74** ©Richard
Cummins/LPI. **75** ©Greg Gawlowski/LPI. **76**
©David Tomlinson/LPI. **77** ©Brent
Winebrenner/LPI. **78** ©John Elk III/LPI. **79**
©David Tomlinson/LPI, L ; ©Philip & Karen
Smith/LPI, R. **80** ©Chris Mellor/LPI. **81** ©Rich-
ard I'Anson/LPI. **82** ©Christopher Wood/LPI. **83**
©Ariadne Van Zandbergen/LPI. **84-85** Bob
Green Photography. **86-87** Curt Bianchi/
Cumbres & Toltec Scenic Railroad/www.
cumbrestoltec.com. **88** ©John Elk III/LPI. **89**
©Manfred Gottschalk/LPI. **90** Chiva Express/
www.chivaexpress.com. **91** Kenneth Garrett/
National Geographic Images Collection. **92-93**
Bob Green Photography. **94** ©Phil Weymouth/
LPI. **95** ©Patrick Ben Luke Syder/LPI. **96**
©Bradley Mayhew/LPI. **97** P A Photos. **98**
©Chris Beall/LPI. **99** ©Claver Carroll/LPI. **100**
©Richard I'Anson/LPI. **101** ©Mark Andrew
Kirby/LPI. **102** ©David Wall/LPI. **103** Great
Southern Railway/www.railaustralia.com.au/
indian_pacific.htm. **104** ©Justin Jeffrey/LPI. **105**
©Peter Solness/LPI. **106** ©Christopher Wood/
LPI. **107** ©Anders Blomqvist/LPI. **108-109**
©Bethune Carmichael/LPI. **110** ©Mark Daffey/
LPI. **111** Dr Shirley Sherwood/Venice Simplon-
Orient-Express/www.orient-express.com. **112**
©David Tomlinson/LPI. **113** ©Chris Mellor/LPI,
L ; ©Glenn van der Knijff/LPI, R. **114** Jungfrau
Railway/www.jungfraubahn.ch. **115** ©Izzet
Keribar/LPI. **116** ©Ralph Lee Hopkins/LPI. **117**
©Ariadne Van Zandbergen/LPI, L ; ©Mitch
Reardon/LPI, R. **118-119** ©Andrew Bain/LPI.
120 ©Kim Grant/LPI. **121** ©Brent Winebrenner/
LPI. **126** ©Karl Lehmann/LPI. **122-123** ©Grant
Dixon/LPI. **124** Tim Tadder/Corbis. **125** ©Carol
Polich/LPI, L ; John Frisch, R. **127** ©Chris
Barton/LPI. **128** ©Jeffrey Becom/LPI. **129** ©Judy
Bellah/LPI, L ; ©Wes Walker/LPI, R. **130** ©Brent
Winebrenner/LPI. **131** ©Nick Tapp/LPI, L ;
©Shannon Nace/LPI, R. **132** ©Bob Charlton/
LPI. **133** ©Nicholas Pavloff/LPI. **134** ©Mark
Daffey/LPI. **135** ©Peter Solness/LPI, L ; ©Mark
Daffey/LPI. **136** ©Jerry Alexander/LPI. **137**
©Sara-Jane Cleland/LPI. **138-139** David
Muench/Corbis. **140** ©Staeven Vallak/LPI. **141**
©Andrew Peacock/LPI. **142** ©Grant Dixon/LPI.
143 ©John Mock/LPI, L ; ©Richard I'Anson/LPI,
R. **144** ©Martin Moos/LPI. **145** ©Christopher
Groenhout/LPI. **146** ©Mark Parkes/LPI. **147**
©Oliver Strewe/LPI. **148-149** ©Bill Bachmann/
LPI. **150** ©David Tipling/LPI. **151** ©David
Greedy/LPI. **152** ©Chris Mellor/LPI. **153**
©Oliver Strewe/LPI. **154-155** JTB Photo/
Photolibrary.com. **156** ©Witold Skrypczak/LPI.
157 ©John Elk III/LPI. **158** ©John Elk III/LPI.
159 ©Roberto Gerometta/LPI, L ; ©Philip &
Karen Smith/LPI, R. **160** Olga Shelego/
Shutterstock. **161** ©Amerens Hedwich/LPI. **162**
Alma Molemans/Madeira Islands Travel/www.
madeiratourism.org. **163** ©Bill Wassman/LPI, L ;
©Adina Tovy Amsel/LPI, R. **164** Travel Library/
RH. **165** ©Richard I'Anson/LPI. **166-167**

Randall Stewart/Shutterstock. **168** ©Frank
Carter/LPI. **169** Layne Kennedy/Corbis. **170**
Charles Lenars/Corbis. **171** ©Witold Skrypczak/
LPI. **172** ©Patrick Horton/LPI. **173** Oriental
Touch/RH. **174** ©Anders Blomqvist/LPI. **175**
©Wayne Walton/LPI. **176** Eric Crichton/Corbis.
177 ©David Tipling/LPI, L ; ©David Tomlinson/
LPI, R. **178** ImageWorks/Frank Pedrick/TopFoto.
179 ©Jean-Bernard Carillet/LPI. **180** ©Diana
Mayfield/LPI. **181** ©Diana Mayfield/LPI, L/R.
182 ©Richard Nebesky/LPI. **183** ©Anthony
Pidgeon/LPI. **184** ©Damien Simonis/LPI. **185**
©Hannah Levy/LPI. **186-187** Bryan & Cherry
Alexander/Arcticphoto.co.uk. **188**
agefotostock/Superstock. **189** ©Oliver Strewe/
LPI. **190** ©George Tsafos/LPI. **191** ©Anders
Blomqvist/LPI. **192** ©John Elk III/LPI. **193**
©Olivier Cirendini/LPI, L ; ©Wes Walker/LPI, R.
194 ©Bethune Carmichael/LPI. **195** ©Richard
I'Anson/LPI. **196** ©Richard I'Anson/LPI. **197**
©Richard I'Anson/LPI, L ; ©Michael Gebicki/
LPI, R. **198-199** Oliver Strewe/GI. **200** ©Juliet
Coombe/LPI. **201** ©Jerry Alexander/LPI. **202**
©Jerry Alexander/LPI. **203** ©Brent
Winebrenner/LPI. **204** ©Greg Elms/LPI. **205**
©Richard I'Anson/LPI. **206** ©Richard I'Anson/
LPI. **207** ©Juliet Coombe/LPI, L ; ©Jerry
Alexander/LPI, R. **208** ©Anders Blomqvist/LPI.
209 ©Rob Blakers/LPI. **210** ©Dallas Stribley/LPI.
211 R. H. Productions/RH, L ; David Hanson/GI,
R. **212** ©Andrew Peacock/LPI. **213** Margaret
River Tourism Association. **214** Steve Raymer/
Corbis. **215** Bruichladdich Distillery/www.
bruichladdich.com. **216** ©Richard Nebesky/LPI.
217 Michael Freeman/Corbis. **218** Sandro
Vannini/Corbis. **219** Sandro Vannini/Corbis, L/
R. **220** ©Neil Setchfield/LPI. **221** Adam
Woolfitt/RH. **222-223** ©Jean-Bernard Carillet/
LPI. **224** Michael Busselle/RH. **225** Owen
Franken/Corbis. **226** ©John Elk III/LPI. **227**
©Bethune Carmichael/LPI. **228** Peter Adams/
GI. **229** Rui Vale de Sousa/Shutterstock. **230**
Nico Tondini/RH. **231** Geoffrey Whiting/
Shutterstock. **232** ©Michael Aw/LPI. **233**
©Michael Aw/LPI, L ; ©Holger Leue/LPI, R. **234-**
235 Steve Bly/GI. **236** ©Michael Aw/LPI. **237**
©Lee Foster/LPI. **238** ©Rick Rudnicki/LPI. **239**
©Rick Rudnicki/LPI. **240** Brenda Arlene Smith/
Shutterstock. **241** ©John Elk III/LPI. **242**
©Mark Newman/LPI. **243** ©John Elk III/LPI, L/
R. **244** Mark A. Johnson/Corbis. **245** Rossano
Boscarino/Aventura Tierra Adventro, Inc/
www.aventuraspr.com. **246** ©Ralph Hopkins/
LPI. **247** Jeff Hunter/GI. **248-249** Carl Schneider/
GI. **250** ©Michael Taylor/LPI. **251** ©Tom
Boyden/LPI. **252** ©Brent Winebrenner/LPI. **253**
Bruno Fert/Corbis. **254** ©Judy Bellah. **255**
©Brent Winebrenner/LPI. **256** ©John Hay/LPI.
257 John Hay/LPI, L/R. **258** ©Christer
Fredriksson/LPI. **259** ©Jason Edwards/LPI. **260**
Luca Trovato/GI. **261** ©Neil Setchfield/LPI. **262**
©Richard Cummins/LPI. **263** Chris Gutowsky.
264 ©Frans Lemmens/LPI. **265** ©Frans
Lemmens/LPI. **266-267** Nic Bothma/Corbis. **268**
©Jeff Cantarutti/LPI. **269** ©Michael Gebicki/LPI.
270 ©Diana Mayfield/LPI. **271** Kim Hart/RH.
272 ©Ralph Hopkins/LPI. **273** ©Wayne Walton/
LPI, L/R. **274** ©Sara-Jane Cleland/LPI. **275**
©Tim Rock/LPI. **276** Chris Weston. **277** ©Mitch
Reardon/LPI, L ; ©Ariadne Van Zandbergen/LPI,
R. **278** ©Ariadne Van Zandbergen/LPI. **279**
Martin Harvey/GI. **280-281** Peter Ellegard. **282**
©Richard Cummins/LPI. **283** ©Ernest
Manewal/LPI. **284** ©John Elk III/LPI. **285**
©Holger Leue/LPI, L/R. **286** ©Juliet Coombe/
LPI. **287** ©Lawrence Worcester/LPI.

288 ©Michael Lawrence/LPI. **289** ©Chris Beall/
LPI. **290-291** Stuart Westmorland/Corbis. **292**
©Ralph Hopkins/LPI. **293** ©Ralph Hopkins/LPI,
L/R. **294** ©Richard I'Anson/LPI. **295** ©Holger
Leue/LPI. **296** ©Dennis Johnson/LPI. **297**
©David Wall/LPI. **298** ©Mark Honan/LPI. **299**
©Richard Nebesky/LPI. **300** ©Juliet Coombe/
LPI. **301** ©Juliet Coombe/LPI. **302** ©Tony
Wheeler/LPI. **303** ©Richard I'Anson/LPI. **304-**
305 ©David Tomlinson/LPI. **306** ©Stephen Saks/
LPI. **307** Yves Travert/Photolibrary.com. **308-309**
Diane Cook & Len Jenshel/GI. **310** ©Richard
I'Anson/LPI. **311** ©Ray Laskowitz/LPI. **312** Bill
Ross/Corbis. **313** ©John Mock/LPI, L ; ©Lee
Foster/LPI, R. **314** ©Chris Barton/LPI. **315**
©Doug McKinlay/LPI. **316** ©Ralph Hopkins/
LPI. **317** ©Michael Aw/LPI. **318** ©Krzysztof
Dydynski/LPI. **319** ©Bill Wassman/LPI. **320**
©Jonathan Smith/LPI. **321** ©Keren Su/LPI.
322-323 ©Richard Cummins/LPI. **324** Jean du
Boisberranger/GI. **325** ©Martin Moos/LPI. **326**
©Richard I'Anson/LPI. **327** ©Witold Skrypczak/
LPI. **328** ©Damien Simonis/LPI. **329** ©Wayne
Walton/LPI, L/R. **330** Bruno Barbier/RH. **331**
©Paul Hellander/LPI.

PHOTOS DE LA COUVERTURE

Image de fond : Mark Mawson/Robert Harding.
Bandeau de gauche à droite :
©Keren Su/LPI ; © Chris Mellor/Lonely Planet
Images ; ©Richard I'Anson/LPI ; Ron Watts/
Corbis ; © Steve Simonsen/Lonely Planet Images.

4e de couverture :
Bandeau de gauche à droite :
©Michael Aw/LPI ; ©Ernest Manewal/LPI ;
© Paul Beinssen/Lonely Planet Images ; Ray
Juno/Corbis ; ©Nicholas Pavloff/LPI.

400 VOYAGES DE RÊVE
est une publication de la National Geographic Society

Président directeur général : John M. Fahey, Jr.
Président du conseil d'administration : Gilbert M. Grosvenor
Premier vice-président et président du Département livres : Nina D. Hoffman

DÉPARTEMENT LIVRES
Vice-président et directeur du Département livres : Kevin Mulroy
Directeur de la photographie et des illustrations : Leah Bendavid-Val
Directeur de la maquette : Marianne R. Koszorus
Éditeur : Barbara Brownell Grogan
Directeur des publications touristiques : Elizabeth Newhouse
Directeur de la cartographie : Carl Mehler

Responsable du projet : Lawrence M. Porges
Conseiller artistique : Carol Farrar Norton
Collaboratrice : Mary Stephanos
Responsable éditoriale : Jennifer A. Thorntonr
Directeur de la production : Gary Colbert

FABRICATION ET CONTRÔLE QUALITÉ
Directeur financier : Christopher A. Liedel
Vice-président : Phillip L. Schlosser
Directeur technique : John T. Dunn
Directeur : Chris Brown
Chefs du service fabrication et contrôle qualité : Maryclare Tracy,
    Nicole Elliott,

ÉDITION ORIGINALE
réalisée par TOUCAN BOOKS LTD
par Ellen Dupont, Helen Douglas-Cooper,
Andrew Kerr-Jarrett et Alice Peebles, Editors
Copyright © 2007 Toucan Books Ltd.

ÉDITION FRANÇAISE
© 2008 par la National Geographic Society.
Tous droits réservés.

NG FRANCE
Directrice éditoriale : Françoise Kerlo
Responsable d'édition : Marilyn Chauvel
Responsable de production : Alexandre Zimmowitch

Réalisation éditoriale : ML ÉDITIONS, PARIS
Traduction : Catherine Zerdoun, Valentine Palfrey
Édition : Valérie Langrognet
Correction : Marie-Pierre Le Faucheur

Première institution scientifique et pédagogique à but
non lucratif du monde, la National Geographic Society
a été fondée en 1888 « pour l'accroissement et la diffusion
des connaissances géographiques ». Depuis lors, elle a apporté
son soutien à de nombreuses expéditions d'exploration
scientifique et fait découvrir le monde et ses richesses
à plus de neuf millions de membres par le biais de ses
différentes productions et activités : magazines, livres,
programmes de télévision, vidéos, cartes et atlas, bourses
de recherche. La National Geographic Society est financée
par les cotisations de ses membres et la vente de ses produits
éducatifs. Ses adhérents reçoivent le magazine National
Geographic – la publication officielle de l'institution.
Le magazine existe en français depuis octobre 1999.

Visitez le site Internet de National Geographique France :
www.nationalgeographic.fr.

ISBN : 978-2-84582-257-3

Dépôt légal : avril 2008
Imprimé chez Cayfosa-Quebecor (Espagne)